Kronik

Gazi Mustafa Kemal
ATATÜRK

—

İLBER ORTAYLI

KRONİK KİTAP: 42
Türkiye Tarihi Dizisi: 8

YAYIN YÖNETMENİ
Adem Koçal

EDİTÖR
Can Uyar
Erhan Çifci

KAPAK TASARIMI
CUMBA.CO

MİZANPAJ
Kronik Kitap

1. Baskı Ocak 2018, İstanbul

ISBN
978-975-2430-29-7

KRONİK KİTAP
Balçık Sk. N°6, Gümüşsuyu
İstanbul - 34327 - Türkiye
Telefon: (0212) 243 13 23
Faks: (0212) 243 13 28
kronik@kronikkitap.com

Kültür Bakanlığı Yayıncılık
Sertifika No: 34569

www.kronikkitap.com
kronikkitap

BASKI VE CİLT
Pasifik Ofset
Cihangir Mah. Güvercin Cad. No: 3/1
A Blok Kat: 2 Haramidere/İstanbul
Telefon: (0212) 412 17 77
Matbaa Sertifika No: 12027

İLBER ORTAYLI

GAZİ MUSTAFA KEMAL ATATÜRK

İLBER ORTAYLI

1947 yılında doğdu. İlk ve orta öğrenimini İstanbul ve Ankara'da tamamladı. 1965'te Ankara Atatürk Lisesi'nden mezun oldu. Ankara Üniversitesi Siyasal Bilgiler Fakültesi (1969) ile Ankara Üniversitesi Dil ve Tarih-Coğrafya Fakültesi Tarih Bölümü'nü bitirdi. Viyana Üniversitesi'nde Slavistik ve Orientalistik okudu. Chicago Üniversitesi'nde yüksek lisans çalışmasını Prof. Dr. Halil İnalcık ile yaptı. "Tanzimat Sonrası Mahallî İdareler" ile doktor, 1979'da "Osmanlı İmparatorluğu'nda Alman Nüfuzu" çalışmasıyla da doçent oldu. 1983'te istifa etti. Viyana, Cambridge, Oxford ve Tunus üniversitelerinde misafir öğretim üyeliğiyle birlikte seminerler ve konferanslar verdi. Yerli ve yabancı bilimsel dergilerde Osmanlı tarihinin 16.-19. yüzyıl ve Rusya tarihiyle ilgili makaleler yayımladı. 1989'da Ankara Üniversitesi Siyasal Bilgiler Fakültesi İdare Tarihi bilim dalı başkanı olarak göreve başladı. Ortaylı, 2005-2012 yılları arasında Topkapı Sarayı Müzesi Başkanlığı görevini sürdürmüştür. 2002-2014 yılları arasında Galatasaray Üniversitesi Hukuk Fakültesi'nde Hukuk Tarihi dersleri veren Ortaylı, halen bu üniversitede öğretim üyesi olarak ders vermeye devam etmektedir. Almanca, İngilizce, Fransızca, İtalyanca, Rusça ve Farsça dillerini bilen Ortaylı, Uluslararası Osmanlı Etüdleri komiteleri yönetim kurulu üyesi ve Avrupa İranoloji Cemiyeti üyesidir.

Yayınevimizdeki diğer kitapları:
Osmanlı Devleti'nde Kadı
İlber Ortaylı Seyahatnamesi
Cumhuriyet'in İlk Yüzyılı
Türklerin Altın Çağı

Mutlu ve onurlu bir vatanda yaşamaları dileğiyle
kızım Tuna'ya,
torunum Deniz Ali'ye
ve arkadaşlarına…

İÇİNDEKİLER

ÖNSÖZ

2018'de büyük önder Mustafa Kemal Atatürk'ü 80. ölüm yıldönümünde anacağız. Çağını etkileyen bir büyük filozof veya fizikçinin kurduğu düşünce sisteminin uzun zaman değişmeyen etkisinden bahsedilebilir. Ancak devlet adamları ve politikacılar için böyle bir ölümsüzlük hali ve özlem pek söz konusu değildir. Bir müzisyen veya bir ressamdan bahsedecek olursak o zaman Nietzsche'nin terimiyle Dionisyen sanatlar adına rey vermek gerekir. Fransa'nın ünlü politikacı ve düşünürü Edouard Herriot'nun Beethoven için söylediği sözler bir değişmez örnek olarak gösterilebilir. "Diğer gezegenlerden gelenlerin, sizin parlak neyiniz var?" sorusuna karşılık, "Beethoven'in 9. Senfonisi'ni gösteririm" demiştir. Şüphesiz ki böyle bir değerlendirmeyi 20. yüzyılın büyük liderleri için yapmak zordur; fakat aralarında bir tanesi vardır ki ülkesinin ve çevre dünyanın şartları onu hâlâ istisnai bir mevkide tutmaktadır.

Rusya İhtilâli'ne bakacak olursak Çar'ın, Aleksandr Kerenski, Vrangel ve Denikin'in Beyaz Ordular'ını yenen Bolşevik devriminin, zamanın karşısında duramadığını görürüz. Yıkmak istediği kapitalist dünyanın yarattığı koşullar sebebiyle inişe geçmiştir ve kendi türevi olan komünizmler de gerilemiştir. Almanları ölüme götüren, bin yıllık Reich'ın vadedicisi on sene sonra tarihin çöplüğüne düştü. Arda kalan sadece Türkiye Cumhuriyeti'nin kurucusu, Türkiye'nin son mareşali oldu. Tarihteki büyük Türk mareşalleri arasında halen mümtaz yerini muhafaza ediyor ve Türkiye Cumhuriyeti'nin politik sisteminin sağlam olmamasından ötürü millet Mustafa Kemal çağına sık sık dönüş yapıyor, ona olan özlemini her seferinde dile getiriyor.

Bu gelişmeler ve manzaranın ışığında Gazi Mustafa Kemal Atatürk nasıl ele alınabilir? Her şey bir yana, o, Türkiye tarihini ve Türk toplumunu değiştiren bir başbuğdur ve onun yaptıklarının izleri hukuk hayatında, kültürel alanda hiç değişmeyecek şekilde devam edecektir. Zira atılan temeller ve yeni rejimin izlerinin zaman içindeki değişimleri ancak kendi mantıkî yapısı içinde olabilir. Türkiye'nin eski yapıya dönmesi mümkün değildir. Önemli olan eskiyi değerlendirme ve onunla birlikte yaşama fikridir ki o da 20. yüzyıla ulaşan tarihî mirasa sahip çıkma tavrıdır. Kısa bir dönem içinde bazı değişiklikler olmuş ancak birçoğunun tutmadığı sonradan görülmüştür. Çünkü kısa sürede bir toplumun devrim gerçekleştirmesi mümkün değildir. Tarihte bir kapı açıldıktan sonra şayet kapanmıyorsa artık orada bir devrimden bahsedilebilir.

Yaptıklarıyla ve hatta yapamadıklarıyla Gazi Mustafa Kemal Atatürk Türkiye'yi bir gelişme sürecine sokmuştur. Üzerinde ısrarla durulması gereken noktalardan birisi milletler ve devletler meselesinin dünya savaşına sebep olduğu bir dönemde, Türkiye'nin 1920'lerden sonra barışçı kalmış olması ve barış içinde yaşayıp gelişme düsturuna sarılmış olmasıdır. Bunu o dönem için herkesin anlaması ve değerlendirmesi mümkün değildi. Bugün ise bu bir aktüel sorundur; fakat bu hayatî sorunun var olduğu dünya hâlâ kendisini düzenleyememiştir. Sorunlar ve çelişkiler büyük tezatlar halinde devam etmektedir. 1960'lardaki toz pembe ufuklarımız bile genellikle bir cehennem kızılına dönüşmektedir. Ümitlerin yok olduğu bir çağda yaşıyoruz. Bu zamanda Türklerin tutunduğu isimlerin başında ise Atatürk gelmektedir.

* * *

Tarihte kanun olamaz; teorinin kullanımıyla yapılan analiz ve betimlemeler de diğer sosyal bilimlere göre pekin metotlara dikkat etmekle olabilir. Bu kesin yöntemler epigrafi, arkeolojik malzemenin kuşkuya yer bırakmayacak şekilde değerlendirilmesi, diplomatik, nümizmatik ve paleografik malzeme, birinci elden vakayiname gibi kaynakların kullanılmasıdır. Tarihçi bunların kompozisyonunu yaparken âdeta bir edebiyatçı kişiliği takınır. Ayrıca unutmamak gerekir ki toplumsal olayları değerlendirirken tabiat olayları veya tabiat kanunlarının izah ettiği ilişkiler kadar insanın kendi bakış açısı da rol oynar. Lise çağlarında Batı Anadolu'da bir posta treniyle gezerken, Eylül aylarında İstiklâl, Balkan ve Birinci Dünya Savaşı gazilerine aynı kompartımanda rastlardık. Eylül ayı gazilerin gezi zamanıydı. Hepsini dinleme fırsatı buldum. Birçoğu zabitlerinden fazlasıyla şikâyet ediyorlardı. Türkiye'de okumuşla okumamış insan arasındaki gerilim onlar arasında da görülüyordu. Bunun üzerine "Peki, o zaman neden savaşa gittiniz?" diye sorduğumda "Sen anlaman; devlet ister giderik" cevabını vermişlerdi. Aynı şekilde Gazi Mustafa Kemal Paşa'nın da İstanbul'da pekâlâ rahat edebileceği pozisyonunu, Mütareke Dönemi'ndeki nazırlıkları ve unvanını kullanarak yaşamayı reddettiği, devleti yaşatmak için derhal Anadolu'ya geçtiği anlaşılıyor. Her sınıftan Türk insanını bu mistik devlet anlayışının etrafında toplayan işte bu içtenlik ve saygıdır.

Hiç şüphesiz ki çocukluktan itibaren Mustafa Necati ekolünden gelen öğretmenlerin üstün pedagojik yöntemleriyle Türkiye'nin ve Cumhuriyet'in tarihini sınıfımıza ve yaşımıza göre kademe kademe öğrendik. Bizim kuşak ortaokulda Kurtuluş Savaşı tarihini bugünün üniversite öğrencilerinden daha dikkatlice öğreniyor ve biliyordu. Elbette 1960'ların Türkiyesi'ne gelen yeni akımlarla Kemalizm de tartışılmaya başladı. Bugün Türkiye bu konuda daha realist bir değerlendirme yapıyor. Elbette Kemalizm'in karşısındaki görüşleri tamamıyla İslamcı gruplara bağlamak doğru değildir. Fazlur Rahman gibi modern dünyanın seçkin bir Müslüman bilginini Birleşik Devletler'de tanımak benim için bir şanstı. Aynı şekilde, Cezayir'in mümtaz evladı Profesör Muhammed Arkun'un Paris'teki ders ve konferanslarını takip etmek de öyleydi. İslam dünyası saplantılı ve dar görüşlü insanlardan oluşmamaktadır ve Kemalizm'e yakın önemli düşünürleri de vardır.

* * *

Kitabımızın adı *Gazi Mustafa Kemal ATATÜRK*... "Gazi" unvanını hükümdarlarımıza, büyük devlet adamlarına veririz. Bunlar bizzat savaş sahasındaki kumandanlarsa, gayretleriyle zafer kazanmış veya askerin şerefini kurtaran bir savaş sonunda geri dönmüşlerse bu unvanı alırlar (Gazi Hasan Paşa, Gazi Hüsrev Paşa, Gazi Osman Paşa gibi). Hükümdarların zamanında ordunun, devletin ve milletin onurunu kurtaracak şekilde savaşılmışsa, zaferle dönülmüşse veya Kanuni Sultan Süleyman'a kadarkiler gibi hükümdarlar bizzat savaş alanındaysa (III. Mehmed ve IV. Murad da bunlara dahildir) onlardan da gazi olarak bahsedilirdi. Ne var ki bu unvanı muhalif ve muvafık üyelerden oluşan bir Millet Meclisi'nin, zaferle biten Sakarya Meydan Muharebesi sonrasında kendi reisine, başkumandanına vermesi ilk defa gerçekleşmiştir. Mustafa Kemal, kurultay kararıyla başbuğ unvanı alan bir kumandan olmasının yanı sıra, İslam geleneğinin verdiği bu unvanı modern dünyanın şartları içinde kazanmış ve Mareşal rütbesi ve gazilik unvanı kendisine aynı anda verilmiştir. Bu eskilerin deyişiyle "maşerî vicdanın" bir tezahürüdür.

Bununla beraber Atatürk'le ilgili "Atatürk kurucumuzdur", "Atatürk 20. yüzyılın büyük devlet adamıdır" gibi devamlı kullanılan klişelerimiz var. Bunlar doğrudur ama elzem olan bazı sloganları maalesef kullanmıyoruz. Birincisi Atatürk, Türkiye Mareşali'dir. Büyük bir mareşaldir çünkü başka mareşalleri takdir etmeyi bilmiştir. Büyük mareşaldir çünkü sivil hayata geçmeyi bilmiştir. Bunlar onun en büyük özelliklerindendir. Büyük ve yaratıcı adamlar bu geçişleri kolaylıkla yaparlar. İkincisi Atatürk bir organizatördür. Hem askeri alanda hem de politikada başarı göstermiştir. Büyük bir devlet adamı olduğunun göstergesi olarak monarşiyi Cumhuriyet'e dönüştürmüş ki bu gerçek bir inkılabtır. Bu büyük inkılabı başka hangi inkılablarla besleyeceğini de bilmiştir. Cumhuriyet'i ilan etmiş olsa bile eski vagonda gitmeye devam edebilirdi. Ancak böyle yapmamıştır ve dolayısıyla kendisinden "Halaskârgazi", "Gazi Paşa", "Gazi Mustafa Kemal Atatürk", "Gazi Paşamız" unvanıyla bahsedilmesi uygundur.

Tarihin akışını değiştiren, ona mührünü vuran veya büyük tehlikelere mâni olan liderlere her memlekette rastlamak mümkün değildir. Türklerin her asırda büyük mareşallerinin ve büyük devlet adamlarının olduğu bilinmektedir ve Türkiye böylesi bir zenginliğe sahiptir; fakat Atatürk nadiren görülen bütünleyici bir yönetici, bir dehadır.

***

Birinci Dünya Savaşı yıllarının genç nesli ya yedek subay ya da nefer olarak cephelerde şehit düştüler. Kalanlar da hayata yeni bir Türkiye'de devam etmek şuuruna erdiler. Bu hayata devam eden insanların içinde dış dünyaya karşı bir hınç ve bir nevi gurur vardı. Bu halet-i ruhiye onları birtakım konularda bir araya getiriyordu. Tercihen bugünkü teorilerin aksine diktatoryadan, tek parti rejiminden bahsetmekle vakit geçirmemişler aksine bu rejimin, bu hükûmetin birtakım emirler ve düzenlemelerine bir gönüllüler ordusu olarak katılmışlardır. Metinde de görüleceği gibi bazı olayları izah etmek sanıldığı kadar kolay değildir. Bunlara örnek olarak eğitim seferberliğinden bahsedilebilir. Atatürk, Türkiye tarihinin gerçekten reformatör bir ismidir; çok ciddi, çok köklü reformlar yapmış bir adamıdır. Bir mareşal düşünün ki ordunun tahsisatını ve bütçesini kısarak maarife ve sağlık hizmetlerine yatırım yapıyor ve Türkiye birdenbire eğitim meselesini halletmek zorunda olan bir ülke haline geliyor. Peki nasıl oluyor da bu insanlar kadın erkek öğretmen olarak en ücra köşelere, mahrumiyet bölgelerine şevkle koşuyorlar? Nasıl oluyor da bir sürü insan penisilin ve sülfamitler gibi kolaylaştırıcı tedavi araçları ve Birleşmiş Milletler Sağlık Örgütü desteği gibi mekanizmalar olmadan Türkiye'de birtakım salgın hastalıklarla baş etmek için didiniyorlar? Bir sağlık ordusundan bahsedilebilir. Bu ordunun mensuplarının sadece maaş ve memuriyet zoruyla bu işi yaptığı düşünülemez.

Memuriyetin ve maaşın getirdiği tembellik ve lakaytlık ananesinin ortasında bu diriliş nasıl gerçekleşmiştir? Bu dirilişin genç nesilleri hiç şüphesiz ki İstiklâl Savaşı'nın kumandanlarının, en başta "Gazi'nin" arkasından yürümektedirler. Bu devrin ardından gelen çok partili hayat, darbeler ve acele oluşturulan kadrolar sebebiyle o dönem ruhu ve mirası bitti gibi görünse de o 15 yıllık zaman dilimi, bir model olarak insanların hafızasında ve önünde halen durmaktadır.

Atatürk bu milletin aranan lideridir. Millet, başı her sıkıştığında onu özler ve bu sebeple de silinemez bir şahsiyettir. Atatürk, yıpratılma seansları ile zarar görmeyecek, son derece önemli ve anıtsal bir siyasî portredir. Dolayısıyla, Atatürksüz tarih düşünülemez. Bunun böyle olduğu zamanla daha da iyi anlaşılacaktır. Tarih, Atatürk'ün etrafında şekillenmelidir ve öyle de olacaktır.

Bu çalışma Atatürk'e dair tartışmalı ayrıntıları araştıran bir monografi değildir. Maalesef Türkiye Devleti'nin, arşivleri ve Türk halkının 20. yüzyıldaki yazılı mirası hâlâ lakayt bir şekilde koruması, daha doğrusu koruyamaması söz konusudur. Bu kitapta bir dönemin panoramasını çizmeyi ve değerlendirmesini yapmayı düşündük; eğer enine boyuna bir tartışma alanı yaratacaksa bundan ancak haz duyarım.

Metnin gözden geçirilip düzenlenmesinde büyük desteklerini gördüğüm, Kronik Kitap'tan Adem Koçal'a, Can Uyar'a ve aziz dostum Ali Berktay'a teşekkürü bir borç bilirim.

İlber Ortaylı
Galatasaray Üniversitesi, Aralık 2017

1

İMPARATORLUĞU DİRİLTEN NESİL

İMPARATORLUĞU DİRİLTEN NESİL

1880'liler Kuşağı

Tarih yazarken hem Osmanlı İmparatorluğu'nun yıkılışından hem de Türkiye Cumhuriyeti'nin kuruluşundan bahsetmek durumundayız. Tarihçi ve hukukçu olarak bu bakış açısı normal gibi görünmektedir; zira aslında adı değişse de devlet devam etmiştir. Nitekim Osmanlı ve Cumhuriyet arasındaki ilişki, basit bir haleflikten ibaret değildir. Ortada bir imparatorluğun yıkılışı, belki de daha doğru bir tabirle dağılışı, vardır. Devleti yaşatan kadrolar devam etmiş ve Cumhuriyet'i kurmuşlardır. Bunların idealleri hiç şüphesiz ki mutlak bir monarşiye, bir şark despotizmine sempati ve bağlılık duymaya dayanmıyordu. İçlerinde muhafazakâr diye tanımladıklarımız bile hükümdarlarına, o zamanlar ancak Britanya ve İskandinav monarşilerindeki kadar bağlılık gösteriyorlardı. Devlet ve hukuk düzeni konusundaki anlayışları daha ilerideydi. Şu bir gerçektir ki Osmanlı askerî seçkinleri, 1826'da klasik askerî örgütlerin ilgasından ve yeniden teşkilâtlanmasından itibaren, Avrupa'daki ya da dış dünyadaki meslekdaşları gibi modern fenne ve tekniklere bağlı, buna göre de modern dünyanın gereğini kavrayan düşünce ve davranıştaki gruplardan oluşuyordu.

1880'li yıllar nesli çok ilginç bir şekilde, Osmanlı Harbiye ve Bahriye mekteplerinde beceriksiz hareketlere girişen bir kuşağın dışında, âdeta bu imparatorluğu yaşatmaya çalışan, onun için cephelerde çarpışan, üstelik son zamanlarda da isyanları, hatta oldukça siyasi nitelikli isyanları ve komitaları takip edip, bastırarak yetişen ve nihayetinde Birinci Dünya Savaşı içinde şekillenen bir nesildir. İşte akabinde Cumhuriyet'i kuran bu kumandanlar, bu nesil, yani Mustafa Kemal'in nesli, 19. asrın sonunda reformlar geçiren bir ülkenin askerleridir. Doğu'da ilk defa Müslüman bir ülke kendisini, ordusunu ve teknolojisini değiştirmiştir. Mısır'ın 19. asırdaki reformları ilk anda göz alıcı olmasına karşın bir ulus toplum yaratacak ve hukuk sisteminde dünyaya intibakı sağlayacak zarurî değişiklikleri gerçekleştirememiştir. Osmanlı Devleti Tanzimat döneminde başta Hidivyal Mısır'ı izlemiş görünüyor. Yalnız önde olduğu alan hukuk sistemini romanize etmeye başlaması olmuştur ve bundan başka ordudaki reformlar daha köklüdür. Her şeyden önce orduda Türk diline, Türklüğe önem verildiği gibi Avrupa'daki benzer bir kurmay eğitimi hemen hemen Batı devletleriyle eş zamanlı olarak verilmiştir. İmparatorluk yönetimi ve ordusu Türkleşme gibi baskın bir niteliğe sahiptir ki Kavalalı Mehmet Ali Paşa'nın Mısır'ında bu hususiyet görülmez. Mustafa Kemal Paşa, Fevzi Paşa ve Enver Paşa işte bu zümredendir. Bu insanlar bu dünyayı 30 yaşında öğrendiler, Suriye'de, Arabistan'da askerlik yaptılar ve ardından Balkanlar'a gittiler. Osmanlı İmparatorluğu, çökme döneminde olsa da bir değişim içerisindeydi. Öylesi bir ortamda büyük kumandanların çıkmaması mümkün değildi ve burada bir tesadüften bahsedilemez. Bu grup, monarşi ile geleceğin cumhuriyeti arasında bir denge hesabı yaptılar ve cumhuriyet öne geçti.

Balkanlar

Balkanlar'da bugünkü görüntü bile pek iç açıcı değildir. Balkanlar, gençliğimde, 20-25 yıl boyunca kesif olarak ilgilendiğim bir bölgedir; çünkü Osmanlı orada kuruldu ve gelişti. Balkanlar benim için en parasız dönemlerimde ve sosyalist dönemin tüm imkânsızlıklarına rağmen ağzına kadar yüklü bavullarla oradan oraya gezdiğim, kitap topladığım bir dünyadır. Her ülkede muhtelif etnik gruplar vardır ve homojen değildir. Herkes herkesin düşmanıdır, ancak, herkes herkesin bir tarafına da ısınır ve beraber yaşarlar. Çünkü âdet, anane, hayat tarzı birbirine çok benzer ve bir Balkanlılık ortak kimliğinden söz edilebilir.

Balkanlar beş asırlık Türk hâkimiyetinin çatırdadığı, milliyetçiliğin revaçta olduğu 20. yüzyıl başında da siyasi olarak çok karışıktı. Atatürk'ün dünyası da her şeyin başladığı o asırda şekillenmiştir. Yaşadığı coğrafyadan etkilenen Mustafa Kemal içkisiyle, yemeğiyle, dansıyla ve folkloruyla bütün Balkanlıları biliyor, seviyordu ve Selanikli olması hasebiyle belirgin ölçüde Balkanlar'daki her dille ilgiliydi. Üstelik Selanik büyük, renkli, kalabalık ve dış dünya ile bilhassa Avrupa ile en geniş ilişkileri bulunan bir bölgeydi.

Atatürk şüphesiz o müthiş milliyetçi, infiratçı, gerilimli atmosferden etkilenmişti, kaldı ki etkilenmemesi de mümkün değildi. Bu gibi çözülmezlikler içinde yetişen insanların zekâları elbette çabuk gelişir ve olgunlaşırlar. Genç Mustafa Kemal de bu imparatorluğun bir zabitiydi. Metinde de görüleceği gibi bir sene Suriye'de Vatan Cemiyeti'ni kurmuş, ertesi sene Makedonya'ya gelmiş, oradan Trablusgarb'a gönüllü ama gayr-ı resmî olarak savunmaya koşmuş ve Trablusgarb'taki görevi sürerken Balkan Savaşı patlayınca tekrar bu tarafa gelmiştir. Bu hareketlilik elbette kendisini çok etkilemiştir.

Balkanlar'daki bir zabit, bugünün otuz yaşında dahi olgunlaşamayan insanının anlayamayacağı şekilde bir başka türlü yetişirdi ve otuzuna geldiğinde çoktan yetişmiş ve olgunlaşmış olurdu. Benzer durumdan belki diğer imparatorluklar için de bahsedilebilir, ancak, bunların içinde en büyük trajediyi yaşayan ve bir çıkış yolu arayan Osmanlı insanıdır, Türklerdir. O sebeple bu Türk nesli bilinmeli ve kendisine kulak verilmelidir.

Ben yaşım gereği bu nesilden birçok insanla sohbet etme, daha ziyade dinleme fırsatı buldum. 1960'larda, Birinci Dünya Savaşı'nın gazileri hayattaydılar ve uzun tren yolculuklarında kendileriyle konuşur, dinlerdim. Bu kimseler olgundu, kendini onları dinlemek zorunda hissederdin ve itiraz da edemezdin. Bunun sebebi sadece yaşlı olmaları değil bir mantık sahibi olup, bir gerçeklik olarak konuşuyor olmalarıydı. Onlar büyük facialarin, yıkımların ama aynı zamanda büyük yapımların adamlarıydılar. Bu şartlarda yetişen liderlerin de başka türlü olacağı muhakkaktır. Bu kimselerin belirgin tavırları vardır ve genç de olsalar ham ervah değillerdir. Bizim siyaset hayatımızda bazı tipler var ki hiç büyümüyorlar. Bu tıkanıklık o neslin adamlarında görülemez. Hatta o dönemin genç yedek subayı Adnan Menderes'e bakılması, hayat hikâyesinin öğrenilmesi için Şevket Süreyya (Aydemir) Bey'in okunması gerekir.[1] Beğenilmeyebilir ama Celal Bayar'a bakmak gerekir; bir ölçü, olgunluk vardır. Yine beğenmeyeni çok olan İsmet Paşa'nın çok sağlam prensip ve zihnî müesseseleri vardır. Hepsinin içinde Atatürk şüphesiz çok başka bir yerdedir.

---

1 Şevket Süreyya Aydemir, *Menderes'in Dramı*, Remzi Kitabevi, İstanbul, 2016.

Mustafa Kemal'in Doğum Tarihi

1877, 1880 gibi tarihler verenler varsa da biz doğum tarihi olarak 1881'i kabul etmek durumundayız. Doğum günü ve ayı, bizim eski kütüklerde yakın zamanlara kadar pek kayıtlı değildi. Devletin nüfus hareketliliğini ancak 1950'lerden sonra ciddi olarak takip ettiği bilinir. Yangınlara kurban giden nüfus idareleri de tarihî araştırmaları güçleştirir. Yakın zamanda dahi nüfus idareleri beyanı dikkate almaz, kimliğe sadece yılı yazar, günü kaydetmezdi. Bu nedenle Atatürk doğum gününü kendisi seçmiştir (19 Mayıs). Bu kararla Samsun'a çıkış tarihini de ihsas etmiştir. Doğum yılı mezuniyet arkadaşlarına yakın tarih olduğu için 1881 doğumlu olduğunu kabul ediyoruz.

Mustafa Kemal'in yıkılan Osmanlı'yı bir başka şekilde dirilten nesilden olduğunu görüyoruz. Doğumdaki adı Mustafa'dır. Kemal adı, Osmanlı bürokrasisinde ve askeriyesinde âdet olduğu üzere, çokça kullanılan isimleri birbirinden ayırmak için ilave edilmiştir. Mesela ilmiye ve bürokraside birçok genç aday Ahmed vardır. Bunlardan medresedeki biri "Cevdet" olur, Mülkiye'deki "Midhat" olur. Ahmed Cevdet Efendi (Paşa), Ahmed Midhat Paşa gibi... Mehmed Emin ilaveyle "Âli Paşa" olur. Mustafa Kemal'e bu ismin rüşdiye yıllarında, onu seven bir hocası tarafından "İkimiz de Mustafa'yız, sen Kemal ol" denilerek verildiğini biliyoruz. Kemal "olgun, aklı başında, mütekâmil" demektir. Aslında bu sınıfta bir sürü Mustafa'nın olmasında bir gariplik yoktur.

Soyağacı

Aslen Konyalı (Karaman eyaleti) diyenler olduğu gibi dedelerinin Aydın yöresinden göç etmiş olduğunu söyleyenler de vardır.[2] Ama biz Rumeli'ye kimin gönderildiğini ve nereden nereye gönderildiğini bilemiyoruz. Bugünkü mübadil, muhacir aileler için de aynı durum geçerlidir. Nitekim bizde kilise gibi, vaftiz yapıp kayıt tutacak bir kurum yoktur. Evlilik de ölüm de kaydedilmez. Ölüm çok yakın zamanlara kadar deklare edilmezdi. Yahudilikte de bu gibi kayıt işleri gettoda yaşadıkları için çok sonradan oturmuştur.

Mesela Macaristan'da seçkin bir ailenin asalet beratının nerede olduğu veya hangi kalede saklandığı bilinir, zira, noteryal bir senet gibi bazı haklar veren belgelerin korunması gerekir. Bizde ise bir kimse bir paşanın kızıyla evlenir, kız bu evlilikte çocuk doğurmadan ölür, ölünce adam da bütün sülalenin şeceresini alır, gider başka yerde başka biriyle evlenir ve ondan sonra o paşanın soyundan geldiğini iddia eder. Bazılarının kadın tarafından gelmesine rağmen erkek soyu gibi o ismi taşıması da çok yaygındır. Mesela Fuad Köprülü'nün şeceresiyle ilgili bir tartışma çıkmış, Ali Emiri Efendi tarafından, baba tarafının Kıblelizâde ailesinden geldiği, Köprülüzâde adının ise anne tarafına ait olduğu söylenmişti. Fuad Bey bu iddiaya çok kızmış, Franz Babinger de bunu kitabında bir kusur gibi kullanmıştı. Şüphesiz bu durum Türk toplumuyla Babinger'in Alman anlayışının bağdaşmamasından kaynaklandı.

Netice olarak bizde doğru düzgün kayıt yoktur. Türkiye'de çok kimse şeceresini sağlam bir şekilde çıkaramaz. Ancak Atatürk'ün hem baba hem de anne tarafından dedeleri birkaç kuşak öncesine kadar bellidir ve isim isim bilinir. Aslen bir Türk köyü olan bugünkü Makedonya'nın Kocacık köyündendir.[3]

---

2 Mehmet Ali Öz, *Atatürk'ün Ailesi-Osmanlı Arşiv Belgelerine Göre Atatürk'ün Soykütüğü*, Asi Kitap, 2. Baskı, İstanbul, 2017.

3 Ali Güler, *Atatürk'ün Saklanan Seceresi*, Yeditepe Yayınları, İstanbul, 2016.

Atatürk ve Ailesi

Kahvehane köşelerinde, uzun yıllardır tekrarlanagelen bazı yaveler yakın zamanda ilk defa bu kadar açıklıkla söylenir hale geldi. "Falanın annesi, babası şu işi yapardı, filan şöyledir" demek hiç kimsenin hak etmediği laflardır. Her şey bir yana, Türkiye cumhurbaşkanlarının ilki ve tabii bazılarının asıl rahatsız olduğu üzere, Kurtuluş Savaşı'nın Başkumandanı, TBMM Reisi ve Yeni Türkiye'nin kurucusu olan Atatürk ile silah arkadaşlarının aralarındaki ilişkileri abartarak yorum yapan çevreler, maalesef bu sefer doğrudan doğruya Atatürk'ün ailesine el attılar.

Bu amiyane bühtanı anlamak pek de güç değildir. Sebebi bizim hazin çağdaşlaşma serüvenimiz, kasabalara gerçek bir eğitim götürememiş olmamız, mektep bitirenlerin gerçekleri yansıtan bir yorumuna rastlamakta çektiğimiz zorluk ve kulaktan dolma, dedikodu yöntemini tarihçiliğe yansıtıyor olmamızdır. Sözü edilen kişilerin biyografilerinin ne kadar çarpıtılarak ve noksanla ele alındığını görünce dahi bu anlaşılır. Mesela sözü edilen yorumlarda Afet İnan Hoca'nın akademik kariyerinin ciddiyetle tetkik edilmediği anlaşılıyor. Kaldı ki bizde çoğu kişi biyografi takip etme alışkanlığına sahip değildir.[4] Birisinden dedikoduyla bah-

4 Afet İnan benim hocamdı. Gördüğüm en soğukkanlı, en mutedil, hiçbir şekilde kin tutmayan hatta müşfik bir karaktere sahipti. Bu eski Türkiye'nin yetiştirme tarzıyla da ilgilidir. Devrinin güzel kadınıydı, bununla birlikte yaşlanmayı bilmiştir. Anne ve büyükanne olmuştur. Bu hayatın şüphesiz etrafa örnek olması gerekirdi. Yeni Türkiye gençliğinin içinde bulunduğu buhranları Kemalist dönemin yaşamında ve telkinlerinde değil, başka sahalarda, başka sebeplerde aramak gerekir. Zafer Toprak'ın 2017'de neşredilen *Türkiye'de Yeni Hayat-İnkılap ve Travma 1908-1928* adlı eseri bu dönemle ilgili önemli bir kaynak. Bu kitapta hayatın her alanıyla ilgii mukayeseli olarak tiplemeler var ve inceleme yöntemini bu tezime destek olarak görüyorum.

setmeyi tercih ederler. Aynı yöntemi gazetecilikte de hatta ansiklopedicilikte de kullanırlar.

Mesela bir tarihte bir gazetede Profesör Saffet Rıza Alpar için, "Babası Rıza Paşa da Atatürk'e düşmanlığıyla biliniyor" diye bir ibare kullanılmıştı. Gazete, Rektör Saffet Rıza Hoca'ya karşıydı. Ancak babasıyla uğraşmasının anlamı neydi? Üstelik Balkan Savaşı'nın en kahraman üç kumandanından biri olan İşkodra müdafii Hasan Rıza Paşa o mevkide şehit düşmüştür. Şehit olduğu gün ikinci kere mirlivalığa (tuğgenerallik) terfi etmiş ancak beratı, harb madalyası ve kılıcı kendisine ulaşamamıştı. Gazi Mustafa Kemal Paşa'yla hayatta hiç tanışmadığı bilindiği gibi yaş ve rütbe farklarından ötürü gıyaben tanıdığı bile şüphelidir.

Bir başka ansiklopedideyse Karadağ Muharebesi'nde şehit düşen ve Tanzimat döneminin reformcu askerlerinden olan, Nâzım Hikmet'in ceddi Mustafa Celaleddin Paşa, yani Polonya aristokrasisi arasındaki unvanıyla Kont Konstantin Borzecki'den, "Bir Polonya Yahudisidir" diye bahsediliyordu. Burada ön yargı ile bilgisizlik yan yana gitmektedir.

Daha beter bir olaya da şahit olundu: Atatürk'ün Dâhiliye Vekili Şükrü Kaya'ya, İsmet İnönü'ye hitaben bir mektup yazdırttığı iddia edildi. Mektup TBMM rumuzluydu. Yalnız rumuzun o tarihteki dizgi biçimiyle bir alakası yoktu; bilgisayardan çıktığını herkes anlardı. Güya Şükrü Kaya, İsmet Paşa'ya, "Atatürk sizi öldürtecek, ben koruyayım" diyormuş. Şüphesiz sahte bir belgeydi. Bir de Kâzım Karabekir Paşa'yla Türkiye'nin Mareşali Gazi Mustafa Kemal Atatürk'ü karşı karşıya getirmeye çalışıyorlar. Bu gayretin hedefinin kimler olduğu doğrusu beni ilgilendirmiyor, ama ardında yatan başka özlemler var ve bu özlem sahipleri seslerini bu gibi oyunlarla yükseltmeye çabalıyorlar.

Şimdilerde ise Gazi Mustafa Kemal (Atatürk) ve annesi Zübeyde Hanım için yalan yanlış tasnifler yapılıyor.

Mustafa Kemal'in çok sevdiği annesi Zübeyde Hanım.

Peki, "Bu 50 yıllık uydurma neye dayanıyor?" derseniz; Türkiye'de nüfus kayıtlarının geç tutulması, mevcutların iyi korunamaması, hatta zaman zaman kasaba nüfus memurluğu arşivlerinin mahsus yanmasından ileri gelen bir sorundur. Mevcut belgeliklerimizin çeşidi ve türü değişiktir. Katolik ve Protestan Avrupa'da herhangi bir köyün kilisesinde bulunabilecek vaftiz, nikâh ve cenaze kayıtlarına Doğu'da rastlanmaz. Sırf İslam dünyasında değil, Ortodoks Hıristiyan âleminin kiliselerinde de bu tür açıklar vardır.

Dolayısıyla Türkler soyunu, sopunu ve unvanını yaşadığı şehrin ve mahallenin halkının hafızasına ve ön planda da sülalelerine emanet ederler. Hemşehriler ve akrabalarla ilişki, ailemizin ve bizim tarihî kimliğimizin nüfus ve tapu kaydıdır. Ayrıca Balkan Savaşları, Rusya'nın işgalleri gibi olaylarla vilayetler elden çıkıp, insanlar perakende dağıldıkça toplumsal kayıtlar zayıflamıştır. Keza Kırım'dan Kafkaslar'a kadar çok geniş bir sahadan Anadolu'ya göçler yaşanmıştır. Hemen her ailenin ve Rumeli'nin her evladının başına gelen bu felaketten istifade etmek ise son 50 yıldaki bazı militan, kasabalı siyasilerin ve amatör tarihçi yoldaşlarının marifetidir.

Hukukunu müdafaa edemeyecek tarihî büyüklerimizin savunmasını tarihçiler ve tarih bilenler yapmalıdır. İstiklâl Savaşı kumandanlarıyla didişmeye kalkan amatör politikacıların faaliyetlerinin arkasında tarihçilik merakının hatta ideolojinin ağırlık kazandığına inananlardan değilim ve saiklerin başka olduğunu düşünüyorum. Türk tarihinin kurumları ve büyükleriyle didişmek, yani tahripkâr bir milliyetçilikle ortaya çıkmak sadece bize has olmayıp diğer toplumlarda da görülmektedir.

Atatürk Evi

Küçük Mustafa'nın hiç şüphesiz ki eğitim ve çocukluk hayatı yeni yeni araştırmalara konu oluyor. Kendisinin sonradan Rumeli ordusunda görevliyken Selanik'te kiralayarak oturduğu ve bugün Türkiye Başkonsolosluk hanesinin mülhakatı içinde bulunup müze olan binanın, yani Atatürk evinin arkasındaki daha küçük bir müştemilatta doğduğu, ailenin o zaman orada oturduğu anlaşılıyor.[5] Bu konak yavrusu evse bir Bulgar çorbacıya, yani, önde gelen bir cemaat temsilcisine aitti. Son yıllarda Türk turistlerin bu eve ciddi bir ilgi göstermeleri güzel bir hadisedir.

Mayasını Yoğuran Şehir: Selanik

Bugünkü Yunanistan'ın ikinci büyük şehri olan Selanik, ismini Makedonyalı Büyük İskender'in kız kardeşi Thessalonike'den alır. Şehri 1430'da fetheden Hamza Bey'in adını taşıyan camii bugün yarı harabe haldedir. Tahsin Paşa ise tam 482 yıl boyunca Osmanlı şehri olan Selanik'i 1912'de, Balkan Savaşı'nda, tek kurşun bile sıkmadan Yunanlara teslim etmiştir.

---

5 Vasilis Dimitriadis, *Bir Evin Hikâyesi-Selânik'teki Mustafa Kemal Atatürk'ün Evi ve Ailesi Hakkında Türkçe ve Yunanca Belgeler*, Çeviri: Gülsün Aksoy-Aivali, Türk Tarih Kurumu, Ankara, 2016.

Mustafa Kemal, annesi Zübeyde Hanım ve
kardeşi Makbule Hanım ile birlikte.

1880'lerde dahi Selanik kozmopolit bir şehirdi. Mustafa Kemal'in de künyesine baktığımız zaman Bulgarcadan ve Rumcadan anladığını görüyoruz. Bu, Osmanlı bürokrasisinin mensublarının çoğunda görülen bir özelliktir. Farsçadan *Gülistan*'a kadar öğrenmiştir, ki bu epey bir Farsça demektir. Bir parça da Arapça öğrenmiştir. Eğer bir çocuk Rumeli kökenli ise kuvvetle muhtemel Bulgarca veya Rumca tekellüm eder veya anlardı diyebiliriz.

Bunun üzerine, dönemin bütün kurmayları gibi, ya Fransızca ya Almanca veya her ikisinde de tecrübe sahibidir denebilir. Çünkü askerî literatür o zamanlar bu iki dile istinad ediyordu. Bahriyedeyse İngilizce kullanılıyordu. Nihayetinde Osmanlı zabiti yetişmiş biridir. Bu yetişmeyi hareketli bir eğitim hayatının oluşturduğu aşikârdır. Bu hareketli eğitim hayatı, bu kaliteli eğitim sadece üst sınıflara mahsus bir şey değildi. Aslında çok garip bir değişim vardır. Üst sınıflar bu değişim için Tanzimat, hatta Tanzimat'ı bırakınız, Meşrutiyet dönemini beklemişlerdir. Son dönemin şehzadelerinin Galatasaray gibi seçkin bir okula girerek Fransızca öğrenmeleri geç döneme has bir gelişmedir. Birdenbire 1880'lerde, 1890'larda doğan şehzadeler ancak böyle bir vasfa sahip olabilmişlerdir. Bazıları hatta sonradan Almanya ile olan ilişkilerimiz dolayısıyla Potsdam'da askerî okula devam etmişlerdir. Mesela tipik bir temsilci, Sultan Abdülaziz'in torunu, son halifenin oğlu Sabiha Sultan'ın eşi ve son padişahın da damadı olan Ömer Faruk Efendi'dir.

Bu eğitime giren insanlar arasında, yüksek zümreden de çok daha mütevazı halk tabakasından da gelenlerin şansları eşittir; bir diğer ifade ile bir kurgunun içine öbürünün aşılanması söz konusu değildir, bu bir toplama eğitimidir. Hatta bu eğitimin içine girenlerin belli oranı da gayr-ı müslimlerdir.

İmparatorluğun o tarihte (Tanzimat devri sonrası) sihirli bir oranı vardır, bu da üçte birdir. Emperyal nüfusun, (tebaa-ı şahanenin) üçte biri o vakit hane sayısı sisteminde de gayr-ı müslim olarak düşünüldüğü için, bu gibi okullara öğrenci alımında da bu yönteme başvurulurdu ve öğrenciler arasında Ermeni, Rum, Yahudi kompartımanların kontenjanları tespit edilirdi. Galatasaray Sultanisi'nde hem şehzade Ömer Faruk Efendi, hem de geleceğin Ermeni Patriği Ohannes Arşaruni öğrenim görüyordu. Yahudi cemaatinden gençler, paşazadeler, hali vakti yerinde olanlar olduğu gibi, pekâlâ daha fakir sınıflardan insanlara da rastlanabiliyordu. İkinci bir kapı vardı ki bu da doğrudan doğruya askerî eğitimdi. Askerî eğitimde oranlar daha değişiktir, bilhassa muharib sınıfta öyledir. (Ama fazla fark etmiyor. Müslüman meslek sınıfı subayların yanında az sayıda gayr-ı müslim de var.)

Selanik'in bir diğer özelliği ise liman ve demiryolu bağlantısı ile Avrupa'nın ticarî ve fikrî tesirine de oldukça açık bir şehir olmasıydı. Dolayısıyla Gazi'nin dünya görüşü, meselelere bakışı, hatta karakteri üzerinde Selanik gibi bir şehirde doğup, büyümüş olmak etkili olmuştur. Uzak bir Anadolu köyünde doğup büyüse belki bu imkânlara sahip olamayacağı için köyde kalır veya tamamen farklı bir meslek edinirdi.

Küçük Mustafa'nın, annesinin telkini ile mahalle mektebine gönderildiği anlaşılıyor. Burada bir konunun üzerinde durmakta fayda var. Türkiye'de Kemalist rejimin ve Atatürk'ün muarızı olanlar, onun Selanik dönmesi denen Sabetaycı gruptan olduğunu, bir heterodoks Yahudi olduğu iddiasını sürekli tekrarlarlar. Selanik kalabalık, hatta bir dönem için bütün Doğu Akdeniz'in Yahudi metropolü olacak kadar kalabalık miktarda Ortodoks Yahudi'nin ve 1660'lardaki Sabetay Sevi olayından sonra da yanlış olarak "avdeti" denilen gruba mensub nüfusun -sayısı belli olmamakla birlikte- yaşadığı bir yerdi. 1912 Balkan Savaşı'ndaki bozgunda, herkesten evvel Bulgar müttefiklerini atlatarak şehri işgal eden Yunan ordusunun mahallelerde giriştiği katliam ve taramada ilk önce Yahudi mahallelerine saldırdığı bugün artık Yahudi bilginlerinin tetkikleri ile daha esaslı bir şekilde anlaşılıyor.[6] Amaç şehri Helenize etmekti. Fakat şu kadarını söylemek lazım ki, şehir gerçekten kozmopolitti. Burada yetişen insan, birtakım dillerden

---

6 Rena Molho, *Selonica and Istanbul: Social, Political and a Cultural Aspect of Jewish Life*, ISIS, 2010, Türkçesi *Selanik Yahudileri 1856-1919,* Bağlam Yayınları, İstanbul, 2015; Çağrı Erhan, *Antisemitism in Greek Society*, MCSRS, Ankara, 2002.

haberdar olur, birtakım etnik grupları tanır, bunlar üzerinde ya dostane ya da belki hasmane bilgilere sahip olabilirdi. Ama her halükârda kozmopolit bir Osmanlı dünyasının çocuğu olarak yetişirdi. Bu her dinden ve gruptan bireyler için geçerli bir oluşumdu.

İki nokta Mustafa Kemal için ileri sürülen bu gibi iddiaları çürütür. Birincisi, fundamentalist mesnedsiz görüşün ortaya attığı efsanedir. Hatta belki de Sabetayistler de bu gibi bir söylentiyi kabul edebilir. Ancak doğru değildir, zira, şehirli bir grupla ilgisi yoktur. Hem annesi hem de bildiğimiz kadarıyla babası kırsal kökenli bir aileden geliyor.

İkincisi, annesinin onu yolladığı okul evde böyle bir havanın bulunmadığını gösterir. Çünkü ilk eğitimde hiçbir cemaat asla diğerinin kapısına çocuk koymaz. Bu İstanbul ve sadece birkaç büyük şehirde vardır ve istisna olarak görülebilir. Orada bile aslında dinî tutum ön planda gelir. Kimse beş-altı yaşındaki çocuğu doğrudan doğruya kendi sülalesinin, geçmişinin kontrolü ve izi dışındaki bir eğitime tabi tutmaz. Kendisinin düzenli olarak devam ettiği Şemsi Efendi Okulu ve o okulun başmuallimi Şemsi Efendi'nin Sabetayist mezhepten olduğu doğrudur. Fakat gerçek şu ki; bu okul matematiği ve okumayı herkesten önce ve çok sağlam bir şekilde öğretirdi. O okulun tercih edilmesinin sebebi bu olmuştur. Oraya gitmesini arzu eden babadır. Bu sevkiyatta rasyonel fikirler geçerli olmaktadır. Ve nihayet unutulmamalı ki, kendisi asker ocağına adanmıştır. Mustafa Kemal'in askerî eğitimi ve askerî memur hayatı boyunca modernist, dünyaya açık, dinî inançlarını çok öne koymayan, bunların üzerinde, bunun ritüeli üzerinde pek hassas davranmayan takımdan olduğu açıktır. Oruç tutan, beş vakit namaz kılan bir zümre olduğu gibi bunlara itaat etmeyenler de vardı.

Mülkiyeli olduğu ve iyi derece ile bitirdiği için mabeyne memur olarak alınan Müştak Mayakon'un[7] Yıldız hatıratında belirttiği gibi, ramazanda Yıldız Sarayı alenen oruç yenen yerlerdendi. Doğrusu muhafız alaylarının, asker sınıfının oruçla pek de başı hoş değildi. Bu konuda sıkıntıya girmeye lüzum olmadığını hem mabeyn hem de bizzat padişah biliyor, bu ahvale göz yumuyordu. Yaşam şartları kurmay sınıfın ve kumanda kademesindekilerin bu konudaki hareket serbestisini gerekli kılmıştır.

Aile Kökeni Üzerine

Osmanlı cemiyeti kadar soyuna sopuna önem veren bir cemiyet az bulunur. Fakat maalesef bunun ciddi biçimde kayıt altına alınması söz konusu değil. Bir gerçek vardır. Bugün herhangi bir Avusturya, Alman, Fransız köyünde, bir köylünün soyunu tespit edememek âdeta mümkün değildir. Altını çizerek ifade edeyim; etmek değil edememek mümkün değildir! Şahsen kendimle ilgili bir merak duydum ve kendi merakımla ilgili bu olayda, bebekliğimin geçtiği Alberschwende köyünün kilisesinde araştırma yaptığımda vaftiz defterlerinin ne kadar mükemmel olduğunu ve o dağ eteğindeki köyde herhangi bir köylünün, beş asır boyunca mükemmel bir şecere çıkaramamasının mümkün olmayacağını gördüm. Bu bir vakıadır. Doğu Ortodoks dünyasına doğru geldikçe iş değiştiği görülür. Okuması kıt köy papazının vaftiz ya da nikâh defteri tutması mümkün değildir, tutulanların da saklanmadığı görülür. Doğu dünyasında böyle müesseseler olmadığı için sıradan aileler bir yana, iktidarı

7 Müştak Mayakon, *Yıldız'da Neler Gördüm-Mabeyn Kâtibinin Kaleminden Abdülhamid ve Çevresi*, DBY Yayınları, İstanbul, 2010.

ve ekonomiyi elinde tutanların bile şecerelerinin her zaman çok doğru olduğu söylenemez. Ayrıca bu gibi şecerelerin Batı'daki gibi hukuken noterliğin muhafazası altında olmadığı açıktır. Vakıflardaki kayıtlarda bile pekâlâ bazı yanılmalar, sapmalar olabiliyor. En iyi kaydı olan ve bilinen ulema ailelerinde bile silsileyi izlemek kolay olmuyor.

İnsanlar kayıtla değil, intiba ve bilgi ile devam ediyorlardı. Cemiyet bir kimsenin nikâhlı olduğunu görüyor, çocuklarını biliyor ve ona göre akrabalar oluyor ve yaşanıyordu. Yer değiştirildiği takdirde ise büyük problemler çıkıyordu. İşte Rumeli böyledir. İnsanlar hafızaları ile bir müddet daha devam edebilmişler ancak yerlerini değiştirdikten sonra maslahat değişmeye başlamıştır. Dolayısıyla bize verilen şecere, bütün Rumeli insanları gibi Atatürk hakkında da, geleneksel yöntemlere, yani akraba-i taallukata, bilinenlere ve etraftaki kayıtlara dayanmaktadır. Hiç kimsenin tasdikli bir noter şeceresi çıkarması bizim cemiyetimizde mümkün değildir. Bu çok az zümreye hatta insana mahsustur. Hanedan başta gelir; dünya lord bürokrasisinin üyeleri içinde bile en sağlamı, Osmanlı hanedanı denir ki bu doğrudur. Fakat hanedanda da kadınların çoğunun soyunun nereden geldiği bilinmemektedir ve bir tartışma konusudur. Atatürk ile ilgili olarak Konya Çelebilerinden olduğu söyleniyor. Bunun dışındaki tartışmaların hepsi bir yerde tıkanmaya girebilir. Bu konunun böyle işlendiğini bilmek gerekir. Kayıt sistemimizden, tarihî kayıttan, nüfus üzerindeki bilgilerimizden dolayı Türkiye'de belirli insanlar böyle efsaneler yaratıyorlar ve sapmalara sebep oluyorlar. Mühim mesele, insanların bu konudaki bilgisinin çevreye, sözlü kültüre ve maşeri hafızaya dayanmasıdır.

Zübeyde Hanım ve Ali Rıza Bey

Anne Zübeyde Hanım, tipik bir Rumelili Türk kadınıdır. Evladına düşkündür ve dindar bir tarafı da vardır. Her anne gibi oğlunun ruh dünyasında etkili olmuştur. Ama yatılı okula giden bir çocuğun evden koptuğu da bir gerçektir. 11 yaşında ilkokuldan sonra yatılı okula giden, -Batı eğitiminde bu çok yaygın bir durumdur ve köken olarak antik Yunan'da Sparta eğitiminde daha barizdir- dolayısıyla yuvadan ayrılıp toplumsal olarak yetiştirilen bir çocuk evden kopar. Ondan sonra aradaki ilişki önce hasrete, sonra bir alışkanlığa ve nihayet tamamıyla formel bir ilişkiye dönüşür. Kimse artık birbirini büyük bir hasretle göremez. O erkek çocuk, artık bir ana kuzusu olmaktan çıkar, kız çocuk da zaten erken evlendiğine göre yeni dünyasında eskisiyle bağı kopacaktır. Bu bütün dünyada böyledir ancak bizde aksine yürümektedir. Geleneksel dönemine göre yeni Türkiye tarihinde ve toplumunda erkek çocuk çok ileri yaşlara kadar evden bir türlü kopamaz oldu ve bunun tesirleri görülmektedir. Kendi başına ayakta duramayan bir erkek veya kız çocuk, arzu edilen bir toplum üyesi değildir. Bunu, işlek ve rasyonel bir cemiyet bağlamında söylüyorum. Eski Yunanistan'da mesela Sparta'yı bunun için örnek veriyoruz, Avrupa dünyasında manastır okulları eğitimini bunun için örnek veriyoruz. Eski İran'daki, Hind imparatorluklarındaki ve tabii Orta Asya'daki çocuğun erkenden askerî eğitim altına alınarak celbedilmesini[8] veya Akdeniz dünyasında zanaatlarla uğraşacakların çok erken yaşlarında evlerinden alınıp, atölye hayatında ve çevresinde

8 Mesela Kırım Hanlarının erkek evlatları 6-7 yaşında Hansaray'ın önüne gelen vassal Kafkasyalı Karaşay kabilelerinin temsilcilerine teslim edilirdi. Karaşay bölgesinde binicilik ve silah eğitimi aldıktan sonra 12-15 yaşında geri dönerlerdi.

yetişmesini buna örnek olarak veriyorum. Mustafa Kemal, evinde ana kuzusu olma ilişkilerini Osmanlı bürokrasisinin, bilhassa askerlerinin tümü gibi erkenden kaybediyor ve bir düzenli cemiyetin üyesi haline geliyor. Ancak Selanik'ten sonra Harbiye safhasında başkent hayatına intibak ediyor. Liseyi okuduğu -bugün Bitola denilen- Manastır çok Avrupaî bir Balkan şehri olması hasebiyle taşralı değildi. Memleketi Selanik, imparatorluğun Beyrut ve İzmir'le birlikte İstanbul'a yakın metropollerindendi, ama metropol özelliği diğer ikisinden daha ağır basıyordu. Beyrut ve İzmir'den farklı olarak daha değişik bir nüfus, Avrupa ile çok gündelik bir ilişki, sanayi, sendikalizm ve Mason locaları vardı ve hepsi yaşıyordu. İmparatorluktan koptuktan sonra da hem kendi ahalisi hem de aralarından gidip fakirleşen mübadil Rumlar dolayısıyla sosyalist hareketin dahi patladığı bir yerdir. Bunlar dikkate alınacak şeylerdir ve böyle bir muhitte yetişen insanın başka türlü bir dünyasının olmasının kaçınılmaz olduğu görülmelidir.

Atatürk'ün anne ve baba tarafı Balkanlar'a yerleştirilmiş Yörük Türkmenlerdendir. Babasının amcasından dolayı soyları devam etmiştir. Hatta Atatürk, reis-i cumhur iken büyük amcanın çocuklarından ikisinin nikâh şahitliğini yapmıştır.

Ali Rıza Bey ile Zübeyde Hanım evlendiklerinde babası 31, annesi 14 yaşındaydı ki o dönemde 14-15 yaş kızların evlilik çağı kabul edilmekteydi. Mustafa, ailenin dördüncü çocuğuydu ve kendisinden önce bir ablası ile iki ağabeyi bebek ya da çocuk yaşlarda vefat etmişlerdir. Daha sonra iki kız kardeşi daha olmuş, sadece Makbule yaşamıştır.

Ali Rıza Bey Kocacıklıdır ve Selanik'e sonradan gelmiştir. Uzak bir yerde kötü şartlar altında gümrük memurluğu yapıyordu. Ailesi için Selanik'e gelmiş, kereste ticaretiyle uğraşmaya başlamıştı. Aydın fikirli bir adamdı ve Mustafa'nın iyi bir eğitim almasını istiyordu. "Büyük adam olabilmek için okumak, öğrenmek lazımdır" diyor, bir an önce okuma ve yazma ve hesap öğrenmesini istiyordu. O devrin şartlarında ve öğretim geleneklerinde sıbyan mekteplerinde okumayı bir yılda söken öğrenci pek yoktu; öğretim Türk dilinin sesli harfler (vokal) konusunda yetersiz kalan Arab imlasına dayandığı için okumayı sökmek zor geliyordu. Onun için iyi öğretmenleri olan bir okulu tercih etmiş olmalıdır. Nitekim Rusya İmparatorluğu'nun Müslümanları da o yıllarda Gaspirinski (Gaspıralı) İsmail Bey'in kurduğu okullarda "usul-u cedid" denen öğretim yöntemiyle hızlı okuma öğrenirlerdi. Klasik okulların işlemezliği nedeniyle, Rusya İmparatorluğu'nda 20 yıl içinde 5000 Müslüman usul-u cedid okulu açıldı, okuma-yazma oranı yükseldi. Bu kez yüksek okuma yazma oranı Rus halkının okullaşma oranını geçmişti. Yalnız Rus halkının gymnasium seviyesindeki okullarında eğitim düzeyi yüksekti. Bununla birlikte belirtmek gerekir ki Rusya İmparatorluğu'nun ticari ve teknik eğitim düzeyi bakımından en başarılı okulları Alman gymnasiumu derecesinde okullardı ve buralara Yahudi nüfus ve Müslümanlar tercihen giderdi.

Selanik'te, Çayağızı'nda gümrük memuru olan Mustafa Kemal'in babası Ali Rıza Efendi.

Ali Rıza Bey 42 yaşındayken Mustafa doğmuştur. Bu durumda babası Ali Rıza Bey 1886'da vefat ettiğinde Mustafa Kemal altı-yedi yaşlarında olmalıdır.

Ve Mustafa küçük yaşta yetim kaldı...

2

HER ZAMAN
ASKER OLMAK İSTEMİŞTİ

HER ZAMAN ASKER OLMAK İSTEMİŞTİ

Askerî Eğitim

GAZİ'NİN çocukluk hatıralarına baktığımız zaman onun her zaman asker olmak istediğini görürüz. Evladından ayrılmak istemeyen bir anne olan Zübeyde Hanım'dan gizli olarak askerî okul imtihanına girmiş ve kazanmıştır. Hatta annesini ikna etmek için babasının ona emanet ettiği bir kılıcı da delil göstermiş, asker olmasının babasının vasiyeti olduğunu belirtmiştir. Tabii o dönem için Osmanlı'daki en nitelikli eğitimin askerî okullarda verilmesi de bu kararında rol oynamıştır. Yine çocukken, askerî rüşdiyeye giden komşusunun oğlunun ve çarşıda gördüğü subayların kıyafetlerine çok imrendiğini ve kendine onları örnek aldığı bilinmektedir.

Çok kısa bir süre Mülkiye Rüşdiyesi'ne gittiyse de imtihanı kazanınca Selanik Askerî Rüşdiyesi'ne geçiyor.[9] Çalışkan bir talebedir, hatta ona "Kemal" adını çok sevdiği bir hocası olan ve matematik derslerine giren Yüzbaşı Üsküplü Mustafa Sabri Bey vermiştir.

---

9 Mustafa Kemal Atatürk'ün askeri okullarda aldığı dersler hakkında bu kitaba bakılabilir: Ali Güler, *Askeri Öğrenci Mustafa Kemal'in Notları (Arşiv Belgelerinin Işığında)*, Atatürk Araştırma Merkezi, Ankara, 2001.

Askerîyedeki eğitim fevkaladeydi ve her şeyden evvel düzenliydi; ayrıca matematiğe ve coğrafyaya çok önem veriliyordu. Tarihe demiyorum, matematik ve coğrafyaya çok önem veriliyor ve lisan eğitimi önde geliyordu. Atatürk, coğrafyanın faydasını Çanakkale'de gördü. Hatta her yerde gördü, zira, matematik ve coğrafya kurmay eğitiminin vazgeçilmez safhasıdır. Gerçi Mustafa Kemal piyadedir, ama topçu olmak en önemli şeydir, imtiyazlı sınıftır. Topçunun iyi matematik bilmesi lazımdır. Kaldı ki topçu okulunun adı Mühendishane'dir; çünkü 18. asrın topçu subayı hendese bilen bir mühendistir. 18.-19. asır mekteplerinin mezunları bu yönde ilerliyor. Yabancı dil, coğrafya, matematik ve fizik bilgisiyle dünyaya çıktığı zaman ecnebi muarızlarıyla doğrudan doğruya konuşabilecek tipte memurlardır, askerlerdir. Kurmay subaylar ise, hangi sınıfa mensub olursa olsun, öbür dalları öğrenip benimsemek zorundadır. Sivil memurlar (mülki erkân) arasında hariciyecilerde lisan bilen azdı demiyoruz. Hariciyeci lisan bildiği için Hariciye Nezareti'ne giren adamdır. Öyle, herhangi bir yerden yetişmiş değildir. Mülkiye'de (SBF) bile kimse diplomasi bölümünde lisan bakımından yetişemez, öyle bir şey yoktur. Lisan bakımından evvelce hazırlanmış genç o bölümde okuyabilirdi, imtihanla alınırdı. Ancak düz gelip de dünyaya açılacak bir lisan eğitimine, lisan bilgisine sahip olan insan Harbiye ve Erkân-ı Harbiye mekteplerinden yetişirdi. Bu okul çok önemlidir ve askerî eğitimin Mustafa Kemal'in hayatındaki rolünü asla küçümseyemeyiz.

Nasıl Bir Talebeydi?

O çağda bütün Avrupa'da ve her sahada olduğu gibi, askerî eğitimde mühim olan edebdir. Sorarsınız, sorunuza cevap verilir, eğer sorunuz saçma ise gülünür ve sizle alay edilir. Sırf hoca değil, sınıf arkadaşlarınız tarafından da tahfif edilirsiniz ve bu huyunuzdan vazgeçersiniz. Ama ciddi soru soruyorsanız, bu hocayı etkiler. Hele hocanın sorduğu sorulara cevap veriyorsanız -çünkü klasik eğitimde soru esastır, hoca da sık sık talebeye sorar- iyisinizdir ve bu tip talebe hem sevilir hem de saygıyla karşılanır. Anlaşılan Mustafa Kemal de ciddi sorular sorabilen bir talebeydi.

Osmanlı Kurmay Subayı

Osmanlı kurmayları pek çok konuda bilgi sahibi olurlardı. 1826'da kapıkulu askeri ve eyalet askeri kaldırılınca, Devlet-i Aliyye yirmi yıl kadar ordusuz yaşadı. Redif kıt'aları ve teşkil edilmekte olan yeni ordunun talimiyle uğraşıldı. Nihayet Kırım Savaşı sebebiyle bu durum sonlandı. Bu arada, 1849'da Avusturya ve Rusya'nın müşterek ordularının katliamında bize sığınan Macar ve Leh kuvvetlerine ve subaylarına (Macar Cumhurbaşkanı Kossuth Lajos ve General Bem [Murad Paşa]) ve mesela eğitimde çok faydalı olan, Konstanty Borzecki (sonra Mustafa Celâleddin Paşa, Karadağ'da şehid düştü) gibi asker olmayan yardımcı kuvvetlerine dahi teknik donanım konusunda çok şey borçluyuz. Tarihimizin bir teferruatı değildir. Ordu yeni kurulurken bir kurmay mektebi (Erkân-ı Harbiye) kuruldu. Bu tarz bir mektep bütün kara Avrupası'nda, yani, Prusya, Avusturya, Rusya ve Fransa gibi kara orduları kuvvetli memleketler bile 3-5 sene farkla kurulmuştu. Bu okul kurulunca otomatikman elit bir asker sınıf ortaya çıkmıştı. Burada yetişenler asker oluyorlar ama başka bilgi ve beceri de elde ediyorlardı. Eminim ki çok uzun zaman fihriste bakıp nizamname aramayı, lügate bakıp kelime öğrenmeyi bir tek bunlar biliyorlardı. Diğer eğitim branşları buna müsait değildi. Matematikçi olmamalarına rağmen logaritma cetveli bakmayı biliyorlardı. Mesela Atatürk biliyordu. Tabii bir de konuşmaya çok dikkat ederlerdi.

Atatürk yapı olarak sinirli bir adamdır. Belirli bir dönemden sonra haşin davranmış olabilir ama kurmay subaylar üslûb olarak hiçbir zaman çok açık konuşmazlardı. Sözle hakareti çok ölçülüydü ve bizim alıştığımız politikacının, hatta alıştığımız bürokratın üslubuna hiç benzemezdi. Fakat bazen ağır mizahla hırpaladığı da görülürdü. Bu mesela İran Şahı Rıza Pehlevi'nin cezalandıracağı bürokratı bastonla dövmesi gibi bir davranışla mukayese edilmez. Bürokrasinin üslûb kaybına uğradığı günümüzde, bu hal bilhassa görülüyor. O günün kurmayı ile Ankara bürokrasisinin herhangi bir adamı arasında dağlar kadar fark vardır. Hatta şimdi daha çok fark vardır. Atatürk'ün, teknik bir adam olarak, ne filolojiyle ne de beşeri bilimler dediğimiz bilimlerle alâkası vardı. Ama o zamanın kıt Türkiyesi'nde üniversite ıslahatında İstanbul Edebiyat Fakültesi'ni ve bozkırın sınırında Dil ve Tarih-Coğrafya Fakültesi'ni kurdu. Dil-Tarih, Ankara Üniversitesi'nden dahi eskidir. Sümeroloji, Hititoloji, Hindoloji gibi bölümleri neden kuruyor? Bir kere anlıyor ki Türk tarihini anlamak için dünya tarihini bilmek lâzımdır. Bir kurmaya özgü örgü ve inşa anlayışı göze çarpmaktadır.

Binaenaleyh, istesek de istemesek de Türkiye askerî bir toplumdur. Dolayısıyla demilitarizasyon, yani askersizleştirme projesi fevkalade manasız ve üstünde düşünülmesi gereken bir süreçtir. Bu bir medeniyetle, onun tarih ve coğrafyasıyla özellikle ilgilidir. Kim ne derse desin, Türklerin önde gelen önderleri, yöneticileri, yönetici vasfa sahip olanları asker saflarından çıkmıştır. Mustafa Kemal Atatürk de yani Mustafa Kemal Bey, sonra Mustafa Kemal Paşa da kurmay eğitimden geçmiştir. Mimar Sinan da askerdir; 19. asrın haritacıları, 16. asır gibi 19. asır coğrafyacıları da, ressamlar ve Batı müziğini getirenler de bu saflardan çıkar. Modern tıb, veterinerlik, mühendislik orduda 18. asrın reformları gereği olarak çıkmıştır.

Kurmay eğitim; 19. yüzyılda orduların coğrafya, tarih, teknik ve beşerî ilimlerle iç içe geçerek sevk edilmesi için teşekkül eden, hem muharib hem de entelektüel ve bilgin bir sınıf yetiştirmek demektir. Bu, 19. yüzyılın büyük bir olayıdır.

Osmanlı'da kapıkulu ocaklarının kaldırılmasından sonra modern ordu kurulurken, musikiden cerrahi sınıfa, veterinere, kimyagere, eczacıya, mühendise kadar ordu kendini yeniden düzenlediği gibi, tekrar o elemanlarıyla, sevk ve kumanda içinde kurmay eğitimine geçmiştir. Bu konuda biz büyük Batı devletleri ile eş zamanda yola girdik. Hem Osmanlı-Rus Savaşı'nda (1877-78), hem de Birinci Dünya Savaşı'nda bunun etkileri görülür. Osmanlı-Rus Savaşı sırasında ordularımızın kurmay kapasitesinin yüksek olduğu, savunmanın o sayede o şekilde yapılabildiği görülür. Silahlar iyi kullanılmıştır. Bunu sadece biz değil önemli Rus harb tarihçileri de yazmıştır. Karşı tarafın da mühendisliği iyi olduğu için, General Totleben gibi başarılı mühendis kumandanlar bizim tarafı zorlamıştır. Bu nedenle de bizim orduda yeniden bazı branşlarda mühendislik eğitimine önem verilecektir.

Birinci Dünya Savaşı'dan evvelki büyük ve kozmopolit devletlerin bir kısmı İngiltere ve Almanya gibi çok sanayileşmişken bir kısmı ise az gelişmiş sanayiye sahiplerdi. Rusya gibi, neredeyse Osmanlı kadar sanayide geri kalmış fakat bizden daha iyi durumda olanlar da vardı. Bu devletlerin müşterek tarafı çok uluslu olmalarıydı ve çok uluslu devlet sistemi bilhassa Rusya, Avusturya ve Osmanlı'da bir problemdi. Bu devletlerdeki iç yapı dolayısıyla kurmay sınıfı askerlerin iyi eğitim görenleri siyasetle iç içeydi ve belli bir ideolojileri vardı. Yaşadıkları vatan ve kumanda ettikleri ordu, bu problemden kurtulamıyordu. Mesela, Macaristan ve Avusturya ordularında müthiş itişme olduğu görülüyordu.[10]

Osmanlı ordusunda bu kadar büyük etnik çatışma yoktu ama alttan alta çok örtülü bir gerilim söz konusuydu. "Arabistan ordusunda Arap uşağı arttı, Anadolu'dan asker yollayın" diye bir irade vardır. Anadolu'dan Türk uşağı olması lazımdı çünkü ordu o konuda çok hassastı.

Harb eden bu devletlerin büyük bir kısmı zirai bünyeli ülkelerdi. Fransa'da bile köylü nüfusu % 50'nin üzerindeydi. Almanya ve İngiltere öyle değildi, teçhizatta donanımda büyük farklılıklar vardı ama hepsinin ortak özelliği kurmaylarının ve diğer subaylarının eşit bilgide, eşit

10 Hayatımda bunu ilk defa Andreas Tietze'nin Viyana'daki davetinde, Paul Wittek ile karşılaştığımda gördüm. Wittek'in bize anlattığı bir anı: Topçu ileri gözetleyicisi göreviyle yedek subay olarak Birinci Dünya Savaşı'nda savaşırken, "Benim adım Paul senin adın Pal, adaşız" demiş. Macar ise "Paul ile Pal ayrı şey" demiş, yüz vermemiş. Hâlbuki aynı kökten gelir iki isim de. Paul "Ben yanlış sinyal vermişim bunlar üstüme saldırdılar" dedi. "Osztrak (Avusturyalı) sen bizi yok mu edeceksin?" demişler. Oysaki bir imparatorluğun en imtiyazlı iki eşit parçası bunlar. Orada Çeklerin, Hırvat ve Slovenlerin ne yapacağını Allah bilir. Her gün bir birlik karşı tarafa, Rus ordusuna geçer.

kabiliyette olmasıydı. Bizimkiler ise daha fazla savaş görmüş olmalarından ötürü bir yönüyle daha öndeydi.

Atatürk askerlik hayatına siyaset yaparak ve isyan bastırarak başlamıştır. Suriye çöllerinde aşiretlerle isyan bastırmak çok zordur. Askerler diplomasi öğrenirlerdi. Mesela İsmet Paşa'nın Yemen icraatını okumak lazımdır. Vali ve kumandanın İzzet Paşa olduğu o dönemde İmam Yahya'nın ayaklanan aşiretleriyle nasıl bir anlaşmaya girdikleri bir diplomasi örneğidir. Birinci Dünya Savaşı'na girdiklerinde zaten üç senedir Trablusgarb ve Balkanlar'da harp ediyor oldukları için coğrafyayı iyi biliyorlardı. Bu bakımdan burada bir liderlik vasfı öne çıkıyordu. Bu kumandanlar hayatın ne olduğunu erken öğrenmiş, çok genç ama yaşlanmış kumandanlardı.

Biyografilere bakıldığı zaman, mesela Enver Paşa'ya tecrübesiz deniliyor. Birdenbire imparatorluk ordularının başkumandanı olabilir mi, sorusu sorulabilir. Fakat öbür taraftan baktığınızda bunların albay, yarbay olanları hakikaten büyük orduların generallerinden daha fazla çatışma ve savaş tecrübesine sahiplerdi. 1914'te Avusturyalı bir generalin savaş tecrübesi ne kadardır? Rus-Japon Savaşı'ndan zedelenip gelmediyse Rus'un savaş tecrübesi vardır. Ruslar başka yapıdaydı ve içlerinde Rus-Japon Savaşı'nı yaşayıp sonradan Kızıl Ordu'ya giren İgnatieff gibi aristokratlar vardı. Daha sonra ayrı bir başlıkta değineceğimiz gibi, Alexei Brusilov'un tecrübesi çok, halktan gelme birisiydi. Buna karşılık mesela iyi talim ve iyi teori dışında Almanya, 1914'te savaşa girdiğinde çok savaş bilmiyordu. Nitekim Rusya'da biraz da tesadüflerin yardımıyla büyük bir zafer kazanıldı; Tannenberg Zaferi. Daha sonra da değineceğimiz gibi Almanlar, Fransa kapılarında ise durduruldular. Marne Cephesi'nde Alman askerleri durakladı.

Burada konunun bütünlüğü açısından belirtmek gerekir ki, İsmet Paşa o zaman orduda tanınan bir kurmay ve Genelkurmay'da III. Şube Müdürü idi. Onun doğrudan Enver Paşa'ya, yani Başkumandan Vekili'ne yazdığı bir raporda "Bu adamlarla müttefik olunmaz Marne'daki duraklama zaaflarını gösteriyor" diye sorunu hemen teşhis ettiği görülmektedir.

1902 senesinde Harbiye Mektebi'ni bitiren Mustafa Kemal. Genç subay parlak dereceli ve çok başarılı olduğu için Erkân-ı Harbiye Mektebi'ne (Harb Akademisi'ne) alındı.

İsmet Paşa'nın çok tecrübeli bir kurmay olduğunu görmek için yaptıklarına bakmak gerekir. Trablusgarb'ta yoktur ama Yemen'de vardır ve o sıra paralel bir kavganın içindedir. Balkan'ın ne olduğunu biliyordu ve aynı zamanda karargâh subayıydı.

Bu kurmaylar çok lisan bilirlerdi. Mesela Enver Paşa'nın dört lisan bildiği biliniyor. Nureddin Paşa kurmay değildir ama birkaç dil bilir ve asıl Kut'ül Amare kahramanı odur.

Şimdi bu yapıyı bilen insanların içinde ister istemez dış dünyaya karşı bir rekabet vardır. Mustafa Kemal Paşa ve arkadaşları, onların başında Esad Paşa gibileri, Alman sevmezler ve Alman fennî askerîyesini Alman taraftarı olmak için yeterli sebeb görmezler. Bu askerlerin gözünde Fransız ordusu demokratik bir ordudur ve bunun delili vardır. Bunların dünyaya bakışları herhangi bir mülkî memurdan farklıdır. O yüzden buradan lider çıkmıştır. Çünkü bu kimseler çok boyutlu bakış açısına sahiplerdi. Mesela Bulgaristan'da ataşemiliter oldu diye bir adamın bu kadar çok şey görüp anlaması mümkün değildi, ancak, Mustafa Kemal anlıyordu. Balkanlar üzerine yazdığı raporları, bizim Karadağ'da elçimiz, okuldan arkadaşım Birgen Keşoğlu -artık orada değil- okudu ve böyle muhteşem bir rapor görmedim dedi. Çünkü Mustafa Kemal Bey Çetine'ye, Bükreş'e yani Karadağ ve Romanya'ya da akredite, dünyaya çok başka türlü bakıyor, zaten kendisi de oranın bir parçası.

Manastır Yılları

Manastır, o dönem Selanik'le birlikte Makedonya'nın en önemli kentlerinden biriydi. Bugün Makedonların Bitola dedikleri şehirde Askerî İdadi binası halen durmakta ve üst katı Atatürk Müzesi olarak da kullanılmaktadır. Günümüzde dahi az da olsa Türk nüfus var ve Slavlar ile Müslüman Arnavutlar bir arada yaşıyorlar.

1896'nın Mart ayında Manastır'daki eğitimine başlayan Mustafa Kemal'in fikir hayatı burada temellenmiştir. Arkadaşlarından birisi olan Ömer Naci -ki meşhur İttihatçı hatiplerden biri olacaktır- ona edebiyat ve şiir merakı aşılayacaktır. Ayrıca hocaları arasında yer alan Kolağası Mehmed Tevfik Bey, tarih sevgisi ve muasır milliyetçilik gibi fikirleri ile onu etkileyecektir. Namık Kemal, Mehmed Emin Yurdakul gibi vatanperver ve milliyetçi şairlerin ve Fransız İhtilâli'nin etkisiyle hürriyetçi fikirlerin de bu dönemde zihinlerde yer ettiği anlaşılıyor. Makedonya'nın Slav milliyetçiliği ve Frankofil havası Bitola'da (Manastır) hâkimdi.

İstanbul'daki Öğrencilik Yılları

1899 yılında Selanik'ten bir vapura binerek İstanbul'a gider. Böylece payitahtı ilk defa görecektir. 18 yaşındadır. Önce Harbiye-i Şahane sonrasında ise Harb Akademisi'nde (Erkân-ı Harbiye) okuyacaktır. Selanik'ten beri dönem arkadaşı ya da alt/üst devresi olan pek çok subay ileride tarihî birer şahsiyet olarak karşımıza çıkacaklardır.

Milliyetçilikler Dönemi

Osmanlı bir imparatorluktu ve bünyesinde farklı milletlerden toplulukları barındırıyordu. 18. asırdan itibaren Osmanlı İmparatorluğu'nun parçalanmasını Büyük Fransız Devrimi'nin getirdiği milliyetçilik fikrine bağlayarak açıklamak oldukça yetersizdir. Çünkü imparatorluğun parçalanmasında etkin olan milliyetçilik, 15. asırdan beri Balkan milletlerinin bir ürünüdür. Daha doğru bir deyişle, Balkan milliyetçiliği ile Fransız Devrimi'nin getirdiği milliyetçilik arasındaki farklar benzerliklerden daha fazladır. Fransız Devrimi'ndeki eşitlik, kardeşlik, özgürlük ilkeleri, Fransa toprağının Fransızca konuşan bütün insanlarını vatandaşlar (birbirlerine nazaran kanuni imtiyazları olmayan hür vatandaşlar) olarak mütalâa etmekten ibarettir. Fransız Devrimi, kraliyetle birlikte kiliseye karşı yapılmıştır. Balkan milliyetçiliğinin ise temel mihrakı kilisedir. Tıpkı bütün Doğu Avrupa milliyetçi hareketleri gibi Balkanlar'da da özgürlük bağımsızlık demektir. Başka kavimlerin bağımsızlıkçı milliyetçiliği en sonunda Osmanlı ülkesinin asıl unsuru olan Türklerde de bir kişilik buldu ve Türkçülük akımının gelişmesine yol açtı. Balkanlar'da eskiden beri elit zümre arasında bir tür Panslavizm ya da Bulgarlarda olduğu gibi bir tür Bulgar milliyetçiliği vardı. Balkan kavimlerinin bağımsızlık kazanmasında Çarlık Rusyası'nın rolünü abartmak, özellikle Türk ve Rus tarihçilere özgü bir hatadır. Mesela Bulgaristan, kendi örgütlenmesi ve mücadelesi sayesinde, 1877-1878 savaşında olmasa bile, bundan çok kısa bir süre sonra bağımsızlığını alabilirdi. Tam anlamıyla olgunlaşmadan dış kuvvetlerin yardımıyla bağımsızlığını alan Yunanistan'da ise bu sakat yapı epey uzun devam etti ve dış vesayet süregitti.

Mustafa Kemal Erkân-ı Harbiye Mektebi'ni 1905'te bitirdi ve Kurmay Yüzbaşı oldu.

Balkanlar'daki Slav milliyetçiliğinin doğuşu Fransız Devrimi'nin de öncesine, bağımsızlıklarını kaybettikleri tarihe rastlar. Krijaniç ve Gunduliç'in (Slav Rönesansı, Dubrovnik'te ortaya çıkmıştır) Machiavelli tarzında ilk Slav milliyetçiliğini ortaya çıkardıklarını biliyoruz. Machiavelli, İtalyan devletlerinin bir güçlü hükümdarın (*principe*) buyruğu altında birleşmelerini isteyen kişiydi. Krijaniç ise bu birliğin, Polonya kralının yardımıyla (15. asır), Gunduliç de Rus çarının yardımıyla (17. asır) oluşmasını istiyorlardı. Osmanlı İmparatorluğu dışında Avusturya'da da Slavlar çoğunluktaydı. Doğu Avrupa'daki milliyetçilik sürekli olarak yabancı hâkimiyetine karşı gelişmiştir. Marksist düşünce buraya geldikten sonra da buradaki milliyetçilik yok olmamıştır. Eski Yugoslavya'daki milliyetçilik ise Tito'nun, "Herkes milliyetçilik yapsın, ama Yugoslav olduklarını unutmasın" düşüncesine dayanırdı.

Avusturya Başbakanı Prens Metternich, Osmanlı topraklarında oluşan Yunan milliyetçiliğini desteklemedi; çünkü böyle bir milliyetçilik akımı kendi imparatorluğundaki (Avusturya) milliyetçilik hareketlerini de etkileyebilirdi ve Yunan ayaklanmasında Osmanlıların yanında yer almıştı. Buna karşılık Rusya bile Yunanistan'ın yanındaydı. Yeni kurulan Yunanistan, bu tarihten itibaren kendisine Navarin'de yardım eden devletlerin yanında yer almıştır. Ayrıca Bavyera'dan ithal edilen bir kralı (Prens Otto) başa geçirmiştir. Yunanistan komşularıyla iyi ilişkiler kuracağına, Batı'ya yönelmiştir. İdeoloji olarak da halen Batı'dan beslenmektedir. Bu oldukça oturmuş bir sistem ve dünya görüşüdür.

1877-78 Osmanlı-Rus Savaşı sonucu Romanya ve Bulgaristan kurulmuştur. İhtilâlci Balkan milliyetçileri dışında, ılımlı unsurlar Bulgaristan'da ve sonraları Arabistan'da Avusturya-Macaristan tipi çift taçlı bir devlet istemişlerdir. Bu fikri savunanların başında Bulgaristan'da "Gizli İhtilal Komitesi" ve sonra başbakan olan Stefan Stambulof ve Arap ülkelerindeki el-Kahtaniyya grubu gelir. Stefan Stambulof, Sultan Abdülhamid'e Osmanlı Padişahı ve Bulgar Çarı olarak iki devletin başında olmasını önermişti. (Berlin Kongresi'nden sonra Muhtar Bulgaristan Prensliği'nde başbakan ama muhtariyet ve yarı bağımlılık dolayısıyla "reis-i müdiran" diye anılan Stambulof'tur. Politikası Rusya'dan çok Batı'ya yöneliktir.)

Osmanlı İmparatorluğu 15. asra kadar yayılmasında Yunan unsurlarını imparatorluğa almıştır. Burada Osmanlı milletleri arasında eşitlik sorunu ortaya çıkıyordu. Balkanlar'daki bütün Slavlar Rum Patrikhanesi'ne bağlanmıştır.

Rumlar imparatorluk içinde imtiyazlı durumdaydılar. Bulgarlar Rum Patrikhanesi tarafından daha çok eziliyordu. 18. asırda Athos Dağı'ndaki Hilander manastırının Bulgar rahibi Paissiy Hilanderskiy ilk olarak Bulgar tarihini kaleme almıştır (*Istoriya Slavyanobolgarskaya*; 18. asır sonu). Bu bir ulusalcı manifesto idi. 19. asır boyunca Bulgar milliyetçiliği, ön planda, Rum sultasından nasıl kurtulacağını hesaplıyordu. Bulgar Katolik Kilisesi'nin kuruluşu da bu döneme rastlar.

Bizans döneminde Süryani ve Keldanilerin, Osmanlı zamanında da Ermenilerin Roma Katolik Kilisesi'yle ilişki kurmaları çok zordu. İdari ve mali olarak bu kiliselerin Roma ile bağı yoktu. Bağ, ruhanîydi. İbadetleri de diğer Katoliklerin aksine Latince değil, kendi dillerindeydi. Bu durum bazı Bulgarları cezbetti ve kendi Katolik kiliselerini kurma yoluna giderek Ortodoks kilisesinden ayrılmak istediler. Bu, dinî meseleden değil, milliyetçi meseleden kaynaklıydı. Balkan Slavlarının kurtuluşunda "kilise" aktif bir rol oynamıştır. Mamafih kısa zamanda Bulgarlar tarihî ve millî kilise bağımsızlıklarını elde ettiler ve Bulgar Eksarhlığı Ortodoks akaîdine bağlı, ama Fener Rum Patrikhanesi'nden ayrı olarak teşkilâtlandı. Fener Patrikhanesi bu olaya o kadar karşıydı ki, Balkanlar'da başka Ortodoks kiliselerin bağımsızlığını tanıdığı halde, Bulgar kilisesinin bağımsızlığını 1945'e kadar tanımamıştır.

18. asırda Balkanlar'da bir millî burjuvazi oluşmaya başlamıştır. Balkanlar'da Osmanlı iktisadiyatı 15. asırdan beri tekâmül halindedir. Bundan başka, gelişen Avusturya ve Rusya sanayii için hammadde temini, köylü ve zengin çiftliklerin teşekkülü ve ayrıca ithal edilen kaçak mamullerin satışı bunu sağlamıştır. Öyle ki, 18. asrın sonunda esnaf

loncaları çözülmüş, para kredi hareketleri gelişmiştir. Zayıf kilise eğitimi yanında 19. asırdan itibaren laik maarif de gelişmeler kaydediyordu. Esasen dinî kurumların önemli rolüne rağmen Balkan milliyetçiliği laik karakterlidir.

Bu durum Arap milliyetçiliğinde de belirgin bir niteliktir. Sebebi ise, Osmanlı milletlerinin aynı dili konuşsalar bile, aralarındaki din ve mezhep farkıdır. Mesela Bulgarlar içinde "Pomak" denen yaygın bir Müslüman grup vardı. Arnavutluk'ta Müslümanların haricinde, kalabalık bir Katolik grup ve Ortodokslar da vardı. Hepsi Hıristiyan olsa da aralarında, Ermenilerde rastlandığı üzere, mezhep farkı vardı. Araplarda da Müslüman oldukları halde mezhep farkı ve çeşitli Hıristiyan gruplar vardı. Arap milliyetçiliği, 19. asrın sonunda ortaya çıkan ve daha çok İmparatorluk merkezileştikçe güçlenen bir akımdır. Batı tesirinin büyüklüğü, ilk Arap milliyetçilerinin Hıristiyan olmaları veya Hıristiyan Batı tesirinde kalan kimseler arasından çıkmasıyla anlaşılıyor. Arap milliyetçiliği hiçbir zaman Balkanlar'daki kadar güçlü ve yaygın olmadı. Üstelik Araplar bugünkü Arap topraklarını işgal ettikleri zaman, buralarda yaşayan Arap olmayan kimseleri Araplaştırmışlardı, ancak, bazıları ise Hıristiyan kalmışlardı. Arap dünyası üzerinde dil birliği ötesinde bir dinî birlik yoktur. İslam hâkimdir ama onun da mezhepleri vardır.

Osmanlı İmparatorluğu içindeki milliyetçilik hareketlerini bugünkülerden ayıran en önemli vasıf, bu ulusların belli tarihlerinin bulunmasıdır. Bunlar tarih içinde kurumlaşıp siyasal topluluk oluşturabilmişlerdir. Tarihte bir Sırp Devleti, bir Bulgar Çarlığı vardır ve bir geçmişe ve siyasal kültüre sahiplerdir. Bugünkü Afrika, hatta bazı Asya ülkelerindeki halklar gibi değildirler.

Osmanlı İmparatorluğu'nda Türk Milliyetçiliği

19. asırda Avrupa'da çok uluslu üç imparatorluk vardı: Avusturya-Macaristan, Rusya Çarlığı ve Osmanlı İmparatorluğu. Bunların hükmettikleri topraklarda, istisnasız biçimde, önemli geçmişleri olan milletler bulunuyordu. Ruslar Polonezlere hükmediyordu ama Polonezler 200 yıl önce Ruslara hükmettiklerini hatırlıyorlardı. Bu durum, söz konusu imparatorlukların hepsi için geçerlidir. Tarihî bir romantizmden gelen bir duygu içindedirler ve tabiatıyla, milliyetçilik buralarda bazı akımlar çıkarmıştır:

1. Rusya'da Pantürkizm çıktı ve bilimsel olarak Avusturya-Macaristan bunu destekliyordu. (Merkezi Budapeşte Üniversitesi'ydi.)

2. Avusturya'da Panslavizm gelişti. (Merkezi talebe hareketleri açısından Viyana Üniversitesi'ydi. Ama ilmi Panslavizm Prag Üniversitesi ve aydın çevrelerinde gelişti.)

3. Osmanlı İmparatorluğu'nda da Slavcılık vardı. Berlin Kongresi'nden sonra bu yok olduğu için bir İslamizm çıktı.

Pantürkizm, Ziya Gökalp ve İttihat ve Terakki'nin söylediğine uygun olarak, siyasi bir birleşmeyi hedef alan bir milliyetçilik değildi. Amaç için siyasal bir örgütlenme yoktur. (Bu Balkan Savaşı'na kadar geçerli olacaktır. Bu harbden sonra ise büyük imparatorluk toprakları elden çıkınca, buna ihtiyaç duyulacak ve Turancılık siyasi program haline getirilecektir.) Bu olaya kadar bir siyasal programdan değil, daha çok kültürel bir Türkçülükten söz edilebilir.

İlk defa İsmail Gaspıralı, Osmanlı imlasını ıslah ederek ve Osmanlı Türkçesini ayıklayarak bir gazete çıkardı. Bu gazete Rusya'da bütün Türkçe konuşanlara yayıldı ve bir okuma-yazma hareketi başladı. Bu ilerici kimseler çarlık ve teokratik devlet sistemine karşı mücadele ediyorlardı. Ama bütün mahallî bölgelerde de Çarlık'tan önce kendi zadegânı tarafından taşlandılar. Çünkü anayasal, laik ya da sosyalist nitelikli kişilerdi.

Osmanlı İmparatorluğu'nda ise ilk önce Türkçüler, daha çok, işe edebiyatçılıkla başlamışlardır. Polonya asıllı ve 1859 mültecisi olan Mustafa Celaleddin Paşa ilk Türk milliyetçi eserini yazmıştır (*Les Turcs Anciens et Modernes*).[11] Türkçülüğü bir ırk meselesi olarak da ele almakta, bir anlamda modern Türk milliyetçiliğinin babası sayılmaktadır. Bir Arnavut olan Şemseddin Sami, ilk Türkçe ansiklopedi olan *Kamûs-ül Â'lâm*'ı çıkarmıştır.[12] Ahmed Vefik Paşa'nın ise dil konusundaki milliyetçiliğine sınır yoktur. Fakat tartışmalı olarak, Türkçülük Ali Suavi'ye mal edilmektedir. Nerede İslamcı, nerede Doğucu, nerede Batıcı olduğu belli olmayan karışık birisidir. Harflerin değişmesini, sadeleşmeyi isteyen ilk isimdir. Aslında Arap harflerinin nasıl ıslah edileceği Tanzimat'tan beri söz konusu olmuşken (Azerbaycanlı yazar ve dil konusunda uzman Mirza Feth Ali Ahundzade), tutucusu bile en azından bir ıslahat öngörmüştür.

Burada bir konuya daha değinmeliyiz. Ben o kuşağın ne idik, ne olduk diye birdenbire çöküntüye uğradıklarını zannetmiyorum. Yaşım icabı ben mesela Rusya muhacirlerini, mültecilerini tanıyorum. Onlar için imparatorluğun çökmesi problemdi, koca Rusya'yı batırmışlardı. Kimin batırdığı sorulsa, her zaman komünistleri suçlarlar. Tabii niye

---

11 Mustafa Celaleddin Paşa, *Les Turcs Anciens et Modernes*, Impr. Courrier D'orient, 1869.

12 Şemseddin Sami, *Kamûs-ul-A'lâm*, Mihran Matbaası, İstanbul, 1307 (m.1889).

komünistlerin geldiğini de pek tartışmak istemiyorlar. Aralarında Rasputin ile Prens Yusupov'a suç bulanlar vardı. İleri yaşlarıma kadar böyle irrasyonel gelen tartışmaları dinledim ama o büyük imparatorluk batacaktı, gidecekti diyen yoktu. Hatta sonradan şunu gördüm; sonraları komünizmden yaka silken ama öncesinde de çarı devirmek için elinden geleni yapan bir sürü milliyetçi, "Keşke devirmeseymişiz" demeye başladılar. Osmanlı İmparatorluğu'nda halk çok çabuk bir tevekkülle kabul etti ve ortaya bir monarşist parti çıkmadı. Politikacı zümre yeni hayata intibak etti. Belki bu durum yenilginin tasfiyesinden ileri geliyor. Bir diğer ifade ile baştaki yenilgi statüsü tasfiye edildi ve o diriliş insanlara yeniden ayağa kalkmak için bir ümit verdi.

Mustafa Kemal, Şam'da bulunduğu dönemde, yakın arkadaşları ile beraber "Vatan ve Hürriyet" adındaki gizli cemiyeti de kuracaktı, 1906.

İttihat ve Terakki

Şimdilerde, yeniden İttihatçıları methetme dönemi başladı. Tarih, yakasına yapışılıp hesaplaşılacak bir şey değildir. Hâlbuki Türkiye'de, sabah akşam İttihatçılara küfür eden hasta kafalı insanlar vardır. Ancak şu unutulmamalıdır ki abartma çok tehlikeli bir üslubdur; İttihatçıların kendilerine göre vatan sevgileri vardı, kendilerine göre cesurdurlar.

Örgütlenmeyi çok iyi bilen adamlardı, komitacıydılar ve aralarında bağ vardı. Ama hepsi aynı derecede ilkeli değildi. Mesela, Cemal Paşa saltanatı ve gösterişi çok severdi. Enver Paşa, Sultan'la evli olmasından ötürü lüksten çok uzak olamazdı. Talat Paşa ise ayrıdır. Sadrazamken, Almanya'dan karısına hediye diye süpürge getirirdi, fakat masraf çok olur diye sadrazam konağına gidemez, Babıâli'ye yakın bir yerde kirada otururdu.

İttihatçılar teşkilatçıydılar, orduyu modernleştirdiler, Türkiye modernleşmesini götürdüler. Fakat müthiş hatalar yaptılar ve imanları zannedildiği kadar kuvvetli değildi. Biz millet olarak devlet adamından çok büyük iman beklemeyiz, gerçeği tanıması yeterlidir. Mesela bir devlet adamının, "Harb'e girmezsek bizi yerler" diye paniğe kapılmaması gerekir. İttihatçılar orduyu da modernleştirmiş oldukları için beklemeleri ve saldırıya uğrarlarsa saldırmaları gerekirdi. İlla ki bir tarafa katılmanın manası olmadığı gibi Almanya gibi zayıf kalan bir kuvvetle ittifak etmek çok lüzumsuzdu. Biz Almanya'yla ittifaka ve harbe girdiğimiz zaman Almanya'nın başarılı olamayacağını akıllı kurmaylar her yerde söylüyordu. Mesela İsmet (İnönü) daha önce de işaret ettiğimiz bir raporunda "Marne Cephesi'ndeki duraklamasından sonra Almanya'ya güvenilmez" diyordu. Almanların Tannenberg'de Rusları yenmiş olması çok anlamlı değildi, zira, Ruslarınki çok mücehhez bir ordu sayılmazdı. O sırada Rusya'nın berbat bir kumanda kademesi vardı ve tıpkı İkinci Dünya Savaşı'nda olduğu gibi üç asker bir tüfekle harbe giriyordu. Böyle bir orduyu, kumandanları da iyi olmayınca, Tannenberg bataklıklarında çevirmek zor olmamıştı. Hindenburg'u küçümseyemeyiz, ama Marne Cephesi'nde doğudan batıya asker sevk edilmesine rağmen muvaffak olunamamıştı. Özetle Osmanlı İmparatorluğu İngiltere'yi oyalamak için Almanlar tarafından harbe alınmıştır. Şüphesiz Almanlar ve Avusturyalılar Osmanlı ordusunu biliyorlardı. İngiltere ve Fransa, 1912-13 Balkan hezimetimiz üzerine bizi küçümsemişti. Bilindiği gibi o hezimet büyük ölçüde siyasi nedenlerden kaynaklanmıştır. Kumanda kademeleri birbirlerine düşmüşlerdir. Eski Kâmil Paşa Hükûmeti sıradan bir hükûmetti, Nâzım Paşa Halaskâran grubundan olup İttihatçıların muhalifiydi ve maalesef askerlik değil, siyaset yapmıştı. İttihatçıların Balkan Savaşı içinde entrikaları vardır ve Kâmil Paşa Hükûmeti'nin lehine yazılacak zaferlerden çekindikleri bilinmektedir. Midilli'nin zaptı da böyle olmuştur. Mesela Rauf Bey çok milliyetperver bir deniz subayı olmasına rağmen parti militanlığı onun önüne geçmiştir ki parti militanlığı her türlü iş birliğini ve aklı ortadan kaldırır. Maalesef *Averof* gibi ortalama bir zırhlı kuzeydeki Yunan adalarını almıştır. Buna müsaade edilmemesi gerekirdi, ama orada bir hamiyetsizlik vardır. Mesela Selanik'e Tahsin Paşa gibi mazide hiçbir varlık gösteremeyen, iyi sicili olmayan bir adamı kolordu kumandanı tayin etmişlerdir. Selanik, çok önemli bir ovanın ortasında müstahkem bir mevki ve Avrupa-i Osmanî'nin en büyük şehridir. Bunu buraya tayin etme sebepleri Abdülhamid'in zulmüne uğraması, yani menkub olması imiş denilmektedir. Abdülhamid'in hep iyi adamlar sürdüğü gibi bir inanç oluşmuştu. Oysa Abdülhamid hürriyetperverleri sürdüğü gibi ahlaksız, işe yaramaz adamları da sürmüştür. Hasan Tahsin Paşa maalesef koskoca kolorduyla direnmeden Yunanlılara şehri teslim etmiştir. Biyografisinde, topladığı paraları Nice'te yediği söyleniyor. Böyle adamların kullanıldığı bir gerçektir. Mahmud Şevket Paşa, Balkan

Savaşı sırasında tayin edildiği cepheyi beğenmeyip, kendisine verilen görevi kabul etmemiştir. Bu, askerlikte büyük suçtur ve o kişiyi kurşuna dizmeyi gerektirir. Hâlbuki darbeden sonra Mahmud Şevket Paşa'yı sadrazam tayin etmişlerdir. Bunlar yeni partizanlık göstergeleridir ve Türk idare hayatına çok ağır şekilde girmiştir. Ondan evvel partizanlık yoktur, yoldaşlık vardır. Yoldaşlık zayıf bir bağdır. Türk hayatında partizanlık, "ne olursa olsun, bizden olsun" anlayışını hâkim kılmıştır. Parti disiplini ve parti aidiyeti bizimkinden çok daha uzun ve kuvvetli olan Avrupa toplumlarında partizanlık zayıfladı ve birçok alanda hiç doğmadı. İnsanlar az çok liyakate ve sicile bakarlar. Mesela Sosyalist Parti'deki herhangi bir adamı getirip genel müdür yapmazlar ve başka vasfa da bakarlar. Almanya'da, İsveç'te işler daha ciddidir. Bizde ise, tabiri caizse, "odun olsun, bizden olsun" denilir. Bütün partiler, bütün görüşler için bunun böyle olduğunu yaşadığınız hayat içinde görürsünüz. Bu kaçınılmaz bir hastalık olarak girmiştir ve bunun temelleri İttihatçı davranışında, misyonunda yatar. Bunun aşılması son derece zordur. Çünkü Türk cemiyetinin terbiyesi maalesef bir ölçüde bu İttihatçı modeline dayanır. Bu özelliklerinin yanında İttihatçılık, Türkiye tarihinde bir atılımdır, Doğu dünyasında olmayan bir gruptur. İttihatçılar, yeni Türkiye'deki birtakım hastalıklara, totaliteryanizme itibar etmemeyi getirmiştir. Bununla beraber Cumhuriyet işe İttihatçı kadroları eleyerek başlamıştır. Yeni Cumhuriyet kadrosunu İttihatçı olarak görmek bir tartışmanın konusudur. Ancak bu meseleyi ilerleyen bölümlerde daha tartışacağız.

Burada Mustafa Kemal ile İttihat ve Terakki kadrosunun ilişkilerine biraz bakalım. Mustafa Kemal'in sert bir karakteri vardı ve düşündüğünü söylerdi. Karşısındaki Kaiser

Wilhelm bile olsa fark etmiyordu. Karakteri öyle olduğu için de İttihat ve Terakki'nin tarzını beğenmiyordu. Belâgatli uslûbu dolayısıyla bilgilerini çok güzel kullanmayı beceriyor ve çok güzel tartışıyordu. O yüzden İttihat ve Terakki'deki merkez heyet, Enver Paşa'nın yakınları, hem siviller hem de askerler Mustafa Kemal'den çok çekiniyorlardı. Çok iyi bir kurmay ve asker olduğu için bir şey yapamıyorlardı. Fakat Enver Paşa'nın iktidarı asla paylaşmayacağı da belliydi. Elbette aynı şey Mustafa Kemal Paşa'da da vardı. Atatürk olmasına kalmadan siyaseten uyanmış ki İttihatçı meseleleri 1926 İzmir Suikastı davasında bitirildi. O suikast davasında işin içine karışanlar kadar, dışında kalanlar da yargılandılar ve Cavit Bey misalinde olduğu üzere idama mahkûm edildiler.

Balkanlar'ın etkisiyle 1814'te Odessa'da kurulan Filiki Eteria (Dostluk Cemiyeti) büyük ölçüde Karadeniz limanındaki ve Rusya'daki Yunanlı aydın ve tüccarların toplandığı gizli bir cemiyetti.[13] Bu cemiyetin defteri ortadadır. Kim ne kadar bağış yapmış, kim ne aidat ödemiş bellidir. Fakat İttihat ve Terakki'nin böyle bir kaydı yoktur. Cemiyet parasız dönmüyordu, herkes cebindekini ortaya koyuyordu. İnsanlar yeminler ediyorlar, üye oluyor, ancak, hiçbir şey söylemiyorlar ve daha da garibi, kendilerine ihanet ettiği söylenen insanlarla bile ilişkilerini devam ettiriyorlardı. Dâhiliye Nazırı Ali Kemal cemiyetteydi ve ayrılmasına ve güya İttihatçılarla kapışmasına rağmen yine de cemiyet mensuplarından

---

13 Bizdeki literatürde bu cemiyetin adı yanlışlıkla "Etniki Eteria" diye zikredilir. Etniki Eteria (Milli Cemiyet) Yunanistan'ın başkentinde 1894'te subaylar, aydınlar ve tüccarlar tarafından kurulan bir cemiyettir. Sözde Osmanlı egemenliğindeki bütün ırkdaşları kurtarmak için kurulmuş gibi görünse de asıl amacı Makedonya sorununa el atıp Bulgar komiteleriyle mücadele etmekti.

destek görmüştür. Linç edildiği zaman zavallı eşi ki Müşir Zeki Paşa'nın kızıdır (o kadar akrabası var, ancak zor zamanda pek bulunmaz) Hüseyin Cahit Yalçın'ın kapısını çalmıştır. Çünkü partidaşlık başka bir şeydir. Ölene kadar birbirlerini tutarlar. Aynı zat henüz İstiklâl Mahkemesi'nin önünden yeni çıkmış, zor kurtulmuştur. Mesela o arada Cavid Bey İzmir suikastı bahanesiyle asılır. Çocuğunu almış soyadını da vererek yetiştirmiştir (Şiar Yalçın). Bu başka türlü bir dayanışmadır ve anlaşılması zordur. Bir şiar vardır, o onların misyonudur. Bu misyon etrafında bir yemin beraberliği vardır. Partide her şey tartışılır, çok hürdür. Orada konuşulan şeyler dışarı çıkmaz. İçerisinde padişahın hafiyelerini bile barındırır, onlar da laf çıkartmazlardı. Oradaki kararlara ve tertiplere kimse ihanet edemezdi.

Mustafa Kemal'in İttihatçılığı

Atatürk de vakti zamanında bütün genç subaylar gibi İttihatçı idi. Ama çok erkenden bu zümreden soğumuş, bırakmış ve erkenden fırka yönetimine karşı tenkitçi bir bakış edinmiştir. Enver Paşa'yla yıldızları barışmamıştır. Enver, O'nu sevmiyordu, Atatürk ise Enver'i bir tehlike olarak görüyordu. Bu ikisi farklı bakıştır. Enver Paşa, Mustafa Kemal'den hazzetmiyordu. Onu konumu itibariyle muhteris, gayr-ı memnun biri olarak görüyordu. Mustafa Kemal için ise Enver, sevip sevmemenin ötesinde tehlikeli birisiydi. İttihatçılık iddiası, ileride Mütareke döneminde menfi bir kavram olarak bilhassa Damat Ferid çevresi tarafından Mustafa Kemal taraftarlarına karşı da propagandası yapılan suçlamadır ve esas amacı Mustafa Kemal'in "millî hareketini" halk nezdinde itibarsızlaştırmaktı. Sonrasında bu propaganda Mustafa Sabri ve Dürrizade gibilerin eliyle fetva şeklinde ortaya kondu.

Kolağası Mustafa Kemal Bey (orta sıra, sağ baştan sekizinci kişi), Selanik'teki 3. Ordu karargâhında, karargâh subayları ile birlikte, 1909.

Atatürk, İttihatçıların menfi taraflarından nefret ederdi. Kendisi de gençken yeminli İttihatçı olmasına rağmen, aşağı yukarı Hareket Ordusu macerasından sonra, binbaşılığından itibaren bu tavır ve hizipçilikten nefret edip, çatışarak kenara çekilmiştir. Bazı arkadaşları da öyleydi ve Halk Partisi'nin içinde de bu tarzı takip etmiştir. Mesela Aydın'a geldiği zaman "Burada muhalif bir genç var. Serbest Fırka reisi ve hayli etkili" deniliyor. Kastettikleri o zaman daha "Menderes" olmayan, Adnan Bey idi. Anlatılanlar üzerine çok sinirlenerek Adnan Bey'i çağırmıştır. Bunun üzerine Adnan Bey arza başlamıştır ki boş bir insan değildir, zira, askerliğini yedek subay olarak yapmış, İstiklâl Madalyası almış ve Amerikan Koleji'nde okumuştu. Memleketin halini, çiftçinin durumunu, ihmali, bürokrasinin tutumunu anlatıyor. O anda Atatürk'ün tavrı ve yüzü değişmeye başlıyor. "Sen bunları bana bir layiha halinde ver" diyor ve ondan sonraki dönemde onu Aydın'dan mebus yapıyor. Bu bir zihniyettir. Ancak Türk cemiyetinde bu tip liderler çok azdır.

Mustafa Kemal Paşa'nın Askerlik Anlayışı

Mustafa Kemal Paşa çok disiplinli, işini seven ve iyi yapan, çalışkan bir askerdi. Bu konuda, Atatürk'ün 1937'de Afet İnan'a anlattığı bir hadiseyi nakledelim.

Osmanlı İmparatorluğu'nda 1908 Hürriyet İnkılabı olmuştur. 1909'un yaz aylarıdır. Selanik'te kolağası, yani kıdemli yüzbaşı olarak görev yapmaktadır.

Uzun yıllar Osmanlı ordusu hizmetinde bulunan Alman Mareşal Colmar von der Goltz -ki Goltz Paşa olarak tanınacak ve Irak Cephesi'nde vefat edecek, önemli bir askerdi- Makedonya'daki Türk ordusuna garnizon tatbikatı yaptırmak üzere Selanik'e gelecektir. O günlerde 3. Ordu'nun Kurmay

Kurulu'nda görevli olan Mustafa Kemal, Mareşal gelmeden evvel ona sunulmak üzere Selanik civarında bir tatbikatın planlarını hazırlamakla meşguldür. Kumandanı olan diğer paşaları da haberdar etmek istiyor. Paşalar, Kolağası Mustafa Kemal'in bu cüretini hayretle karşılıyor.

Diyorlar ki, "Buraya gelecek olan Goltz bizden ders almak için değil, bize ders vermek için geliyor." Ancak Mustafa Kemal buna şu cevabı veriyor: "Büyük bir asker olan Mareşal Goltz'dan istifade etmek üzerinde durulacak mühim bir husustur. Ancak Türk Erkân-ı Harbiye ve Kumanda Heyeti'nin kendi vatandaşlarını nasıl müdafaa etmek lazım geleceğini gösterebilmeleri elbette ondan çok daha mühimdir. Bir de buraya yorgun gelecek olan Mareşal'e fazla külfet yüklememek de münasip olacaktır kanaatindeyim."

Mustafa Kemal'in bu hareketini doğru bulmayanlar henüz bu kanaatlerini değiştirmemişlerdir. Bunun üzerine Mustafa Kemal daha da ileri giderek, "Benim hazırlayacağım meseleyi Mareşal'e göstermek ayıp değildir. Bunun aksi ayıptır. Benim planım Mareşal'in fikrine uygun düşmez yahut Mareşal benim eserime ilgi göstermezse, kendi istediğini tatbik ettirmek onun elindedir. Fakat bütün Makedonya'ya şamil olan Türk ordusu kumanda heyetinin hiçbir şey düşünmez ve hiçbir müdafaa tedbiri alamaz insanlardan müteşekkil olduğu zehabını onda uyandırırsak, işte Türklüğe ve Türk askerliğine yakışmayacak hareket bu olur."

Mareşal Goltz Selanik'e gelmiştir ve Splendid Palas'tadır. O günün gecesinde Mustafa Kemal, Mareşal'in yanına gitmek üzere bir davet alır. Mustafa Kemal'i otelin koridorlarında karşılayan Erkân-ı Harbiye Reisi'nin yüzünde müjdeleyici bir ifade vardır. Mareşal'in bulunduğu salona girerken Erkân-ı Harbiye Reisi haberi ona bildirir: Planını Mareşal çok beğenmiştir. Ancak bazı izahat almaya lüzum gördüğünden plan sahibini davet etmiştir. Mustafa Kemal odaya girer ve Mareşal'e planı anlatır. Üzerinde fikir alışverişi yaparlar. Sonuçta karar verilir: Mustafa Kemal'in planı tatbik edilecektir.

Ertesi gün Vardar Nehri havzasında tatbikat başlar. Hatta Goltz Paşa, Mustafa Kemal'i yine yanına alır ve "Bana yardım ediniz" der. Çünkü araziye yabancıdır. Tatbikat bitimindeyse tenkidi yapılır.[14]

II. Abdülhamid

1881'de doğan Atatürk'ün ömrünün ilk 28 yılı, Sultan II. Abdülhamid'in idaresine denk gelmiştir. Devletin büyüklerinin, hatta Cumhuriyet'in kurucusunun, yani Kemal Atatürk'ün Sultan Abdülhamid hakkındaki ifadelerini etraflıca araştırmak lazım gelir. Sanıldığının aksine çok kötü ve menfi şeyler yoktur. Abdülhamid'in yaptıkları, yapmak zorunda oldukları ve yapamayacaklarının nedenini araştırmışlardır ki bunun üzerinde durulması gerekir.

Peki Mustafa Kemal de dâhil koca bir neslin kaderini etkileyen Sultan Abdülhamid kimdi? Türkiye'nin artık 7 yıldır devam eden savaştan bezdiği ve klasik imparatorluğun topraklarını kaybedeceği anlaşılan bir zamanda, 10 Şubat 1918'de, Sultan II. Abdülhamid menfasında, yani sürgün yaşadığı Beylerbeyi Sarayı'nda 76 yaşında vefat etti. 1909 yılında, Nisan ayı ortasında Yeşilköy'deki Meclis-i Umumi'nin seçtiği bir heyet tarafından kendisine hal'i tebliğ edilmişti. Hakan-ı sabık bundan sonraki ömrünü menfa yeri olarak seçilen Selanik'te, Yahudi zenginlerden Alatini'nin o zaman için şehrin dışında sayılan köşkünde geçirecekti. Menfası uzun sürmedi. Üç yıl sonra Balkan Savaşı'nın

14 Ayşe Afet İnan, *M. Kemal Atatürk'ün Karlsbad Hatıraları*, Türk Tarih Kurumu Yayınları, Ankara, 1991.

ilk önemli kaybı sayılan Selanik'i terk etmek zorunda kaldı. Yeni yeri Boğaz'da Beylerbeyi Sarayı'ydı.

Topkapı Sarayı'nda doğmuş, Yıldız Sarayı'nda yaşamış, tabii ki Beylerbeyi Sarayı'nda da kısmen oturmuştu. Sarayın yemek takımlarını babası Sultan Abdülmecid için yapan oydu ki bir marangozluk şaheseridir. Beylerbeyi'nde hükümdarın konumunda bir değişiklik başladı. Birinci Dünya Savaşı boyunca onun diplomasi bilgisi ve taktiklerini İttihat ve Terakki erkânı dinlemekte fayda görüyordu.

Lakin Hakan-ı sabık yorgun ve hastaydı. Zaten 34 yaşında çıktığı tahtta (1876) 33 yıl boyunca, imparatorluğu en dağdağalı zamanında, üstelik de Tanzimat'ın büyükleri gibi devlet adamları ve kadrolar etrafında olmadan yürütmek zorunda kalmıştı. İdare tamamen onun elindeydi. Babıâli'nin hükümranlığı hükûmetin elinden Yıldız'a kaymıştı. Mabeyn Başkitabeti'ndeki memurlar nöbetleşe 24 saat çalışır, dış merkezlerdeki büyükelçiliklerden gelen raporlar, vilayetlerden gelen yazışmalar, hepsi oradan geçerdi.

Tunuslu Hayreddin Paşa gibi büyük bir devlet adamının böyle bir tek adam merkeziyetçiliğine tahammül edemeyip istifa ettiği bu ortamda, "Sezar'ın hakkı Sezar'a", değerli memurlar da yetişmiştir. Hakan, Mekteb-i Mülkiye'nin eğitim düzeyini yükseltmiş ve buradan çıkan memurları mabeynde istihdam eder olmuştu. Mabeyndeki memurların üzerinde baskı yoktu. Birçok memurun aksine jurnal vermek zorunda değillerdi. Hatta hafiyelerden uzak, rahatça konuştuklarını da Müştak Mayakon hatıralarında belirtir.[15] Ama imparatorluk bürokrasisinin güçlendiği ve büyüdüğü bu dönemde, tezatlı olarak aynı bürokrasinin elinin kolunun bağlandığı da açıktır. Her şeye rağmen bürokrasinin hacmi ve ihtisas

15 Müştak Mayakon, *Yıldız'da Neler Gördüm-Mabeyn Kâtibinin Kaleminden Abdülhamid ve Çevresi*, DBY Yayınları, İstanbul, 2010.

derecesi, Batı ve Orta Avrupa'yı bırakalım, Rusya için dahi yeterli bir idari aparat sayılamazdı. 19. asır imparatorluklarının içinde Rusya ve Osmanlı imparatorlukları bu alanda iki tipik otokratik mekanizma örneğidir. Buna göre Rusya'da 10 bin nüfusa 12 memur düşüyordu. Osmanlı'da da durum buna yakın olmalı, bir sayım yapılamadı. Şüphesiz ki Batı Avrupa devletlerinde bu oran dört beş misli fazladır. Memur azlığı maaşların azlığıyla da paralel gidiyordu. Rüşvetin yayılmasında maaş azlığının etkisi fazladır.[16]

İkinci veliahtken amcası Sultan Abdülaziz Han ve veliaht-ı saltanat ağabeyi Murad Efendi'yle, başta devlete bağlı imtiyazlı bir hükümdarlık (hıdivlik) olan Mısır'a, ardından da Fransa, İngiltere, Almanya, Avusturya ve Macaristan başkentlerine tertiplenen uzun gezide yer almıştı. Osmanlı sultanının ilk dış gezileri olan bu seferde hiç şüphesiz ki çok şeyler görmüş, heyet üyeleri olan devlet adamlarını daha yakından tanımış, yabancı başkentlerdeki hanedan mensubları ve devlet adamlarıyla kısa da olsa görüşmüştü. Bu onun son gezisidir. Bir daha ne yurt içi ne de yurt dışında bir geziye çıktı.

Sıkıntılı ömrü sona erdiği zaman, tertiplenen cenaze alayıyla Beylerbeyi iskelesinden Suriçi İstanbul'a nakledilen naaşı Divanyolu'nu geçerek dedesi Sultan II. Mahmud Han'ın yanına gömüldü. Resmi devlet töreninde nazırlar, vüzera ve yabancı elçiler de bulundu. Kalabalıktı, halk çok üzgündü, meyustu. Uzun harbin getirdiği sıkıntılar muhtemelen padişaha karşı saygıyı artırmıştı ve cenaze bir nevi protesto için kullanıldı. Yol üstü binaların pencerelerindeki kadınlar; "Bizi refah içinde yaşatan padişahım, bizleri bırakıp da nereye gidiyorsun?" diye ağlıyordu.

---

16 Orest Subtelny, *Ukraine: A History*, University of Toronto Press, 1992, s. 205.

33 yıllık saltanatın içinde Anadolu toprakları demir yolu, okul, hastane gördü; tarım gelişti. Öbür yandan sansür, siyasi baskı da birlikteydi. Muasır Rusya'nın aksine siyasi idamlar tatbik edilmedi ama otokratik bir baskı da hissediliyordu.

Padişah ilginç bir kişilikti. Diplomasiyi seviyor, öğreniyor ve siyasi manevraları dış dünyada takdir görüyordu.[17] Gençliğinden beri borsa ve bankacılık manevralarını iyi öğrenmişti. Kendisinden evvel Sultan Abdülaziz'in saltanatı sonrasında ilan edilen moratoryum (yani borç ödemeyi durdurma) mali iflasın açıklanmasıdır. Düyun-ı Umumiye herkes gibi onun da hayatını karartan bir kurum olarak ortaya çıktı. Rusya ile iyi geçindi, Çar III. Aleksandr da onun gibi savaş istemezdi. Rusya savaşarak büyüyecek bir ülke değildi, barışta okullaşma ve endüstrileşme ile zenginleşebilirdi. Batı Avrupa ülkeleri de onun diplomatik oyunları sayesinde idare edildi.

Ancak II. Abdülhamid Han hakikaten yorgundu. 20. yüzyıl kavşağında bu tarz bir idarenin hükümdarı yorması tabiidir. 1905'ten sonra yorgun bir hükümdar olarak saltanatını sürdürdü. Muhtemelen 1908'de anayasayı yeniden yürürlüğe koyması, 31 Mart'a aktif müdahalesinin olmaması bununla açıklanabilir. Türk-Rus Savaşı'nı önleyecek durumda değildi. 1897'deki Yunan Muharebesi'ni ise Osmanlı zaferle bitirdi. Dolayısıyla, "II. Abdülhamid döneminde Osmanlıların gerileyişi durdu" gibi bir görüş ortaya çıktı.

Hayranları yurt içindekilerden çok, Avrupa'daki muhafazakâr çevrelerdir. Şaşılacak bir durum değil; dengesi bozulan dünyada statükoyu sağlamaya gayret eden ve bir ölçüde de başarılı olan bir hükümdarı ve politikasını 19.

---

17 Feroze Yasamee, *Ottoman Diplomacy: Abdulhamid II and the Great Powers 1878-1888*, Isis Press, 1996.

asrın son çeyreğinde takdir eden çoktur.

Kolağası (Önyüzbaşı) Mustafa Kemal, 1907 yılında bu rütbeye terfi etti, Şam, Haziran 1907.

Elbette, II. Abdülhamid döneminin bir modernleşme ve hızlı bir bürokratik ihtisas yapılanması dönemi olduğunu söylemek zorundayız, fakat aynı zamanda da korkunç bir otoriter rejim kurulması, polis rejiminin gelmesi ve daha kötüsü, bu polis rejiminde halkın inisiyatifine güvenilmemesi söz konusudur. Bu, Türkiye'de çok tehlikeli bir yapılanmaydı, kendini bilen bir devlet mekanizmasının buna gitmemesi gerekir, zira, bizde başka türlü yapılanmalar ortaya çıkar. Bu yüzden II. Abdülhamid yorgun bir monark, hükümdardır. Âdeta 1909'u artık kabul etmiş, 1908'den itibaren fazla ısrar etmemiştir. Ama şu kadarını da söylemek lazım gelir: Hem Anadolu halkıyla hem de ne ilginçtir ki, Orta Doğu'nun Araplarıyla arası iyidir Orta Doğu Arap halkı kendisini çok sever.

Türkiye'nin o ilginç dönemi için affedilmeyecek kurum sansürdür. Sansür yüzünden kendisinden sonra Türkiye İmparatorluğu'nu yönetecek nesiller bilgisiz ve safdil kalmışlardır.

Bosna Hersek'in İlhakı

Bosna, Osmanlı için özel ve müstesna bir bölge idi. Boşnaklar Balkanlar'da Müslüman olan ve kendini "Osmanlı" olarak nitelendiren bir toplumdur. Köken olarak Sırp ve Hırvatlarla aynı millettendirler, Slavdırlar. Ancak bu üçünün arasındaki fark dindir. Fatih'in Bosna'yı 1463'te fethetmesiyle papazsız ve hiyerarşisiz bir Hıristiyanlığı (Bogomilizm) benimsemiş olan Boşnaklar İslam'a geçmişlerdir. Bu gönüllü bir geçiş olduğu gibi gönülden bir geçiş de oluyor. Böylece Boşnaklar, Balkanlar'daki tabirle "Türk" olmuşlardır. Balkanlar'da bugün bile birisi Müslüman olsa, ona "Türk oldu" derler. Tabii Bosna coğrafyasında sadece Müslümanlar yaşamıyordu, halen de öyledir. Saraybosna merkez olmak üzere Bosna bölgesi Osmanlı için hem insan kaynağı bakımından hem de stratejik olarak çok önemliydi. Keza Arnavut nüfusun ağırlıkta olduğu Kosova ile yine Türk-Arnavut nüfusun yoğun olduğu bugünkü Makedonya bölgesi de öyleydi. Bugün dahi Boşnaklar, ataları olarak Fatih Sultan Mehmed'i kabul ediyorlar ve gidenler iyi bilirler, orada sıcak bir Türkiye sevgisi vardır.

1463'te Türk idaresine giren Bosna topraklarını, 1878 yılında kaybettik. Buna rağmen Osmanlı nüfuzu orada varlığını sürdürüyordu. Ancak 1908'de Avusturya-Macaristan, Bosna'yı ilhak etti.

Bu gelişme için, o devrin kabineleri içinde, mesela Avusturya-Macaristan kabinesinde Hariciye Nazırı Kont Aehrenthal Bosna'yı, Bosna Hersek'i ilhak etmek gibi kendi açısından da vahim bir hata yapmıştır demek lazımdır. Avusturya orada işgal kuvveti olarak bulunuyordu ve işgal idaresi olarak da birtakım mekanizmaları yürütüyordu. Ancak bu ilhakla birlikte, artık işgal durumunu kabullenmiş Osmanlı Devleti ve Rusya başta olmak üzere başka devletlerde de bir soru işareti uyandı. Kendisine bu tembih edildiği halde, Avusturya-Macaristan Hükûmeti bu ihtarı dinlemedi ve nihayetinde savaşın fitili oradaki bir suikastla ateşlendi.

Sıra Dışı Bir Tarihî Şahsiyet: Enver Paşa

Enver Paşa'nın doğum tarihi kesin bilinmektedir; 23 Kasım 1881. Tam 41 yaşında, 4 Ağustos 1922'de, bugünkü

Tacikistan'ın Çegan köyünde Kızıl Ordu'nun kuşatmasını yarmak isterken şehit düştü.

Çok genç yaşta imparatorluk ordularının başkumandanı (vekili) oldu. Ekseriyetle hakkındaki eleştiriler bu vakaya dayanır; genç yaşta bu mevkiye gelmek yeterli tecrübe içermeyeceğinden, felaket kolay gelmiştir denir. Rütbesi Birinci Ferik'ti (korgeneral), mareşalliğe (müşir) ulaşacak vakti olmadı.

Trablusgarb'ta bir yıl süren mücadelede Mustafa Kemal Bey, Cami Bey, Fethi Bey gibi genç subaylarla birlikte İtalyanlara karşı Sünusi şeyhleriyle anlaştı ve 20 bin kişiyi seferber etmeyi başarıp merkezî maliyeden de hemen yardım yetişemediği için adına para bastırarak bölgeye hâkim oldu. İtalyanlar kıyıdan içeri giremediler. Dahası bir yıl sonra diğer subaylarla birlikte -ki hepsi gönüllü statüsündeydi- Balkan Savaşı'nın başlaması üzerine İstanbul'a çağrılmasına rağmen, Trablusgarb savunması durmadı. Yerlerinde bıraktıkları Osmanlı zabitleri İtalyanlara karşı savunmayı daha uzun müddet sürdürdüler. Enver Paşa burada yarbaylığa (kaymakamlığa) yükseldi. Balkan bozgunundan sonra Enver Bey, Babıâli baskınını gerçekleştirdi.

Balkan ülkeleri arasında anlaşmazlık sonucu başlayan İkinci Balkan Savaşı'ndan istifade ederek, Bulgarların eline geçen Edirne'yi 22 Temmuz 1913'te istirdad etti (kurtardı). O yıl albaylığa (miralaylığa, Aralık 1913), bir aydan kısa bir süre içinde de generalliğe terfi etti. Darbecilik ordudaki tayin sistemine girmişti. Enver Bey de hak etse dahi bu makama politikacı olarak oturdu. Mirliva (tuğgeneral) olur olmaz artık ağırlığını hissettiren İttihatçı kabinede Harbiye Nazırı oldu. Aynı yıl Şehzade Süleyman Efendi'nin kızı, yani Sultan Abdülmecid'in torunu olan Naciye Sultan ile evlendi ve Saray'ın damadı (damad-ı şehriyari) oldu.

Osmanlı ordusu içinde dönemin Avrupa ordularındaki subaylarla nitelikçe bağdaşacak kumandanların sayısı bir hayli fazlaydı ve bunlar sadece askerî bilgi değil, umumi bilgileri, yaşam tarzı ve görgüleriyle de üst düzeydeydiler. Enver Paşa da bütün kurmaylar gibi Fransızcayı bilirdi ve 1909'da tayin edildiği Berlin askerî ataşeliği sırasında Almancayı iyi öğrenmişti. Rusça ve Farsçayı daha önceden bilirdi. Resim yapan, kalemi kuvvetli bir subaydı. Berlin ve Potsdam'daki hayatı, onun Alman askerî kuvvetine olan hayranlık ve sarsılmaz güvenini artırdı. Bu Alman eğitimi gören askerlerde istisnası az olan bir bütünleşmeydi. Hatta Fransız kültürünü çok iyi öğrenen şehzade Ömer Faruk Efendi'nin (son halife Abdülmecid'in oğlu) Almanlara hayran olduğu ve Alman sistemi tarafından taltif edilen başarılı bir maiyyet ve cephe subayı olarak Marne'da çarpıştığı biliniyor. Ancak oradaki madalyası sıradan bir başarının ötesinde büyük bir kahramanlık olarak Kaiser tarafından takdirle verilen *Kızıl Kartal* nişanıdır.

İleride, Birinci Dünya Savaşı'nın gayeleri, imparatorluğa yönelik bilinen paylaşma projeleri ve İtilaf Devletleri'nin kötü niyetlerine rağmen diplomasi hemen hemen hiç denenmedi. Esasen meşruti hükûmetlerin Sultan Abdülhamid dönemine göre en zayıf tarafı diplomasidir. Büyük devletler arasında dengeyi kollamak ve "kaçınılmaz" dense bile savaşa girmeyi geciktirmek dururken, maalesef İttihatçı triumvira (Enver, Talat, Cemal üçlüsü), İtilaf Devletleri'nin reddi ve Britanya Bahriye Nazırı, Amirallik I. Lordu Churchill'in malûm gemi dolandırıcılığının[18] hemen akabinde Almanya ile aynı cephede dünya savaşına girmekte acele ettiler.

18 Cemal Akbay, *Birinci Dünya Harbi'nde Türk Harbi: Osmanlı İmparatorluğu'nun Siyasi ve Askerî Hazırlıkları ve Harbe Girişi,* Cilt: 1, Gen. Kur. ATASE Bşk.lığı Yayınları, Ankara, 1970, s. 65.

Ordular hiç hazırlıklı değildi; ilk defa Türkiye bir milyonun üzerinde asker toplamıştı. Ülke içindeki sorunlar, Doğu Anadolu'da Ermeni isyanları, müttefik Almanya'nın teşviki ile Ermenilere karşı tehciri de birlikte getirecekti. Türkiye dünya savaşına çok hazırlıksız girmesine rağmen, iyi eğitim görmüş, Arabistan çöllerinden Balkan dağlarına kadar her yerde coğrafyayı çatışarak öğrenmiş, Balkan ve Trablusgarb savaşlarının trajik tecrübelerinden olgunlaşarak çıkmış bir genç subaylar sınıfı bu dünya savaşını umulmayacak kadar başarılı bir şekilde götürmüştür. Bu durum Birinci Dünya Savaşı'ndan önce Türk Ordusu'nu müttefik olarak değerli görmeyen Britanya için sürpriz oldu. Savaşta Türk kumandan sınıfı, Almanya ve kumandanlarının güvenilmeyecek bir müttefik olduğunu da anladı.

Başkumandan Vekili cesur planların sahibiydi. Bu planların hepsinin aynı derecede akil ve bilgili bir şekilde hazırlandığını söylemek mümkün değildir. Orduda savaşa geç girilmesini, hatta mümkünse girilmemesini isteyen kumandanlar vardı. Esad Paşa, Mustafa Kemal Bey, İsmet (İnönü) Bey, Kâzım Karabekir ve Fevzi Paşa gibi... Gelecekte İstiklâl Savaşı'nın kumanda kademesini oluşturacak bu kadrolar, daha çok Alman aleyhtarıydı. Bundan dolayı Enver Paşa'yla da aralarındaki gerilim günden güne arttı. Sarıkamış faciasından sonra bunu görmek mümkündür. Fakat hepsi de savaştaki görevlerini yerine getirdiler. Enver Paşa da bu kumandanların ne kadar gerekli olduğunu bilirdi ve şurası bir gerçek ki; açığa çıkmayan bir gerilim 1915'ten sonra genç kumandanların arasında süregitti. Bu gerginliklerden biri de *Harp Mecmuası*'nın kapağına Mustafa Kemal'in isminin konulması meselesidir ki Enver Paşa bunu engellemiştir. Bunun gibi bir engelleme daha vardır ki sözü az edilir. Hanedandan Şehzade

Osman Fuad Efendi de iyi bir askerdir ve onu da engellemiştir. Bu bir kıskançlıktır deniliyor. Doğru olabileceği gibi fazla büyümesin düşüncesi de olabilir yahut kendince bir stratejiden de ileri gelebilir. Tabii Enver Paşa gel gitleri olan çok ilginç biridir. Aynı zamanda çok bilgili ve çok çalışkandır. Belki de imkânları daha fazla olan bir orduda olsa ve bu pozisyona aniden fırlamayıp genç bir general olarak kalsa çok şeyler başarabilirdi ama bu muhtemel şansı orada bitti. İkinci grup, Birinci Harb'te edindikleri tecrübe ve ihtiyatla 1919-22 arasında Kurtuluş Savaşı'nı başlatıp götürecektir.

Sarıkamış, Süveyş Kanalı Cephesi gibi faciaların yanında, Çanakkale ve Kut'ül Amare'deki zaferler morali yükseltti. Kudüs ise, Alman kurmay heyetinin entrikaları (kurmay heyeti, şehrin Allenby tarafından top atışıyla tahrip edilmesinin buradaki ortak dinî anıtların tahribine sebep olacağı bahanesini ileri sürmüştü) yüzünden 1917 Noel'inde nerdeyse teslim edilmişti, ama etrafındaki cephelerde savaşın aylarca uzadığı, Filistin Cephesi'nde yer yer genç subayların dâhiyane savunmalar yaptıkları ve askerin direnişi bugün pek bilinmez. Bir yandan ricat, öbür yandan savaşın sonunda İran ve Kafkasya'daki zaferler, Birinci Dünya Savaşı'nda hem Türkiye'nin hem de imparatorluğun asli unsuru olan Türk halkının yıpranmasına neden oldu ama aynı zamanda geleceğe hazırlanan bir ülke ortaya çıktı. Birinci Dünya Savaşı'nın birçok çevrede yarattığı umutsuzluk ve teslimiyet havasına rağmen, ordunun genç kumandanları direnme savaşına devam edebildiler ve bürokrasinin bir kısmının desteğini alarak muvaffak oldular.

İttihat ve Terakki'nin ileri gelenleri, en başta Enver Paşa, ülkeyi terk ettiler. Gerekçeleri, yeni padişah VI. Mehmed Vahideddin'in etrafındaki yeni devlet adamlarının kendilerine adil bir muamele yapmayacağı şeklinde olmuştur. Politikada tarafların her zaman mazereti hazırdır ve bir haklılık payı da vardır. Mütareke hükûmetlerinin Tevfik Paşa, Ali Rıza Paşa gibi Anadolu mücadelesine hayırhah nazarla bakan sadrazamları olduğu gibi, Damat Ferid Paşa gibi bunun tam tersi davranış gösterenler de oldu. Şurası bir gerçek ki Anadolu hükûmeti, Rusya'nın Müslüman topraklarında faaliyet göstermek isteyen ve bunda kısmen başarılı olabilen Enver Paşa'ya karşı onaylayıcı davranmadı ve bu tutumunda da haklıydı.

Enver Paşa, Halife'nin damadı ve orduların başkumandanı olarak Sovyet Rusya'ya ve Türkistan'a adım attığı zaman, parçalanan Rusya'da özellikle Orta Asya Türklerinin desteğini kazandı. Buna Türk ırkından olmayan Tacikler de dâhildi. Basmacı hareketi hepsini içeriyordu; son anda dahi bütün bu gruplar Enver Paşa'nın yanındaydı. Paşa'nın Rusya'da mücadeleye başladığı 1918'den beri doğan erkek bebeklerin arasında Enver ismi en kalabalık grubu oluşturur. Sovyet galibiyetine rağmen Tacikistan'daki türbesi de çok uzun seneler yerli halk tarafından ziyaret edilmiştir.

Enver Paşa 1908'den sonraki 14 yıl içinde bütün bu yönleriyle Türk tarihini işgal eden portrelerden biridir. Bu dönemin bir anda değerlendirilebilmesi söz konusu değildir. Bizim edebiyatımızda güçlü kalemiyle Enver Paşa'yı değerlendiren Şevket Süreyya Aydemir'in yanında, şimdi yeni çalışmalar da (mesela Murat Bardakçı ve Nevzat Kösoğlu[19]) mevcuttur. Gelgelelim Türkiye'nin yakın tarihi trajik çözülmezliklerle doludur ve Enver Paşa mevzuu da onlardan biridir.

---

19 Enver Paşa'nın biyografisi için şu kitaplara bakılabilir: Murat Bardakçı, *Enver*, İş Bankası Kültür Yayınları, İstanbul, 2015; Nevzat Kösoğlu, *Şehit Enver Paşa*, Ötüken Neşriyat ve Şevket Süreyya'nın *Enver Paşa-Makedonya'dan Orta Asya'ya* üç cilt, Remzi Kitabevi, İstanbul.

Ziya Gökalp'in Fikirlerinden Etkilendi mi?

Şahsen, Ziya Gökalp'in Türkiye'deki seküler düşüncede ne kadar etkili olduğunu tartışma taraftarıyım ve bu soruya bir çırpıda cevap verilebileceğini düşünmüyorum. Çünkü Türkiye'de seküler zihniyet Ziya Bey'le başlamadı, daha eskiye gider, ve kendisinden sonra da devam eder. Ziya Bey, II. Meşrutiyet'te çok tutulan bir mütefekkirdi. Tavırları ve kullandığı terminoloji eğri veya doğru olabilir, lakin alaturka münevverler tarafından çok benimsenirdi. Öyle büyük sorun yaratmaz, tutulurdu. Ve etkiliydi, yani siyasetin içindeydi, zira, Merkez-i Umumi'deydi. Dolayısıyla Atatürk de kendisini benimsemiş, sempati ile karşılamıştır. Belirli bir zümrede önemli bir adam olarak görülür. En önemli noktalardan birisi ise Ziya Gökalp'in erken ölmesi ve dolayısıyla cumhuriyet rejimini yaşayamamasıdır. Onun için zannediyorum bu inkılablarımızda Ziya Bey'in rolünü büyütmek doğru değildir.

İlk Savaş Tecrübesi: Trablusgarb

Birinci Dünya Savaşı'nda İtilaf Devletleri dolayısıyla, Millî Mücadele döneminde de işgal kuvvetleri içinde yer aldığı için karşı karşıya geldiğimiz İtalya ile 20. yüzyıldaki ilk karşılaşmamız ise Kuzey Afrika'daki son toprak parçamız olan Trablusgarb'ta oldu. 1911 yılında, İtalya bugünkü Libya topraklan sayılan Trablusgarb vilayetine ve "müstakil sancak" denen doğrudan merkeze bağlı Bingazi sancağına saldırdı. 29 Eylül 1911'de verilen bir notayla bu savaşın belirli sebepler dolayısıyla başlayacağı bildirilir. Doğru dürüst cevap alınmadan ve müzakereye girişilmeden, İtalyanlar deniz kuvvetleri dâhil her sınıftan askerini 4 Ekim 1911'de Trablusgarb toprağına dökmüştür. Dökmüştür diyoruz; çünkü burada büyük bir problem var. Genellikle tarih yazarken Türk-Osmanlı tarafının yokluk ve problemleri ele alınır, İtalya'nın gelişmiş bir kolonyalist ülke olamadığını, hücumu ve harbi hazırlayamadığını pek dikkate almayız.

İtalya 1911'e gelene kadar Avrupa'nın büyük güçleri arasında en geri kalmış devlettir. İtalya, medeniyeti, kültürü ve birtakım müesseseleri itibariyle Avrupa'nın anası demektir, İtalya'nın olmadığı bir Avrupa düşünmek mümkün değildir. Buna rağmen İtalya bugün bile devam eden problemleri bariz bir şekilde yaşıyordu. Kuzey İtalya endüstriyel, ticari, gelişmiş kültürüyle mağrur, aristokrasisi hâkim bir bölgeydi; güney ise zirai, geri kalmış bir feodal yapı ve Sicilya'dan bildiğimiz gibi sadece mafya örgütü değil kilisesi, toprak ağalığı gibi yerel örgütlenmeleriyle yaşayan, bütünleşememiş bir vatan parçasıydı. İtalyan birliği bir bakıma Almanya'nın birliğinden daha evvel gerçekleşti. Ve burada şaşılacak şey, İtalya'nın en gelişmiş bölgesi Piemonte-Lombardiya'nın sanayici kuvvetleri ve başındaki mağrur monarşinin (ki Kırım Savaşı'nda bizim müttefikimizdir) Güney İtalya'yı temsil eden Garibaldi ve onun kırmızı ceketlileriyle birleşmesidir. Bu cumhuriyetçi kuvvet monarşiyle iş birliği halinde Papalığı bile ortadan kaldırıyor, yani Vatikan bunların getirdiği yeni düzene dayanamıyor ve Papa'nın kendisi Vatikan arazisini terk ederek Roma içindeki San Pietro di Laterani Katedrali'ne çekiliyor. 1920'lerdeki Lateran Antlaşması ile Mussolini, Papalığı tekrardan küçük boyutlu ama enternasyonal nüfuzlu devlet olarak ihya edip tanıyana kadar, bu papalık inzivası devam ediyor. Papalığın

Derne Komutanı Kurmay Binbaşı Mustafa Kemal Bey arkadaşları ile birlikte,
solundaki Ali Çetinkaya, 1912.

siyasi-coğrafi hâkimiyetini kırma dışında Kont Cavour ve Giuseppe Garibaldi gibi liderlerin nadir rastlanan iş birliği ve yardımıyla İtalya bir araya getirildi.

Yeni İtalya'nın problemleri sayısızdır. Artan nüfusu ihraç edecek yer lazımdır ama uygun koloniler yoktur. İtalyan halkı Akdeniz adaları ve bilhassa Osmanlı Türkiyesi'ne hücum etmekte, artık göç etmektedir. İstanbul'un Pera muhiti apartmanlarının ve İzmir villalarının birçoğunu İtalyan ustalar yapmıştır. İtalya, modern Türkiye'nin hayatında önemli bir yer işgal eder. 1849'da Macarlar ve Polonyalılarla birlikte Avusturya ve Rusya'ya karşı savaştıkları için kaçan mülteciler bize sığınmış, Abdülmecid tarafından himaye edilmişlerdi. Böyle bir bağın yanında Kırım Savaşı'ndaki İtalya söz konusudur. Bütün bunlara rağmen şimdi bu İtalya, kolonyal iktidarını kurmak için Türkiye'yle uğraşmaktadır. Çok enteresan bir olay; İtalya Tunus'u ve Cezayir'i Fransa'ya kaptırmıştır. Cezayir'e duyulan ilgi şimdi sadece "Cezayir'deki İtalyan kadını" (*L'Italiana in Algeri*) operası ile devam ediyordu. Mısır zaten İngiliz işgalinde olduğu için kala kala Tripoli-Trablusgarb kalıyor.[20]

Libya'nın Roma İmparatorluğu üzerindeki önemi her şeyden evvel stratejik konumuna dayanıyor. Birincisi Afrika

---

20 Bildiğiniz gibi Tripoli, Cyrenaica Roma'nın Afrika kolonileridir ve burada Roma'nın en önemli şehri, Leptis Magna'dır. Kumlar altına gömülüydü, bugün bile en canlı, en güzel Roma şehri budur. Çok turist gitmediği için bizim Efes'e dönüşmemiştir. Bu bölgede tabii önemli bir sınıf da vardır. Nitekim Roma imparatorlarından Septimius Severus da M.S. 146 yılında doğdu ve 193-211 tarihleri arasında tahtta kaldı. Babası yerli zadegândan Kartaca asıllı; annesi Roma'dan gelip yerleşen bir Patrici ailesinden olan Septimius Severus, Kartaca aksanıyla Latince konuşabiliyordu. İstanbul tarihinde de yakından tanınan bir imparatordur çünkü Büyük Konstantin'den evvel şehrimizde inşa ettiği eserler vardır.

içlerine açılan bir kapıdır, bugün bile Çad ve Nijerya'ya açılıyor. Yani Afrika'ya bir nevi insan ticaretini de içeren bir konumda. İkincisi burada Tuaregler gibi savaşçı kuvvetler var.

Bilhassa vaha şehirleri Kufra, Gadames gibi Afrika ile Sahil arasındaki ticaretin, kervanların uğrak yerleri vardı. Bu yüzden Libya dediğimiz toprak -ki tarih boyu Arap dünyasında "Trablusgarb" diye geçiyor- 7. yüzyılda ve Hz. Ömer devrinde Mısır'ın fethinden sonra Arap fütuhat programına girmiştir. Ukba bin Nafi gibi bir Kuzey Afrika fatihinin eliyle İslamlaşmış ve fütuhat Libya, Tunus ve Cezayir ile devam etmiştir. Demek ki bunlar artık 8. yüzyılın başlarında İspanya'ya, Endülüs'e geçecekler. Arazi, Arap fethine kadar Roma'dır. Ve bütün tarih boyunca da Mısır'a hükmeden devletler Kuzey Afrika'ya da hükmetmiştir. Bu devletlerin Libya'da bir hâkimiyeti vardır ve ortada Trablusgarb diye müstakil bir devlet yoktur.

Nitekim Osmanlı fütuhatı da Mısır'dan sonra Cezayir'i ve Cezayir-i Garp adalarını ilhak etti. Bunların içinde Cezayir'in otonom bir yapısı vardı. Cezayir'de "Kuloğulları" denen yerli elit aslında Anadolu'dan gitme yeniçerilerden çıkmadır ve orada yerli birleşimi (iç evlilik-*intermarriage*) olmuştur. Bu Anadolulu elite Tunus'ta ve bugünkü Cezayir'de rastlanır (Fakat Libya'daki gibi Orhan ve Doğan Koloğlu kardeşlerin ceddi örneklerine pek çok rastlamadım). Daha fazla Osmanlı hâkimiyeti vardır ve bir bakıma da gevşek bir yönetimdir. Zira geniş bir arazi üzerinde az bir nüfus vardır ve kaynakları ve stratejik kaynakları kontrol etmek kolay değildir. Bu nedenle Trablusgarb vilayeti ve yanındaki müstakil Bingazi sancağı gevşeklik içindedir. Hiç şüphesiz ki pek dikkate alınmayan ikinci unsur Sünusilerdir. Kuzey Afrika'nın tasavvufi tarikatları arasında Cezayir'de Ticanilik ve Libya'da da Sünusilik vardı. Sünusiler Osmanlı Türkiyesi'nin diğer merkezlerinde çok etkili olmadılar fakat Filibeli Şehbenderzade Ahmed Hilmi, Sünusileri çok tutar ve onun görüşüne göre "Kur'an'ı okumak ve yorumlamak her Müslümanın vazifesidir ve ona göre içtihat yapmak da görevidir." Bu modernist bir yaklaşımdı ve Sünusilerin bir katkısı da budur. Sünusilerin modernist İslam'da da bir önemleri vardır.

Trablusgarb'a Gönüllü Gitti

Bütün İtalya ordusunun her sınıfı bu vilayete saldırmış, bir ay içerisinde batıdaki Trablusgarb'tan doğudaki Bingazi'ye kadar bütün kıyıları işgal etmişlerdi. Fakat içerilere bir-iki kilometreden fazla nüfuz etmeleri mümkün olmadı. Açıktır ki İtalya, güçlü bir kolonyalist devlet değildi. Hazırlığı yoktu, daha evvel Somali'de bir parça ele geçirmiş, Habeşistan'da ise kötü bir mağlubiyet yaşamıştı.

Aslında Trablusgarb, bizimkiler için bir sürgün yerini de barındırıyordu: Fizan... Dilimize bir deyim olarak da yerleşen Fizan, buradadır. II. Abdülhamid döneminde burası sürgün yeriydi. Buraya giden sürgünler, yani Jön Türk takımı bir yerden sonra üstlerinde büyük bir baskı olmadan geçiniyor. Türkiye tarihçiliğinde popüler bir isim olan Yılmaz Öztuna değinmiştir: Trablusgarb Mevkii Kumandanı Recep Paşa bunları koruyor ya da korur görünüyor, takip ediyor, bir süre sonra da kaçmalarına göz yumuyor ya da aflarına aracılık ediyor. Onun için sevilirdi ve İttihatçılar Recep Paşa'yı II. Meşrutiyet'ten sonra Harbiye Nazırı yaptılar. Mesela Trablusgarb divan âzâsının eşi Zeyneb Hanım,[21] kocası buraya sürgüne gönderildi diye Kraliçe Victoria ve Kaiser

21 Nimet Arzık ile şehit büyükelçi Taha Carım'ın büyükannesiydi.

Mustafa Kemal Millî Mücadele günlerinde Şeyh Sünusi tarafından kendisine hediye edilen Trablusgarp yerel kıyafetiyle, 1920.

Wilhelm'e "Kocama sahip çıkıp affettiriniz" diye mektup yazmıştır. Trablusgarb yani Fizan dediğimiz bölgeye bakacak olursak Fizan'ın bir yakıştırma ve aslında güneydeki sancak olduğu görülür. Fizan sürgünü, bizim hürriyet edebiyatında çok yer tutar. Âdeta Rusya'nın Sibiryası gibidir.[22]

Peki, İtalyanlara karşı kim direndi? Görünüşe bakılırsa kabahat, "müthiş bir gaflet ve umursamazlık içindeydi" denen İbrahim Hakkı Paşa'ya (daha önceleri Roma sefiri ve sonradan sadrazam) yükleniyor. Kendisi fevkalade bir idare ve devletler hukuku hocasıdır; yazdıklarından bugün bile istifade edilir fakat iyi bir devlet adamı değildir ve bunu da itiraf edecek kadar dürüsttür. İtalya'nın amalini (emellerini) ciddiye almamıştır. İtalya'nın büyüklüğü askerî olarak ciddiye alınacak değildi belki ama Osmanlı mülkü üzerindeki İtalyan emelleri ciddiydi. Burada bir harb ihtimali görülmediği için biz buradaki bir tümeni bile Yemen'e sevk ettik. Yemen bizim beyaz filimizdir, başımızın derdidir. Kala kala jandarma kuvvetleri kaldı.

Tarihçilerimiz İtalya'nın, "gaflet içindeki" Türkiye'ye saldırdığını belirtir. Afrika'daki son Osmanlı tümeni "savaş

22 *Osmanlı İmparatorluğu'nda Alman Nüfuzu* adlı kitabımın 12. baskısında s. 82, Alman Dışişleri Arşivi: AAA: Türkei 159, no:2, bd 7-8.

olmaz" diye düşünülerek Yemen'e gönderilmişti. Kumandan ve vali vekili Neşet Bey ancak kendisi gibi genç subayları gönüllü olarak yanında buldu. Enver Bey, Fethi (Okyar), Mustafa Kemal (Atatürk), Nuri Bey gibi bu subaylar resmen değil, gönüllü statüsüyle gönderilmişlerdir. Mesela Mustafa Kemal oraya Mısır üzerinden "gazeteci Şerif" sahte kimliğiyle gitmiştir. İtalya bu savaşta dünyada ilk defa kanatlı uçak kullanmıştır. Fakat bu uçağı savunma güçleri düşürdü ve hatta karşı keşif için kullandı.

Hilafete candan bağlı yerel halkın kendi etraflarında toplanmaları ve onların kısa zamanda eğitilmeleri ile İtalyanlar durduruldu. Tuaregler ile Bedevilerin yanında "Kuloğlu" denen, Anadolu'dan gelip yerleşmiş bazı küçük rütbeli subayların savaş gücü ile direniş sürdürüldü.

Burada da görüldüğü gibi teşkilatçılık Türk subayının vasfıdır. Türk askeri nereye giderse orayı teşkilâtlandırır. Telegram (telgraf) yaygın bir şekilde kullanılır, kaldı ki 1840'lardan beri telgraf sistemini en çok tatbik biz edip geliştirmişizdir. Rusya telefonu kullanmış, biz ise telegram sistemini kullanmışızdır. Telegram ile saraya kadar ulaşırsın ama cephanen gelmez, yiyeceğin gelmez, iaşen gelmez. Dolayısıyla bunlar gönüllü kılığında gitmişler. Trablusgarb'a çıkanların sayısı bellidir. Orada koca vilayeti bir arada tutamayacak kadar az mevcutlu bir birlik var. Gönüllüler bütün oradakileri teşkilâtlandırıp savunma sistemi kuruyor. Neticede İtalya bir kilometreden fazla giremedi içeri. Bu çok ilginç. Mesela aynı teşkilâtlanma Habeşistan'a gidiyor (aslında bugünkü Somali'ye). Orada da aynı şeyi yapıyorlar. Birinci Dünya Savaşı'nı artık kaybetmişiz, ama o subaylar hâlâ Afganistan'da oradakileri teşkilâtlandırıyorlardı.

İtalya az sayıdaki başarılı genç kumandan ve direnen yerli halka karşı etkili olamayınca Güney Ege adalarına çıktı. Bu arada Balkan Savaşı da çıkınca İtalya ile Uşi Antlaşması yapıldı. 360 yıllık Kuzey Afrika hâkimiyeti İsviçre'deki bu antlaşmayla maalesef bitti; Kuzey Afrika'daki son toprağımızı da kaybetmiş olduk. Trablusgarb'ı tahliye ettik. Fakat padişah naibi olarak vezir rütbeli bir memur gönderdik. Vakıflar ve halkın dinî haklarına uyulup uyulmadığı denetlenecek, din görevlileri tayini İstanbul'dan Şeyhülislamlık'tan yapılacaktı, İtalya savaş tazminatı olarak 90 bin altın ödeyecek ve İtalya'ya verilen kapitülasyonlar ilga edilecekti.

Fakat Libya'ya gönüllü kumandanlar gitmeye devam etti. Yılmaz Öztuna'nın verdiği bilgiye göre, Osmanlı hanedanının parlak genç subaylarından Şehzade Osman Fuad Efendi general rütbesi ile kumandayı devraldı ve direniş devam etti.[23] Dediğimiz gibi, Trablusgarb ile birlikte, Afrika'daki son Osmanlı vilayeti elden çıktı. Sembolik bir Osmanlı hilafeti kaldı ama İtalyanlar ile olan savaş, genç Türk kumandanların etkin örgütlenme yeteneğini ve savaşçılığını gösterdi. Libya halkının da diğer Afrika halklarına göre çok etkin savaşçılar oldukları anlaşıldı.

Ayrıca Mustafa Kemal için, gelecekte Millî Mücadele'de uygulayacağı, işgalci ordularla çatışma hareketi ve yerel halkı örgütlemek adına âdeta bir staj yeri olmuştu.[24]

Bir başka ilginç husus şudur; Libya'da savaş 20 yıl boyunca kırılma olmadan devam etti. Fakat şimdi bugün iki ülke

---

23 Yılmaz Öztuna, *Osmanlı Devleti Tarihi I-Siyasi Tarih*, Ötüken Neşriyat, İstanbul, 2012, s. 598.

24 Trablusgarb Savaşı için, Hale Şıvgın, *Trablusgarp Savaşı ve 1911-1912 Türk-İtalyan İlişkileri (Trablusgarp Savaşı'nda Mustafa Kemal Atatürk'le İlgili Bai Belgeler)*, Atatürk Araştırma Merkezi, Ankara, 2006.

Mustafa Kemal'in kuvvetleri bedevilerden oluşuyordu ve ona bağlanmışlardı, 1912.

bu tarihi biraz unutur gibi oldular. Türk-Libya dayanışmasını çok abartmaya gerek yok ama bu şekilde silmeye de gerek yok. Bu, Türk-Arap tarih yazımındaki naif yöne kanıttır.

Balkan Savaşları Öncesi

Balkan Savaşları esnasında, maalesef yanlış politikalar ve diplomasinin kullanılamaması yüzünden, Balkan devletleri ilk ve son defa olarak bizim karşımızda birleştiler. Abdülhamid taraftarı bazı çevreler Abdülhamid'in "İki çeteyi birbirine düşürür, bir Rum'a Bulgar manastırı yaktırır, arayı bölerdi" diye iddia etmekteler ve hatta bunun için bir de anekdot uydurmuşlardır. Güya Selanik'i terk ederken -orada sürgünde bulunan Abdülhamid Han- "Vah vah" demiş, "Bir çeteye öbür çetenin binalarını, manastırlarını yaktıramadılar mı?" Şüphesiz Sultan Hamid'in Balkan politikası bu kadar basit değildi. Fakat şurası da bir gerçek ki maalesef İttihatçılar hiçbir şekilde politikalarının içinde diplomasiyi bilen ve kullanan bir kuvvet olamadılar. Bizim Hariciye Nazırımızın söylediği; "Ben imanım kadar eminim Balkanlar'dan…" sözü çok vahimdir. İstihbarat var, saldıracaklar, ittifak halindeler deniliyor ama itibar etmemeleri bir yana orduda terhisler bile oluyor. Belki bunun, bu şekilde güvenmenin kendince bazı nedenleri olabilir. Ama şurası bir gerçek ki, İtalya'nın Trablusgarb'a saldırısında kabine ne kadar gaflet içindeyse, diplomasi bilmediği, istihbarat hizmetleri iyi gitmediği için, aynı durum Balkanlar'da da tekrarlanmıştır. Bu arada ikinci bir zaaf, maalesef donanmanın çok ihmal edilmiş olmasıydı. Şimdi, pek çok kişi yek avaz halde "Bu hain Abdülhamid darbeden korktuğu için donanmayı bitirdi" diyor.

Gerçi Sultan Abdülaziz'in kurduğu geniş donanma da (dünyada üçüncü) teknolojik değişmelere ayak uyduramıyordu. Zira savaş gemilerinin teknolojisi, 1830'larla 1930 arasında, hatta Birinci Dünya Savaşı öncesi daha dar bir dönemde hızla değişiyordu. O zaman havacılık yoktu ve bütün teknik bilgi denizlerdeydi. Hatta o kadar ki pilotların bile iyileri mesela bizde denizcilerden çıkardı. Neticede bu donanmayı kurarsınız fakat bir müddet sonra bakıyorsunuz ki tamamen buhara çevrilmiş veya Birinci Dünya Savaşı içinde olduğu gibi petrolle seyre başlamış.

Zira bir müddet sonra acayip torpidolar çıkmış ve az zamanda harbin içinde olduğu gibi kömür yerine petrol kullanmaya başladılar. Oysa bizim ne Balkan Savaşı'nda ne Birinci Dünya Savaşı kuvvetli bir donanmamız vardı.

Genel manzaraya baktığımızda ise, bana göre İttihatçıların en zayıf tarafı diplomasiyi çok küçümsemeleri ve kullanamamalarıdır. İttihatçı kabinelerinin belki de en zayıf adamı Halil Menteş'tir. İşinden katiyyen anlamaz görünüyor. Diplomatik bilgisi varsa da çok kitabidir, dolayısıyla diplomasi yürütecek durumda değildir. Bir imparatorluğun politikasını yürütecek durumda ise hiç değildir.

Balkan Savaşları ve Milliyetçilik

Türkler de bütün imparatorluk egemen halkları gibi aslında milliyetçiliği en son elde eden, o safhaya en geç ulaşandır. Çünkü imparatorlukta millî duygu ve millî düşünce yönetilenler arasında gelişir. Bu açık gelişimin içerisinde federalizm aslında istenen bir yapıdır. Türk halkının milliyet mefhumu bundan ileri gelir ve tarih eğitimi de buna yöneliktir. Tarihle de bu insanların millî bilince ulaşmaları çok

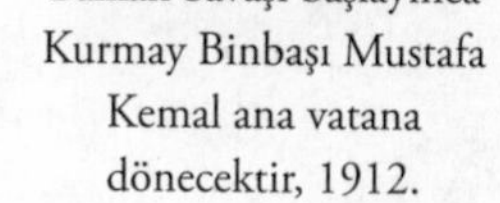

Balkan Savaşı başlayınca Kurmay Binbaşı Mustafa Kemal ana vatana dönecektir, 1912.

kolay olmaz. Bu sadece Türklere has bir şuursuzluk ve uyumsuzluk değildir. Avusturya Almanlarının tarihlerine ve ideolojilerine bakarsanız aynı şeyi görürsünüz. Avusturya Almanlığı (*Österreichisches Deutschtum*) kendinden emin ve diğer ulusların sorunlarına karşı az anlayışlıdır ama aynı zamanda onların hayatta yer etmesine karşı değildir; belki Rusya İmparatorluğu bu konuda bir istisnadır. Ama imparatorlukların temel halkı demek budur.

Ne var ki, 19. asırdan beri devam eden toprak kayıpları ve o toprak kayıplarının artık Türk ve Müslüman halkı kapsaması dolayısıyla yaşanan tarih, Türklere Türklük şuurunu vermiştir. Bu en son Balkan Savaşı'nda görülmektedir.

Balkan Savaşları bizim tarihimizin en acı sayfalarındandır. Orada imparatorluk hazin ve hatta utanç verici bir geri çekiliş yaşamış ve esasında bir vatan yitirmiştir. Mesela Atatürk, memleketini kaybetmiştir. O sırada Trablusgarb Cephesi'nde idi ve Derne'den İstanbul'a gelince gözleri yaşla dolu olduğu halde Selanikli bazı asker arkadaşlarına, "Selanik'i, o güzel yurdumuzu düşmana nasıl teslim ettiniz de buraya geldiniz?" diye sitem etmiştir. Trakya Cephesi'nde göreve başlamıştı ve Tahsin Paşa'nın Selanik'i kolayca teslim etmesini affetmediğini açıklamıştır.

Mustafa Kemal ve Enver Bey (Mustafa Kemal'in solunda) Derne'de, Hilâl-i Ahmer (Kızılay) heyeti ile birlikte… Fotoğrafta Mustafa Kemal'in sağında Dr. İbrahim Tali Bey (Öngören) görülüyor. Oturanlardan en sağ baştaki kişi ise Nuri Bey (Conker), 1912.

Balkanlar'ın kaybedilişi hazmedilememiştir. Hatta Atatürk'ün kitapları arasındaki notlarında, Balkanlar ve bazı yerler için, "tekrar bize dönecektir" mealinde notlar vardır. Kuzey Yunanistan, Batı Trakya, Güney Bulgaristan ve Makedonya Türklüğün hazmedebileceği kayıplar değildi ve imparatorluk toprakları değil Rumeli'deki ana vatan şeklinde görülüyordu. Öte yandan hiçbir şekilde böyle bir hatıra yaratamadılar belki de yaratmadılar. Şimdilerde duyuyoruz. Yeni nesil "Biz de Selanikliyiz" diyor. "Peki neresindensin?" diye sorulduğunda, "Vallahi büyükannem bir yerin üzerinde dururdu" diye cevap veriyor. Hâlbuki o bir yeri gidip öğrenmeleri iyi olur.

Maalesef yeni nesil Balkanlar'ı tanımıyor ve oradan göç edenlerin torunları bile bilmiyor. Biraz yukarıda belirttiğimiz gibi dedesi şehit düşmüş ya da muhacir olmuş; oradan bin bir zorlukla göç etmişler ama tanımıyorlar, ilgilenmiyorlar. Bunu, "geçmişe mazi" diye tanımlamanın ötesinde, tarih örgüsüne ve şuuruna karşı mutlak bir kayıtsızlık ve bilgisizlik olarak nitelemek gerekir.

Mustafa Kemal Atatürk'ün Sofya'daki Yılları

1914 yılı ilkbaharının bir günü, genç bir Osmanlı zabiti Sofya'nın şık kafelerinden birinde, Sobranye'deki Türk mebuslardan Zümrezâde Şakir Bey'le birlikte oturuyordu. Mekân, müzik, servis mükemmeldi. Ansızın içeri giren bir köylü şık giyimli müşterilerin arasındaki boş bir masaya yöneldi, kendine bir yer beğendi ve oturdu. Etraf bu kaba giyimli köylüye yadırgayarak baktı, garsonlar surat astılar ve köylü tarafından çağrıldıklarında oralı olmadılar. Köylü ısrar edince kendisine hizmet edilmeyeceği ve buranın böyle kaba saba kılıklı birine göre yer olmadığı, salonu terk etmesi gerektiği söylendi. Köylü kızmıştı, "Bulgaristan benim ekip biçtiğimi yiyor, benim silahımla korunuyor. Parasını verdikten sonra istediğim yerde otururum ve bana hizmet edersiniz" dedi. Köylünün diretmesi sonucu isteği yerine getirildi.

Genç zabit olayı dikkatle izlemişti. Arkadaşına şöyle dedi, "Şakir, günün birinde bizim köylülerimizi de böyle görmek isterim, kendilerinden emin olmalı ve haklarını istemesini bilmelidirler." Bu genç zabit Osmanlı İmparatorluğu'nun Sofya'daki ataşemiliteri Kaymakam (Yarbay) Mustafa Kemal Bey'di.

Mustafa Kemal (Atatürk) Sofya'ya 1913 Ekimi'nin sonunda gelmişti. Buraya tayin ediliş nedenleri arasında, İttihat ve Terakki yönetiminin sorumsuz liderleriyle arasındaki soğukluk (ordunun politika ile ilişkisine ve Alman askerî heyetlerinin Osmanlı ordusundaki nüfuzuna karşı çıkmıştı) neden olmuştu. Yakın dostu Ali Fethi (Okyar) Bey de Sofya büyükelçisiydi ve yanında Mustafa Kemal'i görmeyi istiyordu.

Mustafa Kemal Bey geldikten çok kısa bir zaman sonra Bulgar başkentinin siyasi, kültürel hayatının vazgeçilmez simalarından biri haline geldi. Özellikle askerler arasında Balkan Savaşları'nda çarpıştığı Bulgar kumandanlarla yakın ilişkiler kurdu. Bulgaristan Mustafa Kemal'in hareketli hayatında ileriye dönük birçok projesini biçimlendirdiği, toplumsal, siyasal, kültürel modernleşme olayını yakın örnekleriyle izlediği bir laboratuvar olmuştur. Lakin bu görevin Mustafa Kemal'in hayatında İttihatçılar tarafından arkadaşı Ali Fethi Bey ile birlikte perde arkasına itildikleri bir dönem olduğunu ve aslında bir yıldan biraz fazla sürdüğünü biliyoruz. Görevi geniş bir coğrafyayı kapsıyordu. Sofya bir merkezdi, Bükreş'te de akrediteydi, aynı şekilde Karadağ'da Çetine de onun uhdesine verilmişti. Balkan cemiyetinde sadece askerleri değil, siyasi hayatı da tanımak için bu bir fırsat olmalıydı. Kaldı ki Selanik'te doğan, okula giden, hayatının bir bölümünde görev yapan Mustafa Kemal Bey iyi bir Balkan uzmanı olmuştu. Bu uzmanlığın herhangi bir diplomat ve ataşemiliterin soğukkanlı ve nötr havası ile ilgisi olmadığı açıktır. Avusturya Başvekili Prens Metternich ünlü Osmanlı tarihçisi ve diplomat Joseph Hammer'i Türkiye'ye yetkili bir diplomat olarak tayin etmedi ve gerekçe olarak onun bu ülkeyi gereğinden fazla tanımasını gösterdi. Şüphesiz ki Mustafa Kemal Bey'in Balkanlar'ı tanıma kapasitesi geçmişi ile de ilgiliydi. Metternich ekolünde bir diplomat olamayabilir. Fakat o tarihteki kısa yaşamı içerisinde Balkan Savaşı da onun bu dünyayı tanımasına yardım etti.

Sofya'ya gelir gelmez Mustafa Kemal, Dondukov Bulvarı'ndaki Splendid Palas Oteli'ne yerleşir ve burada yedi ay kadar kalır. Bundan sonra ise Ferdinand Bulvarı (Tolbuçhin) 17 numaraya taşınır. İyi giyimi, yakışıklılığı, üstün zekâsı ile Bulgar başkentinde kısa zamanda aranan bir kişilik haline gelir. Bulgar ordusunun yüksek rütbeli subaylarıyla da dostça ve meslekdaşça ilişkiler kurmuştur. O devrin Bulgar subayları Mustafa Kemal'in askerî literatüre vukufuna, askerlik bilgisine hayrandırlar. Esasen Mustafa Kemal 1918'de yayınlanan ilk kitabı *Zabit ve Kumandan ile Hasbihal*'i[25] Sofya'da kaleme almıştır. Harbiye Nazırı General Kovaçev'le de bu şekilde tanışır. General, genç ataşemiliterin bilgisinden ve askerî kabiliyetinden haberdardır. Nazırın kızı Dimitrina ile de bu buluşmalardan birinde tanışırlar.

---

25 Kur. Yb. Mustafa Kemal; *Zabit ve Kumandan ile Hasb-ı Hâl*, İstanbul, Minber Matbaası, 1334 [1918].

Mustafa Kemal, Bulgar Meclisi Sobranye'deki Türk mebuslar Şakir Zümre, Nevrokoplu Celâl Bey (Perin), Şumnulu Talât Bey'le de yakın bir dostluk kurmuştur. Esasen genç ataşemiliter Bulgar siyasi hayatını yakından izlemektedir. Sobranye'nin toplantılarını onun kadar sık izleyen bir diplomat yoktur. Bu dönemin Bulgaristan'ı siyasi, kültürel ve iktisadi değişimin bütün sancılarını çekmektedir ve müstakbel liderin dikkatle izlediği bu ülke onun gelecekteki fikir ve programlarını mutlaka etkilemiştir.

Mustafa Kemal ateşemiliter görevi ile bulunduğu Sofya'da kostümlü bir baloya yeniçeri kıyafetiyle gitmiş ve çok büyük ilgi çekmişti, 1914.

Bulgaristan bir Batı Avrupa ülkesi, Sofya da bir Batı Avrupa başkenti değildi ama Balkanlar'ın Avrupa'ya en açık ve bütünleşmeye çalışan şehriydi. O dönemin Avrupa başkentlerinde bir süre yaşayan ve Batı Avrupa ülkelerini gözleyen Osmanlı aydınlarının çoğu bu dünyayı anlayamamış, ondan ürkmüşlerdir. Dönemin Osmanlı aydını Batı Avrupa karşısında "*xénophobique*" yani yabancıya düşman, ondan korkan bir tutuma sahiptir. Oysa uzun zaman Osmanlı birliğinde yaşayan Bulgarlarda modernleşme ve kültürel farklılaşma olgusunu gören Mustafa Kemal, Batı uygarlığına karşı Osmanlı aydınının beslediği ürkeklik ve yabancılık duygusunun yersizliğini bir kez daha anlamıştır. Bu Selanik'ten beri devam eden bir süreçti. Modernleşme olayının muhtemel sancıları, yaratacağı problemler yanında alınacak olumlu sonuçlar ve ulusal varlığın korunması o günün Bulgaristan'ında yaşanan bir olaydı. Bulgaristan'ın 1910'lardaki iktisadi, siyasi durumu onun ilerideki halkçı politikasını biçimlendirmekte etkin olan örneklerden biridir.

Bulgaristan'da bu yıllardaki sayıma göre, 200 bin civarındaki köylü topraksız veya az topraklıdır. Ama orta sınıfa giren küçük çiftçilerin miktarı da 200 binin üstündedir. Bu zümre özellikle Çiftçi Partisi'ni desteklemektedir. 1912'de tarımda kullanılan makine sayısı 1890 yılına göre 24 misli artmıştır. Gene aynı dönemde tarım proletaryası üç misli büyümüştür. Bulgaristan hızla tarımda kapitalist çiftlik sistemine geçmekteydi.

Demir yolu inşaatında gelişme görülmektedir ve mevcut hatların uzunluğu Osmanlı İmparatorluğu'ndan devralınan mirasın üç misline yaklaşmıştır.

Bulgar meslekdaşımız tarihçi Maria Todorova'nın verdiği bilgilere göre, dönem içerisinde Bulgaristan sanayii de ilk atılımını yapmaktaydı.[26] Balkan Savaşı bu gelişmeyi durduramamış, hatta bir ölçüde artırmıştır. Bulgaristan'da o dönem, makineleşme ve ücretli işçilikle birlikte mütalâa edildiğinde bir toplumsal değişmenin varlığı apaçık ortada idi.

Bulgar siyasi hayatı salt dış etkenler değil, iç etkenlerle de istikrarsız bir döneme girmiş, Sobranye'de irili ufaklı partiler yer aldığından kuvvetli hükûmetler teşkil edilemez olmuştu.

---

26 Maria Todorova, Midhat Paşa'nın kurduğu zirai sandıkları Bulgaristan tarım modernleşmesinin ve kalkınmasının itici gücü olarak gösteren bir tarihçidir. "Obşçopoleznitakasina Midhat Paşa", *Istoriçeski Pregled,* 1972/5, s. 56-76.

1894-1911 yılları arasında 13 hükûmet değişmiştir. 1894 ve 1897'de çıkan yasalarla gümrük tarifesi % 25'e çıkarılmış, himayeci iktisat politikası millî ekonominin inkişafı için, vergi muafiyeti, devlet demir yolları ve deniz yollarında nakliyat ucuzluğu, devlet mubayaasında millî sanayi mamulatına öncelik verme gibi tedbirlere başvurmuştur. Ancak bu yolla başvurulan yatırımlar dış borçlanmayı da artırmıştır.

Mustafa Kemal, bu ülkenin kaderinde ülkemizle bir benzerlik buldu; dış borçlanma ve ecnebi sermayenin politik baskısı. Nitekim 1902'de artan ve ödenemeyen dış borçlar yüzünden Bulgar maliyesi yabancı kontrolü altına girmişti. Mesela, önemli gelir kaynağı olan tütün vergisine el konmuştu. Osmanlı İmparatorluğu'ndan farklı olarak, Bulgar ekonomisinde Almanya-Avusturya bloku en hâkim dış güçtü.

1909 yılında toplam yatırımlarda Bulgar sermayesi % 15 azalırken, dış sermaye payı % 30 arttı.[27] Gelişen politik kriz ve mücadele ortamında 1903'te Bulgaristan Sosyalist Partisi ve 1904'te de Stambuliskiy'nin Çiftçi Partisi kuvvetlendi. Sonuncusu 1911'de oyların % 20'sini alarak kuvvetli bir iktidar adayı durumuna geldi. 1911 seçimlerinde Bulgar Meclisi'ne (Sobranye) 17 Türk mebus girmişti. Albert Graziani'nin notuna göre, iktidardaki Radoslavov Partisi mecliste sayısal bir zaaf içinde olduğundan, Türk mebuslarla iyi ilişkiler içinde idi. Radoslavov Partisi Rusya taraftarı gruplara karşı Almanya taraftarı bir politika izlemekteydi.[28]

---

27 Sv. Todorova, "Probleme der Kapitalistischen Industrialisierung Bulgariensvom Anfamgdes 20. Jahrhundertsbis zum ErstenWeltkrieg", *Bulgarian Historical Review*, No: 4, s. 7.

28 Albert Graziani, *La Bulgarie*, sayı 3085, 1 Aralık 1933, ayrıca *Cumhuriyet* gazetesi, 30 Ekim 1933, s. 3. Stefan Velikov, *Kemal Atatürk, Kemalist Devrim ve Bulgar Kamuoyu*, A. Ü. 1981-100. Yıl Sempozyumu Bildirisi, s. 2.

Mustafa Kemal ileri fikirleri dolayısıyla, Bulgaristan-Türk cemaatiyle de zaman zaman ters düşmüyor değildi (şapka giyme meselesinde olduğu gibi). Bununla beraber Bulgaristan Türk maarifinin bu yıllarda kaydettiği ilerleme dolayısıyla, geleceğin önderi, halkın modernleşmeye kabiliyetli olduğunu ve bunu başaracağını da görmüştü. Bulgaristan müstakbel önderin, modern dünya kültürünün kurumlarının alınışını ve kültürel değişme sorunlarını yakından izlediği bir alan oldu. Sofya'daki ilk günlerinde operaya gitmişti. Balkanlar'da Sofya, Bükreş operasıyla birlikte en ünlü olanıdır. Kendisine refakat eden Sobranye (Bulgar Millet Meclisi) üyesi Şakir Zümre Bey'e o günkü temsilden sonra "Adamların Balkan Savaşı'nı niye kazandıklarını şimdi anladım" demiş. Opera bir tertip ve disiplin işidir. Wagner'in tabiriyle bir "*gesamtkunstwerk*" yani bütün sanatların ortaklığıdır. İran Şahı Türkiye'ye geldiğinde Reis-i Cumhur Atatürk'ün "Özsoy" operasını temsil ettirmesinde bu olayın payı aranmalıdır. Daha Selanik'te iken Bulgar Türkolog Ivan Manalov'la Latin harflerinin uygulanması sorununu tartışmıştı. Bulgaristan'dan İstanbul'a Madam Corinne'e yazdığı bazı mektuplarda, Latin harflerini kullandığı biliniyor.

Mustafa Kemal'in yurdunu modernleştirmek ve halkçı bir rejim kurmak konusundaki azmi ve fikirleri bu yıllarda olgunlaşmıştır. 1914 Mayısı'nda Sofya yakınlarındaki Lülin Dağı'na yapılan bir gezide, bir Bulgar yurttaşıyla (A. Graziani) yaptığı konuşma ilginçtir. Mustafa Kemal bu konuşmada çizdiği programı Cumhuriyet Türkiyesi'nde gerçekleştirmiştir. Mustafa Kemal Graziani'ye şöyle demiş: "Türk milletinin fevkalade meziyetleri vardır. Fakat ne yazık ki onu karanlık ve cehalet içinde bırakıyorlar. Millet pratik bir şekilde modern maarife susamıştır. Rejim, iktisadi hayatın hiçbir cephesinde millet ve devletin faaliyet göstermesine müsaade etmiyor. Hâlbuki Türkiye'nin nefes alması, ilerleyebilmesi ve mazhar-ı hürriyet olması için her şeyden evvel Türk milletinin maneviyatını yükseltmek ve onu taassuptan kurtararak faal bir kudret iktisap etmesine çalışmak lazımdır. Millet cahil dervişlerin elinden tahlis olunmalı ve bunların yerine iyi tahsil görmüş, laik profesörler getirilerek işin başına geçirilmelidir. Hülasa, milletin daha pek çok şeye ve inkılablara ihtiyacı vardır. Millet aile ve toplum hayatında doğu düşünce tarzından sıyrılmalıdır. Türk halkının gerçeği görüp kavrayabilmesi için pek çok büyük reformlar gerekir."

Kısa diplomatik görevi sırasında Sofya ve Bulgaristan'ı iyi tanıyan Mustafa Kemal, Millî Mücadele sırasında Bulgaristan'la yakın ilişkiler kurabildi. Bulgaristan da Birinci Dünya Savaşı'nda yenilenlerdendi. Neuilly Antlaşması'nın ağır hükümleri Bulgaristan'ın silah ve asker sayısını büyük ölçüde azaltmasını, İtilaf Devletleri'ne düşman kuvvetlerle ittifak ve destekleme eylemine girmemesini öngörüyordu. Mayıs 1920'de iktidara gelen Stambuliskiy'nin Çiftçi hükûmeti 1919'da Anadolu'da başlayan Millî Mücadele'yi bu ağır şartlara ve bütün imkânsızlıklara rağmen desteklemiş, Mustafa Kemal (Atatürk) de Stambuliskiy ile özellikle Trakya meselesinin halli için daha baştan iyi ilişkiler kurmakta tereddüt etmemiştir.

İtilaf Devletleri'nin Bulgar dış siyasi ilişkilerini bu devirde dikkatle kontrol etmelerine rağmen (bizzat Sofya'da İtilaf Devletleri komiseri vardı), gerek Anadolu hükûmeti gerekse Stambuliskiy Hükûmeti birbirlerine gizlice temsilciler göndermişlerdir. 1921 Mayısı'nda Çiftçi mebus Grozkov, Stambuliskiy tarafından Ankara'ya gönderildi. Daha evvelden

Atatürk mebus Açkov'a, Kuva-yı Milliye taburlarının modelinin Makedonya komitalarına benzediğini söylemiştir.

Trakya meselesinin halli için Şubat 1921'de gizlice Sofya'ya ulaşan Cevat Abbas Bey'e Bulgarlar, Neuilly Antlaşması'nın hükümlerine rağmen yardım vadetmişlerdir. Bu yardım vaadi, cephaneliklerden kaçırılan bazı silahların Anadolu'ya sevkini ve şayet Trakya millî kuvvetleri silahsız olarak Bulgaristan'a sığınırlarsa kendilerinin himaye edileceği sözünü kapsamaktadır. Özellikle Cafer Tayyar Paşa kuvvetlerinin yenilgisinden sonra bu vaat yerine getirilmiştir. Cevat Abbas Bey'in Trakya ihtilâl komitesinin teşkili hususunda Protogerov ve Todor Aleksandrov gibi komitacılarla mutabık kaldığı da anlaşılıyor.

Millî Mücadele başarıya ulaştığı ve yeni Türkiye kurulduğu zaman, bunun Bulgaristan'da yeni bir umut yarattığı açıktır. Bizzat Stambuliskiy, Türk halkının istilacıları kovduğunu ve onurlu bir barış yaptığını, Bulgarların da Neuilly hükümlerini değiştireceklerini ilan etmiştir.

3

BİRİNCİ DÜNYA SAVAŞI YILLARI

BİRİNCİ DÜNYA SAVAŞI YILLARI

Birinci Dünya Savaşı Öncesi

Bir faciaya dönüşen Balkan Savaşı'ndan sonra orduda bir tensikat başladı. Subaylar gençleştirildi ki Birinci Dünya Savaşı'nın bütün kuvvetli genç kumandanları bu dönemden gelmedir. Teçhizata kuvvet verildi. Askerin talimine önem verildi. Bu Pomiankowski gibi Avusturyalı ataşemiliterlerin, bazı Alman müşavirlerin ve İngilizlerin raporlarında görülebilir. Balkan Savaşı'ndan sonraki iki yılda Türkiye ordusu hayli güçlenmiştir. Bununla birlikte hükûmet diplomasi sanatını yeterince kullanamıyordu ve savaştan en çok çekinen devlet olmamasına rağmen Rusya ve İngiltere ittifakı bazı Türkleri dehşete düşürdü.

Bu arada, Birinci Dünya Savaşı öncesinde Almanlar çok çekinirlerdi. Çünkü İtilaf cephesine karşı merkezî devletler ittifakında, yani bizim dâhil olduğumuz merkezî ittifakta İngilizlerle çarpışan, direnen ve çok uzun bir harbi sürükleyen başka bir ülke yoktu. Başta birtakım Alman diplomatlar (Büyükelçi Wangenheim gibi) ve ordu mensubu da (bilhassa Alman donanma erkânı) Türkiye'nin merkezî ittifaka dâhil edilmesine karşıydılar. "Balkan Savaşı da gösterdi ki Türklerde savaşçılık kalmamış, eski menkıbelere bakmayın.

Bunlarla ittifak yapılamaz" diyorlardı. Harbte, beceriksiz ve zayıf müttefik düşmandan daha büyük yüktür, yani felakettir. Onun için bu durumda ancak Türk ordusunu çok iyi tanıyan, subayın ve askerin kalitesini benimseyen bazı Alman ve Avusturyalı askerî gruplar Türkler ile ittifaka taraftardı. Bu gruplar, "Türklerle ittifak yapılır" diye Kaiser'i ikna ettiler ve tabii haklı çıktılar. Türklerin müttefiki olması Almanya açısından çok büyük bir kazançtı. Bir kere ordularımız Britanya İmparatorluğu'nu şarkta meşgul etmiştir. Avrupa'da ise İngilizler karada Almanlara karşı Fransa kadar etkin hatta kahramanca savunma gösterememişler ama donanmaları Almanlara göz açtırmamıştır. Alman donanmasının kumanda kadroları Britanya ile mukayese edilemezdi. Üstelik Birleşik Devletler'in savaşa girmesiyle Almanya'nın sonu geldi.

Bizim tarafa baktığımız zaman görüyoruz ki, Birinci Dünya Savaşı öncesinde İttihatçılar biraz da korkuyorlardı ve aslında tarafsız kalma şansları vardı. Bunu Mustafa Kemal Bey, İsmet Bey, Kâzım Karabekir Bey, -ki üstelik bunlar daha henüz general değiller- Esad Paşa ve Fevzi Paşa biliyorlardı. onları iyi tanımış ve nefret etmiş olan bir grup subay onları katiyyen istemiyorlar veya "harbin dışında kalalım" yahut "geç girelim" diyorlardı. Öbürleri ise Rusya'nın bir günde İstanbul'a gireceği zannıyla bir an evvel girmek zorunda hissediyorlardı.

Özellikle Enver ve Talat Paşa böyle düşünüyorlar, acele ediyorlardı. Enver Paşa iyi bir asker olsa da büyük bir strateji uzmanı, büyük bir kumandan, imparatorluk ordularını yönetecek bir mareşal değildi. Kaldı ki rütbesi de o mertebede değil. Evet, Trablusgarb'ta savaşmış, başarılı olmuş, Edirne'yi istirdad etmiş, Makedonya'da komitacı kovalamıştı. Tercüme-i hali başarı ile doluydu, fakat bu, bir imparatorluk ordusunu, Osmanlı tarihinin gördüğü en kalabalık orduyu başarıyla yönetebileceği anlamına gelmiyordu. Ordunun iaşesi sağlanamadı, konaklamayı düzenlemek konusunda beceriksiz kalındı. Bir milyon askere uygun organizasyon, kışla, sevk edecek demir yolu yoktu ve bu orduyla harbe girip, kışta da bu askerleri Sarıkamış'a sevk etmek zorunda kalındı. Dona dona gittiler, kışlık kıyafeti bile hazırlanamadı. Bu hususta hepsi dondu diye uyduruk bir tarih yazımı da var ki amatörler abartmayı severler. Elbette orada bütün ordu donmuş değildir. 18-19 bin kadar Rus kaybı vardı. Donan ordu bunları yapabilir mi? Ama çok sayıda askerin telef olduğu da doğrudur. Deyim yerindeyse, o orduyu "General Kış" götürdü. Eğer hazırlıksız yakalanırsa doğunun kışı çok kötüdür, muharebe alanındaki askerlere düşmandan daha fazla zarar verebilir.

Birinci Dünya Savaşı, İkinci Dünya Savaşı'nın Sebebi Olmuştur

1914'ün Ağustos ayı, dünyayı altüst eden ve "Cihan Harbi" adını taşıyan olayın başlangıcıdır. Suçlu Almanya deniyor, zira, onun büyümesinden ve tavrından çekiniliyordu. 25 yıl sonra, 1939 yılının Eylül ayında gene aynı ülke, bu kez daha açık bir saldırganlıkla İkinci Dünya Savaşı'nı başlattı. Birincisinde, Almanya İmparatorunun, Kaiser'in ve çevresinin açıkça betimlediği üzere, "güneşin altındaki yer"ini almak isteyen bir ülkenin sözde haklı saldırısı söz konusu idi. Avrupa bundan korkmuştu.

Büyük Avrupa devletleri ve Rusya bu saldırgan politikaya karşı çıkarken, en doğuda Osmanlı İmparatorluğu onun destekçisi sayılıyordu. Uzaktaki Japonya'nın savaşa katılmış olması, doğrusu onun İkinci Dünya Savaşı'ndaki rolü ile hiç karşılaştırılamazdı.

Birinci Dünya Savaşı esasında bir Avrupa savaşıdır. Ama ilk defadır ki cephe gerisinde halk bu kadar büyük sıkıntılara uğramış ve bir yanı ile de çektikleri bu sıkıntılar ve kıtlık dolayısı ile dünyayı değiştirecek olaylara katılmışlardır. Harbin sonunda Avrupa ve dünya çok değişecektir.

Savaş öncesi Avrupası'nda, dünyanın bu zengin ve öbür kıtaların gözünü kamaştıran bölgesindeki büyük şehirlerin halkları bile birbirinden çok farklı dünyalarda yaşıyordu. Londra, Paris, Berlin ve Viyana'nın sarayları ve zengin apartmanlarında yaşayanlar, yeryüzünün üniversal yeni düzenini, uygarlık denen yaşam biçimini yaratmışlardı. Londra'nın, Paris'in çevre semtlerinde, Viyana'nın ve Budapeşte'nin kenar mahallelerinde geniş kitleler "kira kışlası-*mietskaserne*" denen ve sefalet taşan apartmanlarında yaşıyordu; yetişkin gençler için bile ayakkabı bir lükstü.

Oysa Birinci Dünya Savaşı, bu kitleleri silahaltına aldığında bot ve çizme vermek zorunda kaldı. Silahlar pahalıydı. Bu ağır masrafların altın rezervleri karşılığında basılan banknotla ödenmesi mümkün değildi. Birinci Dünya Savaşı enflasyonist bir para politikası yarattı ve bu durum savaştan sonra da devam etti.

Savaş patladığında sosyalist hareketin savaş politikasını destekleyen partiler ile savaş karşıtı gruplar arasında yeni bir bölünme ve gerilim yarattığı görülmektedir. Eski Dünya'yı temsil eden sınıfların daha evvel ihanetle suçladıkları bu yeni tip vatanseverleri artık dışlama hakkı kalmamıştı. Kimse kadın hareketlerine ve taleplerine karşı eskisi gibi çılgınlık yaftası ile yaklaşamıyordu. Savaş boyunca üretimi onlar üstlenmişlerdi. Savaş siperlerde bekleyenlerin yeni bir dünya görüşü ile topluma dönmesine neden oldu.

1914 Temmuz-Ağustos ayları Avrupa'yı barut fıçısına çevirmişti. Saraybosna'daki bir tetkik ve teftiş gezisi sırasında karısıyla birlikte suikasta kurban giden Franz Ferdinand, Avusturya İmparatorluğu'nun Balkanlar'daki iştahını ve Bosna Hersek'in idaresindeki zaafını ortaya koymuş olmuştu. Sırbistan suikastçıyı cezalandıracak ve yargılayacaktı ama Viyana, "Biz buna güvenmeyiz, siz adaleti gerçekleştirecek kapasitede bir devlet düzenine sahip değilsiniz, kendiniz teröristsiniz" diyordu. Sırbistan'a bu müdahale, devletin istiklâlini tanımamak ve taarruz niyetini açığa çıkarmak olarak nitelendirildi. Bu durumda Rusya hemen küçük kardeşi Sırbistan'ın hükümranlığını korumak yolunu seçti.

Ağustos başında Sırbistan'a savaş ilan eden Avusturya-Macaristan'ı önlemek ve Sırp kardeşlerini korumak için Rusya da Avusturya'ya savaş ilan etti. Bu savaşa Rusya'nın katılması vahim bir hataydı. Rus Genelkurmayı'nda "Noel'de evlerimize zaferle döneceğiz" çığlıklarını sadece akıllı Maliye Nazırı Kont Sergey Vitte, "Bu savaş büyüyecek, ortada ne taht ne taç ne de ahlak ve düzen kalacak" sözleriyle beyhude bir çaba ile önlemeye çalıştı. Nitekim Almanya da müttefiki Avusturya-Macaristan'ın yanında durmak için Rusya'ya savaş ilan etti. İtalya savaşa hazır değildi, ittifak antlaşması yaptığı Almanya ve Avusturya'yı yüzüstü bırakıp bir kenara çekildi. Fransa, Rusya'nın yanında yer alarak Almanya'ya savaş ilan etti ve Almanlar Fransızları ezmek için Belçika'yı işgal edince, Belçika'nın ebedi müttefiki Büyük Britanya da harbe girdi.

Kutuplaşmalar uzun zaman öncesinden başlamıştı. Avrupa'nın iktisadi ama daha ziyade siyasi menfaatleri ve çıkar çatışmaları su yüzüne çıkıyordu. Rusya, Fransa ve İngiltere ile birlikte ittifakın içindeydi. Reval görüşmesinde Osmanlı İmparatorluğu'nun paylaşılması bile gündeme gelmişti. İşte bu özlem, Genç Türk hükûmetini telaşla ayaklandırdı. Paylaşılmaktan kurtulmak için savaşa girilmesi fikri taraftar kazandı. İttihatçılar İngiltere ve Fransa blokuyla ittifaka gitmek için uğraşmış olsalar da Batı'da Rusya tercih ediliyordu. Balkan Savaşı'ndaki facia nedense Türk ordusunu yakından tanımayan devletlerde bir boşvermişlik yaratmıştı. "Bu ordudan ve devletten hayır gelmez" havası ayyuka çıkmıştı. Buna karşılık Türk ordusunu, kara ordularını, modernizasyonu ve kumanda kademelerini daha iyi tanıyan Almanya bloku aynı fikirde değildi. Daha önce ifade edildiği üzere, İstanbul'daki büyükelçi Baron von Wangenheim ve Alman Bahriyesi mensubları Türklere karşıydı. Ama Türk askerî bünyesini iyi tanıyan Avusturya-Macaristan askerî ataşesi von Pomiankowski ve bazı müşavir Alman subaylar Alman Kaiserini Türkler lehine etkilediler ve Almanya Rusya'ya karşı Türkleri yanına kazanmak gibi bir politika güttü. Osmanlı İmparatorluğu'nu ittifaka aldılar ve sonun başlangıcı böyle yaşandı. İngiltere'ye ısmarlanan zırhlıların gelmemesi ve peşin ödenen paraya el konulması, Reval görüşmesi gibi gelişmelerle kader ağlarını örüyordu. Genç Türkler belki başta haklı görünüyordu ama haklı ve doğru görünmenin ötesindeki doğruya ulaşmak, yani kendine güvenmek ve büyük harbin dışında kalmak gibi ince bir politikayı yürütecek kadrolar, hele diplomatlar bu hükûmet çevrelerinde yoktu.

Bu hengâmenin içinde, Almanya ile ittifak yapan Osmanlı İmparatorluğu ancak Ekim ayına kadar bekleyebilecekti. Bu acele, Avrupa'yla ittifaklar konusunda Türk politikacısının düştüğü yanılgıların ilkidir ama sonuncusu değildir. Tanzimat ruhu ve becerisi Türkiye idaresinde artık mevcut değildi.

Britanya İmparatorluğu'nun bu harbteki can kaybı 900 bin kadardı. İkinci Dünya Savaşı'nda bile daha az ölü vermiştir. 250 bin kişi sivil hayata ayak-bacakları olmadan geri döndü. Asıl önemli sorun ise bir kısmı, bu miktarda hastayı kabule hazır olmayan hastaneler önünde yığılan, bir kısmı da aileleri tarafından gizlenen 200 bini aşkın ruh sağlığı bozulmuş savaş kurbanıydı. Belki de Birinci Dünya Savaşı'nın sonunda yaşadıkları savaşların başarısı ve hataları, savaş sonrasının problemleri bakımından, en başta biz Türklerin ve Batı Avrupa'nın da hiç iyi tanıyamadığı Osmanlı İmparatorluğu'nun genel kayıpları öbürleri ile mukayese edilemezdi; ancak Türkiye kendini en çok değiştiren ülke olacaktı.

1 Kasım 1918 saat 11.00'de Fransa, harap olduğu savaşın galibi olarak, Compiègne ormanında Almanya ile imzaladığı mütareke ile Birinci Dünya Savaşı'nı fiilen bitirmişti. Bilahare barış antlaşmaları arasında Versailles'da mağlub Almanya'dan 1870 Savaşı'nın intikamı alınmaya çalışılacak ve bu, İkinci Dünya Savaşı'nı hazırlayan nedenlerden biri olacaktı. Compiègne ormanındaki vagonunda Alman askerî erkânını ateşkes şartlarını dikte etmek için bekleyen Fransız Mareşal Foche, meslekdaşı Pétain gibi bu sonsuz savaşta mareşalliğe yükselenlerdendi. Savaşın galipleri de mağlubları kadar bitkindi. Milliyetçilik ve millî kin doruktaydı. Bütün günahların sorumlusu olarak Almanya, Avusturya ve Osmanlı İmparatorluğu görülüyordu.

12 gün evvel, 30 Ekim'de Osmanlı İmparatorluğu, Haleb ve Musul sınırına çekilmişken barış talep etti. Avrupa'daki müttefiklerinden Avusturya-Macaristan çoktan bitmişti.

Avusturya-Alman bloku ile bağlantı da Bulgaristan'ın savaştan çekilmesiyle zaten kopmuştu. Bir hazin durum; uzun Birinci Dünya Savaşı boyunca, kendi imkânları içinde en geniş ve uzak cephelerde çarpışan kuvvet Türk ordularıydı. Birinci Dünya Savaşı'na giriş çözülmez hataların başlangıcıydı; bu çözümsüzlük sonunda çöküntüyü getirdi, bu çöküntüden çıkış için Türk toplumu kaosu ve yeni bir dünya savaşını değil, millî mücadeleyi seçecekti. Mütarekeden bir sene sonra aslında Türkiye toprakları, İtilaf Devletleri'nden Fransa'nın Maraş bölgesindeki işgalini sarsmaya başlamıştı. Ordunun direnen kumandanları, siyasi ve idari direnişin örgütlenme ağını oluşturmaktaydılar.

Büyük Harb, imparatorluğun yıkımını getirdi. Bugün buna ağıt yakacak değiliz, zira, imparatorluklar yıkılmak için kurulurlar. Türklerin imparatorluğu da er ya da geç idare ettiği milletleri, bu memâliki bırakmak zorundaydı. Okullarını ve sınıflarını boşaltacak kadar gençlerini yedek subay harbinde harcamak, demircilerini ve çiftçilerini cephelerde yok edecek ve iktisadiyatı âdeta onlarca yıl kalkınamayacak derecede boğazlamak bu hükûmetin ehliyetsizliğinden kaynaklandı. Hükûmet Türkiye İmparatorluğu'nu basiretsiz politikalar ve ani kararlarla çok erken ve çok pahalı bir biçimde yok etmişti. Bu aynı zamanda millî sınırları da mahvetmişti. Unutulmamalıdır ki Misak-ı Millî sınırları içine, mütareke ilan edildiğinde ordunun elinde olan yerler de dâhildi. Oysa sonunda bunların bazılarını alamadık. Mesela, Hatay bile takip edilen politikalar ve denge oyunlarından iyi istifade etmek suretiyle ancak 1939'da anavatana yeniden katılabildi.

Büyük Harb'in yarattığı sıkıntılar sadece Türkiye ile ilgili değildi. Birinci Dünya Savaşı'nı sadece mağlublar değil, sözde galipler de kaybetmişti. Dünya değişmiş ve bu değişen dünya bir takım acıların içinden geçmek zorunda kalacaktı.

Tahtlar ve taçlar yerinden oldu. Sadece Osmanlı İmparatorluğu değil, Habsburgların Avusturya-Macaristan İmparatorluğu, Rusya'nın Romanov hanedanı ve aslında ananesi zayıf da olsa o güne kadar varlığını devam ettiren, Alman İmparatorluğu tarihe karıştı.

Bütün bu olaylar tek bir gerçeği ortaya çıkarmıştır: Savaş, yıkıcı rüzgârlarını estiriyordu, galipler bile yorgundu. Ancak yorgun olan galipler başka yollara tevessül ediyorlar, yenilenlerden maddî ve manevî kayıplarının acısını çıkarmaya kalkışarak çok insafsız bir dizi antlaşma ortaya koydular. Bunların hepsi Paris'te tezgâhlandı ve bugünkü Paris'in o zamanki banliyölerinde ayrı ayrı antlaşmalar yapıldı.

11 Kasım'da Almanya yenilmişti. Buna rağmen daha mütareke gününden başlayarak Almanya'da muhafazakâr çevreler "Gerçekte ordunun yenilmediğini, yenilginin Berlin'deki politikacıların beceriksizliğinden ileri geldiği" iddiasını yaydılar. Bu gürültüye bir müddet sonra faciayı "komünistlerin ve Yahudilerin hazırladığını" haykıranlar da katıldı. Alman orduları Rusların donanımsız ve eğitimsiz ordularına karşı daha başlangıçta kazandıkları Tannenberg zaferinin sarhoşuydu. Marne ve Verdun'de yurdu savunan Fransa'yı ve Britanya İmparatorluğu'nun üstünlüğünü kabul etmek istemiyorlardı. Yakın gelecekte İkinci Dünya Savaşı'nı patlatacak yeni Alman politikacılar, "Her şeyden önce içerideki temizlik" gibi tehlikeli bir maceraya bütün halkı sürüklediler.

Savaşın son günlerinde Alman toplumu altüst olmuştu. Zaten hiçbir zaman İngiltere ve hatta Avusturya'daki kadar benimsenmeyen monarşiye ve Hohenzolern hanedanına karşı herkesin nefreti artmıştı.

Ordumuz İtilaf Devletleri İçin Kolay Hasım Olmadı

Biz toptan hükümlerle tarih yazıyoruz. Aslında Birinci Dünya Savaşı, kurmay sınıfın harikalar yarattığı bir savaştır. Bunun üzerinde durulması gerekir. Lüzumsuz olarak, en azından çok erken girdiğimiz ve bu yüzden yanlış tarafı seçmek zorunda kaldığımız Birinci Dünya Savaşı'nda aslında bu görülür. Yeni savaş tarihçileri Birinci Dünya Savaşı'nda Türk ordularının, yani Osmanlı İmparatorluğu'nun ne kadar önemli bir rol oynadığını artık günden güne daha vukufla yazıyorlar ve bizim bilmediğimiz kumandanların isimleri çıkıyor.

Birinci Dünya Savaşı, Britanya İmparatorluğu'nun ve teb'asının hayatında fevkalade büyük değişiklikler yaşattı. Britanya İmparatorluğu ilk defa dört uzun yıl boyunca kavga etmek durumunda kalmıştır. Bu kavgada ağırlık onun desteklediği Fransa'da değildir. Nerededir? Gelibolu'dadır. Nerededir? Süveyş'ten sonraki Filistin Cephesi'ndedir. Nerededir? Irak'ta, Kut'ül Amare'dedir. Dört yılın sonunda Britanya ordusu yorgundur, Britanya halkı yorgundur, politikacılar çok ağır imtihanlardan geçmişlerdir. Kimisi, mesela bizzat Churchill bu imtihanı parlak notlarla atlatamamış ve Britanya ekonomisi tarihinde yaşamadığı bir buhranın içine girmiştir.

Savaşı dört yıl uzattığı için çok kızdıkları Türk İmparatorluğu'nun parçalanması ve cezalandırılması için kararlar alınmaktadır. Bu eğilimi herkes biliyor ve görüyordu. Galiplerin çok acımasızca davrandığı bir gerçekti, ancak, herhalde en amansız davrandıkları Türk İmparatorluğu idi. Savaşçı zümreye karşı hayli dikkatlidirler, zira, orada ilginç örnekler görmüşlerdi.

Yedi İklim Üç Kıtada Harb Edildi

Bir kez daha belirtmek gerekir ki Osmanlı zabiti bütün kara ordularının subayları gibi belirgin vasıflara sahiptir. Coğrafya ve dil bilmek zorundadır. Ancak bir ayırıcı özelliği daha vardır; Osmanlı zabiti geniş bir imparatorluğun içinde mücadele vermek durumundadır. Bir sene Yemen'de, ertesi sene Bilâd-ı Şam'da ayaklananlarla veya çetelerle kavga etmek zorundadır. Daha ertesi sene Makedonya dağlarında milliyetçi çetelerle savaşır. Birinci Dünya Savaşı'na girmeden evvel Balkan Savaşı'nda, siyasetin de ordunun içine girmesiyle hazin bir olay yaşanmıştır.

Fakat bu ordunun erken olgunlaşan subayları, büyük devletlerin ordularındaki meslekdaşlarının aksine, daha harb başlamadan savaşın tecrübesinden geçmişlerdir. Tıpkı Mustafa Kemal Bey, Enver Bey, Fethi Bey, Cami Bey'ler gibi Trablusgarb'ta İtalyan hücumunu durdurmuşlar, ardından Balkan Savaşı'nı yaşamışlardır. İsmet Bey, sonraki İsmet Paşa gibi Yemen Cephesi'nde, Arabistan Cephesi'nde kurmaylık tecrübesini geliştirmişlerdir. Yani Birinci Dünya Savaşı'nda genç, ihtiyar bir kumanda sınıfı bu savaşı yürütmüştür. Britanya'nın kini bundan ileri gelmektedir. Türkiye İmparatorluğu'nun bir yerde coğrafyadan silinmesi ve tarihinin unutturulması gerekiyordu. Bu kinin sözcülüğünü ise Sevr'in başlangıcında Clemenceau, Osmanlı delegelerine karşı zehir zemberek bir konuşmayla şöyle yaptı: "Siz bizden ne bekliyorsunuz, medenî dünyaya dâhil değilsiniz, idareniz altındaki milletlere hiçbir ilerleme sağlamadınız. Haydut Almanlarla iş birliği yaparak bizleri soymaya kalktınız..." Maalesef Fransa politikası bu konuşma ve havayı mütarekede bir müddet sonra terk etse de, nesillerin hafızasına kazınmıştır.

Yanlış Politika Faciası: Sarıkamış

1915 kışının ortasında, Osmanlı İmparatorluğu'nun kuzey ucunda, en mutena kolordumuz karlara gömüldü. Karşısındaki Rus ordusu özel kazılmış kış siperlerinde, alışık olduğu iklimin giyim ve donanımı içindeydi. Bizimkiler ise neredeyse yaz donanımıyla Ruslarla çarpışacaklardı; fakat tabiri caizse, General Kış'ın harekâtı, Sarıkamış Cephesi'ndeki Rus ordusundan daha da hızlıydı ve ordumuz kışa yenildi. Baharda karlar eriyince donan şehitlerimizin naaşı ortaya çıkmıştı.

Sarıkamış Harekâtı'nda bilgisizlik ve macerayla aynileşen Enver Paşa'nın kendine özgü yetenekleri vardı ve gençleşen ordunun bütün kumandanları gibi aslında iyi askerî eğitim görmüştü ama yanlış stratejisini yönetecek yeterli kadro yoktu, Ruslarla savaştık ama ordunun teçhizatı kışa uygun değildi.

Genç Türkler, mütareke yıllarında Fransız General Franchet d'Esperey'in dediği gibi, Türk toplumunun en dinamik unsuruydu. Ama Batı'daki büyük devletlerin dışında hareket etmeye, hatta beklemeye dahi cesaretleri yoktu. Enver Paşa bir dâhiden ziyade, sebepsiz hayallerin adamıydı ve Genç Türk neslinin umumi kusuruna fazlasıyla sahipti; toplumu ve tarihi kendine göre değiştirmeye hazırdı. Bilmeden, göremeden, etrafla fazla konuşmadan, birilerini dinlemekten çok kendini dinletme eğilimindeydi. Modernleşen ordu ve bürokrasiyle barışı tercih etseydik hem biz hem de Araplar için daha aydınlık ve sıkıntısız bir gelecek inşa edilebilirdi, ama Sarıkamış'ta müttefik olduğumuz ve uğrunda Ruslara karşı çarpıştığımız Almanya da Marne Cephesi'nde çoktan durdurulmuştu.

Savaşa, hem de yanlış tarafta girmek Türkiye'nin ve etrafının mahvına sebep oldu. İmparatorluğun ana unsuru olan biz Türkler, tarihin ve ananenin yetiştirdiği büyük evlatlarla başka bir gelecek kurabildik ama aynı talih ve yenilenme etrafımızdaki diğer Osmanlı halkları için söz konusu olmadı. Sarıkamış bizim yakın tarihimizde Balkan Savaşı'ndan sonra acemi kumandanlık ve yanlış politikanın yarattığı en büyük faciadır. Yaşım itibariyle bu savaşın gazilerini tanıma imkânına sahip oldum; onlardan bütün fikir dünyamı ve tarih bilgimi sarsan feci hatıralar dinlemişimdir. Mustafa Kemal Paşa'ya ve yakın arkadaşlarına hayranlığım arttı. Çünkü 1914'te savaşı yönetenlerin yarattığı facia ve imparatorluk halkı arasında sebep oldukları bezginlik onların direnişe geçmesini önlememiştir ve Türk halkı her şeye rağmen Birinci Dünya Savaşı'nı yaşayan Avrupa milletleri gibi panik ve nihilizme kapılmamış, 1919-22 döneminde Kurtuluş Savaşı'na devam edebilmiştir.[29]

---

29 Çanakkale Savaşları'nın İngiltere ve sömürgelerindeki askerler için ilginç bir Türk imajı oluşturduğunu söylemem lazım. Gençliğimde, yetmişli yılların başında Londra'da bir yaşlı hanım yanıma oturunca kalktım ve eşine yer verdim. "Lüzum yoktu buna genç adam" dedi. "Yok, bizde âdettir" dedim. Bizde âdet deyince, "Nerelisiniz?" dedi, "Türküm" dedim. "Ben Gelibolu'da savaştım" dedi. "Türklerden belki pek hoşlanmıyorsunuz" diye devam ettim. "Yoo, tam tersi" dedi ve devam etti: "Bizim askerler olarak, Türklere çok saygımız var. Centilmen düşman olarak görürüz; iyi savaşçıdırlar. Sorun şunlardan çıkıyor" dedi. Yanından geçmekte olduğumuz Foreign Office'i işaret etti.

Benzer bir durum, hatta daha da ötesi Avustralya ve Yeni Zelanda'da da vardır. ANZAC idi onlar ve Gelibolu'ya Türk düşmanı olarak geldiler; bizimle savaştılar ve cephede düşman olmamıza, canlarımıza kast etmelerine rağmen bizdeki farklılığı gördüler. O sebeple bir Türk sempatisi vardır.

Çanakkale'de Kaybetseydik...

Çanakkale'yi kaybetseydik eğer, diyoruz ki İngiltere gelirdi, Malta'yı, Kıbrıs'ı, Mısır'ı nasıl aldıysa buraya da yerleşir ve güzelce kendine benzetirdi. Akabinde tepeden belki Rusya da gelirdi ve biz bir daha oraları alamazdık. Konstantinopolis'i seyahat kitaplarında seyretmek durumunda kalırdır. 1915'teki muhtemel facia ve işgal, İngilizlerin mütarekede oraya girmesine benzemezdi.

Böyle bir savaş yapan, teknik donanımıyla, teknik kullanımıyla, cesaretiyle, organizasyonuyla bunu yapan adamlar kadrolarıyla elbette ona göre de gelişme gösteriyorlar. Bütün liderlerimiz Çanakkale Zaferi'nden çıkmıştır ve bütün kumandanlar oradan gelmiştir. Sivil kadrolar dahi oralardan çıkıp gelen yedek subaylardır. Sadece bir örnek verelim. Ünlü kemancımız Ayla Erduran'ın babası Ordinaryüs Prof. Dr. Behçet Sabit (Erduran) Çanakkale'de harb sahasında hekimdi.[30] Bir sigara içmek için mola verdiğinde hastane çadırından çıktı ve İngiliz top mermisinden kurtuldu. Aksi halde ne onun tıbbı kalacak ne de Ayla Erduran aramızda olacaktı. Harbin olgunlaştırdığı kadrolar Türkiye'yi yarınlara götürecekti ve onların eksikliği de 1950-60'lı yıllara kadar Türkiye'nin gelişmesine dahi en büyük engeldi.

Çanakkale bir milletin hafızasında ve hatta ruhunda yer alan abide hadiselerden biridir. Doğu'da ve Batı'da böylesi

30 Behçet Sabit Erduran, *Cephedeki Bir Doktorun Gözünden 1915 Baharında Çanakkale,* Türkiye İş Bankası Kültür Yayınları, İstanbul, 2015. Bu olay daha da ilginçtir. Doktor Behçet Sabit o arada getirilen bir İngiliz yaralı subayı çadırda tetkik ediyor ve "Bacağını kesmek zorundayım" diyor. İngiliz "Hayır, ben bu ameliyatı Londra'da yaptırmalıyım" diyor. Doktor Behçet Bey de "Kararı sen vereceksin, ben sigara içip geliyorum" diyor ve çadırdan çıkıyor. İşte yukarıda bahsi geçen bu sigara molasıdır.

büyük abideye nadir rastlanır. Almanya ve Avusturya'da yoktur. Fransa'da Marne, Verdun, Rusya'da Smolensk, Minsk, İkinci Dünya Savaşı'nda Stalingrad, Odessa, Sivastopol ve Leningrad gibi anıt mevkiler bunun gibidir. Dünya tarihinin hemen hiçbir safhası, dünya coğrafyasının hemen hiçbir önemli parçası yoktur ki orada Türkler olmasın. Türkler olmadan hiçbir önemli Avrupa devletinin millî tarihi incelenemez. Hiçbir Orta Doğu ülkesinin, hiçbir Rus-Slav ülkesinin millî tarihi ve kimliği Türkler hesaba katılmadan anlaşılamaz. Bu Orta Çağ'ların derinliklerinden başlar ve yakın zamanlara kadar devam eder. Türkler olmadan Orta Çağ olamaz, Rönesans olamaz, Birinci Dünya Savaşı olmaz ve anlaşılamaz. Bu hususun üzerinde önemle durulmalı ve açıktır ki Türk cepheleri incelenmeye başlandıktan sonra Batı dünyası Birinci Dünya Savaşı'nı daha doğru anlamaya ve nitelikli olarak yazmaya başladı. Ondan önceki tarih yazımı nobran ve sathîdir.

Çanakkale ve Mustafa Kemal Paşa

Mustafa Kemal'in kurtuluş mücadelesinin başına geçmesi sürecinde Çanakkale'nin önemi büyüktür. Zira Anafartalar kumandanı olarak tanınıyordu.

Buna rağmen bir kesim ısrarla, "Çanakkale'de Atatürk yoktu, deniz savaşında yoktu, başında yoktu, sonunda vardı" diyor. Herhalde fundamentalist duygularla, Türkiye'nin laik önderi hafızalardan silinmek isteniyor, diye de düşünülebilir. Oysa onun kişiliğinde hiç unutulmayacak husus askerliktir. Bu kavmin yazarlığı, yerli yabancı askerî rapor ve bilgileri değerlendirmek zorundadır. Birinci Dünya Savaşı'nın genç kumandanlarını tanımak zorundayız (ancak son 10 yılda muharib dedelerin sandıklarından çıkan el yazmaları basılmaya başlamıştır). İkincisi, karşı cephenin raporlarını incelemeliyiz. Liman von Sanders ve diğer Almanların hatıratı değerli olabilirler ama bunlarda abartma ve yeniden yazma eğilimi veya bazı gerçekleri gizleme yönü de ağır basar. Günlük jurnalleri Alman askerî arşivleri ve Britanya arşivlerinden toplamak gerektiği çok açıktır.

Mustafa Kemal'de kendisine verilen vazifenin ötesinde bazı atılımlar ve fedakârlıklarla örülen bir kişilik görülür. Mesela Trablusgarb Savaşı'ndaki gönüllülüğü ortadadır yahut istese Birinci Dünya Savaşı'nı da Sofya'da ataşemiliter olarak tamamlayabilirdi, çünkü Bulgaristan zaten müttefikimizdi. Mustafa Kemal ise ısrarla yazışarak muharebe hakkını istiyor. "Arkadaşlarım ateş hattındayken burada kalmam doğru değil" diyordu. Kendisini cepheye tayin ettirmiştir. Burada hırslı bir kumandanın, yerinde duramayan bir dâhinin Sofya'dan kurtulma sancıları vardır. Mustafa Kemal için olumsuz, sahte bir biyografi yazmak eğilimini sadece fundamentalizme bağlamıyorum. Burada bir etnik kıskançlık da var. Maalesef Türkiye'de bazı grupların etnik duyguları, ana unsur sayılan Türklerin kültürel hafızadaki, tarihteki yerini tahrip etmekle ilgili bir çabaya yöneliktir. Dünya tarihinde ve hâlihazırda bazı ülkelerde basit milliyetçilik akımlarında bu gibi çabalar göze çarpar. Mesela Rusya Türkleri arasında, kurumsal eğitim almadan ve Avrupa'da okumadan evvel, Rus kültürünü karalama ve küçümseme eğilimi çok yaygındı ve ana unsurdan izolasyonla benliği korumaya yönelikti. Ancak 19. yüzyılda Kazan, Azerbaycan ve Kırım'da askerî ve sivil okullarda eğitim alanlar, Osmanlı kültür ve eğitimiyle temasa geçenler ve hatta Avrupa'da okuyanlar artmaya başladıkça millî meseleleri karşılıklı mütalâaya alan aydınlar arasında hakkaniyet yer etmeye başladı. İsmail Gaspıralı'nın bizzat *Tercüman* gazetesinde "Rusya'nın 1000 yılı" adlı makalesinde bu yaklaşımı görmek mümkün. Hiçbir zaman iğneleyici ve saldırıcı bir milliyetçi üslûb benimsemedi; mühim olan ayaklarını yere basamayacağı, dünya ve hatta muasır ülke aydınlarından destek alamayacağı bir milliyetçilik yapmak değildi. Yapılması gereken bir kavmin aydınlatılması, dilini, tarihini iyi öğrenmesi ve Rusya'daki Müslümanların diğer Türk kavimleriyle medeni alâkalarının, etimolojik beraberliğinin gösterilmesi ve kültürel birliğin sağlanmasıydı.[31] Halen birtakım askerî raporların, çağdaş askerî önderlerin ve onların raporlarının, hatıralarının aksine, bazı yayın organlarının, bazı kişilerin "Filistin'de ve Çanakkale'de Mustafa Kemal yok" demesini buna bağlıyorum. Yalnız bu saçma iddia hiçbir askerî rapora dayanmıyor. Askerî hatıratı okuduğunuz zaman, sadece bizimkileri değil Mareşal Lord Carver[32] gibi Britanya kumandanlarını da dikkatle okuduğunuz zaman, bu yorumların mesnedsizliği anlaşılıyor.[33]

Tarihin Akışı Değişti

Çanakkale aslında dünya tarihinin akışını değiştirmiştir. Ortaya yeni bir Rusya ve yeni bir Türkiye çıkmıştır. Biz hiçbir

31 İlber Ortaylı, "Reports and Considerations of Ismail Bey Gasprinskii in *Tercüman* on Central Asia", *Cahiers du monde russe et soviétique*, Yıl 1991, c. 32.

32 Field Marshal Lord Carver, *The National Army Museum Book of the Turkish Front 1914-18: The Campaigns at Gallipoli, in Mesopotamia and in Palestine*, (Pan Grand Strategy Series), Londra, 2004.

33 Eugene Rogan, *The Fall of the Ottomans: The Great War in the Middle East*, Basic Books, New York, 2015. Türkçesi; *Osmanlı'nın Çöküşü, Ortadoğu'da Büyük Savaş 1914-1920*, İletişim Yayınları, 2017.

Dünya tarihinin en büyük savaşlarından Çanakkale Savaşları'nda
Mustafa Kemal askerleriyle yine en önde, siperlerde, 1915.

zaman bir milyona yakın askerle böyle bir vatan savunması yapmadık. Bu vatan savunması çok geniş bir planda oldu. Ordularımız Galiçya'dan tutunuz Yemen'e kadar her cephede savaşıyordu. Askerlerimiz ardından da tekrar bir üç yıl daha mütareke devrinde savaşmak zorunda kaldılar. Birinci Dünya Savaşı'nda biz bir vatan ve millet olduğumuzu ispat ettik. Vatan için savaşan, millet için ölen insanlar başka yerde yoktur. Uzun savaşlarda gençlerimiz, zanaatkârlarımız, çiftçilerimiz, eli ayağı tutan herkes şehit oldu. Dört yıllık bu savaş, bize millî bir bilinç kazandırdı ve Cumhuriyet'i de işte bu bilinçle kurduk.

Birinci Dünya Savaşı'na yeryüzünün büyük bir kısmı katılmıştır. Ülkeler genellikle Temmuz sonu ve Ağustos başında savaşa girdiler. Avusturya-Macaristan, Almanya, Rusya, nihayet Fransa ve Britanya İmparatorluğu olmak üzere karşılıklı savaş ilan ettiler. Türk İmparatorluğu, Çanakkale ağzına sığınan ve Enver Paşa ile Büyükelçi Wangenheim görüşmesi üzerine sözde satın aldığı ama Alman mürettebatını tahliye etmeyip sadece isim değiştirdiği *Göben* ve *Breslau* (*Yavuz* ve *Midilli*) zırhlıları ve refakat muhribiyle Rusya'nın Sivastopol, Yalta limanlarını bombaladıktan sonra, 31 Ekim 1914 tarihinde savaşa resmen girmiş oluyordu. Bu açıkça Enver Paşa'nın ve Bahriye Nazırı Cemal Paşa'nın emriyle yapılmış bir bombardımandı.

2 Kasım'da da Rusya, Osmanlı'ya savaş ilan etti ve ardından savaş ilan eden İngiliz ve Fransız harb gemileri Çanakkale Boğazı'ndaki Seddülbahir'i, Kumkapı ve Orhaniye tabyalarını bombaladılar. Eylül başından itibaren Boğaz'da tahkimat yapma emrini Enver Paşa vermişti. Bununla birlikte birleşik donanma karşısındaki savunma büyük kayıpla sonuçlandı. Beş subay ve 80 asker şehit oldu.

Boğaz harekâtının başlamasından bir müddet sonra Rusya Dışişleri Bakanı Sazonov, Britanya'yı protesto etmekle kalmayıp tehdit etti. Rusya savaştan çekilecekti, zira, kendisine vadedilen İstanbul ve Boğazlar İngiltere'nin bu manevrasıyla Rusya'nın elinden alınıyordu. Yaklaşık 5 milyon askeri ile en büyük kara ordusuna sahip Rusya bu savaşta niçin İtilaf Devletleri safında olduğunu sorguluyordu. Bunun üzerine Churchill İstanbul ve Boğazlar'ı Rusya'ya vermeyi taahhüt eden bir anlaşmaya gitti.

1912'den beri fiilen savaş içinde olan Osmanlı İmparatorluğu aslında Birinci Dünya Savaşı'na zorunlu olarak giriyor, Avrupa devletleri ve Rusya'daki gibi çılgın zafer çığlıkları atılmıyordu. Türkiye durumun vahametini ve harbin uzun süreceğini anlayan tek genelkurmaya sahipti. Ekim sonunda Genelkurmay III. Şube Müdürü İsmet Bey (İnönü) Almanya ile ittifakın Almanların Rusya'ya karşı Tannenberg'de kazandıkları zafer dolayısıyla fazla abartılmamasını, bu ordunun kuvvetinin Marne Cephesi'nde Mareşal Joffre kumandasındaki Fransızlar karşısında duraklamasından sonra sorgulanması ve ittifaktan kaçınılması gerektiğini ileri sürdü.

Ne var ki Çanakkale'deki Churchill ve Sazonov inadı ve saldırganlığı aksini düşünmeye pek imkân bırakmıyordu. Türkiye Esad Paşa, Fevzi Paşa, Yarbay Mustafa Kemal Bey, Kâzım Karabekir ve İsmet Bey gibi değerli kurmaylarının görüşüne rağmen Alman safında bu harbe sürüklendi. Beylerbeyi Sarayı'na çekilen sabık Sultan II. Abdülhamid'in "Bu cihad öyle bir silahtır ki kullanılmaması kullanılmasından daha etkilidir" sözünü hatırlamakta fayda var. Bununla beraber Çanakkale'de ne İngiliz ne de Fransız saflarında kayda değer miktarda Müslüman sömürge askeri vardı.[34]

34 Bu konuda Yusuf Hikmet Bayur'un *Türk İnkılap Tarihi* serisindeki Hilafet ordusuna karşı sömürgelerden kalabalık miktarda Müslüman

İlk hücum ve savunmadan sonra savaşın Çanakkale Boğazı aşılarak İstanbul'a yönelmesi meselesi Churchill'in kesin kararıyla oldu. Bu planın uygulamaya konmasıyla Rusya'nın malûm itirazı tekrar ortaya çıktı. Fakat diğer yandan Başkumandan Grandük Nikola bu operasyonun bir an evvel bitmesini ve Rusya'ya yardımın ulaşması gerektiğini belirtiyordu. Çünkü içeride sıkışmışlar ve Bolşevikler yönetimi ele geçirmek üzereydiler. Nihayetinde de öyle olacak, hatta Sovyet Rusya savaştan çekilme kararı verecek ve eski dostlar düşman olacaktı.

Üç ay boyunca hazırlıklar devam etti. Türk İmparatorluğu doğru olarak kara ordularının yapacağı savunmaya önem veriyordu. Çanakkale müstahkem mevkiinin başında Esad Paşa vardı. Lakin Başkumandan Vekili Enver Paşa, birleşik ordular kumandanı olarak İstanbul'a gelen Alman ıslah heyetinin başkanı Liman von Sanders'i Gelibolu'ya umum kumandan olarak tayin etti.

Birleşik ordu sözüne bakarak Almanya-Avusturya askerî kuvvetlerinin sayısını abartmamak gerekir. Gelibolu'da müttefiklerimizin daha çok asrî teknolojiyi temsil eden mühimmat yardımı söz konusudur. Liman Paşa, Prusya ordusunda sivrilmiş bir isim değildi, lakin geçen zaman içinde düzgün bir kurmay olduğu ve Türk kumandanların görüşlerine itibar etmekle makul davrandığı görüldü.

---

askerin Osmanlı topraklarına savaşa gönderilmesi izahına karşı Mete Tunçay'ın karşı görüşü; *Türkiye Cumhuriyeti'nde Tek Parti Yönetiminin Kurulması*, Tarih Vakfı Yurt Yayınları, 1999-2000, s. 81-82. Bayur ve takipçileri 740.000 Britanyalı Hind askerinin büyük kısmının Müslümanlardan oluştuğunu söylüyor. Tunçay'a göre ise Britanya ordusunda 42 dini etnik grubun içinde altı Müslüman grup vardı ve sayıları 140 bini geçmiyordu.

Bu savaşta Türk ordusunun genç ama tecrübeli ve bilgili kurmay grubunun bir cephede toplandığı görülür. Asıl savunmanın başlayacağı 18 Mart'tan bir ay evvel Boğaz'daki mayınlı alanları Müttefiklerin temizlemesine rağmen, saldırı başlayacakken yeniden gizlice mayın döşendi. Bu *Nusrat* mayın gemisinin askerlerinin tarihe geçen bir başarısıdır ve belki de savaşın seyrini değiştirmiştir.

Bir gün sonra hücuma geçen İtilaf Devletleri donanmasının bu yüzden ağır tahribat geçireceği, savunma alanlarından gelen tepkiyle de geri çekileceği açıktı. O anda dünyanın en mükemmel zırhlı gemisi yüzen kale *Queen Elizabeth* yara alarak çekilmiş, *Ocean* ve *Bouvet*[35] batmış ve *Agamemnon* sahayı terk etmişti. Bu bir hezimet sayılıyordu ve Boğaz'ı gemilerle geçmekten vazgeçilmişti. Bununla birlikte "Çanakkale'nin geçilmezliği" sadece tarihimizde çok önemli yeri olan 18 Mart Deniz Zaferi'yle değil, daha sonraki kara savaşlarıyla tescil edilmiştir.

Her toplum tarihi yapar ve bazısının yaptığı tarih öbür toplumların ve dünyanın gidişini etkiler. Çanakkale Deniz Muharebeleri ve ardından kara savaşı, dünya tarihinde kendi anısına dikilen abide kadar kalıcı ve destansıdır. Birinci Dünya Savaşı'nın kaderini ve savaş sonundaki gelişmeleri etkileyen büyük olaylardandır. Savunma durumunda olan Türkler, Tıp Fakültesi ve Mühendis Mektebi'ndeki, seçkin liselerdeki genç aydınlarından tutun da kasabalardaki becerikli zanaatçısına, ülkenin toprağını ekip biçen çiftçisine kadar ancak 40 yılda telafi edebilecekleri büyük kayıplar

35 Ayhan Aktar, "Bouvet zırhlısını mayınlar değil topçularımız batırdı", *#tarih*, Mart 2016, s. 68-77; İngilizcesi, "Who Sank the Battleship Bouvet on 18 March 1915? The Problems of Imported Historiography in Turkey", *War & Society*, 36:3, 2017, s. 194-216.

vermişlerdir. Kurtardıkları topraktaki insanlar, verdikleri savaş yüzünden vatandaşlık toplumuna doğru önemli bir adım atmışlardır.

Çanakkale'de savaşan asker Galiçya'ya gitmiş, aynı başındaki genç kumandanlar gibi Doğu Cephesi'ne kaymıştır, Suriye-Filistin'e ve Mezopotamya'ya akmıştır. 1915 ve 1916 Gelibolu ve Kut'ül Amare Britanya İmparatorluğu'nu sarsan, İngiliz kamuoyunu imparatorluk uykusundan uyandıran, İngiltere'yi Avrupa'dan Orta Doğu'ya çeken savaşlardır. Yanlış tarafta savaştık, daha doğrusu, bizim olmayan bir savaşın içindeydik, yenilgi kaçınılmazdı ve imparatorluk parçalanacaktı ve bu esnada da vatanımızı ve insanlarımızı da kaybettik.

Çanakkale Zaferi ve Düşmanın Başarılı Ricatı

Gelibolu, 9 Ocak 1916'da Britanya İmparatorluğu'nun kuvvetleri tarafından tahliye edildi. Az sayıdaki İtilaf Devletleri askeri bu kuvvetlere dâhildi, zira, çoğu çoktan tahliye edilmişti. Fransa'nın Britanya ile harb içinde ve sonradan da devam edecek ve İkinci Dünya Savaşı'ndaki büyük çatlamayı etkileyecek çekişmesi burada başlamıştı. Donanma 18 Mart'ta bugünkü Çanakkale tarafında konuşlandığında, Fransız deniz gücü ön safta yer almış ve hiç beklenmedik ölçüde, Gelibolu Yarımadası'nda yer alan Türk kıyı savunması Fransız bahriyesinin önemli kayıplar vermesine sebep olmuştu. Birçok asker ve politikacı bunu Britanya'nın Fransa'yı harcama politikasının ve tavrının ilk belirgin örneği olarak değerlendirmiştir.

Şurası bir gerçektir ki 18 Mart'ta kutladığımız Çanakkale Deniz Savaşları'nın başlangıcı 1914 sonlarına kadar uzanır.

Fakat savaşın şiddetlenmesi İtilaf Devletleri donanmasının uğradığı ve bu savaşı başlatanların beklemediği iteleme ve yenilgiyledir. Bitimi de 1916 yılının Ocak ayının 9'udur. Ancak tahliyenin 1915'in Ekim ayından beri düşünüldüğü, ilk anda tartışmalı kararın Londra'da çaresizce kabul edildikten sonra kademe kademe gerçekleştirildiği bir gerçektir.

Tarihte Romalılar, ricat dediğimiz askerî harekâtı en başarıyla gerçekleştiren imparatorluktu. Britanya'nın bu tahliyesi de onun denizlere hâkimiyetinin son parlak gösterisidir ve bu deyiş bir abartma sayılmamalıdır; Çanakkale Savaşları Büyük Britanya'nın bu harbi çabuk bitirme konusunda büyük umutla giriştiği bir operasyondu, kendileri açısından beklenmedik ama itiraf ettikleri gibi "iyi yönetilmiş, cesur bir savunmayla" evvela bir duraklamaya, sonra bir faciaya dönüştü.

Aşağı yukarı beş ay süren tahliye ise çok başarılı bir ricattır. Öyle bir tahliye bir faciaya dönüşebilirdi. Kalan kuvvetleri sessizce ve düzenli bir şekilde geri çektiler. Kalan malzemeyi neredeyse hiç kullanılmayacak ve ganimet hissini veremeyecek ölçüde tahrip ettiler. Eğer Çanakkale'deki askerimizin iaşesi, bazı tarihçilerimizin sandığının aksine yeterli olmasa ve askerimiz aç olsa, zehirlenip yakılarak bırakılan gıdanın oldukça zararlı ve hazin sonuçlara neden olacağı açıktı.

9 Ocak'ta ordumuz zaferi kutladı. Ama karşıdaki başarısız ordunun bu tahliyeyi aylar boyunca nasıl yaptığı, bunun emaresinin neler olduğu, bu büyük tahliyenin niçin yeterince anlaşılmadığı konusunda kumandanlarımızın günlüklerinde açık bir ifade yok. Britanyalıların hücumda, hatta kıyıdaki savaşlarında gösteremedikleri başarıyı tahliye ve ricatta gösterdiklerini kabul etmek zorundayız.

Çanakkale (İngiliz literatüründe *Gallipoli*) Savaşı'nın gelişimi ve başarısızlığı Churchill gibi ünlü bir politikacının kendi ifadesiyle "20 yıl bir kıyıda kalmasına ve General Hamilton gibi ünlü bir kumandanın kariyerinin sönmesine" neden olsa da, Britanya kamuoyuna ikna edici sebepler ileri sürülebildi. Uğradıkları hayal kırıklığı bir müddet sonra geçiştirildi. Hiç şüphesiz açlıkla, ordunun ve devletin sevk-i idaresiyle boğuşan, bir yandan da ihtilâlcilerin günden güne etkin oldukları Rusya ise daha büyük bir çıkmaza girdi.

Çanakkale tahliye edildiği günden itibaren, Rusya bir buçuk yıldır yaşamadığı ölçüde ümitsizlik ve kargaşaya gark oldu. 13 ay sonra Romanovlar monarşisi sona erdi ve Kerenskiy Hükûmeti anayasal bir rejim ve cumhuriyet hazırlığını ilan etti. 1916 yılının başına dönecek olursak sekiz ay kadar sonra kargaşanın düzelmediği, aksine arttığı bu dönem dahi sona erdi, Bolşevik İhtilâli ile birlikte Rusya uzun bir iç savaşa sürüklendi.

Britanya halkının üzerinde güneş batmayan imparatorluğunun ordu ve idarelerinin gücü konusundaki hayal kırıklığı, 2016 Nisan'ında 100'üncü yılını kutladığımız Kut'ül Amare Zaferi ile daha da arttı. 1916 yılı, 1918'deki haşin Britanya'yı ve Fransa'yı İtilaf Devletleri'nin düşmanlara karşı insafsız, ama Türklere karşı yok edici politikalarını ve aralarındaki çekişmeleri tayin eden bir yıl olmuştur.

Ekim ayından beri kıyıya saplanıp kalan askerin artık takviye alamayacağı için tahliyesinin kaçınılmaz olduğunu General Hamilton'un yerine gelen halefi Sir Charles Monro da istemiştir. Savaş Bakanı Lord Kitchener Kasım ayında teftiş için geldiği Gelibolu'dan kumandanlarla yerinde çekilmeyi tartışmış, ardından Kasım sonunda kesin karar verilmiş, savaşın son safhasında İstanbul'da olan Mustafa Kemal, Aralık ayında orada bir taarruzun uygun olduğunu fakat son taarruzun yapılmamasının bir hata olduğunu ve bunun sorumluluğunun kumandan Liman von Sanders'te olduğunu ifade etmişti.

Bir ay içinde cereyan eden bu hareketle Britanya 35 binden fazla asker, 4 bine yakın binek hayvanı, top, araba, araç ve gereci tahliye etti. Gemilere alınamayan hayvanlar öldürüldü. Arabalar tahrip edildi ve isabetli bir tahliye tedbiri olarak mermiler denize döküldü.

Çanakkale Savaşları bütün Şark'ta son yüzyılın en çarpıcı kahramanlık örneğidir, hatta Avrupa tarihinde de Birinci Dünya Savaşı açısından Rusya ve Fransa'yla birlikte vatan savunmasının en asil örneğini barındıran bir müstahkem mevkidir. Türk ulusal kimliğinin ve vatan duygusunun berkitildiği bir olaydır. Sonraki muharebeler için itici bir rol oynamıştır.

Her milletin tarihinde Çanakkale Zaferi gibi abideler görülmez. Bizde vardır ve bu bütün Doğu'da tektir. Çanakkale Zaferi, çok kolay organize olan, direnebilen, tahammül edebilen ve belirli bir hedef etrafında ısrar eden bir ordu, kumanda heyeti ve toplum olduğumuzu gösterir. Cumhuriyet'i kuran da işte bu mayadır.

Kumandan Doğu Cephesi'nde

Ocak 1916'da Mustafa Kemal Bey Anafartalar Grubu kumandanlığındaki üstün başarıları dolayısıyla *Altın Liyakat Madalyası* ile taltif edildi. Ardından karargâhı Edirne'de bulunan 16. Kolordu kumandanlığına atandı. 16. Kolordu kumandanlığı için Edirne'ye ulaştığında muhteşem bir

2. Ordu Kumandanlığı'na tayin edilen Mustafa Kemal Paşa, o günlerde henüz sadrazamlığa getirilmemiş, Şark Cephesi Kumandanı olan Ahmet İzzet Paşa'yı karargâhında ziyaret ediyor. Mustafa Kemal'in solunda Ahmet İzzet Paşa, Ahmet İzzet Paşa'nın yanında da Kut'ül Amare'yi İngilizlerden teslim alan Halil Paşa (Kut) görülmekte, 1917.

tezahüratla karşılandığı malûmdur, çünkü Rumeli göçmenleriyle imparatorluğun son zamanlardaki çileli ahalinin yaşadığı Edirne için Selanik'in bu büyük evladı, Çanakkale muharebelerinde ismini duyuran kumandan, hiç şüphesiz ki sıcak muhabbetle karşılanacak biriydi.

Bu esnada kendisi Edirne'deki kolorduyu düzenlediği sırada Mart başlarında 16. Kolordu karargâhının Başkumandan Vekili Enver Paşa tarafından Diyarbakır'a nakledilme kararı alınmıştı. Bu nakil dolayısıyla Mustafa Kemal Bey birdenbire kendisini Şark Cephesi'nde bulmuştur. İstanbul'dan geçerek mart ortalarında Diyarbakır'a hareket etmişti ki onun askerlik tarihindeki en önemli ikinci tayindir. O vakte kadar Suriye'yi ardından Makedonya'yı nihayet Balkan Savaşı ve Çanakkale Savaşı'nı, Trablusgrab'ı tanıyan kumandan ilk defa Doğu Anadolu'da kumandanlık yapmaktadır. Doğu Anadolu'daki tecrübeleri onun askerlik hayatının aslında en parlak safhalarından birini teşkil etmektedir. Çünkü harbin zor zamanlarında ve genel yenilgide önemli başarılar kazandı ve yerli halkı tanıdı. Türkiye Cumhuriyeti'nin gelecekteki oluşumu Doğu ve Batı'nın bir arada tutulması için bazı fikir ve tasarılarının burada oluştuğu anlaşılıyor. En azından İstiklâl Savaşı bittikten sonra İzmit'teki basın toplantısındaki demeci ve burada Doğulular üzerinde söylediklerinde bu izleri görmek mümkündür.

Mart ayı sonunda kumandanlığı aldıktan bir müddet sonra kendisinin mirlivalığa (tuğgeneralliğe) terfi ettiği görülüyor. Bundan sonra Mustafa Kemal Paşa artık generaldir. 16. Kolordu karargâhı da Diyarbakır'dan Silvan'a naklediliyor. Bu son derece ilginç bir şehir ve mevkidir. Silvan'dan sonra ağustos başında emrindeki kolorduya Bitlis ve Muş yönünde taarruza geçme emri veriyor. Nitekim çok kısa bir zamanda Rusların elinden Muş alınıyor. Ardından 8 Ağustos, hemen ertesi gün Bitlis'e de giriliyor. Bu Doğu Cephesi'nde çok uzun zamandır beklenen ilk zaferdir ve birdenbire genç generalin, Mustafa Kemal Paşa'nın şöhreti perçinleniyor. Gerek askerin yönetimi gerekse ilk defa karşı karşıya geldiği Rus ordusu ve bilhassa "askeri" hakkında orada fikir edindiği anlaşılıyor. Bu gelecekteki dış politikayı da tayin edecek bir olaydır. 12 Aralık'ta kendisine İkinci Rütbe'den Mecidî Nişanı verilecektir. Bunun önemli bir olay olarak görülmesi lazımdır.

1917 yılında Rusya yeni bir isyanla sarsılıyordu. Bizim tarafta bu olay bir hareketlenme yaratsa da sadece Başkumandanlık makamında ve hayalperest bir teşebbüs olduğu açıklandı. Hicaz Kuvve-i Seferiye Kumandanlığı hazırlanıyordu ve bunun aslında başarıya ulaşacağına Enver Paşa dışında kimse inanmıyordu, âdeta bir kumar oynanıyordu. Yeniden bir toparlanmayla ilerleyen Allenby kuvvetleri püskürtülecek diye düşünülüyordu. Elbette Almanlar bu girişimleri candan desteklemişlerdi, zira, nihai zafer söz konusu olmasa da büyük düşmanı uğraştıracak, yıpratacak onun başarısını geciktirecek bir teşebbüstü. Mustafa Kemal Paşa bu tasarıma ve stratejiye kendisi kumandan tayin edilmesine rağmen karşı çıktı. Burada ilk olarak Liman von Sanders'in makul bir kumandan ve yanlışından dinleyerek dönmesini bilen biri olarak sivrildiğini söyleyebiliriz. Bazı konularda Mustafa Kemal Paşa ile gerilim yaşasa da sonunda işi tatlıya bağlamayı bilen biriydi. Fakat Mustafa Kemal Paşa Şark'ta kendinden önceki bazı kumandanların yaşadığı tatsızlığı ilk defa burada Falkenhayn ile yaşadı. Falkenhayn Alman ordusunda değil Osmanlı ordusunda müşir olmuştu. Alman ordusunda Genelkurmay Başkanlığı yapmış ve

Romanya'daki 10. Ordu'nun başındayken Mezopotamya'ya Türk imparatorluk ordusu nezdine tayin edilmişti. Hemen hemen hiçbir kumandanla geçinme imkânı olmayan Erich von Falkenhayn'ın gelişiyle cephede sorunlar artmıştı.

Bu sırada Mustafa Kemal Paşa'nın 2. Ordu kumandanı olarak Şam'dan Diyarbakır'a döndüğü ve ardından da çok fazla vakit geçmeden Yıldırım Ordular Grubu Kumandanlığı'na bağlı 7. Ordu Kumandanlığı'na tayin edilerek yine Filistin Cephesi'ne nakledildiği görülmektedir. Oradan en son Haleb'e hareket edecektir. Haleb 7. Ordu Kumandanlık karargâhı şehrin Aziziye mevkiindedir. Mustafa Kemal Paşa, bu dönemde Sina Cephesi hakkındaki düşünce ve önerilerini Cemal Paşa'ya bildiriyor. Cemal Paşa'nın Mustafa Kemal Paşa'ya karşı daha hayırhah davrandığı, saygı gösterdiği hem bu zamanda hem de İstiklâl Savaşı sırasındaki yazışmalardan biliniyor. Muhtemelen buradaki önerileri dikkate alıyor, fakat Paşamız Falkenhayn'la mücadele halindedir. Falkenhayn Almanya tarafından geri çağrılana kadar sürtüşme ve gerilim devam etmiştir. Sonrasında Liman von Sanders, Falkenhayn'ın yerini almış olsa da artık doğudaki cephenin düzeni dönülmez safhaya girmişti. Liman von Sanders şüphesiz Alman Genelkurmayı'nın adamıdır. Alman askeridir; Türkiye'yi ve Türk ordusunu oranın menfaatlerine ve ana eğriye göre teşkilatlandırıyordu. Buna karşılık Türk askerine saygısı büyük olan bir kumandandı. Atatürk'ün hatıratında da bu durum görülmektedir.

Bu arada Mustafa Kemal Paşa Almanya, Avusturya gezisine Veliaht Vahideddin Efendi'nin yaveri olarak katılmıştır. Gezi sırasında Kaiser tarafından protokol gereği, Aralık 1917'de verilen *Birinci Rütbeden Mecidî Nişanı* üzerine, *Birinci Rütbeden Cordon de Prusse Nişanı* (Prusya Kordonu'yla)

Liman von Sanders, Yıldırım Ordular Grubu Kumandanlığı'nı Mustafa Kemal Paşa'ya devredecektir, 31 Ekim 1918.

ile taltif edilmiştir. Dönüşte Viyana'ya uğramış ve bir süre kalmıştır. Zira ağır bir böbrek iltihabı geçirdiği söylenir. Penisilinin olmadığı bir zamanda dinlenme ve Karlsbad'ın meşhur kaplıcalarındaki su ve oradaki diyet lokantalarından istifade etme imkânı bulmuştur. Bu galiba Paşamızın hayatında gördüğü son ciddi tedavidir. Cumhurbaşkanlığı sırasında bile böyle uzun ve sistematik bir tedavi göremeyeceği ve buna kendisinin de pek müsaade etmediği programından anlaşılmaktadır. Mizacı itibariyle hekimlere saygısı olmakla birlikle muayene ve tedavi sürecini benimsemeyen hastalardandır. Zamanın şartları da düşünülürse fazla olmayan bir ortalama yaşla ömrünü tamamladı. Zaten geçirdiği hastalıkların da tam teşhis edildiğini söylemek mümkün değildir.[36] Bu da ciddi olmayan literatürde ayrı bir spekülasyon konusudur.

1918'de 7. Ordu'ya kumandan olarak atanmıştır. Buradaki en önemli olay, İngiliz taarruzunun yoğunlaşması dolayısıyla, Filistin düşünülürse, orduyu bir strateji gereği ağır tahribattan kurtarmak için Şeria Nehri'nin doğusuna geçirmesidir. Başarılı görülmesi üzerine kendisine fahri yaverlik verilmiştir. O esnada artık padişah Vahideddin'dir ve savaşın son senesine girilmiştir.

İngilizler 26 Ekim'de Haleb'e girmişlerdi ki bu vahşi bir girişti. Yerli halktan da bazı unsurlarla birleşerek hastanelerde yatan neferler ve subaylar bile katledilmiştir. Fakat Mustafa Kemal Paşa Haleb'in şimalinde bir hat tespit etmiş, mütareke gününe kadar kalmış ve böylece mütarekede Haleb vilayetini, şehrin kuzeyindeki hattı Türk ordusunun elinde tutmasını başarmıştır. Elbette Mondros'ta bunun ne kadar dikkate alınıp alınmayacağı açıktır. Mondros Mütarekesi'yle şüphesiz ilk anda Liman von Sanders görevini Yıldırım Ordular Grubu Kumandanlığı'nı Atatürk'e verecektir.

Buradaki savaş hayatında sadece askerlik olarak değil, Arap siyaseti konusunda da mutlaka çok şey görüp öğrendiği ve bu öğrendiklerinin bugünkü Türk aydınları kadar tekdüze olmadığı gayet sarihtir. O rengârenk ortamı kavradığı anlaşılıyor ve ilerideki politikalarında da bu görülecektir. Mütarekeden sonra Harbiye Nezareti'nin emriyle Adana'dan İstanbul'a hareket etmiş ve seyahatinin sonunda, Kasım ortasında, Haydarpaşa Garı'ndan bindiği botta meşhur sözünü söylemiştir. Bunun rastgele bir söz olmadığını, yakın savaş stratejisinin ilk temelini atan bir stratejik görüş ve taktik

36 Bugünkü tıb ilmi bunu tespit etmekten henüz uzak.

Ordu Komutanı ve Padişah Yaveri (Fahri Yaverân-ı Hazret-i Şehriyar-ı)
Mustafa Kemal Paşa, 1918.

adım olduğu görülüyor: "Geldikleri gibi giderler." Bu sözün sadece bir temenni olmadığı, belirli bir plan, değerlendirme ve stratejik öngörüyle söylendiği açıktır.

Kut'ül Amâre Zaferi

Çanakkale Savaşı bir milletler savaşıydı. Henüz Birinci Dünya Savaşı'na girmeyen Yunanistan bile Britanya tarafında bazı kuvvetleriyle yer almıştı. Irak mıntıkasındaki 6. Ordu'nun kumandanı Goltz Paşa, başta Miralay Nureddin Bey olmak üzere, emrindeki bazı Türk subay ve kumandanlarla geçinemiyordu. Hatta Batı literatüründe kendisinin subaylar tarafından zehirlendiği bile iddia edilir. Mamafih von der Goltz'un tifüs hastalığından öldüğü raporuna inanmaktan başka çare yoktur.

Colmar von der Goltz, Osmanlı ordusunda uzun yıllar danışman olarak hizmet vermiş, dil öğrenmiş ve bilgisi çok takdir edilmişti. Almanya ile silah ticaretinde önemli rol oynamış ve dâhili politikaya da karışmaktan geri kalmamıştır. Kut'ül Amare Savaşı sırasında kumandan konumunda olan Albay Nureddin ise (sonra Sakallı Nureddin Paşa) kurmay sınıfından değildi, fakat çok bilgili tarih, coğrafya ve yabancı diller bilgisi yüklü bir zabitti. Siyasi tavırları sonraları İstiklâl Savaşı'nda Mustafa Kemal Paşa ve İsmet Paşa tarafından her zaman onaylanmış değildir. Lakin askerlik bilgisi ve direnci Kurtuluş Savaşı'nın Başkumandanı nezdinde onu vazgeçilmez kılmıştır. Kumandan yardımcısı ise bir erkân-ı harb miralayı, yani kurmay albay olan Halil'di. Enver Paşa'nın yaşça kendisinden küçük amcasıydı. Şu kadarını söylemek gerekir; iki kumandan iyi geçinirdi ve Goltz Paşa, Halil'i Nureddin'e karşı kışkırtmakla beraber kendisine çok kulak asılmamıştır. Goltz Paşa'nın Bağdat'ta tifüsten ölmesinin ardından (mezarı Tarabya'daki Alman yazlık elçiliğinin bahçesindedir) Irak'taki 6. Ordu'nun kumandanlığı Halil Paşa'ya verildi. Bununla beraber, harekâtın ana planının Albay Nureddin Bey tarafından geliştirildiğini bilmek gerekir.

Israrla belirtmek gerekir ki Osmanlı İmparatorluğu'ndaki bütün Araplar Lawrence'a katılan Şerif Hüseyin'in aşireti gibi değildir. İmam Yahya ki uzun zaman isyan ettikten sonra İzzet Paşa ve Kurmay Başkanı İsmet (İnönü) ile anlaşmıştı. Osmanlılar da bu anlaşmaya sadık kaldılar ve halk da Faysal ve oğulları gibi ayaklanmadılar. İmam Yahya Yemen usulünce makamına verasetle değil babasından sonra tıpkı onun gibi seçimle geldi.[37] İsmet (Paşa) "İşte seçimin erdemi" demişti. Gerçekten demokrasinin temelleri Eski Yunan'dadır ama endüstriyel Batı'da gibi görünse de antropolojik kökünde bir kabilevi gerçek vardır. Bazı ahvalde Arabistan'da ve Doğu Afrika'da kabile tipi demokrasiler yürürlükte olabilir. Kut ahalisi, Britanyalıları pek sevmezdi ve dışarıdaki inatçı kuşatmayı sürdüren ordumuzun 5. kolu gibi hareket etmiştir. Kut'ül Amare Savaşı ve zaferi ilginç bir tesadüf gibi görünür ama daha çok askerî stratejik bir zorunluluk olarak insanlık tarihinin en mühim noktalarından birinde meydana geldi.

1915 yılının Aralık ayı başlarında İngiliz General Townshend, Kut'ül Amare içindedir. İaşe bakımından kıtlığı vardır. Silah, asker sayısı ve sıhhiye hizmetleri açısından kuşatmacı Türk ordusuna karşı üstün durumdadır. Umumi durum kuşatanların direnci ve kumandanların inadıyla Britanya'nın aleyhindedir. Bir yarma harekâtının başarıya ulaşma ihtimali

37 Ali Fuad Erden, *İsmet İnönü*, Bilgi Yayınevi, İstanbul, 1999, s. 58.

vardı, lakin başarılı olamadılar. 29 Nisan'da Britanya kuvvetleri teslim oldu. Halil Paşa teslim olan kumandanlara karşı centilmence davrandı. Hatta harb esirlerinin kuzeye doğru uzun bir mesafeyi yürümesinin kırıcı olacağını düşündüğünden, şayet yakındaki Britanya üsleri yakıt verirlerse onları nehir gemileriyle taşımayı teklif etti. Bu teklifi geri çeviren Britanya karargâhı esirlerin ancak zahmetli uzun bir yürüyüşle tutsaklık geçirecekleri yere ulaşmasına sebep oldular.

Kut'ül Amare Zaferi Britanya kamuoyunda hiddetli bir tepki yarattı. İngiltere iki asır boyunca, Napolyon savaşları dâhil, hiçbir yerde Birinci Dünya Savaşı'ndaki kadar uzun ve kırıcı muharebe ve çatışmalardan geçmemişti. Çarpıştığı temel düşman kuvveti Türk İmparatorluğu'nun ordularıdır. Bunun Britanya yönetici çevrelerinde yarattığı hiddet Mondros Mütarekesi'nde ve müteakiben görülecektir. 1916 yılının Nisan sonunda ise Britanya halkı ve politikacıları orduya karşı hayal kırıklığına uğramış, küçümseyici bir tenkit havası esmişti. Şunu ifade etmek gerekir ki, Kut'ül Amare, Çanakkale Savaşı'ndan sonra Britanya İmparatorluğu'nu zora sokan, politikalarını altüst eden ve imparatorluğun yenilmezliği inancını sarsan, dünya hâkimiyetine inanmış Britanya kamuoyunu şüpheye, hatta kaosa sürükleyen büyük bir zaferdir. Ancak aşağıda da değineceğimiz gibi Birinci Dünya Savaşı'nın ardından yapılan antlaşmalarda da çok önemli bir yere sahiptir.

Mondros ve Sevr

Türkiye'ye dayatılan ölüm fermanının ilk adı Mondros idi. Bu bir ateşkes antlaşması idi. (Mondros Limni Adası'nın limanıydı; Fatih Sultan Mehmed devrinde diğer Taşoz, Midilli,

Yıldırım Ordular Grubu Kumandanı Mustafa Kemal Paşa,
yaverleri Salih (Bozok-solda), Şükrü (Tezer-ortada) ve
Cevat Abbas (Gürer-sağda) Bey'ler ile, 1918.

Eğriboz gibi kuzey adaları ile birlikte, Osmanlı topraklarına katılmıştı. Samothraki-Semadirek Adası'nda bulunup çalınan ve Louvre'a nakledilen Nike heykeli zaferin timsaliydi.) Ancak asıl felaket sözde bir barış antlaşması kılıfıyla önümüze getirilen, çok ağır şartları olan Sevr'di. Türklere karşı, "Avrupa'da yeriniz yok ve Anadolu'da da kim isterse sizden istediğini alır. Kurak Anadolu yaylasının bir tarafına sokulsanız ve İstanbul'da da yaşama hakkı elde etseniz ne nimet" havası hâkimdi. Ancak yorgun Britanya ordusunun Anadolu işgalini yapacak hali yoktu. "Para bizden, can sizden" hesabıyla, Venizelos'un Megali İdea'sı âdeta desteklendi.

Paris civarındaki bu antlaşmaların -Sevr Porselen Fabrikası'nda yapılanı hariç- hemen hepsinde basında en çok yer alan, en popüler asker Yunanlı General Metaksas oldu. Sonradan faşist diye suçlanan, çok bilgili bir adam ve belki de o dönem Yunanistan'ın en akıllı kumandanı olan Metaksas, "Bize küçük ve onurlu Yunanistan yeter, Küçük Asya'da yapacağımız bir şey yok" diyordu. Nitekim zaman Metaksas'ın bu zekice öngörüsünü haklı çıkaracaktır.

Ancak o esnada Yunanistan âdeta bir zafer ve imparatorluk hayali sarhoşluğu içine itilmişti. Gürültünün içinde kimse dinlemek istemiyordu ama Metaksas, haklıydı zira, karşıdaki orduyu tanıyordu ve yenilginin arkasından en karanlık zamanında bile bu imparatorluk ordusunun bazı şeylere müsaade etmeyeceğini anlamıştı. İzmir'in işgalinden sonra Yunan ordusunun daha da içerilere doğru hareket edeceğini duyduğunda ise düpedüz isyan etmişti. Yunanistan için Küçük Asya macerası denen facia böyle başlamıştı ve yenilgiden sonra facianın mesullerinin, bilhassa askerî kumandanların hepsi cezalandırılacaktır.

Sultan Vahideddin

Birinci Dünya Savaşı'nın hemen tamamında saltanat makamında, V. Mehmed Reşad vardı. Vahideddin'e harbde saltanat süresi olarak hemen hiçbir şey kalmadı. VI. Mehmed Vahideddin çok fazla günah keçisi ilan edilen, haddinden fazla hücuma maruz kalan, hataları abartılmak bir yana bazen yapmadığı işler bile ona atfedilen bir padişahtır. Mesela, evet Vahideddin bir Sultan Reşad değildir; zira işlere daha fazla müdahale etmeye kalkmıştır. Ama bunlar Kanun-ı Esasi'nin verdiği meşrutî yetkilerin ötesinde de değildi. Hataları da çoktu; Damat Ferid gibi bir adamı ısrar ile tekrar tekrar sadrazam tayin etmesi hiç isabetli değildi. Mustafa Kemal Paşa'yı Harbiye Nazırı yapabilirdi denilmektedir. Paşa'nın böyle bir teklifi yaptığına dair rivayetler de var. Ama bu atamaya Vahideddin'in de cesareti yoktu. Bir çekince içindeyken Damat Ferid'i de tayin etmesindeki hata şudur; Damat Ferid hırsız veya malî yoldan yolsuzluklar yapan bir devlet adamı değildi, fakat düpedüz yeteneksiz, megaloman ve daha beteri, hayaller kuran birisiydi. 1918, 1919 ve 1920'de bir sadrazamın, herhangi bir devlet adamının hayal kurması çok vahim bir kusurdur. Üstelik açık bir İngiliz hayranıydı ve kendisine atfettiği diplomasi ustalığı (!) ile Britanya ve Fransa'nın her ikisini birden ikna edip kazanacağına inanmaktaydı. Anadolu düşmanlığı ve kör İttihatçı karşıtlığı mütareke döneminde en olmayacak siyaseti takip etmeye zorladı ve âdeta iç harbi başlatan bir ortam yarattı.

Bir Milletin ve Ülkenin Ölüm Fermanı: Sevr Muahedesi

Dört sene oyalanmış olan İngiltere'nin Türk imparatorluğuna karşı kinlendiği bir gerçektir. Fransız Clemenceau bile bunu ifade etmiştir ki Lloyd George kim bilir neler demiştir. Sevr'e giden Osmanlı heyeti güya İngilizlere yanaşacak ve anlaşacaklardı. Damat Ferid, "Biz akıllı Türkler olarak, Jön Türkler değiliz" tabasbus üslubuyla karşılarına çıktı. Ancak Clemenceau yukarıda değindiğimiz gibi onları ilkel bir tavırla dışladı.

Sevr'in reddedilmesi Anadolu harekâtı için müthiş bir puandı. Şayet o Anadolu harekâtı ile biz farz-ı muhal muvaffak olamasak, dağıtılsak bile Türk tarihi için, bu onurlu davranış ortaya konmuş olurdu ki o şartlarda hep direndik. Oysa harb eden hiçbir devlet galiplerin dayatmalarına direnememişti.

Sevr'i kabul etseydik ne olurdu? Türkiye'nin belirli kısımları sonra verilir, belirli kısımları verilmezdi. Bir kere Ege Bölgesi hiçbir zaman verilmez, İstanbul da elden çıkardı. İngiltere, Cebelitarık'tan ve Malta'dan nasıl çıkmadıysa, İstanbul'a da o şekilde yerleşir ve Boğazlar ve İstanbul'u Rusya'ya katiyyen bırakmazdı; pseudo (sahte görünümlü) bir ortalıkla oyalardı ve ilerde de kuzeydeki kuvvetin güneydeki üslerine karşı aynı düzeni sürdürerek, Britanya'nın ebedî hâkimiyetini sağlardı. Bazı yerli iktidar sahipleri de bu politikayı desteklerdi. Türkler bu bölgeyi ancak turistik görür ve iç geçirirlerdi. İstanbul'da o tarihte öyle kahir Türk çoğunluğu da oturmuyordu. 1914 ve 1915 İstanbul'undaki Türklerin çoğu Balkan bozgunundan gelmiş, halen kendini toparlayamamış ve çile çeken bir halktı. Şehrin gayr-ı müslimleri son derece oturaklı ve iyi durumdaydılar. Ama Mustafa Kemal Paşa 1918'de, "Geldikleri gibi giderler" demişti. Bu bir düş kurma ifadesi değildi, zira, kurmay kafası gideceklerini anlar; "Bunlar yorgun. Biraz uğraşırsan, aklını başına toplarsan, teslim olmazsan gider bunlar" diyordu ve nitekim gittiler.

Mütareke Devrinde Osmanlı İmparatorluğu

Osmanlı Devleti'nin Dünya Savaşı'ndan çekilmesi, Genç Türkler'in tamamıyla iflas etmeleri demekti. Mütarekeden sonra, 4 Kasım 1918 günü İstanbul'da İttihat ve Terakki Partisi'nin olağanüstü toplanan kongresinde Talat Paşa açıkça hükûmetin bütün hatalarını tenkit ederek, "Enver'in Türkiye'yi bir dünya savaşına sürüklediğini" kaydediyor, "Bizim politikamız yenilmiştir, dolayısıyla hiçbir suretle iktidarda kalmamıza imkân yoktur" diyordu.

Genç Türklerin yerineyse, yurt dışında bulunan Hürriyet ve İtilaf Partisi üyeleri geliyorlardı. Bu parti prensipsiz politikacılardan, açık olarak ve körü körüne İngiliz taraftarı (Anglofil) kişilerden ibaretti.

Mustafa Kemal, kendi anılarında ve *Nutuk*'ta Sultan Vahideddin'i uyuşuk, iradesiz olduğu kadar da daima yarı kapalı gözleri ile hilekâr entrikalar çevirmeyi seven bir kişi olarak tasvir eder. Belli ki savaşın sonunda pekâlâ dostane ilişkiler içinde olan (Şehzade veliahtken uzun bir Avusturya-Almanya yolculuğu yapmıştı ve yaveri Mustafa Kemal Paşa'ydı) ve mütarekede de Anadolu müfettişliğiyle görevlendirecek kadar bu ilişkilerini sürdüren Sultan ile Mustafa Kemal Paşa artık tamamıyla zıtlaşmış bir politika içine girmişlerdi. Maalesef Vahideddin bu tutumundan Sakarya zaferinden sonra dahi vazgeçmemiş, Anadolu'daki TBMM Hükûmeti'ne Tevfik Paşa kadar güvenme ve yanaşma basiretini de gösterememişti.

Padişah, damadı olan Ferid Paşa'nın etkisi altındaydı ve o Damat Ferid, Hürriyet ve İtilaf Partisi'nin lideri olup, aynı zamanda padişahın kız kardeşi Mediha Sultan ile evliydi. Ferid Paşa Oxford'da yetişmişti ve İngiliz mandasını

Mustafa Kemal fotoğrafta görülen Şişli'deki evinde yakın arkadaşlarıyla toplantılar yapmıştır ve yine bu evden 1919 yılı 16 Mayısı'nda vatanı kurtarmaya çıkar.

destekliyordu. Ferid Paşa hayran olduğu Britanya'nın büyük kusurlarını kabul ettiği halde, başkalarına nispeten "kötülüklerinin" daha az olduğunu söylemekten çekinmezdi.

Ustalıkla tertipledikleri kombinezonlarla İngilizler, savaş sonucunun kısa ömürlü kabinelerinden sonra 1919 yılının Mart ayında Damat Ferid'i başbakanlığa getirtebildiler. Damat Ferid, Harbiye Hazırı Süleyman Şefik ve Dâhiliye Nazırı Adil Bey'e dayanarak İngiliz mandası programını uygulamaya koymak niyetindeydi.

Kamuoyu yaratmak amacıyla bu işgüzar üçlü "İngiliz Muhibleri Cemiyeti" adında bir teşkilât kurdular, Cemiyet'in başına meşhur Ali Kemal'i, Rahip Frew'ü ve tanınmış hatip Sait Molla'yı geçirdiler. Damat Ferid'in yardımıyla bu teşkilât sayesinde İngilizler, İstanbul'un en etkili propaganda organlarını elde etmişlerdi. Burada İngiltere himayesi lehine propaganda yapılırken, Fransa aleyhinde de şiddetli bir kampanya açılıyordu.

Adı geçen bu "İngiliz Muhibleri", yani İngiliz Sevenler Cemiyeti'ne bir sürü ünlü politikacı ile ekseriyetle itibarı sarsılmış adamlar (Şeyhülislamlığa yükselen Mustafa Sabri, Dünya Savaşı sırasında Mısır'da İngiliz ajanı olarak çalışan Miralay Sadık Bey ve diğerleri) girmişlerdi. Gazetelerde açtıkları kampanya yanında bu zevat, İngiltere'nin direktifi altında çalışarak, İngiliz mandasının uygulanması faaliyetinde bulundular. Milliyetçilerin itibarlarını zedelemek için Hıristiyan katliamlarını (1919 yılında Adapazarı'nda, 1920 yılında Konya'da) teşvik ettiler, yangın çıkarttılar, bekçileri öldürdüler. Ardından basında yazılar yazarak, yabancı kuvvetin müdahalesinin ve Türkiye üzerinde bir vesayetin gerektiğinden bahsettiler.

Ankara'da İngiliz casusu Mustafa Sagir'in duruşması bu İngiliz muhiblerini yönlendiren Britanya'nın askerî ajanları olan Albay Nelson ve Yüzbaşı Bennett'in bazı üyelerle birlikte Mustafa Kemal'i ve millî hareket önderlerini öldürmek için komplo hazırladıklarını meydana çıkarmıştır.

Büyük Dörtler'in (*Big Four*) oturumlarında İngilizler kendi müttefiklerini Kilikya (Çukurova), Antalya ve diğer bölgeleri derhal istila etmeye teşvik ediyorlardı. Hâlbuki İzmir'in Yunanlılara verilmesini İngilizler hazırlayarak, Yunanlıları buna zorlamışlardı. Aynı zamanda Türk ve İngiltere basınında bir kampanya başlatarak Fransız ve İtalyanları Türkiye İmparatorluğu'nun yıkıcıları ve parçalayıcıları olarak gösteriyorlardı.

Diğer devletlerin istila etmesi için Anadolu taşrasındaki bölgeler tahsis edilirken, İngilizler, Anadolu'nun içinde (başlıca Bağdat demir yolu civarında) bazı yerlerle öncelikle İstanbul'un civarıyla, İzmit-Eskişehir arasındaki demir yolu kesimini istila ediyorlardı.

İzmir'i istila eden Yunanlıların yaptıkları zorbalıklar dolayısıyla Lord Curzon'un[38] ve Hindistan Müslümanlarının sert protestoları gayet ilginçtir. Türkiye basını da hemen İngiltere'nin himayesine ihtiyaç olduğuna dair feryat ediyordu; İngiliz Muhibleri Cemiyeti'nin dağıttığı beyannameler elden ele dolaşıyordu. İngilizlerin gayesinin bir an içinde tahakkuk edeceği sanılıyordu.

1919 yılının Eylül ayında İngiltere'nin, Sultan ile ilişkilerini düzenleyen gizli bir antlaşma yaparak Türkiye üzerinde mandasını kurma hakkını kazandığı, dolayısıyla İngiltere'nin etkisi altındaki memleketlerde uyguladığı politikası

38 Lord Curzon Britanya'nın Hindistan kral naibliğini de yaptı ve bu kıtanın halkları ve Müslümanlarıyla da ilişkisi devam etti.

için halifeliğin ruhanî ve manevi kudretini temin ettiği görülüyordu. Ancak hızla gelişen Millî Kurtuluş Hareketi, İngiltere'nin Türkiye üzerinde tasarladığı manda planını kökünden söküp atmıştır.

1919 yılının Mart ayında Mısır'da meydana gelen muazzam ayaklanma, buradan Suriye'ye sevk edilen binlerce İngiliz askerinin acele olarak geri çekilmesini gerektiriyordu. Bu, İngilizleri, Suriye'nin bir parçasını (Lloyd George ile Clemenceau arasında 19 Ekim 1919'da yapılan antlaşma) Fransızlara bırakarak, bütün Suriye'nin istilasına dair önceden tasarladıkları plandan vazgeçmeye zorlamıştır. Bu vakte kadar İngiltere'ye sadık görünen Müslümanlar da kendiliğinden, Halifeliği koruma şiarı altında İngiltere'nin politikasını protesto etmekteydiler.

Mısır, Irak ve Hindistan'da meydana gelen olaylar ve diğer sebeplerden dolayı, aşırı güç sarf etmek zorunda kalan Britanya emperyalizmi, Yakın ve Orta Doğu'daki istila alanını daraltmak zorunda kalmıştır. 1919 yılının ikinci yarısında İngilizlerin Güney Kafkasya ve Hazar civarını aniden ve hemen hemen tamamıyla tahliye ettiklerini görüyoruz. Hâlbuki buraların işgali için bir buçuk yıl zarfında önemli denilebilecek askerî-politik gayret sarf etmek zorunda kalmışlardı.

1919 yılının Mayıs ayındaki "Dört Büyükler" oturumunda Lloyd George şöyle bir kombinezon ileri sürerek İzmir'in Yunanlılara, İstanbul ve Ermenistan'ın Amerika Birleşik Devletleri'ne, Güney Kafkasya'nın da İngilizlere verilmesini teklif etmişti. Fakat Amerika'nın kendisine biçilen ve teklif edilen kısmeti reddetmesi, Fransa'nın da kesin olarak buna itiraz etmesi sonucu, Güney Kafkasya üzerindeki manda ideali suya düşmüştü. Neticede, İngiliz silahlı kuvvetleri bu bölgeyi tahliye etmek zorunda kaldı.

İngiltere'nin güttüğü maceracı politika başarısızlığa uğramasına sebep olmuştu. Bu kaba ve maceracı politika bilhassa "Yunan sorununda" kendisini açık olarak göstermiştir.

Bundan önce de kaydettiğimiz gibi, savaşın bitmesi, İtalyan emperyalist aşaması programının iflas etmesi demekti. Barış kongresinde tartışmaların başlıca sebebi, İtalya'nın Adriyatik üzerindeki talepleriyle bütün Dalmaçya ve Fiume ile İstirya'yı almak istemesiydi. Kaldı ki İtalya buraları kimseden sormadan kendi başına işgal etmişti. Ama bu oldubittiyi en başta müttefikleri olmak üzere hiç kimseye kabul ettirememişti.

İtalya'nın Küçük Asya'daki talepleri üzerine müttefikleriyle arasında benzer tezatlar her zaman baş gösteriyordu. Adriyatik'te başlıca rakibi Yugoslavya, Ege Denizi'ndeki rakibi de İzmir'le birlikte Doğu Trakya'yı ele geçirerek, Venizelos'un önderliğinde Büyük Yunanistan'ı kurmak isteyen Yunanistan idi. Yunanistan'ı aynı zamanda İngiltere ve Fransa da destekliyorlardı. Fransa askerî baskı yoluyla egemen duruma geçip Yunanistan'ı büyüterek bütün Yakındoğu'da etkisini güçlendireceği kanısındaydı.

Fransa'da 100 yıl öncesinde olduğu gibi tekrar Helenofilizmin canlanması çok ilgi çekicidir. Fransız kumandanlığının bütün taleplerini harfiyen yerine getirerek, onların desteğiyle devlet darbesini başaran ve Yunanistan'ı İtilaf Devletleri safında savaşa sokan, baskı ve şiddet yolu ile kendi diktatoryasını yerleştiren Büyük Giritli Venizelos, Fransa nezdinde Yunanistan'ın kahramanı olmuştu.

İzmir'in işgalini İngiltere bu havada tasarlamış ve Yunanistan'ı öne sürmüştü. Resmiyette ise İzmir işgalinin, güya orada hüküm süren ve Hıristiyanların hayatını tehdit eden kargaşalık ve asayişsizlik yüzünden, Mondros Mütarekesi'nin 7. Maddesi'ne göre yapıldığı açıklanmıştı.

Bu maddeye göre müttefikler "asayiş ve emniyeti korumak amacıyla bazı noktaları işgal edebilirlerdi." Bunun oldukça abartılmış bir bahane olduğunu söylemeye lüzum yoktur. Ege Bölgesi savaştan sonra da, daha önceleri olduğu gibi, muhtelif unsurlar arasında uyumlu bir yaşam sürdürüyordu. Bunu bozan işgal olmuştur. İzmir'in işgali ile ilgili bütün konuları incelemek amacıyla, sonraları oraya gönderilen müttefikler arası bir komisyonun 12 Ekim 1919 tarihinde verdiği raporda dahi, "Soruşturma sonucu mütarekeden sonra Aydın vilayetindeki Hıristiyanların genel olarak durumlarının tatmin edici olup, güvenliklerini tehdit eden hususlara rastlanmadığı" belirtiliyordu. Dolayısıyla "bu işgalin kanunsuz yapıldığı ve Türkiye ile büyük devletler arasında yapılan mütareke şartlarını ihlal ettiği de şüphesizdir" deniyordu.

4

MİLLÎ MÜCADELE'NİN ÖNDERİ

MİLLÎ MÜCADELE'NİN ÖNDERİ

Millî Mücadele Öncesi

BURADA bir hususun üzerinde durmak lazım: Millî Mücadele'ye nasıl gelinmiştir? Genç Türklerin aksine, Saltanat makamıyla zamanında çok ölçülü ilişkiler kuran ve son padişahla daha veliahtlığından itibaren yakın bir dostluk tesis etmeyi bilen genç General Mustafa Kemal Paşa durumdan istifade etmiştir. İstanbul'da kurulan mütareke kabinelerinde Harbiye Nezareti'ni istemiş olmasından aktif bir siyaset gayesi güttüğü anlaşılmaktadır. Ancak kendisinin bu isteklerine cevap verilemeyince başka yollar denemiştir. İlk planının Padişah VI. Mehmed Vahideddin'in yanında çok yetkili Harbiye Nazırlığı olduğu söylenebilir. Bitkin bir asker sınıfı ve halk vardır. Ama Mustafa Kemal ve etrafındakiler artık Anadolu'da bir mücadele yapmaya karar vermişlerdir. İstanbul mücadelenin merkezi olamazdı. Daha 1918'de, mütarekenin hazin yılında, Trakya'da ve İzmir'de Müdafaa-i Hukuk Cemiyetleri kurulmuş, millet her yerde direnişe geçmişti. Ama bu direnişlerin arasında koordinasyon, yani eş güdüm yoktu ve bu eş güdümü ancak arkasında askerî bir başarı olan ve müspet intibalar bırakmış bir kumandan bunu başarabilirdi. Galiba Anadolu'nun asayişini gözlemek, burada önemli bir rol oynamıştır. Samsun'a geliş ve arkasından Amasya Tamimi ve sonrasındaki Erzurum ve Sivas kongrelerinin Millî Mücadele'nin seyrini değiştirdiği bilinmektedir. Ayrı bir hükûmet olarak fakat devlet reisliği olmayan, doğrudan doğruya saltanat makamının hukukunu kurtaracak ve İstanbul'daki şartların olumsuzluğundan dolayı Ankara'yı seçmiş bir meclis kuruldu. Başlangıçtaki tasavvur Mustafa Kemal Paşa ve dar bir gruba mahsus olmakla beraber resmen ve yaygın olarak ilân edilen ve kabul edilen statü bu şekildeydi ve zamanla tasavvurlar ve kabuller değişecekti.

Birinci Dünya Savaşı'nı Osmanlı İmparatorluğu açısından bitiren 30 Ekim 1918 Mondros Mütarekesi ile Atatürk'ün TBMM'yi kuracağı Ankara'ya ulaştığı, 27 Aralık 1919 arasındaki yaklaşık 14 aylık zaman Türkiye tarihi açısından çok önemli bir dönemeçtir. 23 Nisan 1920'de Türkiye Büyük Millet Meclisi'nin kurulmasına giden yolda bu sürecin iyi izlenmesi gerekir. Birinci Dünya Savaşı galip ülkelerin "Pirus zaferi" ile bitmişti. Savaştan yorgun çıkan İtilaf Devletleri kendi iç meseleleriyle boğulmuşlardı. Mağlub Osmanlı tarafındaysa, Mondros'la beraber İttihat ve Terakki erkânı galip devletlerden bir adalet, bir centilmenlik bekliyordu. Mondros'taki şartlar çok ağır bulunsa da tasdik edildi; ama maddelerin esnek halinden istifade eden işgalciler daha da ileri gideceklerdi. Öyle maddeler vardı ki, işgallere her türlü kapıyı açıyordu ve işgalciler dengeyi bozduklarının farkında değillerdi.

Anteb, Urfa ve Maraş'ta Direniş

Öte yandan Müttefikler arasında gerilim ve parçalanma başlamıştı. Hepsi aynı derecede yorgundu. İtalya yorgunluğunun bilincindeydi; iç problemleri vardı, üstelik müttefikleri tarafından da aldatılmıştı. O yüzden Türkiye'ye karşı daha hayırhah davranmaktaydı. Fransa, Britanya karşısında baskın durumda değildi. Örneğin jandarma gücü olarak yerel unsurları kullanmak istiyordu. Bu nedenle Türklerin direnişiyle herkesten önce onlar karşılaştı. Nitekim yerli Hıristiyanların ve Ermeni lejyonerlerin istihdamı Fransız işgal birliklerine karşı direnişin başlamasına neden oldu. Maraş, Anteb ve Urfa'dan önce Dörtyol mıntıkasında direniş başlamıştır.[39] 1919'un son aylarında bu savunma ve örgütlenme Çukurova'da 1909 olaylarından beri görülmeyen çatışmalara neden oldu. Dörtyol'da, Anteb'de ve Maraş'ta direniş 1919'u bile beklemeden başlamıştı. Batı Anadolu'da redd-i ilhak cemiyetlerinde ve kongrelerde hukuku savunmak üzerine konuşulurken, güney bölgesinde direniş hareketleri ve birleşmeler çoktan başlamıştı. Aynı esnada Karadeniz'de de Pontus hareketine karşı bir huzursuzluk yaşanıyordu. Bir merkezden yönetilmeyen bu mahalli direnişler, Anadolu'daki Millî Mücadele hareketine ilham vermiştir.[40] Bu arada, Mondros'tan önce 3 Mart 1918'de Rusya'nın Brest-Litovsk Antlaşması ile savaştan çekildiği unutmamalıdır. Ruslar savaşın başında henüz güçlenmemiş Osmanlı donanmasını mağlub ederek aldıkları Karadeniz limanlarını ve Doğu Anadolu'da ele geçirdikleri şehirleri bırakarak çekildiler. Rusya İhtilali Brest-Litovsk'dan çok önce cephelerde teslim bayrağının

---

39 Urfa'daki direnişler için bakınız: İsmail Özçelik, *Millî Mücadele'de Güney Cephesi, Urfa, (30 Ekim 1918-11 Temmuz 1920)*, Atatürk Araştırma Merkezi, Ankara, 2003.

40 Bu hareketlerin bir örneklerinden olan Balıkesir Kongreleri için bu kitaba bakılabilir: Mücteba İlgürel, *Millî Mücadele'de Kongreleri*, Atatürk Araştırma Merkezi, Ankara, 1999.

9. Ordu Müfettişi Mustafa Kemal Paşa'nın Samsun'a hareket etmeden kısa bir süre önce poz verdiği fotoğraf, Nisan 1919.

çekilmesiyle başlamış ve özlenen sulhu 1917 Ekim'inden sonra Bolşeviklerin yönetiminde gerçekleştirmek umudunu diriltmişti. Bu bize bir moral verecek ve gücümüzü Batı'ya odaklamamızı sağlayacaktı.

Bu arada Mustafa Kemal ne durumdaydı? Ne yapıyordu? İttihatçı kliğe pek yanaşmayan, iyi askerliğine ve kazandığı zaferlere rağmen İttihatçıların üst kademeleriyle pek geçinemeyen, hatta İttihatçı karşıtı bir konumdaydı. İstanbul'daydı, askeri kariyeri herkesten saygı görüyor, hatta Enver Paşa dahi onun geride kalanlar arasında emaneti götürecek tek kişi olduğunu ifade ediyordu. İşgalciler nezdinde daha konuşulabilir biriydi. Padişah Vahideddin son Avrupa gezisinde yanında olan Mustafa Kemal'e güvenmekteydi. Nihayetinde onu 9. Ordu Müfettişi olarak Samsun'a gitmesi için görevlendirdi. Bu, Osmanlı ordusunda, yüzyıllar boyunca ciddi bir geleneğe oturmuş, önemli bir görevdir. Bu müfettiş paşalar gittikleri bölgede karışıklıkları bastırmak ve hâkimiyeti sağlamak için tam yetkilidirler. Mazide yargılar, cezalandırır, tedbir alırlardı. Son asrın şartlarında dahi soruşturma, acil yargılama, hatta gerekirse valilere emir verme yetkileri vardı.

İzmir'in İşgali

Daha işgalin başında Rumeli, Bosna, Girit ve adalardan gelen göçmenlerle, yerli Türklerin oluşturduğu İzmir'in Müslüman nüfusunun, Yunan işgaline güvenmediği belliydi. Bu olayla birlikte, genç General Mustafa Kemal Anadolu'ya geçmek için daha fazla beklemedi. Türkiye yenikti, bitkindi ama herhangi bir Orta Doğu veya koloni ülkesinde olmayan bir büyük özelliği vardı; eski bir devletin ve askerî bir toplumun yüksek ve hızlı örgütlenme kabiliyeti.

10 yıla varan bir sürede Balkanlar, Trablusgarb ve Birinci Dünya Savaşı'nın bütün cephelerinde olgunlaşmış subay kadrosu, Yunanistan'da General Metaksas'ın açıkça ifade ettiği şeyi haklı çıkaracak bir potansiyele sahipti. Hatırlayalım, ne demişti Metaksas; "Yunanistan küçük ama onurlu ve müreffeh bir memleket olmak durumundadır, maceraya lüzum yok, İzmir'e çıkılmamalıdır." Sonuçta, zor zamanda bile karşısındaki ordunun kumanda kademelerinin derlenip toparlanabileceğini anlamıştı. Nitekim daha sonra "Hiç değilse İzmir'de kalınmasını, daha fazla ilerlenmemesini de" ısrarla tekrarlamıştı.

15 Mayıs 1919 günü karaya çıkan Yunan kıt'alarının karşısında, o gün, o an ilk şehitler de adlarını tarihe yazdırdı. Bunların bazıları mevcut kolordunun subayları ve gazeteci Hasan Tahsin gibi görevlerinin sorumluluğu ve onuruyla hareket etmiş olan kimselerdi. Bazıları ise karaya çıkan Yunan kıtaatın efradının askerî teamül ve disiplinden yoksunluğu dolayısıyla katledilen asker ve sivillerdi.

Şehrin Yahudi nüfusu hiçbir zaman işgalcilere itibar etmedi. Uzun tarihin çileleri yanında, 1912'de Selanik şehrinde Helen-Hıristiyan zihniyetin yaptığı katliam anılardaydı. Şehrin iktisaden hâkimi olan Avrupa kökenli Levantenler ise mazide Osmanlı idaresinin onlara verdiği güven ve imtiyazları yeni idarede bulamayacaklarını biliyorlardı. Yunanistan'ın gönderdiği Vali Stergiadis onların nezdinde hiçbir zaman II. Meşrutiyet döneminin valisi Rahmi Bey'in üstün görünüşüne sahip değildi. Kaldı ki Venizelos'un dostu olan ve iyi hukukçuluğu bilinen Stergiadis'in başını ağrıtan sorunlardan birincisi, şehrin Rum tüccarlarının Levantenlerle çekişmesi ve valiyi, hemen hiçbir görüşme yapmamasına rağmen, o cenaha meyletmekle suçlamalarıydı. Bu konuda çok abartılı ve tarafgîr bir yayın olan Giles Milton'ın *Paradise Lost*'u[41] ile Yavuz Özmakas'ın *Metropolit Efendi: Rum Metropoliti Hrisostomos'un İzmir Günleri*[42] adlı monografisi birlikte okunmalıdır.

İngiltere, Yunanistan'ı hem manen hem maddeten destekliyor, bütün harcamalar İngiliz sterliniyle yapılıyordu. Doğrusu Fransa dahi Yunanistan'ı desteklemekte tereddüt etmemiştir. Ama İtilaf Devletleri'nin üçüncü unsuru olan İtalyanlar Yunanistan'a karşı hiç de onlar gibi bakmamıştır. İtalyanlar her yerde, her an Yunan görevlilerin şikâyet ettiği üzere, milliyetçi Türklerle birlikte hareket ediyor ve İngiliz-Yunan iş birliğine karşı düşmanlıklarını gösteriyorlardı.

Yunan birlikleri 14-15 Mayıs 1919'da, Amiral Calthorpe'un kumandasında körfezde demirleyen Britanya donanmasının himayesinde şehre çıktılar. Maalesef şehir, dönemin askerî geleneğine uygun, güçlü ve düzenli ordularınki gibi bir işgal yaşamadı. İzmir, örgütlenmesi dağınık ve beynelmilel savaş kurallarına uyumu yetersiz bir Balkan devletinin ordu ve bürokrasisinin işgalde yarattığı sorunlarla üç yıl boğuşmak zorunda kaldı. 15 Mayıs ve sonrasında, Türk halkı direniş için İzmir'in bu durumundan ibret ve direniş gücü aldı.

İstiklâl Savaşı'nın ilk safhası 11 ay sürdü. Bu değerlendirmenin bir abartma sayılmayacağı açıktır. Ağır Mondros şartlarının daha da ağırlaştırıldığı ve işgal hukuku şartları içinde hareket etmeleri beklenmeyen Yunan işgal kuvvetlerinin tavrının herkesi tedirgin ettiği ve tepki yarattığı açıktır. Hatta

---

41 Giles Milton, *Paradise Lost: Smyrna 1922*, Hodder & Stoughton, 2008. Türkçesi; *Kayıp Cennet, Smyrna 1922, Hoşgörü Kentinin Yıkılışı*, Şenocak Yayınları, 2009.

42 Yavuz Özmakas, *Metropolit Efendi: Rum Metropoliti Hrisostomos'un İzmir Günleri*, Şenocak Yayınları, 2008.

Düşman işgalinden kurtulan ama öncesinde
büyük bir yangına maruz kalan İzmir.

bu konuda zorluk çekenlerden birisi Venizelos'un İzmir bölgesine işgal komiseri olarak tayin ettiği Aristidis Stergiadis'tir. Stergiadis, İzmir'de en büyük muhalefeti kiliseden ve kendilerinin Levantenlere karşı yeterince desteklenmediğini ileri süren Rum tüccarlardan görmüştür.

Tüm Ege, Marmara, Trakya, Canik (Samsun), Trabzon, Çukurova bölgesi tepki içindeydi. Anteb, Maraş ve Urfa, en başta da Adana, Dörtyol ise silahlı direnişe çoktan geçmişlerdi, ancak, bu kaotik direnişi derlemek ve ortak hedefe yöneltmek birinci safha sayılmalıdır.

Avrupa'nın Yunan Tutkusu (*Hellénophilie*)

19. yüzyıla gelindiği zaman beşeriyetin ve Avrupa'nın kafasında şu fikir vardı: "Biz ancak ve ancak eski Yunanla var olmuşuz." Hatta 18. yüzyılda bu daha da abartılıyordu: "Ne

ki Yunanistan'da vardır ondan sonra hepsi boştur (*pseudo*), tekrarlamadır. Biz yalnızca Helenizm'le var olan modern insanlığız." Bu, bir Helenizm cereyanıdır ve çok kuvvetli bir akımdır. Bu yüzden Yunan ayaklanması sırasında, Lord Byron başta olmak üzere, oldukça seçkin münevverler gidip Türk cephesine karşı savaşırken ya hastalandılar ya da muharebede öldüler. Bunlar, Yunanistan için ölmüşlerdir. Mesela Lord Byron Türkleri de seviyor, takdir ediyordu, fakat bu onun için mühim değildi; ona göre, hürriyet idealinin yaşaması için Helenlerin Türklerden kurtulması lazımdı. Kendisi bu yolda hayatını ortaya koymuş, hem de Londra'daki parlak hayatı bırakıp, genç yaşta Yunanistan'ın bataklıklarında hastalanarak ölmüştür. Yunanistan'ın ilk başkenti Nauplion'da kiliseye çevrilen bir caminin duvarlarında Yunanistan için gelip muharebede ölen Avrupalıların isimlerini görebilirsiniz. Etkisi bugün dahi süren bir Yunan hayranlığı Avrupa'da makes bulmuştur.

Yunan İşgali

Anadolu işgali teşebbüsü Yunanistan için bir felakete dönüşecekti, ancak, aslında bu bir sürpriz değildi. Çünkü Yunanistan henüz tecrübesiz ve birtakım esasları oturtamamış bir Balkan devletiydi. Bu işgal aslında Anadolu direnmesini de ateşleyen bir fitil oldu. Fransa doğuda Ermenilerin yardımından istifade etti ve yabancı bir yardımcı kuvvet olarak kullandı.

Türkiye'nin değişik bir ülke olduğu açıktır. Moskova tarafından komünist enternasyonale kazanılabilecek bir ülke olarak görülmüyordu. Bu tespiti yapmış Kızıl Ordu'nun ünlü generali, Sovyetler Birliği'nin kurucu kumandanlarından, Ukraynalı Mihail Frunze gibi gayet iyi gözlemciler vardı. Hâlâ Rusya askerî akademi onun adını taşır. Kırgızistan'ın başkenti Bişkek'e, o bölgeleri işgal eden kumandan olduğu için onun adını vermişlerdi. Buraya geldiği zaman, daha başından şöyle demiştir: "Bu zor şartlarda bile burasının sosyalizmle ilgisi olamaz, burası bambaşka bir ülke".[43] Millî Mücadele yıllarında Türkiye'de görev yapan Sovyet Rusya elçisi Semyon İvanoviç Aralov'un gözlemleri bu kadar etkili değildir.[44] Frunze çok daha keskin görüşlüydü ve Kızıl Ordu'nun entelektüel kumandanıydı.

Yeri gelmişken, Rusya'nın yardımlarıyla ilgili bir küçük not vermek lazım. Sovyetler Birliği'nin yardımı meselesi, hazineden ayrılan paradan çok, oradaki Müslüman toplumun topladığı ianeyi içeriyor. Ruslardan alınan kılık-kıyafet vardır, hatta İsmet Paşa'nın giydiği şey besbelli ki Kızıl Ordu generallerinin, albaylarının giydiği bir kaputtur. Fakat bir kurmay desteği yoktur. Frunze gibi gelenlerin istisna olduğu belirtilmelidir.

Anadolu direnişine, İngilizlerin Gelibolu'ya sevkedip âdeta enterne ettiği Vrangel'in Beyaz Ordu subayları da içlerinde doğan İngiliz nefretinden dolayı katılmak istemişler, ama bu girişimleri sebebiyle generalleri tarafından feci şekilde cezalandırılmışlardır.

Anadolu Direnişi

Sanıldığının aksine, ilk kurşun İzmir'de değil, henüz 1918'in Aralık ayında ilk direnişin başladığı Dörtyol'da atıldı. Doğuda,

---

43 Hatıratının yeniden basılması lazım. Mihail Vasilyeviç Frunze, *Frunze'nin Türkiye Anıları*, Düşün Yayıncılık, İstanbul, 1996.

44 Semyon İvanoviç Aralov, *Bir Sovyet Diplomatının Türkiye Anıları, 1922-1923*, Türkiye İş Bankası Kültür Yayınları, İstanbul, 2008. Taksim Anıtı'nda İsmet İnönü'nün ardında yer alan, Atatürk'ün kararıyla anıta figürü yerleştirilen kişi, Semyon İvanoviç Aralov'dur.

Kars'ta Cihangirzade vardı ve bir hükûmet kurmuş, kuvvet toplamıştı. Ancak asıl düşmanı İngilizler değil, Ermeni çeteleriydi.

Maraş'ta ve Anteb'te Fransızlar doğrudan doğruya hedef alındı. Unutulmamalıdır ki, ordunun içindeki jandarma yine çok çekinilen bir unsur olan Ermenilerdi. Çukurova'da Ermenilerin dirilmesine karşı, "kaç kaç" denen bir dönem var. Bazı yerli toprak sahipleri, hatta toprak sahibi olmayanlar bile dağlara çekilmiştir. Ancak sonrasında teşkilatlanarak mücadele yürütmüşlerdir ve Fransa bu bölgeyi terk etmek zorunda kalmıştır.

Hulâsaten; ilk patlayan bir genel mücadele olmayıp herkes kendi bölgesinde, özellikle oradaki azınlıklara veya işgal kuvvetlerine karşı bir direniş başlatmıştır.

Dörtyol, Anteb, Maraş'taki direniş, Millet Meclisi'nin kuruluşundan çok daha önce henüz Mustafa Kemal Paşa Anadolu turunu ve kongreleri tamamlarken başladı. 1919 yani 1920'ye sarkmadan bu direnişler oldu ve hatta neticeler alındı. Fransızların tabiriyle, "Kağnı, kamyona karşı zaferi kazandı."

Kurtuluşun İlk Durağı: Samsun

19 Mayıs 1919'da Mustafa Kemal'in Samsun'a çıkmasından 23 Nisan 1920'de Anadolu'da saltanat ve hilafetin gerçek koruyucusu ve kurtarıcısı olduğunu açıklayan Millî Meclis Hükûmeti'nin (Türkiye Büyük Millet Meclisi Hükûmeti) ortaya çıkmasına kadar geçen 11 aylık sürede Millî Mücadele'nin birinci safhası tamamlanmıştır.

15 Mayıs 1919'da İngiltere tarafından Yunan kuvvetlerinin Küçük Asya'ya, İzmir limanına çıkarılması, galiba hem

müttefikler arasındaki hem de Türk halkı ve askerleriyle yeni statü arasındaki çatışmayı ortaya çıkarmıştı ve Fransa izlenen politikadan memnun değildi.

İstanbul'a bir fatih gibi at üzerinde giren Balkan Cephesi'nin muzaffer kumandanı Franchet d'Esperey bazılarının sandığı gibi Türk aleyhtarı değildi. Aksine Anadolu'daki mücadeleyi Genç Türk takımının başlattığını gördüğü zaman sarf ettiği söz, "Bu Genç Türkler her şeye rağmen Türk halkının dinamizmini temsil ediyor ve geleceği bunlar inşa edecek. İhtiyar Türk takımı işe yaramaz" olmuştu.

Mondros sonrasında Mustafa Kemal'e, henüz İstanbul'a yeni gelmişlerken yaveri İtilaf Devletlerinin donanmalarını kast ederek "Paşam, gelmişler" demişti. İstanbul limanı yabancı gemilerle doluydu. İşte o gün mavi göğün altında, masmavi Marmara'ya bakarak, "Geldikleri gibi giderler" dedi. Memleket her ne surette olursa olsun, işgalden kurtarılmalıydı ve kurtulabilirdi. Bunun için İstanbul günlerinde başta asker arkadaşları olmak üzere pek çok kesimle irtibat kurdu ve kurtuluş çareleri aradı. Yaklaşık altı aylık çalışmaları onu kurtuluşun Anadolu'dan başlayacağı görüşüne getirdi. Anadolu'daki çatışmalar, bilhassa Karadeniz'de Pontus Rum hareketi ve çeteciliği, ardından Giresunlu Osman Ağa gibi yerel önderlerin karşı hareketi örgütlemesi, Britanya komiserliğini bu hareketleri önlemek ve gerekli asker sivil bürokrasi kadrolarını dizginlemek, hatta din görevlilerini kullanmak konusunda Saltanat makamına telkin ve tavsiyeye zorladı. O an VI. Mehmed Vahideddin için İttihatçılığa fazla bulaşmayan, daha doğrusu lider kadrosuna yakın olan Mustafa Kemal Paşa en uygun müfettişti. Müfettiş paşalar Osmanlı idari tarihinde önemli bir kurumdur. Celali isyanlarından beri fevkalade yetkili müfettiş paşalar görevlendirilmiş, II.

Viyana Muhasarası'ndan sonraki karışık yıllarda da bu görevlendirme uygulanmıştır. Anadolu'da asayişi sağlamak için müfettiş paşalar göndermek ve Cumhuriyet döneminde dahi umumi müfettişlikle karışık bölgelerde idareyi düzeltmek bu ananeye dayanır.[45]

Padişahın Mustafa Kemal Paşa'yı desteklediği ve işgal kuvvetlerinden muhalefet görmediği açıktır. 30 Nisan'da tayin kesinleşmişti ve gelişmeler ve İzmir'in işgali üzerine Anadolu'ya hareketin hızlanması gerekiyordu. 9. Ordu mıntıkasına gidecek, karargâhındaki subaylar ve siviller de onun gelecekteki kadrolarını oluşturacaktı. İzmir'in işgali üzerine bu kesim gecikmeden Samsun'a yöneldi. Zira ortaya çıkan patırtı ve çatışma havası projenin terk edilmesine neden olabilirdi.

15 Mayıs'ta Yunanlıların, İngiltere desteğiyle İzmir'e çıkışı üzerine, Dokuzuncu Ordu Müfettişi Mustafa Kemal de Bandırma Vapuru'yla iki gün içinde Samsun'a hareket etti. 19 Mayıs Pazartesi günü sabah saatlerinde Samsun'a geldi. Sandallarla Reji İskelesi'ne çıktılar. Resmî görevli olması sebebiyle bir heyet tarafından karşılandı. Samsun, kurtuluş mücadelesinin fitilinin ateşlendiği şehir oldu. Nitekim seneler sonra o günü anlatırken, "Ben Samsun'u ve Samsun halkını gördüğüm zaman memlekete ve millete ait bütün tasavvurlarımın, kararlarımın yerine getirilebilir olduğuna bir defa daha kuvvetle inanmıştım. Samsunluların hal ve durumlarında gördüğüm, gözlerinden okuduğum vatanseverlik, fedakârlık, ümit ve tasavvurlarımı müspet bir inanca götürmeye yeterli olmuştu" diyecektir. Samsun, Anadolu'ya çıkış noktasıydı. Bu tarihimizin en önemli

---

45 İlber Ortaylı, "İkinci Viyana Kuşatması'nın İktisadi Sonuçları Üzerine", *Osmanlı Araştırmaları-Journal of Ottoman Studies II*, 1981, s. 195-202.

dönüm noktalarından biridir. Atatürk de zaten *Nutuk*'u bu tarihten başlatır. İleride hatta kendi doğum gününün tarihi olarak 19 Mayıs'ı seçmesi de böyle açıklanabilir.

Bir müddet burada mesai yaptıktan sonra Havza ilçesine geçti. Tabii kısa sürede Mustafa Kemal bu görevinden azledildi ama yine de Anadolu'da direnişi örgütleyen Erzurum ve Sivas kongrelerini tertip ederek Ankara'nın ve yeni Meclis'in yolunu açtı. Bu noktada, Mustafa Kemal'e bağlılıklarını bildiren ve Anadolu'da direniş hareketini kuvvetlendiren kumandanların varlığı da unutulmamalıdır: Refet Bey (Bele), Rauf Bey (Orbay), Kâzım Karabekir Paşa, Ali Fuat Paşa (Cebesoy)...

Diğer Paşalardan Farkı

Vatansever, yetenekli ve mücadele taraftarı tek kumandan elbette ki Mustafa Kemal Paşa değildi. Ona bu mücadelede yardımcı olan kumandanlar vardı. Ancak onu diğerlerinden ayıran en önemli farklılığı elbette ki dehasıdır. En akıllı, önde gelen generallerimiz bile -ki bence kurmay olarak makul bir görüş- "Bursa'yı Antalya'yı, İzmir'i kurtarmakla uğraşmayın, olacak şey değil, tükeniriz, elimizdekini de kaçırırız" diyorlar, Anadolu ve Doğu Anadolu ile yetinilmesi gerektiğini söylüyorlardı ki bu "İlk hedefiniz Akdeniz'dir" düşüncesine muvafık değildi. Atatürk'ün kafasındaki geleceğe ait savaş hedefi çok daha farklı ve doğru olanıydı.

Tamimler, Kongreler, Görüşmeler

Mustafa Kemal Paşa ve beraberindekiler 25 Mayıs günü Havza'ya ulaştılar. Burada çok kalınmamıştır, zira, şehri

Mustafa Kemal'in Sivas Kongresi sırasında çekilen bir fotoğrafı, Eylül 1919.

örgütlenmeye çok uygun bulmadılar veya burası yeterince güçlü bir stratejik merkez olarak görünmüyordu. Ancak bir tamim yayımlandı. Mustafa Kemal, Mondros'un hilafına, askerî birliklerin terhis edilmemesini istiyordu. Ayrıca halktan direniş teşkilâtları kurmaları ve protesto eylemleri yapmaları da isteniyordu.

Öte yandan İngilizler, İstanbul'u sıkıştırmaya başlamışlardı. Zira Mustafa Kemal'in Samsun civarına gelişinin kâğıt üstündeki sebebi, bu yörede Türklerle Rumlar arasında çıkan çatışmaları araştırıp, rapor hazırlamaktı. O ise İstanbul'dan gelen telgrafları geçiştiriyordu.

Amasya'ya geldikten sonra çalışmalarına devam eden Mustafa Kemal, Rauf Bey (Orbay), Refet Bey (Bele) ve Ali Fuat Paşa (Cebesoy) ile birlikte bir tamim yayımladı. Amasya Tamimi'ni izleyen dönemde pek çok kumandan daha imza koymuştur. Bu "tamim" ile memleketin içinde bulunduğu durum resmediliyor, kurtuluş için yöntemler ortaya konuyor ve millî bir kongre toplanması isteniyordu. Aynı tamim "Milletin iradesi bu mücadeleyi yürütecek ve kararı alacaktır" diyordu. Millî Mücadele yolunda çok önemli bir adım atılmıştı.

Sivas'ta millî bir kongre toplanacaktı ancak öncesinde daha evvel planlanmış olan bir başka kongre daha vardı. Erzurum'da Temmuz ayında toplanan bu kongreye katılmak için yola çıkıldı. Kongre, toplanma amacı bakımından bölgeseldi, ancak, alınan kararlarla millî bir kongreye dönüşecekti. Erzurum Kongresi teşkilâtlanma ve katılım yönünden doğuş halindeydi. Mustafa Kemal Paşa'nın İstanbul'da verilen yetkileri kongre öncesinde elinden alınmış, o da askerlikten istifa ederek milletin bir ferdi olacağını söylemişti. Ancak bu statünün bu mücadeleyi götüremeyeceği de barizdi.

Kâzım Karabekir ve Ali Fuat Paşa'ların Mustafa Kemal'i yine kumandanları olarak tanıyacaklarını bildirmeleri ve bir nevi biat etmeleri mücadelenin yolunu berkitti ve kongre başkanı seçildi.[46] Osmanlı tarihinde ilk defa merkezin karar ve kesin emirlerinin aksine hareket edip zümreleşme vardı ve bunu devletin asker ve sivil memurları yapıyordu. Yeni unvanı, Temsil Heyeti Başkanlığı idi.

"Millî sınırlar içinde vatan bir bütündür, parçalanamaz" ve "Her türlü yabancı işgaline ve müdahalesine karşı millet hep birlikte direniş ve savunmaya geçecektir" gibi önemli maddeler ilan edildi.

Erzurum'dan sonra toplanacağı Amasya Tamimi'nde ilan edilen millî kongre için Eylül ayında Sivas'a geçildi. Ülkenin dört bir yanından delegeler Sivas'a geliyordu. İstanbul hükûmeti ise kongrenin basılması ve Mustafa Kemal'in tutuklanması emrini vermişti. Kongre bu şerait içinde toplanmıştı. Yeni bir heyet teşekkül ederken başkan yine Mustafa Kemal idi. Erzurum Kongresi kararları aynıyla kabul edildi ve manda ve himaye kati suretle reddedildi. Paşa, Sivas'ta 108 gün geçirdi. 30'u aşan delegenin toplandığı yerin sadece bir meclis değil, bir toplantı mahfeli görüntüsünde olduğunu belirtmek gerekir. Ama Anadolu mücadelesi burada düzenlendi; malzemenin niteliği, etraftaki asker ve sivillerle olan ilişki savaşı tayin edecekti. Sivas Kongresi kararları içindeki en önemli ifade yeminde vardı: Buna göre "Vatanın bu hale gelmesindeki rolleri nedeniyle İttihat Terakki ricalini tedib edeceğim. Ben İttihatçılığın ihyasına çalışmayacağıma, İttihatçı yollarla ve siyasetle ilişki

46 Millî Mücadele'de Kâzım Karabekir'in çalışmalarını için: Cemalettin Taşkıran, *Millî Mücadele'de Kazım Karabekir Paşa*, Atatürk Araştırma Merkezi, Ankara, 1999.

kurulamayacağı ve vallahi ve billahi..." İstanbul Hükûmeti ve bunun Anadolu Hükûmeti'ni maceracı İttihatçılıkla suçlaması reddediliyor ve bu hareketle ilgileri olanlar artık Berlin ve Sovyet topraklarında olan veya Azerbaycan'da bulunan İttihatçı liderle alakalarını kestiklerini böylece ilan ediyorlardı. Bu konuda değişim yoktu ve taviz verilemezdi.

Bu esnada İngiliz yanlısı sadrazam Damat Ferid görevden alındı ve yerine Ali Rıza Paşa geldi. O, doğal olarak milliciydi. Temsil Heyeti ile irtibat kurmak için Bahriye Nazırı Salih Paşa'yı görevlendirdi ve iki taraf Ekim ayı içinde Amasya'da görüşüp uzlaştılar. Nihai amaç, meclisin işlerliğini sağlamaktı. Elbette bu durum işgal kuvvetlerinin hiç hoşuna gitmeyecekti.

Bu arada Mustafa Kemal Paşa yılın son günlerinde Ankara'ya geldi ve 27 Aralık'ta Anadolu'nun o küçük ama tarihî bakımından önemli merkezi olağanüstü bir karar verdi. Bir şehrin halkı ilk defadır ki toptan bir siyasi karar veriyordu. Karara çok geniş zümreler ve kalabalık sayıdaki temsilcilerin katıldığı anlaşılıyor; şehrin tüccarları, uleması, tarikat şeyhleri gelen askerî heyete bağlılık bildirmiştir. Bu siyasi bakımdan da önemli bir gelişmeydi. Mücadelenin merkezi Ankara olacaktı.

Amasya görüşmelerinin de etkisiyle Osmanlı Mebusan Meclisi çalışmaya başladı. Meclis, 12 Ocak 1920'de İstanbul'da toplandı. Biraz aşağıda da belirttiğimiz gibi baskı altındaydılar ancak yine de Misak-ı Millî'yi kabul ettiler.

İstanbul'un İşgali

Misak-ı Millî'nin Osmanlı Meclis-i Mebusan'ı tarafından kabulü ve yarattığı heyecan Britanya'nın hiç hoşuna

Sivas Kongresi'nden seçilen Heyet-i Temsiliye üyeleri Ankara'ya giderken Kayseri'de.
Sağdan sola: Ahmet Rüstem (Bilinski), Mazhar Müfit (Kansu) Bey, Mustafa Kemal Paşa, Hüseyin Rauf (Orbay) Bey, Mustafa Kemal Paşa'nın yaveri Teğmen Muzaffer (Kılıç) Bey, Hakkı (Behiç) Bey, 20 Aralık 1919.

gitmedi ve 16 Mart 1920'de İngilizler Meclis'i bastılar,[47] toplantı halindeki mebuslardan bazılarını tutuklayarak götürdüler. Böylelikle İstanbul fiilen ve resmen işgale uğradı. Osmanlı Meclis-i Mebusan'ı kapatıldı.

Görünüşte Osmanlı İmparatorluğu ortadan kaldırılmış değildi. İstanbul'da sefirler vardı ve Saltanat hükûmetinin dış ülkelerde sefirleri vardı. Ordu elbette ki kontrol altındaydı ama dağıtılmış değildi. Bir Osmanlı hükûmeti vardı, fakat bu hükûmetin kendi başkentindeki asayiş gücü Unkapanı Köprüsü ile Bebek Karakolu arasındaydı. O da sanırım devletler arası nezaketten dolayı idi. İstanbul'da müttefiklerin kontrolünü bile Britanya üstlenmişti. İtalya'nın Anadolu yakasındaki işgal faaliyeti fevkalade sınırlıydı ve Kadıköy'de özenli, anlayışlı bir işgal yönetimi kurulmuştu. Suriçi İstanbul'u ise Fransa'nın denetimine bırakılmıştı. Burada Anadolu'ya silah kaçıranlar başta olmak üzere bütün millî teşekküllerin Fransa tarafından çok ciddi bir şekilde kontrol edilip önlenmediği bilinmektedir. Bu durumda İngiltere, payitahtın askerî, siyasi asayiş denetimini eline aldı, ancak, büyük hatalar yaptı. Karşımızda alışılmış Britanya Devleti yoktu. Mütareke İstanbul'unda, bazı aşırı görüşlü azınlık unsurlarla iş birliği yapan, esnafın denetiminde rüşvete kadar giden, adaletsiz olayların sıkça görüldüğü ve milletin kendilerine gittikçe hınç beslediği bir devlet gücü vardı. Öte yandan mütareke İstanbulu'nda alışılmamış olaylar da göze çarpıyordu. Daha modern bir hayat başlamıştı. Proleter sol eğilimli bazı

47 16 Mart 1920'nin acı hatırası Şehzadebaşı Karakolu'nun basılması ve karakoldaki erlerin şehid edilmesidir. Maalesef bu tarihi bina 1950ler'deki imar çılgınlığı sırasında Saraçhane'deki Belediye Sarayı'nın inşaası nedeniyle yıkılan abidevi eserler arasındadır.

siyasi partiler faaliyetteydi.[48] Fakat bunların hiçbirisi itimat edilecek ve oturacak bir düzeni sağlamış değildi. Anadolu Hareketi, dağılmayan ve her şeye rağmen ananesini, hiyerarşisini elde tutan bir ordunun başarısıdır. Anadolu'da devlet mekanizmasının bütün unsurları ele geçirilmiş ve kontrol altına alınmıştı. Eski bir imparatorluğun teşkilatına yeni unsurların getirdiği dinamizmle mücadele yürütülebilmişti.

Aslında 1204 yılında da İstanbul, yani o zamanki adıyla Konstantinopolis, Batı'dan gelen barbar sürüleri tarafından işgal edilmişti. Şüphesiz o zaman 1000 yıllık bir imparatorluğun merkezi olan İstanbul, kavimler arası bir Haçlı işgali yaşıyordu. 1918'de ikinci defa olarak gene uluslararası bir işgale uğradı. 1204'te zırhlı şövalyeler, 1918'de de zırhlı gemiler İstanbul halkını zor bir dönemin içine çekti.

Bizans'ın Konstantinopolis'i de Osmanlı'nın İstanbul'u da çok görmüş geçirmiştir; hatta 1853'te Rusya'yla yapılan ünlü Kırım Savaşı'nda, İstanbul halkı müttefik olarak gelen orduları taşıyan İngiliz, Fransız, İtalyan Piemonte gemilerini görmüştü. 1853'ün dağdağalı günlerinde İstanbul halkının kendileriyle birlikte savaşıp ölen bu Avrupalı askerlere sempati duyduğu açıktı.

O günün müttefiklerinin torunları ise 1918'de işgal kuvveti olarak dönmüşlerdi. Dolayısıyla İstanbul halkının 1853'te değişmeye yüz tutan geleneksel kuşku ve nefret duygusu hemen avdet etmişti. Britanya zırhlılarından dökülenler kendilerini şehrin sahibi addettiler. Bütün güvenlik mekanizması ve ekonomik hayat onların denetimine girdi.

48 Bilge Criss, *İşgal Altında İstanbul, 1918-1923*, İletişim Yayınları, İstanbul, 1993. Tarık Zafer Tunaya, *Mütareke Dönemi, Türkiye'de Siyasal Partiler*, Cilt 2, İletişim Yayınları, İstanbul, 1999.

Bu şaşılacak bir gelişme değildi; ama doğrusu Britanya idaresinden beklenmeyecek beceriksizlik gösterdiler. Britanya kolonilerinde, Hindistan'da, Malta ve Cebelitarık'ta, hatta himaye ve işgal altındaki Mısır'da kurdukları etkili denetim ve yönetimi burada gerçekleştiremediler. Eski imparatorluğun başkenti de onları hiç benimsemedi.

1918-1922 dönemi zabıta tarihini hâlâ kulaktan dolma biliyoruz. Oysa birtakım olaylar incelendiği zaman garip boyutlar ortaya çıkıyor. Âdeta şehrin kriminal çeteleri de etnik bir ayrımın içindeydi ve bu ayrıma göre Britanya polisiyle iş birliğine veya çatışmaya giriyorlardı. Kısacası Batı Avrupa ülkeleri, tarihte görülmüştür ki, düşman tarafından işgal edildiklerinde âdeta "Kader, kendimiz ettik, kendimiz bulduk. Bundan sonrasını akıllıca kurtarmaya çalışalım" derler. Bizim kavmin böyle bir zihniyeti benimsemesi zordur, zira, evimizde yabancıya pek tahammül edemeyiz. Nitekim İstanbul bu gerilimi çok ilginç bir biçimde yaşadı. İngilizlerin çaresizlik içinde Yunanlı müttefike meyletmesi ise hem öbür müttefiklerini hem de şehir halkını çok kızdırdı. Tarık Zafer Tunaya Hoca'nın *opus magnum*u olan *Siyasi Partiler*'in üçüncü cildi[49] Mütareke devrini anlatır. Hiç kuşkusuz sosyalizm ve etnik milliyetçilikler gibi akımlara mensub olanlar getirilen siyasi örgütlenme hürriyeti havasından yararlandılar. Türk ulusçuluğunun bu derecede özgür kaldığını söylemek mümkün değildir. İmparatorluğun başkentinde, Falih Rıfkı'nın deyişiyle, "Türklükten kaçan kaçanaydı." Dört yılda ilginç gelişmeler ortaya çıktı. Uzun bir savaşın yorgunluk ve yıkımından dolayı yenilgi ve direniş, teslimiyet ve dik başlılık İstanbul'da savaş veriyordu.

49 Tarık Zafer Tunaya, *Türkiye'de Siyasi Partiler*, Cilt 3, İletişim Yayınları, İstanbul, 1989.

Mustafa Kemal, Sivas Kongresi'nden sonra kongreye katılanlarla birlikte, 1919.

İngilizlerin şehir halkı üzerinde kurdukları baskı ve olumsuz etkiler sonra Orta Doğu ve Filistin'de de aynı beceriksizlikle sürdü.

Her kuvvetin olgunlaşma ve çürüme zamanı vardır. Britanya çürüme döneminde, İstanbul ve Küçük Asya'ya toslamıştı. Sanılıyordu ki sarsılan ve çözülmeye başlayan imparatorluk sadece Osmanlı'dır. Oysa Birinci Dünya Savaşı'ndan sonra yeryüzündeki hiçbir kavim başka bir imparatorluğun bayrağı altında sakin ve uyumlu unsurlar olarak yaşamak niyetinde değildi.

İmparatorluğumuzun asker ve sivil bürokrasisi kendini çabuk toparladı ve yer yer direnişe başladı. İtalyanlar büyük savaş sonunda, Britanya ve Yunanistan'ın kendilerini soyduklarına inanıyorlardı ve bu yüzden de Anadolu'nun yanında yer almışlardı. Şehre çıkar çıkmaz İtalyan birliklerinin ilk işi 1815 Viyana Kongresi'nde Avusturya'nın kendilerinden zapt ve gasp ettiği Tomtom Kaptan Sokağı'ndaki Venedik Sarayı'nı işgal edip, içindeki Avusturya sefaret heyetini kapının dışına koymak oldu. Doğrusu haksız da sayılmazlardı; Venedik Sarayı yeniden İtalya'ya geçti ve el an İstanbul'daki İtalyan konsolosluğudur.

Yeni Meclis'in Yolu Açılıyor

Osmanlı Mebusan Meclisi'nin Misak-ı Millî kararlarını kabul etmesi üzerine İtilaf Devletleri hem İstanbul'u işgal etmiş hem de Osmanlı meclisini dağıtarak, mebusların bir kısmını tutuklayıp, sürgüne yollamıştı. Bunun üzerine Ankara'da yeni bir Millî Meclis toplanması kararı alınmıştı.

23 Nisan'da Ankara'da toplanan meclisin çok önemli özellikleri vardır. Bir defa kurucu bir meclisti. Hukukunu

kullanamayan bir payitaht adına Anadolu içlerinde bir kurucu payitaht olmuş, yetki üstlenmiş ve "Türkiye" adını da ilk defa kullanmıştır. İstanbul'da dağıtılan meclisin kalan üyeleri yeni meclisin de üyesi olmuşlardı.

23 Nisan 1920 önemli bir tarihtir, zira, bu tarihte milletimizin adı, devletin adı olarak konmuştur. Bu isim "Birleşik Devletler" tarzında bir isim değildir, bilakis, tarih boyunca var olan bir kavmin adının bir devlete verilmesidir. Türkiye Büyük Millet Meclisi Hükûmeti bir şeyi daha bilinçli olarak ifade ediyordu; bu, "konvansiyonel" dediğimiz meclis hükûmeti sistemidir. Bir ölçüde ihtilâlci bir hükûmettir; Fransız Konvansiyon Meclisi gibi, o dönemde komşusu olan Sovyet idaresi gibi meclise dayanan bir idare sistemidir. Fakat tarihteki diğer meclis hükûmeti sistemlerinden bir farkı bulunur: Burada, TBMM'de aktif ve canlı bir muhalefet vardır. Müdafaa-i Hukuk grubundan gelen ve Mustafa Kemal Paşa'nın etrafında ona itirazsız bağlı olan üyelerin dışında muhalifler de vardır. Bu muhalefet içinde bazıları padişahçı, şeriatçı, bazıları solcu, bazıları ise İttihatçıdır. İttihatçıların hepsi de Anadolu hükûmetine ve Mustafa Kemal Paşa'ya itaati boynunun borcu bilen takımdan değildir. Bu ikinci takım çok kısa bir zamanda da muhalif taraflarını ortaya koymuşlardır. Kurtuluş Savaşı bu muhalefete rağmen yürütülmüştür ve burada hakikaten ince bir politika izlendiği görülmektedir.

Şu da çok önemlidir; Lozan'dan sonra Cumhuriyet ilan edilmiştir, ancak, o sıra, "Meclis hükûmeti" dönemidir. Türkiye, 23 Nisan 1920'yle Temmuz 1923 arasında, "Meclis hükûmeti" olarak devam etmiştir, zira, daha cumhuriyet ilan edilmemiştir. Bu bir bağımsızlık savaşı ve işgalcilere karşı bir direnişti. Bizim zaferimizdi. Üç senelik "Meclis hükûmeti" dönemi zaferin yapıtaşıdır.

İttihatçılık Suçlaması

İstanbul'daki Damat Ferid grubu Mustafa Kemal'i ve çevresindekileri devamlı olarak İttihatçılıkla suçluyorlardı. Hâlbuki onların İttihatçılıkla bağları çoktan kopmuştu. İttihat ve Terakki liderlerinin onları pek sevmediği ve onların da İttihatçılardan pek hazzetmediği herkesçe malumdur. Ama bu gibi suçlamaların haklı bir tarafı da vardır. Ankara'daki ilk meclis binası bile bir İttihat Terakki kulübü olarak yapılmıştı. Nihayet milletin en dinamik unsurları bu partinin saflarındaki genç unsurlardı. Bunların bir kısmı eski İttihatçı liderleri tutuyorlardı. Hatta Enver'i iltica ettiği Almanya'dan getirip Millî Mücadele'nin başına geçirmek isteyenler de vardı. Ama İttihatçıların önemli bir kısmı artık bunun yürümeyeceğini ve bu sevdayı terk etmek gerektiğini, Anadolu Müdafaa-i Hukuk grupları etrafında, Mustafa Kemal Paşa'nın etrafında toplanıp Mustafa Kemal Paşa'ya kesin olarak katılmak gerektiğini anlamışlardı. Esasen yukarıda da belirttiğimiz gibi İstiklâl Savaşı kadrolarında etkin ve önde gelen İttihatçı yer alamamıştı. Sivas Kongresi üyelerinin değindiğimiz yemin metni de İttihatçı siyaseti men eder.

Büyük Millet Meclisi

Toplumların uzun hayatında rejimler de değişir. Bu değişim her zaman aynı yolla olmaz. Kimi zaman Fransa ve Rusya'da olduğu gibi çok kanlı bir şekilde gerçekleşebilir. Türkiye de bu değişimi bir savaşla, ama dışa karşı verilen bir savaşla yapmıştır ki bu aslında bir talihtir. Bir iç savaşın getireceği onursuzluk ve kardeş kavgasındansa dışa karşı düşmanı kovalayarak bir cumhuriyet ilan etmek çok daha onurlu bir sayfadır ve milletin geleceği için sağlam bir inşaattır. Fakat şu gerçeği tebarüz ettirmekte fayda var. Değişen devlet değildir, yeni devlet bir slogandır ve aslında devletimiz devam ediyor. Ama cumhuriyetimiz kuruluyor ve rejim değişiyor. Bu çok önemli bir nokta ve üzerinde durmamız gerekir. Tabii ki biz bu değişikliği hiç de kolay yapmadık. Birtakım insanlar bunu kabul edemeyecek, hatta bizzat cumhuriyetin kurucu kadrosu diyeceğimiz arkadaşlar arasında bile bu konuda bir görüş farkı olmuş ve bir çatışma ortaya çıkmıştır.

23 Nisan 1920 Cuma

23 Nisan 1920 günü Ankara'da yeni bir dönem başladı. Bu Meclis hükûmetini Afganlar ve yeni Sovyet Rusya tanıdı. Bilhassa Rusya ile yapılan Moskova Antlaşması ile Doğu Cephesi'ndeki problem bitmişti, artık Batı Cephesi'ne yönelebiliyorduk. 23 Nisan 1920'de açılan TBMM'nin bazı çarpıcı özellikleri vardır. Yabancı dillerde devlet Türk imparatorluğu diye, coğrafi olarak vatanımız Türkiye diye anılmasına rağmen, devletimizin ismi ilk defa, "Türkiye" olarak zikredilmiştir ki bu çok önemlidir.

TBMM'nin 23 Nisan 1920'de kuruluşu, tarihte 1400 yıl sonra devlet hayatında ilk defa Türk isminin kullanılması anlamına da gelir. İtilaf Devletleri'nin mağlub ettiği hiçbir memleket, Türkiye'nin gösterdiği direnişi göstermemiştir. Bunun nedenleri var. Ağır şartlarla anavatanı bile parçalanan tek ülke (Macaristan istisnasıyla) Türkiye'ydi. Britanya İmparatorluğu dört yıllık savaşın acısını çıkarmak niyetindeydi.

Zor şartlar altında toplanan TBMM'yle beraber, bir İslam devletinde ilk defa bir meclis, "şûra" görevini yerine getiriyor ve bütün iktidarı ele alıyordu. Daha önceki meclis

Mustafa Kemal Paşa ve arkadaşları ilk Meclis binası balkonunda, 1920.

(1877-78) ilk olmasına rağmen bütün iktidara sahip değildi ve yürütmeyi denetleyemiyordu.

Meclis, olağanüstü savaş yetkilerini bile denetleyecek durumdaydı ve denetlemiştir. Burada savaşı yürüten askerlere gösterilen itimat ve uyum söz konusudur. Bu meclis kendisinden sonraki devirde görülmeyecek biçimde orduyu denetlemiş ve dış politikaya da denetleyici bir gözle bakmıştır.

Meclisin açılış töreni ve takip ettiği politika itibariyle bugünkü muhafazakâr çevrelerin neden 23 Nisan'a cephe aldığını anlamak zordur. TBMM cuma günü, cuma namazı sonrasında, dualarla açılmıştır.

Bu sözde tarihçi tenkitlerinin altında ideoloji değil, başka türlü sebeplerin yer aldığı düşünülmektedir. 23 Nisan 1920'nin hem imparatorluğun dağılmasından sonra ortaya çıkan Balkanlar ve Orta Doğu dünyasında hem de bütün İslam âleminde gerçekten etkileri olmuştur.

Hâlâ Kuzey Afrika'da; Cezayir, Tunus halk kültüründe, pazarda satılan cam altı resimlerde bile İstiklâl Savaşı kumandanlarının portrelerini görürsünüz. Dönemin İslam dünyasında, özellikle Hindistan Müslümanları arasındaki değerlendirmelerin heyecanı halen devam etmektedir.

Muhalefete Rağmen Kurtuluş Savaşı

Ordu kurulacaktı, direniş ise çoktan başlamıştı. Adana, Anteb, Maraş yöresinde bu direniş zafere ulaşmış, Fransa, kendisine ayrılan o bölgede bir şey yapamayacağını anlamıştı. Bir müddet sonra da TBMM hükûmetiyle anlaşmaya giderek savaşmaktan vazgeçecekti. Bu da İngiltere'ye vurulan bir darbe anlamına gelmektedir. Hatırlanması gereken bir diğer önemli unsur da Ankara hükûmetinin müthiş bir diplomatik ilişkiler ağı olduğudur. Demek ki yeni genç Türkiye, Osmanlı mirasını devralmıştı. Bu Genç Türkler'in, Enver ve Talat Paşa gibi devlet adamlarından çok önemli bir farkı daha bulunuyordu; diplomasinin çok önemli bir silah olduğunu kavramışlardı. Beri yandan Mustafa Kemal Paşa bir organizasyon dehasıydı ve hukuktan da hiç ayrılmamıştı. İstiklâl Savaşı kumandanlarından Karabekir Paşa başta olmak üzere İsmet Paşa'da da kanuna, kanuniyet ve meşruiyete uymak zorunluluk ve esastı. 23 Nisan'ı takip eden süreçte, 1876 Anayasa çerçevesi ve Meşrutiyet'in getirdiği çerçeve hiç kırılmadı. Bu Anayasa'ya kafa tutulmadı, meydan okunmadı ve onun içinde hareket eder görünüldü.

Kurtuluş Savaşı'nın ilk bir buçuk yılında bölgesel isyanlar ortaya çıktı. Marmara Bölgesi'nde, Çanakkale Biga'dan, İzmit ve Adapazarı, Düzce ve Hendek'e kadar iki devre halinde Anzavur'un ayaklanması olmuştur. Anzavur'un saray çevreleri ve Damat Ferid ile yakın ilişkisi vardı ama cahildi. Diğer yandan "kabilesinin mensuplarını etrafına topladı" diyemeyiz. Çünkü Kurtuluş Savaşı isyanları sadece Marmara bölgesi ve bu yörenin Çerkezleriyle sınırlı değildir. 1856'dan beri Çerkezler imparatorluğun her yerine (Marmara, Bolu, Maraş, Kayseri, Çorum, Amasya ve Hatay ve Suriye ve Filistin) yerleştirilmişti. Ayrıca isyanlar Konya ve Bozok'u (Yozgat) da kapsıyordu. Buralarda ise yerli ahali önde gelmektedir. Balkan Savaşı'nın ve uzun bir dünya savaşının Anadolu halkını askerlik ve harbden bezdirmiş olması sebebiyle bu tepki normaldi. Ancak bu normal antimiliter tepkiyi Anadolu'da yuvalanan eksik eğitimli, Müslüman kanat gösteriyordu. Yine de İstiklâl Savaşı boyunca din görevlilerinin bazılarının aktif rolünü ve Kuva-yı Milliye'yi destekleyen hareketlerini de görmezlikten gelemeyiz. Bu alanda çok önemli bir kadro kalabalığı vardır. Başta Ankara Müftüsü Börekçizâde Rıfat Efendi, hem payitaht hem vilayetlerde Anadolu hükûmetinin fetvalarını destekleyen, vaaz veren, propaganda yapanlar vardı. İstiklâl Savaşı bir iç savaş, kardeş savaşı olarak gelişme göstermek eğilimindeyken Millet Meclisi hükûmetinin nizami orduyu teşkili ve İstanbul'dan gelen subayların katılmasıyla bu safha sona erdi. Ama hiç şüphesiz ki saraya ve Babıâli'ye sadakat kisvesi altında geçinen ve menfaatini karşı tarafla çatışmakta görenler, bu bezgin halkı kışkırtmaktan geri kalmamıştır. Anadolu halkı Birinci Dünya Savaşı'nı tamamlayan milletlerin içinde her şeye rağmen vatan savunmasına katılmakta daha istekli gibidir. Öne düşen askerlerin (ki bu askerler diğer yenilmiş devletlerde sadece homurdanan ve faaliyete geçemeyen bir kalabalıkken, Türkiye'de potansiyel halde ortaya çıkmışlardır) peşine takılmakta tereddüt etmeyen kitleler vardır. Fakat karşı tarafa yanaşan ve bunu kullanarak Millî Mücadele'ye karşı daha baştan direnenler de var. Bunlar çok yorucu oldular, hatta işgal ordularından, Britanya ve Yunanistan'dan daha yorucu olan ve ümidi kıranlar bunlar olmuştur. Din eğitiminin kapasitesi, kalitesi, din görevlilerinin niteliği bir toplum için fevkalade önemlidir. Bunu İstiklâl Savaşı'ndaki ayaklanmalar sırasında daha iyi görüyoruz. Anzavur alaylı yüzbaşıyken emekliye ayrılmış, sonra eskiden başıbozuk paşalığı denen paşalık rütbesi dahi verilmiştir. Burada hiç şüphesiz ki Damat Ferid Hükûmeti'nin ve bürokrasinin aymazlığı ve ucuzculuğu rol oynamaktadır. Ama karşısına çıkan ve bu hareketleri tedip eden de gene bir başka Çerkez olan Ethem'dir. İsyancıların Hendek'te acımasızca katlettikleri kaymakam da (Yarbay Mahmud Bey) "Çerkez Mahmud Bey" olarak anılmaktadır. İsyancılar onu çok fena bir şekilde ortadan kaldırdılar, naaşını suya attılar ve vahşi hayvanlara terk ettiler. Dolayısıyla bu gibi isyanları etnik bir çatışmaya bağlamak doğru değildir. Anzavur'un ilk isyanı Kuva-yı Milliyeci birlikler tarafından bastırılmıştı. Ama ikincisinde, iyi bir savaşçı olmamasına rağmen, Damat Ferid hükûmetlerinin desteğiyle ve isyan için daha verimli bir bölge olan Sakarya havalisi, Düzce ve Hendek'te ortaya çıktı. Buradaki ikinci isyan çok daha güç bastırıldı ve şurası açıktır ki Ankara hükûmeti burada Ethem'e çok şey borçludur ve bunu da açıkça ortaya koymuşlardır.

Daha 1919'da, henüz Millet Meclisi teşkil edilirken hükûmete karşı İttihatçılık suçlamasıyla bazı kıpırdanmalar başlamıştı. Anadolu Grubu Sivas Kongresi'nde İttihatçılığı açıkça reddetmesine, hatta telin etmesine rağmen, bu suçlamalar ve muhalefet aynı şekilde devam etti. 1919'ların Türkiyesi'nde birbiriyle zıt basın organlarının çok yaygın olmadığı, teknolojinin gelişmediği ortamda, maalesef şayialar her şeyin önünde gidecek kadar kuvvetliydi. Düzenli ordunun kuruluşu tamamlanana kadar Mustafa Kemal Paşa için bu en zorlu dönemdir. İsyancı kitlelerin arasında da her zaman bir uyum söz konusu değildi. Anzavur'un Gâvur İmam'ı gibi bazısı son derece gaddar, bazıları ne yapacaklarını şaşırmış vaziyette, bazıları kendilerine histerik derecede bağlı militanlar buldukları halde, bunların kimisi doğrudan doğruya düzenli ordudan kaçanlar, yolun ortasında karşı tarafın ajanları tarafından ikna edilmişler. Kuva-yı Milliye'nin askerlerine, subaylarına karşı duyguları farklı; kimisi tam anlamıyla kör bir sınıfsal nefret içinde kimisi bir parça daha yumuşak. Gerede'de asiler Hüsrev Bey'i (Gerede) ele geçirdiler ve tam asacakları sırada bu askerin azametli hali ve görünüşü onları tereddüde sevk etti. Asılması caiz midir, değil midir, diye tartıştılar ve infazı geciktirdikleri anda da yetişen Kuva-yı Milliyeciler onu kurtardılar. Hiç şüphesiz ki onları bastıran insanların da yapıları üzerinde durmak lazımdır. Ethem yarı eğitimli, bilgisiz bir zat, ancak tecrübesi son derece fazlaydı, kuvvetli bir ikna gücü vardı ve bazı karşı taraf militanlarını silahıyla birlikte kazanmıştı. Ethem ve Giresunlu Osman Ağa (Topal Osman) kuvvetliydiler. Bunların çetelerindeki militanların da halka karşı tutumları farklıdır. Mesela Osman Ağa daha püriten ve düzenli bir ilişki taraftarıdır. Ordu kurulunca bu zümreler tasfiye edildi. Ama Osman Ağa'nın kuvvetleri Millet Meclisi'nin o günden sonraki ilk muhafız birliği oldu. Bu vesileyle belirtmek gerekir ki, Meclis'teki Muhafız birliğinin son zamanlarda lağvedilmesi yanlıştır, yeniden ihdası gerekir.

Tarihler 1920'yi gösterdiğinde Anadolu hareketine karşı kıpırdanmalar başlamıştı. Çerkez Ethem'e hain demek kolaycılıktır. Çünkü bu bir mücadeledir, bir partizanlıktır. Düzenli ordunun sıkıştırmasından dolayı, sonunda Yunanistan'a katıldı diye hain diyenler vardır ama bu bir teslim ve çekilmedir.

Ankara nihayet düzenli ordu ve düzenli savunmaya geçince, otoriteye bağlanmak istemeyen Ethem isyan etti. Hatta onun bir şey istediği yoktur. Astsubaylıktan yetişme olan Çerkez Ethem'in Harbiye'de okumuş ve üzerinde mütehakkim olan iki kardeşi vardır. Mesela Reşid Bey İsmet Paşa'ya çok karşıdır, Reis Mustafa Kemal Paşa'dan çok İsmet Paşa'ya muhalifler ve Ethem'i devamlı etkilemiştir.

Aile düzeni içinde, ağabey kardeş ilişkileri içinde sorun büyümüş ve sonunda iş ayrılığa kadar gitmiştir. O noktada askerî kurallar, divan-ı harb, itaatsizlik, isyan suçlaması devreye girmiş ve Çerkez Ethem karşı tarafa sığınmıştır. O sığınma bir tragedyadır ve tarihçi bu olayı öyle görmelidir.

Düzenli ordu kurulmadan önce yardımcı, milis kuvvetler bir nitelik birliği göstermezler. Ege'de Demirci Efe'ninkiler daha çok klasik efe, seğmen takımına yakışır görünümdedir. Elbette ki Ankara'nın emirlerini dinlerler, bulundukları bölgede düşman istilasına karşı kelleyi koltuğa almış, savaşmaktadırlar. Ancak öte taraftan da eski alışkanlıklarıyla bazı zenginlere aşırı haraç koyma huylarından vazgeçmemişlerdir. Karşı çıkanlara da amansızdırlar. Bundan başka bahsettiğimiz Giresunlu Osman Ağa vardır. Kendine göre ilkeleri ve sıkı disiplini vardır. Sözlü tarih ifadelerine ve zamanında dinlediğim hatırata göre milisleri usulsüz yağma, ırza geçme gibi hareketlere tevessül etmemişlerdir. Ankara'nın ilke ve emirlerine son derece sadıktır. Bu konuda da zaten hiçbir isyankâr tavır almamıştır.

Çerkez Ethem, bu iki gruba da pek girmez. O da isteğine rağmen ağabeyleri gibi askerî okula gönderilmemiştir. Fakat askerliğe olan düşkünlüğünden dolayı, çok erken yaşta âdeta evden kaçarak askerî okullarda okuduğu ve astsubay rütbesine ulaştığı bilinmektedir. Bununla da kalmamış, Teşkilat-ı Mahsusa'ya girmiştir. İmparatorluğun Asya coğrafyasının muhtelif kısımlarını görmüş, insanları tanımış zeki birisidir; insan tanımakta ve ikna etmekte eşsizdir. Bu özelliğiyle âdeta bir kumandan vasfına sahiptir. Ama nihayet Osmanlı kurmayı ve ordu geleneğiyle imtizaç etmesi zordur, bu bir tahsil meselesidir. İkincisi de mensubu olduğu kabiledeki aile içi bağların her şeyin önünde gitmesidir. Dolayısıyla Ethem

Mustafa Kemal Paşa Ankara İstasyonu'ndaki karargâh binası önünde Çerkez Ethem ve arkadaşlarıyla, Kasım 1920.

siyasi hayatında, askerî diyemeyeceğiz ama mücadele hayatında fevkalade işler başardığı halde, bilhassa ağabeylerinin bilinçsiz teşvikleriyle Ankara'daki kumandanlarla karşı karşıya gelmiştir. Bu durum sonunda onu nizami orduya katılmakta tereddüde ve bir nevi başkaldırmaya itti. Çok kolayca, ihanet diyeceğimiz hareketlerin içine girdi. O bakımdan kendisini bu şartlar içinde değerlendirmek gerekir. Kaldı ki Çerkez Ethem'in Yunan ordusuna ilhakının ne derece ciddi bir hareket olduğunu, millî orduya nasıl bir zarar verdiğini tartışmak gerekir. Hiç şüphesiz ki cezasız kalmayacak bir hareketti, dolayısıyla bu cezadan kaçmak için uzunca bir mülteci hayatı yaşadı ve yurt dışında öldü.

Ankara En Örgütlü Şehirdi

Ankara bütün organizasyonun, tüm ordunun odaklandığı yerdi ve İstanbul'da ordunun içinde Ankara'ya karşı bir muhalefet yoktu. Herkes taraftardı; katılmakta tereddüt edenler ve gecikenler vardı ama önemli isimlerin hiçbiri karşı değildi. İstanbul'daki Fevzi Paşa, İsmet Bey gibi önemli isimler de bir müddet sonra Ankara'ya geçtiler. İstiklâl Savaşı'nın başından beri önde gelen üç kumandanın ismi, malum Ordu Müfettişi Mustafa Kemal Paşa, Doğu Menzil Kumandanı Kâzım Karabekir Paşa ve Ankara'da Ali Fuat Paşa'dır. Bu üçünün direniş konusunda bir araya geldikleri ve hiç tereddüt etmeden işleri yürüttükleri açıktır. Üçünün de hem benzer hem farklı tarafları vardır. Bir kere onlar çok bilgili kumandanlardır, bilgileri sadece askerlikle sınırlı değildir. Kâzım Karabekir Paşa hayatında çocuk şarkıları bestelemekten piyes yazmaya kadar işi götürmüştür. Askerlik bilgisi gibi tarih ve edebiyat bilgisi de sonsuzdur ve bildiği lisanlar ortadadır. Çok lisan bilmek Osmanlı kurmaylarının bir özelliğidir. Bu bir ara kesildi ve şimdi yeniden böyle bir merak başladı. Ali Fuat Paşa Polonyalı General Kont Borzecki'nin (Mustafa Celaleddin Paşa) soyundan gelmektedir. İstanbul'un şiddetle ve bilinçle Türkleşen grubunun içinde büyümüştür. Nazım Hikmet'in dayısı, annesinin kuzenidir. Bilgili bir zattır ve liberal vatanperverdir. Mustafa Kemal Paşa'nın vasıfları ise malumdur; imparatorluğun en kozmopolit fakat milliyetçiliklerin de en çok kol gezdiği bir ortamında, Selanik ve Makedonya'da doğup büyümüştür. İstanbul'daki Harbiye'ye gelene kadar askerî okula da orada, Manastır'da devam etmiştir. Bu üçünün direnişin başında yer almaları normaldir. Kesinlikle Anadolu direnişine karşı olanlar vardı ve böyle kalanlar da olduğu gibi, tereddütlü bir dönem geçiren ve beklemede kalanlar vardır. Bekleme yapanların içinde Fahrettin (Altay) Bey, İsmet (İnönü) Bey ve 1914'te artık tuğgeneral,

1920 yılında da Harbiye Nazırı olan Fevzi (Çakmak) Paşa da vardır. Fevzi Paşa sıradan bir kumandan değildir, çok bilgilidir, belirgin ilkeleri vardır ve Oraya gelene kadar ismi duyulmuş başarılı bir askerdir. Maalesef Anadolu direnişinin başında bu hareketi mantıkî görmemiş, hatta yer yer karşı bile çıkmıştır. Bu tavrından dolayı kendisine karşı bir soğukluk olmuştur ama bir gün geldi ki bu insanlar artık İstanbul'da bir iş yapılamayacağını anlamışlardır. Fevzi Paşa da bunu geç ama nihayetinde anlayanlardandır. Kendisi 17 Nisan gecesi başlayan ve 25/26 Nisan 1920 gecesi biten yolculuğunun sonunda doğrudan Ali Fuat Paşa'nın Lefke'deki karargâhına gelmiş "Geç geldik biraz ama" demesi üzerine kendisine "Rica ederiz Paşam" diye cevap verilmiş ve telgraf başına geçilmiştir. Atatürk ilk anda gelmemesi yönünde fikir beyan etmiş ama Ali Fuat Paşa'nın ısrarı üzerine kendisine nazikâne bir telgrafla cevap verilmiştir. 25/26 Nisan 1920 tarihli, Mustafa Kemal imzalı bu telgraf şöyledir: "Savfet Bey vasıtasıyla Fevzi Paşa'ya, Anadolu'ya geçtiğinize memnun olduk. Hoş geldiniz. Ankara'da teşrifinize intizar ediyoruz. Hürmetlerimizle."[50] Kendisinin bu şekilde Ankara'ya getirilmesi ve karşılanması fevkalade önemli ve tarihi bir hadisedir. Gebze mebusu olarak geldiği Meclis'in açılışının hemen dördüncü gününde nutuk irad etmiştir. Bu sahneyi Şevket Süreyya Bey çok iyi tasvir etmiştir.[51] İngilizlere güvenilmeyeceği, İstanbul hükûmeti ve makarr-ı hilafetin rolünü kaybettiği, fonksiyonsuz kaldığı, bundan sonra Anadolu'da mücadelenin şart olduğu belirti-

50 Ali Fuat Cebesoy, *Milli Mücadele Hatıraları*, Temel Yayınları, İstanbul, 2007.

51 Şevket Süreyya Aydemir, *Tek Adam*, Cilt II, Remzi Kitabevi, İstanbul, 2017, s. 274-5.

lerek göreve getiriliyor. Görevi yine aynı şekilde Ankara'da Millî Müdafaa Vekâleti'dir ve İcra Heyeti Başkanı, Başbakan olmuştur. Doğrusu büyük bir sadakat ve gayret ile görevine devam etmiştir, en kıdemli kumandandır ve dahli askerî açıdan Millî Mücadele'yi zenginleştirmiştir. Ancak Mustafa Kemal Paşa'ya, Meclis Sakarya Meydan Muharebesi'nde müşir unvanı verdikten sonra, Fevzi Paşa onun ardında kalmıştır. Başkumandanlık Meydan Muharebesi'nden sonra, söz konusu olan müşirliği Fevzi Paşa'ya verir. Bu biraz Napolyon'da görülen, ikinci mareşalliği Fransa'nın bazı generallerine tevdi etmek gibi bir tavırdı.

Bunların yanında Fevzi Paşa hakkında birçok efsane vardır. Çok dindar olduğu söylenir ve doğru olmayan bir sürü vakalar anlatılır. Fevzi Paşa, hükûmetin hiçbir bakanı, hiçbir memuru hakkında -tasvib etmese bile- zorbaca muamelede bulunan biri değildir, imparatorluk terbiyesinden geçmiş ağır başlı bir devlet adamıdır. Bir problemi varsa Mustafa Kemal Paşa'yla tartışır konuşur, fazla da uzatmazdı. Bu fazla tartışmama İsmet Paşa'da da vardır. Çünkü bitmeyen münakaşalarla işlerin yürümeyeceği malûmdur.

Şunun üzerinde de durmak gerekir; Süvari Kolordusu kumandanı olan ve bu görevde yararlılıkları görülen Fahrettin Altay Paşa da Konya'dayken İstanbul paşalarından Yusuf İzzet Paşa'ya bağlıydı. Çünkü mevkiler çok sallantıda, bağlı olacağı bir yer yok ve Ankara konusunda da mütereddittir. Derhal kendisi emrivakiyle, burada Ali Fuat ve Refet Paşa'ların tertipleri rol oynuyor, trenle Ankara'ya getirilmiştir. Orada bu kumandanların hepsi ikna edilmiştir. Konya'ya döndükleri vakit artık kesinlikle Ankara'ya bağlıdırlar. Bunlar Meclis'in kurulduğu dönemdeki olaylardır. İsmet Paşa daha evvel, Bilecik görüşmesinde geçmişti ve

Atatürk kendisini iştiyakla karşılamıştı, çünkü aranan kurmaydı. Zaten hemen TBMM Hükûmeti'nde albay rütbesiyle Genelkurmay Başkanı yapılmıştı. İsmet Bey'in Enver Paşa'nın güvenilir, bilgili bir yardımcısı olduğu söylenmektedir. Kumandanlık vasıfları nedeniyle aranan bir kurmay olduğu söylenmiştir. Kumandanlık meselesi ve kumandanlar buhranı bu şekilde halledilmiş ve ikinci grubun da iltihakıyla İstiklâl Savaşı kumandanlar grubu tamamlanmıştır. Burada bir liderlik vasfı rol oynamıştır. Mustafa Kemal Paşa buradaki kumandanların bazılarına kırgın olmasına rağmen başka çaresi olmadığı için onları ikna etmiştir ve savaşa bu şekilde devam edilmiştir. Sonrasında nizami ordunun teşekkülü ve tamamlanmasıyla da savaşa devam edilmiştir ki yardımcı milisler meselesi de halledilmiştir.

İstiklâl Savaşı'nın ikinci bir problemi vardır; bu problem kapsamında söz edilecek üç hareketin de değerlendirilmesini sadece Mete Tunçay'dan değil, Şevket Süreyya'dan da okumanız tavsiye olunur.[52] Çünkü Şevket Süreyya'nın bir vasfı vardır; Türkiye Komünist Partisi üyesi değildir. Doğrudan doğruya Rusya Federatif Sovyet Sosyalist Cumhuriyeti (RSFSR), sonra Sovyetler Birliği Komünist Partisi üyesidir. İhtilal yıllarında, Rusçası da olduğu için propaganda da yapmıştır ve göze batan bir lider tipiydi. Partinin üyesi olarak, o hareketin içinden olaylara bakmıştır. O bakımdan onun İstiklâl Savaşı'nı tarifi de bizim için çok önemlidir. Bir Yeşil Ordu hareketi var; bir belirsizlik hâkim, çok çeşitli takımlar var, parti gizli mi açık mı belli değil, herkes ne olduğunu biliyor ama resmen kurulmamış. Bir de devletin kurduğu

---

52 Mete Tunçay, *Türkiye Cumhuriyeti'nde Tek-Parti Yönetiminin Kurulması 1923-1931*, Tarih Vakfı Yurt Yayınları, İstanbul, 2015; Şevket Süreyya Aydemir, *Tek Adam,* Cilt I-II-III, Remzi Kitabevi, İstanbul, 2017.

resmi komünist fırkası var; bir de bildiğimiz Rusya kaynaklı Türkiye Komünist Partisi (TKP) var. Bu TKP zaman içinde eriyecektir. Şevket Süreyya'nın TKP'ye bakışında, açık konuşalım, onu ciddiye alır bir tavır yoktur ki bunun üzerinde durmak gerekir. Şevket Süreyya'nın olaylara bakışında Sovyet Rusya'nın bakışı da var. Hatta General Frunze'nin Anadolu seyahatine de bakmak gerekir. Hiçbir şekilde bu ülkeden komünist bir hareket ve dönüşüm beklenmiyor, ama söylenen şudur; burası daha düne kadar büyük bir devletti, birtakım yerlere hükmetmişti, bunların hepsi gitti ve küçüldü, fakat diplomatik önemi küçülmedi. Binaenaleyh bunu iyi bilmek ve tutmak lazımdır, klasik emperyalizme karşı da savaşan bir ülke olması hasebiyle bizim müttefikimizdir. Bu çerçeve içerisinde değerlendirilmesi gerekiyor. Buna bu açıdan çok önem veriyorum. Elbette mesela Halk Şûralar Fırkası gibi bir parti de oluşturulmuştur. Bu konu hakkında Mete Tunçay bir monografi yazmıştır. Anadolu'nun sol hareketleri, bilhassa mütareke İstanbul'undakiler henüz araştırmakla bitecek gibi görünmüyor, fakat o günlerde bu hareketler ne derece dominant faktördü, onun tasviri biraz virtüözlük gerektirir.

Bütün bu ortamın içerisinde Anadolu bir liderlik imtihanı verdi. Bu hem ordunun hem de sivil sektörün, mülkiyenin üzerinde kendini gösterdi. Büyük Millet Meclisi'nin kuruluşuyla İstanbul hareketi de Anadolu'ya entegre oldu. Şu meşruiyet esası çok kullanıldı; İstanbul'daki meclis Ankara'ya taşınmıştır. Bir diğer ifade ile orada mebus olan buraya gelir ki Atatürk'ün Ankara mebusluğu bile eski seçime dayanır. Fevzi Paşa'nın Gebze mebusu olarak gelmesi de yine aynı şekildedir, çünkü Gebze'de İngiliz silahlı kuvvetlerinin bulunmadığı ileri sürülüyor. Ama her hâlükârda Anadolu artık

Yeni Türkiye kuruluyorken en önemli kararların alındığı Birinci Büyük Millet Meclisi binası ve Mustafa Kemal'in Meclis'in balkonuna çıkmasını bekleyen kadın, erkek, köylü, kentli, yaşlı o Meclis'e güvenen halk…

İstanbul'a sahip çıkıyor, mefluç bir hükûmet ve makarr-ı hilafet var, bütün organlar Ankara'dadır denilmeye getiriliyor. Daha ilginç bir şey de Ankara Müsalahası'dır; Sakarya Meydan Muharebesi'nden sonra, bunlar anlatırken uzun ama esasında çok kısa sürelerdir, Ankara ve İstanbul Avrupa'da birlikte temsil ediliyor. Mesela Paris'te iki elçiliğimiz vardı ve bu iki elçilik de birbiriyle geçiniyordu. Güney-Kuzey Kore veya Doğu Almanya ve Batı Almanya arasındaki ilişki gibi değildi; Muhtar Bey de Ankara temsilcisi Ferid (Tek) Bey de bazı konularda istişarelerde bulunuyorlar, birbirlerinin mütalaalarını alıyorlar, hatta davetler sırasında Ankara, Paris seferinden ödünç sofra takımları istiyordu.

Ankara'daki Meclis'in, meclis sistemi olarak konvansiyonel ihtilâl meclislerinden önemli bir farkı vardı. Meclis üyeleri içerisinde muhalif gruplar vardı. Bu muhalif gruplar sadece sol veya muhafazakâr değildi; aynı zamanda Enver Paşa'yı tutan İttihatçı militan grup vardı. Mustafa Kemal Paşa'nın asıl uğraştığı takım da bunlardı. Bunların amacı Türkiye sınırlarının biraz ötesinde olduğu bilinen Enver'in Türkiye'ye girmesi ve etrafındaki grubu toplamasıydı. Açıkçası Sakarya Meydan Muharebesi kazanılana kadar da bu karaltı devam etmiştir. Meclis'teki muhalif gruplar içinde cumhuriyetçi eğilimlere karşı olanlar vardı. Hilafet ve hatta saltanatın muhafazasını düşünüyorlardı. Nitekim hilafetin kaldırılması İstiklâl Savaşı kumandanlarının bazılarını karşı karşıya getirdi. Özellikle Erzurum'dan gelen Müdafaa-i Hukuk grubu Mustafa Kemal, İsmet ve diğer milliyetçilerin karşısında muhafazakâr düşüncelere sahipti. Raif Hoca bu grubun başını çekenlerdendi. İleride Lazistan Mebusu Mehmed Sudi de böyle bir düşünceye katıldı. Bu grup ancak 1924 Meclisi'nde tasfiyeye uğramıştır.

Millî Mücadele'yi yürüten grupların içerisinde bir insicam olmasa da muhalefetin zaman zaman savaşın idaresini ve alınması gereken zecri kararları bile güçlüğe soktuğu bilinmektedir. Dolayısıyla İstiklâl Savaşı dönemindeki meclis tarihte umulmayacak kadar erken demokrasi deneyimi vermiş sayılmalıdır. Çünkü imparatorluğun son zamanlarında meclislerde siyaset alanında bu olgunluk görülemedi. Aynı zamanda mecliste bir parti grubu gibi teşkilâtlandı ve gittikçe daha yapısal organik karaktere kavuştular. 1946 yılına kadar bu gruplaşma ve akımlar görülmeyecektir.

Tüm bu organizasyon için Ankara'nın seçilmesi tesadüf değildi. Bir defa Ankara hem Erzurum'dan hem Sivas'tan hem de Kayseri'den daha örgütlüydü, zengindi. Bize okul kitaplarında anlatıldığı, halen de işlendiği gibi fakir değildi. 19. yüzyılda tiftik ve tahıl ticareti konusunda büyük atılım yapmıştı. Demir yolu hattındaydı ki bu hattın Ankara'ya gelmesi için yerel tüccarlar tarafından yardımlar yapılmıştı. Demir yolu, Ankara'ya ciddi bir katkı sağlamıştı. Unutmamalı, Kayseri'nin de istediği demir yolu oraya ulaşamamış ancak hususî bir mekanizmayla Kayseri tüccarının imalatını Ankara'ya kervanla taşıyıp oradan itibaren tenzilatla sevki sağlanmış ve ancak cumhuriyet döneminde şebekeye bağlanmıştır.

19. yüzyılda yabancıların yazdığı seyahatnamelere bakılırsa görülür: Şehirde mezarları halen Ankara'da olan yabancı hekimler ve tüccarlar vardı. Şehirde, Fransa, Britanya, İran konsoloslukları da bulunuyordu. Şehrin özellikle Katolik Ermeni nüfusu ciddi bir ticaret potansiyeline sahipti ve banka kurulmuştu. Ankara Kalesi'nin ikinci duvarının içindeki Ermeni mahallesinde lüks bir yaşam vardı. Yabancı misyon okulları vardı. Kısaca Ankaralıların hali

Edremit civarındaki Ergama Köyü'nde çocuklar ve ihtiyarlarla konuşurken, Şubat 1923.

vakti yerindeydi. Ankara'da ve mülhak sancaklarda, Kayseri, Kırşehir'de tüccarlar ortaya çıkmıştı ki Vehbi Koç da bu gelenektendir. Zenginlik orada sonradan türememiştir. Bir yandan da tüm bunlardan bağımsız olarak, Ankaralılar Mustafa Kemal Paşa'ya bağlılık göstererek şehrin kapılarını açınca, orası makarr-ı hükûmet olarak kalmıştır.

Gelelim 23 Nisan'ın nasıl olup da millî egemenliğin kutlanması yanında, çocuklar için de bir bayram halini aldığına. Bu pek bayram havası içinde mi oldu, bilinemez. Harbin sonunda bir sürü çocuk yetim kalmıştı, hatta aralarında ailesiz kalanlar vardı. Durumlarını iyileştirebilmek için pek fazla imkân da yoktu. İnkılab rejimleri gelecek nesle önem verir. Aslında 19. ve 20. yüzyıl dönemecindeki tüm Şark dünyası böyledir. İnkılabçılar çocuklarla ve kadınlarla çok alakadar olur. Bu yüzden Millî Egemenlik Bayramı'nı, Meclis çocuklara bağladı. Dünya tarihi ve kültürü içinde enteresan bir unsurdur, bize özgüdür ve yer etmiştir. Mustafa Kemal Paşa, TBMM'nin açılışından bir yıl sonra 23 Nisan 1921'de bugünün bayram olarak kutlanmasına karar verdi. 23 Nisan 1927'de ilk kez "Çocuk Bayramı" olarak da kutlanmaya başladı.

Millî Mücadele'nin Merkezi

Tekrar Ankara'ya dönersek, Ankara 15. ve 16. yüzyıllarda 20 bin nüfuslu bir şehirdi; bir önemli eyaletin, Tanzimat sonrası deyişle vilayetin merkeziydi. Bugünküne ilave olarak Kırşehir, Kayseri ve Bozok dediğimiz Yozgat sancağı da eyalete bağlıydı. Roma'dan beri Galatya eyaletinin başkenti Ancrya olarak önemli bir askerî merkezdi. Ünlü Galatya Krallığı'nda, yani Keltlerin istilası ile kurulan bu coğrafyada da zamanla Yunanca hâkim oldu. Ama gene de isimlerde, âdetlerde Galat-Kelt kültürü yaşamıştır. Şehrin dünya tarihinde önemli Augustus Mabedi'nin cella duvarındaki bölümünde Latince "*Res Gestae Divi Augusti*", İlahi Augustus'un yaptığı önemli, iyi işler diye başlayan testamentum'da, sağ kanattaki Yunanca metinde ve şehrin festival ve törenlerini anlatan bölümde bu Yunan Kelt kültünün kalıntıları görülür.

Bizans dediğimiz Orta Çağ Roması, topladığı her taşı, hatta eski dönemin sanat eseri parçalarını (spolye-devşirme eser) dahi Ankara Kalesi'ni inşa etmek için kullandı. Şehir devamlı istila tehdidi altındaydı. Doğrusu Selçuklu döneminde de aynı şey yapıldı. Nitekim Timur'un orduları da şehri kuşattı ama şehri, şehirliler savundu. Ankara ahilerini oluşturan lonca mensubları bir kardeşlik dayanışması içinde hem şehri yönetiyorlardı hem de birbirleriyle çatıştıkları görülmezdi. Timur'un ordularına bile dayanmayı başarabilmişlerdi.

Profesör Özer Ergenç naklediyor: "Malumdur ki şehrin kadısı, tayin edilen valinin beratını kontrol eder." 17. asrın ünlü kadısı Vildanzâde, sancak beyi beratıyla gelen Celali eşkıyasının tayinini tanımadı ve şehre sokmadı.[53]

İlginç bir şehirdi; gayr-ı müslimlerden hemen her cemaat vardı. Ankara Yahudileri özgün bir zümreydi. Hatta şehrin narh listelerinde uzak bir bölgeye has olan zeytinyağı görülür, çünkü Yahudi ailenin "koşer" yemek yasaklarından kurtulup istediği yemeği tatlısı, tuzlusu, etlisi ve yağlısıyla yapabilmek için çıkış yolu zeytinyağıdır. O yüzden Ankaralılar da zeytinyağlı mutfağını iyi tanırlardı.

Şehrin Ermeni tüccarları tiftik ticaretine karışmış, halk manifaktürle belini doğrultmuştu. Ankara 17. asır sonuna kadar kumaş ihraç merkeziydi. Romalı imparator Caracalla'nın hamamlarının kalıntılarının yanında, Polonyalısından İngiliz'ine kadar yabancı tüccar kabirlerine rastlanır. Topkapı Sarayı'nda düzenlediğimiz "Kremlin Hazineleri" sergisinde bütün piskopos ve çar ornatları içinde Ankara sofu azametle yerini alıyordu. İsveç'in piskoposları bile Ankara sofundan cüppe giyerlerdi.

19. asır boyunca evvela Taşhan, bugünse İnkılab Müzesi olan İttihat Terakki Kulübü gibi binalar inşa edilmişti. Millî Mücadele hükûmetinin buralara yerleşeceği açıktı. Nitekim güneydeki İstasyon binası, Keçiören-Kalaba yolundaki Ziraat Mektebi, gene o civardaki Sarıkışla, vilayet konağı başta olmak üzere devlet daireleri ve bazı okullar Ankara hükûmetinin yerleşim yeri oldu.[54]

---

53 Özer Ergenç, *XVI. Yüzyılda Ankara ve Konya*, Tarih Vakfı Yurt Yayınları, İstanbul, 2012.

54 1920'lerde var olan Taşhan'ın yerine yapılan Sümerbank'ın da ne derecede değerli tarihî bina olduğu tartışılır. Bunlar bazı mimari tarihçilerinin

1919'un Aralık sonunda Ankara'ya gelen Mustafa Kemal Paşa, böyle bir şehir buldu; fakirlik de vardı, fakat belirli bir servet birikimi de yok değildi. Tozlu topraklıydı ve muhafazakâr görünümlüydü ama dünya ile teması olan bir şehirdi.

"Ankara nasıl başkent oldu?" sorusunun cevabı halen kolay verilemiyor, ama galiba bir husus açık: İzmir stratejik bakımdan pek olumsuz bir yerdeydi; 1920 başlarında İstanbul ve Konya'daki muhalefetten ise ya hoşlanılmamış ya da çekinilmişti. Zafer Ankara'da kazanılmıştı ve galiba bu şehrin başkent olmasına İstiklâl Savaşı kumandanlarından çok evvel etraftaki bürokrasi karar vermiş ve telkine başlamıştı. Doğrusu Ankara da bunu hak etmişti. Arsa spekülatörlerinin kolay kazancı için aynı şey söylenemez.

Özetleyecek olursak, Millî Mücadele döneminde Ankara'nın tarifi herkesi yanıltıyor. Başkentimiz, geçen asırda Anadolu'nun en Avrupai şehriydi. 19 ve 20. asırlarda ticari bakımdan pek çok Anadolu şehrine göre dış dünyayla çok daha fazla teması vardı. Avrupalı doktorlar, konsolosluklar, yabancı okullar, Ermeni ve Katolik cemaatiyle zengin tiftik tüccarları buradaydı. Şehir, iş ve girişim kabiliyeti olan insanlarla doluydu. Bu şehir, bu özellikleri nedeniyle İstiklâl Savaşı'nın direniş merkezi olmaya kendi aday oldu.

Diğer şehirlere gelince Erzurum Kongresi, bizim bildiğimizden daha az delegeyle toplandı, Sivas'ta da çok kalabalık yoktu. Orada Mustafa Kemal Paşa'yı sıcak karşıladılar ama Sivas uzaktı, bir merkez olamazdı. Mustafa Kemal Paşa'yı, en büyük destekle karşılayanlar Ankaralılardı.

---

kuruntularıdır. Her halükârda heykelin arkasındaki binaların yıkılması -ki bunlar 1950'li yılların sonu ve 60'lara aittir- ve Ankara Kalesi'nin bütün haşmetiyle ortaya çıkması gerekir.

Millî Mücadele döneminde çekilen bu fotoğrafta Mustafa Kemal Paşa yanında Fevzi Paşa (Çakmak), Yusuf Kemal Bey (Tengirşenk), Refik Bey (Saydam), Celal Bey (Bayar) gibi arkadaşları olmak üzere, Rus ve Azerbaycan temsilcileri ile beraber görülmekte.

Üstelik bu şehir, demir yolu bağlantısıyla da Anadolu'ya hâkim bir noktadaydı. Nitekim, belirttiğimiz gibi, Meclis hükûmeti burada kuruldu ve İstiklâl Savaşı'nın merkezi oldu.

Geri Çekilmeyi Bilmek

Şu bir gerçek ki Gazi Mustafa Kemal Paşa harb tarihinde çok önemli bir askerdir. Türk askerî tarihinde geliştirdiği teknikler vardır. Bu teknik ve taktiklerin başında ricat gelir. Türk orduları ricat etmeyi bilmezler. Roma ordularının tarihte başarıyla gerçekleştirdikleri hemen her zaman çekilebilme teknik ve mevzuunu Türkler bilmezler. Ne zaman ki ricat durumu ortaya çıkar, bozgun arkadan gelir. Bunun aksi ilk defa İstiklâl Savaşı'nda görülmüştür. Taktik olarak ricat, İstiklâl Savaşı kumandanlarının, yani Osmanlı ordusunun genç tuğgenerallerinin ve tabii başta Gazi Mustafa Kemal Paşa'nın geliştirdiği bir üslûbtur, askerî siyasi üslûbtur ve aynı zamanda bir taktiktir.

Türk orduları son derece kanaatkâr ve dayanıklı, inatçı bir askerle savunmayı yapmaktadır. Ama bu savunmayı hücuma çevirmeyi de öğrenmişlerdir.

İstiklâl Savaşı

Başkumandan herkesin bildiği gibi ve tartışmasız kabul etmesi gerektiği üzere, Türk milletinin büyük adamlarından biridir. Büyük adamların üzerinde tetkik yapılır, farklı yorumlar yapılır, defalarca tetkikat yapılır, sorular ortaya atılır, cevabı aranır. Bu yapılmalıdır, zira, hiçbir şey nas olarak kabul edilemez.

Esasen tarih birisini bir yere getirip koymuş ise, onun üzerinde artık uydurma bilgi ile değerlendirme yapılamaz.

Mohaç Zaferi'ni kazanan insanın mareşalliği konusunda tartışma yapılmaz, böylesi bir tartışma abestir. Bazı halde bu davranış Riemann yahut Lobaçevski'nin matematikçiliğini tartışmaya açmak kadar budalaca bir davranıştır. "İstiklâl Savaşı'nı İngilizler yaptırdı" diye ortaya çıkarsanız, aklı başında bütün insanlar gülerler, hatta en başta İngilizlerin kendileri gülerler. Çünkü böyle bir budalalık, böyle bir yorumun yeri yoktur!

Bunun fikir hürriyetiyle de alakası yoktur. Siz Sovyet Devleti'ni ve komünizmi lağvetmiş, takbih etmiş, tarihe gömmüş bugünkü Rusya'da, İkinci Dünya Savaşı'nın kumandan ve savaşçıları için ve İkinci Dünya Savaşı'ndaki muharebeler, zaferler için, hatta Çarlığın daha hâkim olduğu Birinci Dünya Savaşı'ndaki Rusya ordularının savaşları için öyle küçümseyici, yok edici ifadeler kullanırsanız savcıdan önce toplumda ağır tenkitlerle hayatınız kararır. Bu Fransa ve Britanya'da da böyledir.

Birinci Dünya Savaşı'ndan Sonraki Gerçek Diriliş: Millî Mücadele

Birinci Dünya Savaşı'ndan çıkan korkunç bilanço, kumandanlar da dâhil olmak üzere milleti ve seçkinleri elbette temkinli olmaya sevk etti. Ama Mustafa Kemal Paşa ve etrafı söz konusu olduğunda, temkinle birlikte aşırı bir atılım da vardı. Durum muhakemesi ve insanları etkilemek bir deha gerektirir. Herkes vatanı seviyor ve kurtarmaya çalışıyordu ama Mustafa Kemal Paşa lider nitelikleriyle halkı ve taşra ileri gelenlerini ikna edip bir araya getirmeyi başardı. 30 Ağustos'ta kesinleşen zafere bir günde gelinmediği açık. Millî Mücadele, Başkumandan Meydan Muharebesi'ne dek ilmek ilmek örülmüştür.

30 Ekim 1918 tarihli Mondros Mütarekesi, Türkiye için ağır işgal şartları getirmişti. Üstelik mütareke, sonraki dönemde işgal kuvvetlerinin gerekli gördüğü stratejik değişikliklere yol verebiliyordu, verdi de... 1918'in ağır şartları içinde bile Türk İmparatorluğu'nun ordu kumandanları, mülkî erkân ve politikacıları karşılarında sadece İngiltere ve Fransa'yı bulacaklarını zannediyorlardı ve tuhaf bir güvenme içindeydiler.

Oysa Britanya İmparatorluğu yorgundu, Türkiye'nin işgalini yürütecek imkânlar, insan unsuru savaşçı açısından sınırlıydı. Dolayısıyla daha baştan taze kuvvet Yunanistan'ı yanına aldı. İstanbul'un işgalinden çok, Yunanistan'ı Trakya'ya hâkim kıldı. Nitekim 1921-22 yıllarında Sakarya Meydan Muharebesi'ndeki mağlubiyetlerine rağmen Britanya, Yunanistan'ın İngiltere ve müttefikleri adına Trakya'yı da işgal isteğine ilk başta razı olmaz gibi görünse de fazla gecikmeden sempati gösterdi. Büyük Taarruz'dan biraz evvel Yunanlılar Tekirdağ'a asker çıkarmaya başlayacaktı. Ege'de ve Marmara'da da hiç beklenmedik bölgelerin işgaline yollanan Yunanistan, Britanya İmparatorluğu'nun sağ koluydu.

Bu durum Türkiye'nin millî güçlerinin, ordu, mülkî erkân ve hatta kasabalardaki halkın bir kısmının direnmesini, Türk kamuoyunun en örgütlü ve bilinçli unsuru sayılan İttihatçıların tekrar bir araya gelmesini sağladı. Mamafih savaş boyunca İttihatçılar ikiye ayrılmıştı: Bir kısmı Enver ve Talat Paşa'lardan vazgeçmezken, önemli bir kısmı Enver Paşa'yı, dönemini ve kişiliğini gözden çıkarıp istiklâl mücadelesi için Ankara'nın etrafında kenetlenecektir. Mustafa Kemal Paşa herkesi kucaklarken ilkelerinden taviz vermedi, İttihatçı kimliği gözden çıkardığını açıkça ilan etti ama Jön Türklerin tümünü dışlama lüksü yoktu, üstelik onlara sempatisi de vardı ve kendisinden sayıyordu. Jön Türkler, imparatorluğun çökmek üzere olduğunu görmüşlerdi. Bunu önlemek için de kanuni ve hukuki bir idare istemişlerdi. Türkiye'yi, o kadronun öğrencileri kurdu.

1918 Türkiyesi, 1914 Türkiyesi'nden Çok Farklıydı

Şurası bir gerçektir; İtilaf Devletleri'nin gücü ve kazandıkları zafer ortadaydı ama kurmay sınıfımız onların zaafını da görmüştü. Her şeye rağmen, 1918 sonundaki Türkiye, yenilmiş olsa da 1914'ün Türkiyesi değildi. Uzun savaş yılları ve değişik coğrafyalarda savaş çok az sayıdaki Türk kumandanın ve politikacının direniş gücünü artırdığı gibi, İngiltere, Fransa ve İtalya gibi ülkelerde de Türkiye'nin geleceği ve ordusunun hattı harekâtı üzerinde değişik düşünen bireylerin, hatta grupların ortaya çıkmasına yol açmıştır. Britanya ordusunda da Türk askerler için olumlu görüş sahibi olanlar hiç az değildi.

İtalya, savaşın bitiminden beri, Britanya ve Fransa'nın egoist tavırları karşısında kendisini aldatılmış hissediyordu ve Anadolu'ya karşı sempatisi sadece sözde kalmadı. Ege'de Yunanistan'a verilenler en çok onu rahatsız etti. Çünkü ilk başta savaşa girmesi için o topraklar İtalya'ya vadedilmişti. O da müttefikleri olan Almanları gözden çıkararak İtilaf Devletleri safında yer almıştı.

Boğaz'ın Kumandası Yunanistan'a mı Verilecekti?

Şimdi bizim tarafta olup bitene bakalım ve önce bir-iki not düşelim. Son Sadrazam Tevfik Paşa'nın oğlu İsmail Hakkı Bey binbaşıydı, padişahın damadıydı, Ulviye Sultan'la evliydi ve Anadolu'ya geçti. Mustafa Kemal Paşa ve etrafı, İsmail Hakkı Bey'in karşı taraftan, sadrazam babası ve padişah kayınbabasından bir mesaj getirdiğini düşündü. Oysa o, Anadolu'ya habersiz geçmişti; kendisini karşılayanlara "Savaşmaya geldim; her askerin, subayın görevi olduğu üzere, Anadolu kuvvetlerine katılmaya geldim" diyecekti.

Anadolu'dakiler onu kabul ettiler. İş buraya kadar gelmiş, hatta Damat Ferid Paşa'nın üvey oğlunun, Mediha Sultan'ın ilk eşinden olan oğlunun, dahi Anadolu'daki harekete katılmak istediği biliniyordu ve İngilizler de bunun farkındaydı. Yüksek Komiserlik'ten gelip, "Tabii ki gidebilir, kendilerine vize veririz" diye görüş bildirdiler. "Hatta zat-ı şahane isterse onu bile refakatle koruyarak Anadolu'ya geçiririz; lakin İstanbul'un ve havzanın muhafazası için Yunan ordusu hazır bekliyor" dediler.

Bu son derece korkunç bir ihtimaldi. İstanbul ve Boğazlar'ın korunmasının, kumandasının Yunan ordusuna verilmesi gündeme gelmişti. Bu bir tehditti ya da programdı.

Düzenli Ordu Kuruluyor

Bundan sonrası millî ordunun düzenlenmesi, gerilla kuvvetlerinin yönetilmesi ve ordu kurulunca da bunların saf dışı edilmesi gibi zor bir dönemdir. Tarihi kendi şartları içinde ele almak gerekir. Millî ordunun teşkili tamamlanmadan önce bu kuvvetlerin yaptıklarını dağınık bulsak da icraatını olumlu değerlendirmek zorundayız. Askerî tarih değerlendirmelerinin politik tutum tarafından gölgelenmeden yapılması gerekiyor.

Dönemi içinde düzenli ordunun gösterdiği varlık, diplomatik uğraşlarla paralel gitmiştir. Yakın Türkiye tarihinin,

İstiklâl Savaşı'nın büyük kumandanlarından Kâzım Karabekir Paşa'nın zaferleri, Bolşevik Rusya'nın TBMM tarafından kazanılması, gayrimemnun Fransa'nın Sakarya Meydan Muharebesi'nden önce tarafsız kalması ve bilhassa İtalya'nın konumu önemlidir.

1921 Anayasası

20 Ocak 1921 tarihinde modern Türkiye'nin ilk anayasası kaleme alındı, kabul edildi ve Ankara'daki TBMM tarafından yürürlüğe sokuldu. Nadir ve o derecede garip bir uzlaşı ile 1293 (M. 1876) Aralık tarihli imparatorluk anayasası ile bir arada yürürlükte olacaktı.

Uygulamaya bakıldığında, meşrutî monarşinin temel kanunu olan 1876 Kanun-ı Esasîsi'ne riayet artık mümkün değildi. Bu daha ziyade manevi bir bağlılığı ifade ediyordu. Zira Ankara'daki sistem, konvansiyonel denen meclis sistemiydi. Bakanları meclis, yani milletvekillerinin oyu belirliyor, hükûmetin reisi de TBMM reisi (yani Mustafa Kemal Paşa) oluyordu. Ordu gene TBMM Hükûmeti'nin ordusuydu. Bununla birlikte dönemin uyumunu sağlayacak 1921 Anayasası metnindeki birtakım temel hükümlerin de tümüyle yürürlüğe girdiğini söylemek mümkün değildir.

Her şeye rağmen Türkiye'yi yöneten kadro, Millî Mücadele'yi kanuna ve meşru olmaya dikkat ederek yürütüyordu ve tarihin şartları içinde bu mücadele zafere ulaştıktan sonra da 1876 Kanun-ı Esasîsi hukuken 1922 Kasımı'nda saltanatın lağvıyla ortadan kalkacak, 1921 Anayasası da yerini 1924 Teşkilat-ı Esasiye kanununa bırakacaktı. Şu ana kadar Türkiye Cumhuriyeti'nin en uzun ömürlü anayasası da bu 1924 tarihli metin olmuştur.

Bu 1921 Anayasası aslında radikal, kısa ve saltanatın biteceğini hissettiren bir beyanname olup âdeta Cumhuriyetin örtülü bir ilanıydı. 24 maddelik kanunun ikinci maddesi, Hâkimiyet-i Milliye'nin esas olduğunu belirtiyordu. Daha da önemlisi üçüncü maddede devletin adı kesindi; "Türkiye Devleti Büyük Millet Meclisi tarafından idare olunur" denmektedir. Süleyman Hayri Bolay Hoca'nın "dirayet tefsiri yapan bir öncü" diye selamladığı Elmalılı Hamdi Hoca,[55] Taha Akyol'un da vurguladığı gibi, Hâkimiyet-i Milliye'nin hilafete üstün (faik) olduğunu belirtmiştir. Yeni düzeni kabul edenler arasında bu gibi medreseliler de vardı.

Teşkilat-ı Esasiye Kanunu'nun hemen hiç uygulanamayan çok ileri hükümleri vardı. İller ve bucak düzeyinde eğitim, sağlık gibi işleri ve bütçelerini dahi bölgedeki şûralar yapacaktır. Ancak bu şûralar hiçbir zaman kurulamadı. Daha ilginç bir hüküm vardı; başkentte devamlı yasama yapan organ bütün meclis değil, her ilden seçilen birer mebusun oluşturduğu devamlı bir şûra olacaktı. Batı demokrasilerine yabancı bu hüküm Sovyetler Birliği'ndeki "presidium" gibi bir organ olabilirdi fakat hiçbir zaman tatbik edilmedi.

Cumhuriyete geçiş belgesi gibi olan 1921 Esas Teşkilat Kanunu hiç şüphesiz meclis üstünlüğünü yansıtmaktadır. Saltanatın kaldırılması, Lozan Antlaşması'nın onaylanması ve cumhuriyetin ilanı ile bu belge artık yetersiz kaldı. Cumhuriyete geçiş beyannamesi yerini 1924 Anayasası'na terk edecektir. Tabii meclis üstünlüğü sistemi de yerini yürütme ve yasama arasındaki ayrılığa bırakmıştır.

55 Süleyman Hayri Bolay, "Bir Filozof Müfessir M. Hamdi Yazır", *M. Hamdi Yazır Sempozyumu 4-6 Eylül 1991*, Türkiye Diyanet Vakfı Yayınları, Ankara, 1993, s. 139.

1921 Anayasası aslında Anadolu mücadelesinin ne kadar hukuka dikkat eden, ama cumhuriyetçi fikirlerini de açıklamaktan çekinmeyen bir hareket olduğunu gösterir.

İnönü Muharebeleri'nin Birincisi

İnönü Muharebeleri, düzenli ordu ve Millet Meclisi Hükûmeti'ne bağlı kuvvetlerin bir hareketidir, bir gösteridir. Nihai zafer değildir, nihai bir meydan muharebesi de değildir. Orada öyle bir hazırlık da yoktu.

Esas meydan savaşı Sakarya'dır. Uzun bir düzenli ricat -ki Türk ordusu orada ricatı öğrenmiştir- ve stratejik olarak başarılı bir uygulamadır. O nihai noktada Sakarya Meydan Muharebesi sahici bir meydan savaşıdır, uzun bir savaştır. 22 gün 22 gece sürmüştür. Sonraki safha Başkumandanlık Meydan Muharebesi dediğimiz Afyon Kocatepe'dir.

Ancak Ocak ve Mart aylarının zor iklim şartlarında yapılan İnönü Muharebeleri'nin moral ve motivasyon açısından çok ciddi katkıları vardır. Savaşın olabileceğini ve devam edeceğini göstermesi bakımından önemli olup başarılı savunma savaşlarıdır. Nitekim diplomasiye yansıyan önemli sonuçları da olmuştur.

Yunan genel saldırısı Ocak 1921'de başladı. Bu Yunan ordularının üçüncü toplu askerî hareketiydi. Çerkez Ethem henüz sahadaydı ve Meclis ordusunun nizami kuvvetler halinde savunma sistemini düzenlemesi, Ethem'in Yunanlılara sığınmasına neden oldu. Bizim İstiklâl Savaşı tarihinin en tartışmalı konusu İnönü Muharebeleri'dir. Bilhassa 1946'dan sonra kuvvetlenen muhalefette sadece kıyıda köşede kalmış eski gruplar değil, DP'lilerin de ortaya çıkmasıyla İnönü Muharebeleri'nin tarihteki önemi azaltılmak istendi. Bu savaşın

Ramazan Bayramı esnasında ordunun başarılı olması için TBMM önünde Abdullah Azmi Efendi tarafından okunan duaya katılan Gazi Mustafa Kemal Paşa ve arkadaşları, 28 Mayıs 1922.

aslında bir yenilgi olduğu, Mustafa Kemal Paşa'nın (Atatürk) aslında İsmet Bey'e iltifatı olarak başarı şeklinde takdim edildiği söylendi. Bir kumandana taltif veya takdir hiçbir şekilde uydurma bir askerî *episode* yaratmaya imkân vermez.

Saldırıda olan Yunan kuvvetlerine karşı İsmet Paşa'nın savunma sistemindeki inadının ve tutarlığının, bir ricata karşı direnişinin rol oynadığı görülüyor. Öyle görülüyor ki Yunan ileri kuvvetleri merkezle bağlantılarını kaybettikleri için birbirlerinden habersiz bir şekilde bu savunmanın karşısında geri çekilmek yolunu seçtiler, onlar geri çekildikçe de Meclis kuvvetleri kendilerini takip etti. Birinci İnönü Muharebesi nihayet düşmanın ricatı ve Türk kuvvetlerinin galebesiyle sonuçlanmıştır. Aynı zamanda güneyde Çerkez Ethem kuvvetlerinin de bu şekilde sahneden çekildiği anlaşılıyor. Çünkü yeni katıldıkları Yunan ordusu içinde fazla savaşma imkânları kalmamış olmuştu ki onlar için de daha hayırlı bir neticeydi.

Maalesef sevkiyat çok düzgün gitmemişti. Buna rağmen İnönü Muharebesi'ndeki başarı memleketteki maneviyatı yükseltti ve millî savunma meselemizin oturduğu anlaşıldı. Meclis Hükûmeti'nin ve bizatihi meclisin morali yükseldi. Bir yandan Doğu Cephesi'ndeki başarılar da bundan öncekini perçinliyordu. Takip eden 23 Şubat'ta Ardahan ve Artvin'e Türk birlikleri girdi. Anteb savaşı zaten sona ermişti. Bu menkıbevi direniş Şubat ayı başlarında sona ermiştir. Güney sınırlarında Fransızlar açısından o kadar verimsiz bir savunma ve o derecede pahalıya mal olan bir işgal olmuştu ki Fransa da cepheden çekilmeye karar verdi. Bu durum Ankara Müsalahası'na yol açtı. Bir müddet sonra Henry Franklin-Bouillon Ankara'ya gelecekti.

Mustafa Kemal Paşa, İnönü Muharebeleri esnasında, muharebe alanını teftiş ediyor, 1921.
En sağdan itibaren fotoğraftakiler: Osman Tufan Bey, Yaver Muzaffer (Kılıç), Şemsettin Bey (Taner), Arif Bey (Ayıcı), Mustafa Kemal Paşa, Tevfik Bey (Bıyıklıoğlu), Yaver Salih Bey (Bozok).

İnönü Muharebeleri'nin İkincisi

İnönü Muharebeleri'nin stratejik olarak düşmanı ne derecede durdurduğu bakımından tartışılması sonradan çıktı. Fakat Birinci İnönü'de, ilk defa nizami ordunun direnişi söz konusudur. Orada ne kadar muvaffak oldu, olmadı halen tartışılmaktadır. Oysa bu ilerlemeyi durdurma çabasının sonunda biliyoruz ki yine gerileme düzenli bir şekilde devam etti. Bu Türk tarihinde ilktir, tektir. Çünkü Türk milletinin orduları, Osmanlı imparatorluk orduları dâhil, çekilme bilmezler. Çekilme derhal bozguna tedvir eder. Mesela, Balkanlar'daki İzladi Derbendi'ndeki kayıptan sonra, soluğu Varna'da aldık ve orada derlenip toparlanıp savaşı yürüttük. Birleşik Haçlı ordusu başında Hünyadi Yanoş gibi Macarlar vardı ve ordunun müthiş bir daimî kuvveti vardı. II. Viyana Muhasarası da bunun tipik örneğidir; Polonya Kralı Sobieski'nin Kahlenberg tepesinden Viyana surlarına doğru hücumu Osmanlı ordusunu dağıttı. Fakat ondan sonraki derlenme toplanmalarla Karlofça Barışı'na kadar 16 yıl savaştık. Ama burada, 1920 Anadolusunda ilk defa düzgün bir çekilme söz konusudur. Bu tam Roma imparatorluk lejyonlarının recedere'sidir (geri çekilme düzeni). Balkan Savaşı'nda yapamadığımız taktiği daha sonra uyguladık. Birinci ve İkinci İnönü muharebelerinde İsmet Paşa'nın başarısız olduğunu, Mustafa Kemal'in gidip duruma el koymak durumunda kaldığını söyleyenler var. Ancak bunu söyleyenlerin hiçbirisi askerî mütehassıs değil. Taraftarlar veya muhaliflerin yazdığı ve konuştuğu askerî tarih ikna edici olmaktan uzak daha vahimi ciddi tetkik yok. Maalesef bazı noktaları ispat için ecnebi kumandanların ve mütehassısların raporlarına dayanıyoruz.

İkinci İnönü zaferi sonrası
Garp Cephesi Kumandanı İsmet Paşa ile, 1921.

Londra Konferansı

Millet Meclisi Hükûmeti'nin (TBMM) çalışma düzeni ve ilkeli işleyişi dış dünyada etkisini gösterdi. İtilaf Devletleri Sevr'in Ankara tarafından reddini hesaba katmak zorunda kaldılar. Ancak toplanacak Londra Konferansı'nın bir ciddi tashih değil, oyalama olduğu anlaşılıyordu.

Hatta Londra Konferansı bir aldatmacadan ibaretti ve Mustafa Kemal Paşa da bunu biliyordu. Başkumandana göre İtilâf Devletleri'nin, Bekir Sami Bey'e imza ettirdikleri sözleşmelerdeki maddelerin, Sevr projesinden sonra aralarında imzaladıkları Üçlü Anlaşma (Accord tripartite) adı verilen ve Anadolu'yu nüfuz bölgelerine ayıran bir anlaşmayı hükûmete başka adlar altında kabul ettirme maksadına dayandığı açıktı ve hiçbir şekilde kabul edilemezdi. Üstelik konferansa İstanbul'u da çağırarak ikilik yaratmayı planlıyorlardı. Bunlar bilinen şeylerdi lakin yine de bu konferansa iştirak edildi. Zira bu iştirak, Ankara için resmen tanınmak anlamına gelecekti ve de İtilaf Devletleri'nin "Türkler savaş peşinde, barış istemiyorlar" yalanının reddedilmesi demek olacaktı. Hatta orada bir müspet gelişme daha oldu; sözü ilk önce İstanbul heyetine verdiklerinde Tevfik Paşa, "Türk milletinin gerçek temsilcisi Ankara Hükûmeti'dir. Sözü Bekir Sami Bey kardeşime veriyorum" gibi çok önemli bir çıkış yaptı. Bunun üzerinde tarihçilerin durması gerekir.

Londra Konferansı'nda Bekir Sami Bey, Ankara'ya sormadan İngiltere, Fransa ve İtalya diplomatlarıyla temas ve görüşmelerde bulunarak, her biriyle ayrı ayrı birtakım sözleşmeler imzalamıştı. Kuşkusuz Bekir Sami Bey'in ortaya koyduğu lüzumsuz uzlaşıcı tutumu Başkumandan Mustafa Kemal Paşa reddetmiş ve Dışişleri Bakanlığı'ndan çekilmesini istemiştir.

Tarihî Bir Meydan Muharebesi: Sakarya

Sakarya Meydan Muharebesi öncesindeki çatışmalar Büyük Millet Meclisi ordularının Kütahya ve Eskişehir hattında yenilgisiyle sonuçlandı. Burada ilginç bir strateji uygulandı. İlk defadır ki "mevzii" yenilgi bozguna dönüşmeden, düzenli bir ricata dönüştürüldü. Türk ordularının bu dönemdeki yeni bir stratejisidir. Her birlik, yanındakiyle hareket etse de kendi mevziini savunmakla mükelleftir.

Bu taktik sonuna kadar izlenecektir, yanındaki birlik çekilse de ona uyulmayacak, direnişe devam edilecek ve dolayısıyla bütün askerî teknik kuralların üstünde bir vatan müdafaası, "Hatt-ı müdafaa yoktur, sath-ı müdafaa vardır; o satıh, bütün vatandır" anlayışıyla savaşa devam edilecektir. Dolayısıyla geri çekiliş bir bozguna dönüşmemiştir.

16 Mart 1921 Moskova, 13 Ekim 1921 Kars Antlaşması'yla Doğu Cephesi'ni teminat altına alan Türkiye, 1920 Mayısı'nda da Fransızlarla bir ateşkes antlaşması yaparak Çukurova Cephesi'ni teminat altına almıştı.

Ama diğer yandan Ankara'nın yakınlarına kadar çekilen ordu, Büyük Millet Meclisi'nde bir muhalefetle karşılaştı. Meclis Hükûmeti sisteminin bütün katılığıyla işlediği tek devrim ülkesi Anadolu topraklarıdır. Mustafa Kemal Paşa'nın kumandan ve siyasi kişiliği bu noktada galip geldi ve Meclis'ten tam yetkiyi aldı. Bazılarının istediği gibi Başkumandan kaymakamı değil, kendini tam yetkili kumandan tayin ettirdi. Tekalif-i Milliye emirleri yayınlandı ve tatbik edildi. Bir ara o kadar karamsar bir hava oluşmuştu ki, Meclis'in Kayseri'ye taşınması ihtimali dahi dile getirilmişti. Her hâlükârda Meclis ve hükûmetin çekilmemesini isteyen bir grubun sözcülüğünü Doğulu milletvekili Diyab Ağa kendine özgü üslûb ve nutkuyla yerine getirdi.

Gazi Mustafa Kemal Paşa ve
Dersim Vekili Diyab Ağa Meclis'e giderken, 22 Mart 1921.

10 Temmuz-25 Temmuz arasındaki Kütahya ve Eskişehir yenilgisinden sonra, bütün birlikler yeni ricat düzeniyle Sakarya Nehri'nin doğusuna çekilmişti. Ama dünyanın bozuk dengelerinin ortasında, yeni Türkiye stratejik yönden bir dehayla hayata doğmaktaydı. Sakarya Irmağı'nın doğusunda başlayan direniş, 100 kilometre genişliğindeki cephede atılan topların yer yer Ankara'dan duyulmasına bile sebep olmaktaydı. 23 Ağustos ile 13 Eylül arası, yani 22 gün 22 gece süren savaş 900 yıllık Türkiye tarihi açısından en kanlı ve en inatçı direnişti. Fatihlerin torunları ana yurdu savunmayı da bilmişti.

Anadolu'ya gelen Yunan ordusunun herhangi bir istilacı orduya benzemeyen avantajları vardı. Silah üstünlüğüne sahipti, askerler uzun harb yıllarının yorgunu değildi, hem Marmara'dan hem de Ege'den ikmal yolları açıktı ve kahir ekseriyette olmasa bile, geçtikleri yerlerde onları destekleyen Helen nüfus bulunuyordu.

Bu ordunun eski Helen dünyasını kurtarmak ve kurmak gibi bir ideali de (*Megali İdea*) vardı ki ağır yenilgiyle bu rüyadan vazgeçeceklerdi. "*Megali İdea*"nın "Küçük Asya faciası"na dönüşmesi, modern Yunanistan tarihinin en çelişkili gelişmelerinden biridir.

Sakarya Meydan Muharebesi'ndeki strateji, daha gevşek olan Yunan güney hattına gizlice yönelmekten ve kuvvetleri süratle yığmaktan geçiyordu. TBMM ordusunun sayıca tek üstünlüğü olan süvari kuvvetlerinin süratli ve ani hareketiyle, iki tarafın inatçı savaşı çok kısa sürede Yunanların gerilemelerine neden oldu, ama bu gerilemenin Eskişehir'in ötesinde Afyon hattında durduğu da bir gerçektir. Ordunun donatımı başlamıştı. Mühimmat ve teçhizat sıkıntısı içindeki Meclis Hükûmeti bu zaferle kendine geldi. İstanbul Hükûmeti'nin azlettiği ve hakkında idam fetvası verdiği Mustafa Kemal Paşa, muzaffer ve güçlü kumandan olarak Türkiye Büyük Millet Meclisi'nden "Gazi" unvanını ve Müşir (Mareşal) rütbesini aldı.

Yurt içinde olduğu gibi bütün İslam dünyasında, İtilaf Devletleri ülkelerinde ve hatta Britanya'da da askerler ve diplomatlar arasında farklı değerlendirmelerin ortaya çıktığı görüldü. Sakarya Meydan Muharebesi'nin başında Yunanistan'da hükûmet değişmişti. 1920 sonunda Venizelos seçimleri kaybederek ülkeyi terk etmiş, Birinci Dünya Savaşı boyu Almancı olarak gözüken Kral Konstantin geri dönmüştü. Kral, Sakarya Meydan Muharebesi'nden evvel dönemin vahim bir hatasını tekrarladı. Rus Çarı II. Nikola, Birinci Dünya Savaşı'nda nasıl üstüne vazife olmayan bir rol üstlenmiş, savaşı payitahtında ülkesini yönetmekle geçireceğine başkumandan olarak cepheye gidip ipin ucunu kaçırmışsa Kral Konstantin de başkumandanlığı alarak İzmir'e gelmiştir. Profesyonel askerler son derece rahatsızdı ve bu sefer savunma hatları kuvvetlendirildi.

İstanbul Hükûmeti ve hassaten Tevfik Paşa, Padişah VI. Mehmed'in Anadolu ordusunu ve Başkumandan'ı tebrik etmesini istedi. Bu açıkça yapılmadı; son zamanda bazı tarihçiler Sakarya gazilerine madalya gönderildiğini söylese de belli değildir ve kuytuda kalan bir olaydır. Herhalde askerî taltif bu kadar gölgeli yapılırsa duyulmuyor.

Fransa ve Ankara Antlaşması

Fransa, başlayacak olan Millî Mücadele'de Anadolu Hükûmeti'nin yanında değilse bile, tarafsız olmayı seçti ve bir müddet sonra kendisinin Kilikya'da (Çukurova) uğradığı bozgun üzerine müttefiki Britanya'nın oyunlarına gelmekten vazgeçti. Nihayetinde Ankara ile anlaşmayı tercih etti. Hiç şüphesiz ki daha başından bir kenara itilen, savaş boyunca yaşadığı bütün facialar, fedakârlıklar ve Britanya-Fransa blokunu fazla ilgilendirmeyen Avusturya'ya karşı gösterdiği direniş ve zaferi de görmezden gelinen İtalya da Anadolu Hükûmeti'ne taraftar olmayı seçmiştir.

26 Ağustos 1071'den 26 Ağustos 1922'ye…

Son yıllarda yakın Türk tarihi üzerinde, Frenklerin "*démystification*" dediği, "sözde" tabu düşünce ve yorumları yıkma havası esiyor. Evvela şunu söylemek gerekir ki yakın tarih üstünde bu tür eğilimler ilkin Kara Avrupası'nda başladı. O toplumların ve Britanya'nın abartılı tarihlerinin, pek övündükleri demokratik gelenek ve miras (!) ile bağdaşmayan rejimlerle ve olaylarla dolu olması, tarih yazımını yeniden düzenlemeye ve bazen daha da aşırı giderek orta eğitimde ağırlıklı olarak, hatta bazen münhasıran yakın tarihin okutulmasına neden oldu.

Öyle ki Bourbon Hanedanı'nın tarihini ve ünlü kralları sıralamayı bilmeyen Fransız öğrenci veya 1618-48 arasındaki 30 Yıl Savaşları ve Westfalya Barışı'nın önemini kavrayıp ifade edemeyen Alman-Avusturyalı öğrencilerin varlığı işte bu eğitimin sonucudur. Buna rağmen şunu da eklemek gerekir ki tarih bilimi, tarih araştırma yöntemleri o ülkelerde yine de sağlam olduğu için, yakın tarihçiliğin tabu yıkması bir maskaralık haline dönüşmemiştir. Bizdeyse bu teşebbüslerin grotesk (mudhik) dereceye döndüğü anlaşılıyor.

Mesela, Çanakkale üzerine şöyle gülünç bir iddia çıktı. "250 bin kişiyi -ki bu rakam sadece şehitleri değil, savaş dışı kalan askerlerin toplam sayısını belirtir- şehit vereceğimize, zaten bu zırhlılar harbin sonunda geçmediler mi, başından bıraksaydık, İstanbul'da efendi gibi otururduk" bile diyorlar. Biraz İstanbul'un tarihî demografisine, iktisadi yapısına baksınlar. 1914 sonu veya 1915 başında İngilizler Boğaz'ı geçip İstanbul'a girse, tepeden de Rusya ile birleşseler, şehrin yarıya yakın gayrimüslim nüfusu gelen Rus ve Britanyalı yerleşimcilerle kısa zaman içinde hızla çoğalırdı. İstanbul'u da Türkler bir daha ancak anılarda ve turistik gezilerde görürdü.

Şimdi bir de 30 Ağustos sorunsalı çıktı. Memlekette sağdan soldan, "30 Ağustos'u kaldıralım" veya "Lozan zafer değil hezimet" deniyor. Birinci Dünya Savaşı'nın son barış muahedesiyle, 26 Ağustos'ta Büyük Taarruz ile başlayıp 30 Ağustos'ta elde edilen zaferi bu şekilde değerlendirmek, abes bir hükümdür. Lozan'da zafer olmaz, çünkü diplomatlar

Türkiye Büyük Millet Meclisi tarafından "Mareşal" rütbesi ve "Gazi" unvanı ile taltif edilen Mustafa Kemal Paşa mareşal üniforması ile, 19 Eylül 1921.

birbirine süngüyle saldırmıyorlar. Lozan'da şartların elverişliliği ölçüsünde bir uzlaşma söz konusudur. Lozan'da savaşın süngüyle çizdiği sınırı onaylattık; tek kazanç kapitülasyonların gürültü ve kavgayla kaldırılışıdır. Kimsenin kimseye fazla diretecek gücü yoktu, bütün Avrupa ve Türkiye yorgundu. "30 Ağustos" bir zaferdir. Çok ülkede böylesi yoktur; böylesine sahip olanlar da bunu kutlar. Fransa'nın zafer günlerini

(L'armistice 1918) ve Rusya'nın zafer günlerini (7 Mayıs 1945) onlar kutlar, başkaları da tebrik eder.

"30 Ağustos Zaferi"yle işgal altındaki Türkiye'nin, yani Anadolu ve Trakya'nın siyasi coğrafyası değişti. Ordular tutabildiklerini tuttular, Türkler de ilerledi. Tam donatılmış bir Yunan ordusu Selanik ve civarında saldırı için değil, ama Batı Trakya'yı elde tutmak için hazır bekliyordu. İstiklâl Savaşı kumandanları Fevzi ve Kâzım Karabekir Paşa'lar fevkalade temkinliydiler. Onlara göre çok daha atılımcı olan Gazi Mustafa Kemal Paşa dahi bu sınırlara ulaştıktan sonra temkinli olmak zorundaydı.

Büyük Taarruz öncesinde uzun bir hazırlık devresi vardı. Ankara Hükûmeti büyük bir sabır ve sert kanunlarla savunma tedbirleri aldı ve yeni bütçe uyguladı. Şurası açıktır ki milletin morali düzelmişti.

Britanya kabinesinin Yunanistan'ı destekleyeceği ve Sevr'i dahi lehlerine düzenleyeceğini açıklaması yanında Yunan savaş bütçesini ve mühimmatını artırması, TBMM Hükûmeti'nin direnme konusunda bütün dünyaya bir açıklama (âdeta bir *universalia*) vermesine neden oldu.

Piyade tüfeği miktarındaki ufak bir fazlalığın dışında silah, hatta asker sayısı bakımından dahi Yunan ordusuna göre üstünlük yoktu ve tek üstünlük yine süvari kuvvetleriydi.

Savaş günü Ankara'daki diplomatik çevrelerden ve gazetecilerden gizlendi. Başkumandan gizlice Akşehir'e intikal etti ve o akşam sözde bir çay ziyafeti düzenlenmişti. Genelkurmay Başkanı Fevzi Paşa (Çakmak), Garp Cephesi Kumandanı İsmet (İnönü), 1. Ordu Kumandanı Nureddin Paşa ve 2. Ordu Kumandanı Yakup Şevki Paşa'ydı. Dış dünyada Türklerin müstahkem mevkileri bertaraf edeceğine inanılmıyordu fakat beklemedikleri oldu.

26 Ağustos günü erken saatte başlayan top atışını arkadan bir hücum ve ilk aşamada güneyde, Çal köyünde Yunan tümenlerinin önemli kısmının çembere alınması ve kuzeyde Eskişehir mıntıkasındaki Yunan işgal kuvvetlerine hücum izledi. Savaş ani saldırıyla başlamıştı ve öyle de devam etti. Aslında başarılı bir asker olarak tanınan Başkumandan General Trikopis ve karargâhı 2 Eylül'de Uşak'ta esir alındı ve öncü kıt'alar İzmir'e girdiler. Birinci Ordu Kumandanı Nureddin Paşa'ydı. 9 Eylül'de ise Gazi Mustafa Kemal Paşa ve kıt'alar İzmir'e törenle girdi.

1526'nın 29 Ağustosu'ndaki Mohaç zaferi Avrupa tarihinin değiştiği bir olay, Türklerin imparatorluğunun zirve noktası olarak kabul edilebilir. Hemen hemen 400 yıl sonra 30 Ağustos 1922'deki Dumlupınar Başkumandanlık Meydan Muharebesi'nde kazanılan zaferse, Türklerin Küçük Asya'daki anavatanlarını savunmalarının zaferidir ve beklenen bir zaferdir. En başta Başkumandanımız ve subaylarımız bunu bekliyordu. Aslında İkinci Dünya Savaşı yıllarında Mussolini'ye karşı başarılı şekilde Yunanistan'ı savunan, Yunan ordusunun seçkin ve ünlü komutanı Ioannis Metaksas "Oraya çıkmayın, iki günde Türk ordusu karşınıza çıkar, sizi mahveder" demişti, dediği gibi oldu.

Hatta şunu da ifade edebiliriz; 26 Ağustos 1071 Türklerin Anadolu'ya giriş tarihidir; 26 Ağustos 1922 ise Anadolu'dan asla çıkmayacağımızın belgesidir; zaten çıkamayacak durumda olduğumuz da açıktır.

Türk Kurtuluş Savaşı eski bir devletin yapısı içinde devam etti. Savaşı yürüten genç kumandanlar kadar erbaş zümresinin (onbaşı, çavuş) de Birinci Dünya ve Balkan Savaşı'nın tecrübelilerinden olduğunu unutmamak gerekir ve

Zafer Tepe'den Duatepe'de cereyan eden muharebeleri takip ederken yaveri Salih Bey (Bozok) ile birlikte, Ankara, 9 Eylül 1921.

nihayet Ankara Hükûmeti genel müdüründen telgrafçısına kadar Osmanlı bürokrasisinin seçkinlerini bir araya getirmiş veya mevcudu istihdam etmeyi bilmiştir. İsmi geçen kumandanlar yanında o tarihte albay olan, sonra Budapeşte ve Vichy Fransası'nda sefirlik yapan Behiç Bey'i de zikretmemiz gerekir. İmkânsızlıklar içindeki Türk demir yollarının bu savaşın sevkiyatına yetişebilmesi onun ve takımının sayesindedir. Deha ancak çevresiyle parlar. Büyük adamların ideali kitlenin itaati ve tasvibiyle gerçekleşebilir. Gazi Mustafa Kemal Paşa geniş kitleyi kazanabilmişti.

Başkumandan Gazi Mustafa Kemal Paşa Kocatepe'de, 26 Ağustos 1922.

Büyük Taarruz

Büyük Taarruz tam da bu toparlanma sonrasındaydı. Üstelik ordumuz askerî savunma ve hücum özelliklerinin ikisini de haiz durumdaydı. Gerçekten iyi hazırlanmış, planlanmış bir muharebedir. Karşıdaki ordunun ne yapacağı tahmin edildiğinden tam anlamıyla bir kurmaylar muharebesi olduğu söylenebilir. O planı yapanların içinde sadece bir kumandan, bir görüş yoktur, bir sürü görüş vardır. Onların muhassalası söz konusudur. O muhassalayı yapan adam ise o büyük mareşal Gazi Mustafa Kemal Paşa'dır.

Büyük Taarruz başlamadan evvel kurmaylar planlamayı yaparken, Gazi Mustafa Kemal'in planına hemen herkesin itiraz ettiği, "Bu çok iddialı, bunu gerçekleştiremeyiz" dediği, Gazi'nin ise "Ya bunu gerçekleştiririz ya da gerçekleştiremezsek zaten bittik" dediği malumdur.

Başkomutan tecrübeli ve tecrübenin yanında hakikaten keskin ve atılgan zekâlı bir kumandandı ve bu stratejisi zaferi getirmiştir. Çevirme harekâtını iyi biliyordu ve aslında savaş bir gün içinde halledilmişti. Karşı tarafın savunması tarumar ediliyor ve bitiyordu. Üstelik tarumar ettiği kumandan da Yunanistan'ın Küçük Asya'daki en önemli, en kabiliyetli generallerinden biri olan Trikopis'tir. Bunu bildiğimiz takdirde görürüz ki, bu savaş büyük, üstün bir kurmay savaşıdır. Burada her durum önceden mütalaa önceden edilmiş, ele alınmıştı.

İlginç bir şekilde topçu sayısı bizde fazlaydı. Fakat buna karşılık Yunanlılarda piyade fazlaydı. Birtakım silahların dengesinde de Yunan tarafı üstündü. İki ordu arasındaki çok büyük farklar donatımda ortaya çıkıyor. Fakat hiç tartışılmayacak bir şey, Yunan ordusunun mekanize nakliyatının daha güçlü oluşudur. Bu harbde keşif için kullanılan Yunan uçak sayısı da tabii ki daha fazlaydı.

Zafer bizim olunca Anadolu halkından olup Yunanlıları destekleyen ve Yunan ordusuyla birlikte Afyon'dan beri ricat etmek zorunda kalanlar da vardı.

Doğrusu, Büyük Taarruz başlarken bu kadar kısa sürede sonuca ulaşacağını büyük ihtimalle Türk tarafı da tahmin etmiyordu. Çünkü o günden bazen kayıtlı, bazen şifahi bilgilere baktığımız zaman bunun daha uzun süreceği, bu kadar hızlı bir bozgun olmayacağı ve yine bir vakit alacağı düşünülüyordu.

Zafer Bayramı

Bu bir ordu günüdür. Dünyada da örnekleri vardır. Mesela Rusya'da 7 Mayıs'ta Zafer Günü kutlanır. Bizde ise 30 Ağustos Zafer Bayramı vardır. Esasında 30 Ağustos, bir bakıma

Birinci Dünya Savaşı'nın bitişi demektir. Çünkü 1918'de Mondros imzalanmıştır ama bir barış antlaşması henüz yoktu ve biz sonrasında dayatılan Sevr'e de karşı geldik. 30 Ağustos'ta bu reddediş perçinlendi. Sonrasında mütareke için Mudanya'ya gittik, muahede olarak Lozan'a gittik, sulh sağlandı ve akabinde ise yeni Türkiye kuruldu.

Ayrıca bir tesadüf değil, coğrafyanın, iklimin, muharebe şartlarının ve gün seçiminin etkisiyle olacak, ağustos ayı bizim tarihimizde zafer günleriyle doludur. Malazgirt var en başta; sonra Mohaç var. Avrupa'daki en ileri noktaya gidiştir. Başkumandan Meydan Muharebesi de çok önemlidir; biz bunu kutluyoruz ve kutlanacak da...

Ordu her memleket için önemlidir. Ancak nüfusu kalabalık, coğrafyası geniş ülkeler için önemi daha fazladır. Türkiye'nin medeniyet tarihi açısından da askerlik çok önemlidir. Çünkü Türkler çok değişik memleketlerde hükümranlık kurdular; mesela, bugünkü Afganistan, bugünkü İran... Buralarda halkın çoğunluğu Türkçe konuşmuyordu. Hatta bürokraside Farsça kullanılırdı. Ancak ordu Türkçe konuşurdu. Her zaman için Türk'tü, Türk ordusuydu ve o ordu milletin tarihinde bir devamlılık sağladı. Tabii 18. yüzyıldan itibaren dünyadaki uygarlık çizgisi sıçramaya geçti ve biz de 18. ve 19. yüzyıllarda bir medeniyet değişikliği yapmaya çalıştık. Bu, zahmetli bir süreçti. Ani değişimler oldu ve Türkiye de buna uydu. Şu bir gerçek ki, bunu askerler yaptı.

Şunu da burada belirtelim ki Cumhuriyet'e giden yolda Gelibolu, Sarıkamış ve Haleb'te yaşananlar ve nihayet İstiklâl Savaşı, vatan savunmasını bilen nadir milletlerden olduğumuzu göstermiştir. Büyük kumandanlarımız ve devlet adamlarımız her defasında ortaya çıkabilmişse, işgalcilere kafa tutup bağımsızlığı başarabildiysek, bunun bu topraklarda bir geleneği var demektir.

Hiç şüphe yok ki, savaşın başkumandanı Gazi Mustafa Kemal Paşa idi. Türkiye mareşali idi. Kendinden sonra ikinci mareşal Fevzi Çakmak Paşa'ydı. Mustafa Kemal Paşa'nın kendisinden kıdemli ve İstanbul Hükûmeti nezdindeki görevini bırakarak Anadolu'ya katılan kumandana bir nevi şükran jestiydi.[56]

---

56 Biz yakın tarihimizi iyi okumuyor ve tespit edemiyoruz. Büyük ölçüde dedikodu mevzuudur. Maalesef, birtakım sivri dilli, muhakemesi kıt yazarlar, çok zararlı söylemler getiriyor. İnönü Muharebeleri'nden Lozan'a kadar pek çok konuda tarihçilikle üslûb ve araştırma yöntemine dayanmayan yorumlar, değerlendirmeler var. Hâlbuki, yakın tarih için aksinden istidlal yapmak, yani tersinden delillendirmek lazımdır. Böyle olmasaydı da böyle olsaydı, ne olurdu gibi soruların peşinden gitmek lazım. Dilek kipi ile tarih yazılmaz, ancak tarihî olayları değerlendirme ve tahlilde bize yardımcı olabilir. Çok kimse bunu da yapamıyor. Evrak tarama, olayları izleme gibi yöntemlere de başvurulmuyor. Tarihçilik esasında bir edebliktir. Fakat oraya gelene kadar çok pekin (exact) bir bilim safhası vardır.
Yakın tarihçiliğin sorunlarından birisi şudur; bizim Dışişleri Bakanlığı'nın arşivleri el'an kapalı. İran Dışişleri arşivleri dahi açık. Tabii ki kimse her şeyi göstermez ama tanzim edilmesi gerekir. İçişleri Bakanlığı tanzim etmeye başladı. Merkezî arşivimiz de kapalı. Bunları tanzim ettikten sonra yabancı arşivlerle mübadele etmeye başlayacaksınız. Çünkü hakikat sadece bizim arşivden çıkmaz. Sonra, Türkiye halen derli toplu bir Milli Kütüphane'ye sahip bir memleket değil. Hiç kimse şecere çıkaracak bir arşive ulaşamaz ve bunu öğretecek bir kurum da yoktur. Nüfus kayıtlarımız düzensiz. Bakıyoruz, "nüfus dairesi yanmış" deniliyor. Yani korunmamış. Bosna'da, "Oriental Institute" denen, Bosna'nın, Osmanlı tarihinin evrakının saklandığı yer mahalli Sırplar tarafından kasıtlı olarak bombalanıp, yakıldı. Boşnak millî hafızasını yok etmek amacıyla yaptılar. Buradaki evrakın bir kısmının IRCICA tarafından, ki o zaman Ekmeleddin İhsanoğlu Bey başındaydı, kopyaları saklanmasaydı, daha çok zorda kalınacaktı. Koca bir tarih yok olacaktı.

Mareşal Gazi Mustafa Kemal Paşa, Ankara, 4 Aralık 1921.

Millî Mücadele yıllarında sadece kumandanlar değil, halk da ana hatlarıyla ikiye ayrılmıştı. Bir kısmı savaşa devam edelim, işgal edilen yerleri kurtaralım, bir kısmı ise eldeki yerleri muhafaza edelim diyordu. Halkın durumu da perişandı. Ancak Mustafa Kemal, Ali Fuat ve Kâzım Karabekir Paşa'lar atak davrandılar ve dirayetleriyle halkı da etkilediler. Bunlar zeki, bilgili komutanlardı ve bir imparatorluğun da genç generalleri, eski bir devletin ve büyük bir milletin askerleriydiler. Gençken yaşlanan kumandanlardı diyebiliriz, çünkü çok genç ama tecrübeliydiler ve zor bir hayat yaşamışlardı. Birinci Dünya Savaşı bile bizim için 4 değil 6 sene sürdü. Kaldı ki ondan önce de Yemen'den Balkan'a kadar pek çok yerde bulunmuşlardı.

Bizim direneceğimizi gören İngiliz subayları, kralcı Yunan subayları ve Fransız kumandanları gibi ecnebiler de olmuştur. Her Fransız, Fransa Başbakanı Georges Clemenceau gibi Türklere karşı nefret dolu değildir. Realist olanlar da vardır.

İttifak yapmak kolay iş değildir. Hele Avrupalılardan uzak durmak lazımdı. Biz Kudüs'ü kaybettiğimizde herkesten fazla çan çalan, İngiliz General Allenby'den ve Britanya kamuoyundan aşağı kalmaz ölçüde zaferi kutlayanlar, bizim müttefikimiz olan Avusturya-Macaristan ve Almanya'daki kamuoyuydu.

Atatürk bir askerî dehadır. Ancak bunun tarifini yapmak çok güçtür. Bu noktada aldığı kurmay öğrenimi çok önemlidir. İyi bir eğitim aldılar, tabiri caizse her şeyi biliyorlardı, sivillerle irtibatları çoktu, felsefe, tarih, bilhassa coğrafya, edebiyat, mühendislik ve matematik hakkında bilgileri ve eğitimleri vardı, hiç değilse ne konuşulduğunu anlarlardı.

Nitekim aldığı eğitim Gazi Paşa'yı ileride ilginç adımlar atmaya yöneltti. Bozkırın ortasında, Ankara'da Dil ve Tarih-Coğrafya Fakültesi kuruldu. Türkiye âdeta arkeologların, Mezopotamya dillerinin eğitim ülkesi oldu. Bizantinika için bile dört-beş talebe Avrupa'ya yollanmıştı. Lisana önem veriliyordu.

Venizelos yıllar sonra Türkiye'nin Cumhurbaşkanını Nobel Barış Ödülü'ne aday gösterdi. Neden? Venizelos şartlara uyum sağlayan bir devlet adamıydı. Hâlbuki ilk başta *Megali İdea* uğruna ikazları dinlemeyerek Anadolu'ya geldi. Sonra bir felakete dönüştü ve bu sefer de "oradaki Helenleri bize yollayın" diyerek mübadeleyi talep etti. Uçlarda bir politikacıydı ama dünyaya intibak etmeyi biliyordu. Yunanistan, o dönem aşırı duygusal hareket ediyordu, itidale ancak 20. yüzyılın sonlarında ulaşabilecekti.

İzmir'in Kurtarılması

20. yüzyılın başında İzmir henüz yeni yeni gelişen bir bölgesel merkezdi ve sadece iktisadi hayatta değil, nüfusta da Türk Müslüman halkın payı fazla değildi. Birdenbire İzmir'in nüfusu arttı ve kent Türkleşti, Müslümanlaştı. Balkanlar'da ve adalarda yaşanan facialarla yeni bir şehir ortaya çıktı ve bu şehir çok kısa bir zaman sonra bütün bir dünya savaşının bedelini ödercesine, âdeta harbin tek suçlusu ve mücrimiymiş gibi istila ve işgale uğradı. Bu işgalin sonunda ise bir direniş gösterdi. Balkan Savaşı ve Rumeli'nin kaybında dahi bu kadar sıkıntı yaşanmadığı açıktı. Yunanistan 15 Mayıs 1919'da İtilaf Devletleri'nin ve özellikle ciddi bir iç muhalefete rağmen Lloyd George ve Eleftherios Venizelos'un ittifakı sayesinde İngiltere'nin ittirmesiyle İzmir'e çıktı. Üç yıl üç ay sonra

tarihinin en önemli faciasını yaşayarak şehri terk etti. Bu, gerçekçilikle ilişkisi olmayan siyasi bir programın iflasıdır.

2 Eylül 1922'de İzmir'deki Yunan yüksek komiseri, daha doğrusu İzmir ve civarına Venizelos tarafından tayin edilen Vali Aristidis Stergiadis, memurlarına arşivleri toplamaları, önemli kısmını imha etmeleri ve şehri boşaltmaya hazır olmaları emrini vermişti.

30 Ağustos bozgunundan beri Batı Anadolu, Yunan ordusundan ve yerli Rumlardan boşalıyordu. Şehirde görülmemiş bir olaydı ama gerçekten kıtlık vardı. Güvenlik hiç kalmamıştı, üç yıl üç aylık işgalin sona ereceği belliydi.

Stergiadis hiç şüphesiz İzmir'in Helenleştirilmesi programının başındaydı. O, bu planı bir ölçü ve düzenle, Türkleri de fazla ezmeden uygulamak gerektiğini anlamıştı ama herkesin, özellikle de etrafındakilerin bunu anladığını söylemek mümkün değildi. Sonuç hazindi, 1922'de ayrılırken Stergiadis'in en büyük düşmanları Rum-Ortodoks kilisesi ve İzmir'in Yunanlılarıydı, sinirleri bozulmuş olarak görevini bitiriyordu.

Aristidis Stergiadis, Yunan cumhuriyetini kuran ve galip devletlerin gözdesi "Büyük Giritli" denen Elefterios Venizelos'un yakın çevresindendi ve İzmir'e tayin edilen memurların içinde, hukukçuluğu dışında İslam hukuku üzerindeki bilgisiyle de tanınıyordu.

Bunlar belki yeterli nitelikler değildi, Stergiadis, Epir (Yanya) valiliği yapmıştı, orada azınlıkların hukukuna riayet eden bir memur olarak tanınmıştı. İzmir'de de doğrusu temel iktisadi prensiplerin dışında, Türklerle Yunanlılar arasında ayrım yapmamaya çalıştı. Daha evvelki valilerden İttihatçı Rahmi Bey'in aksine şehrin Levanten aileleriyle de fazla yakınlık kurmadı. Onların gözünde seçkin bir centilmen sıfatı kazanmadığı gibi, bölgenin Rumlarıyla da arası bozuldu. Çünkü İzmirli Rumlar, bilhassa iş adamları bu işgalden çok büyük kazançlar bekliyorlardı. Sonunda üç yıl boyu her hareketi ve girişimi önplanda kilise memurları ve İzmir'deki Helenler tarafından sabote edilen vali olarak İzmir'i terk etti.

Giles Milton'un *Kayıp Cennet*'inde[57] fazla abartılarak, kozmopolit (!) bir dünyadan bahsediliyor. Ancak bu kozmopolit dünyanın içinde adamakıllı gerilimler vardı. Üç yıllık işgalde Yunanistan ve Ege'deki Yunan halkı çok fazla şey beklediler. Stergiadis gibileri de bu ölçüsüzlüğü önleyemedi ve beklenen son geldi.

1922'nin Türkiyesi gerçekçi bir kumanda heyetiyle ulaşması gereken noktaya gelmişti. Başkumandan Meydan Muharebesi'ndeki süratli hareket emri, aynı zamanda Türkiye Cumhuriyeti'nin doğal sınırlarının Akdeniz olması üzerinde yoğunlaşıyordu. Dokuz asırlık Türk tarihi, Orta Asya ve Horasan ikliminden Akdeniz'e yönelmeyi ve ulaşmayı amaçlamaktaydı. Binaenaleyh, imparatorluğun bu mirasının elden çıkmasını Gazi Mustafa Kemal Paşa'nın ne askerî dehası ne de medeniyet tarihi anlayışı uygun görürdü. Ordulara yönelik "İlk hedefiniz Akdeniz'dir"[58] emri, işte bu konuyla ilgili kesin bir emirdir ve meydan savaşının kazanılmasından dokuz gün sonra ordular İzmir'e bu emirle girmişlerdir. İzmir'in istirdatında yerli Rum nüfus büyük zarar gördü, yerlerini terk etmek zorunda kaldılar. Şehrin uğradığı büyük yangının nedenleri ve tertibi hâlâ tartışılmaktadır ve politik

57 Giles Milton, *Paradise Lost: Smyrna 1922*, Hodder & Stoughton, 2008. Türkçesi; *Kayıp Cennet, Smyrna 1922, Hoşgörü Kentinin Yıkılışı*, Şenocak Yayınları, 2009.

58 Ege Denizi ismi çok sonra kullanıldı. Klasik dönemde tabir Akdeniz'dir. Resmi evrakta kullanılan "Bahr-i Sefîd", mesela Cezayir-i Bahr-i Sefîd, Akdeniz adaları gibi.

Başkumandan Gazi Mustafa Kemal, yaveri Salih (Bozok) Bey ve Fevzi (Çakmak) Paşa ile İzmir Kordonu'nda,10 Eylül 1922.

malzeme konusudur. Zamanın getirdiği itidal içinde olayın daha mantıkî şekilde araştırılıp değerlendirilmesi gerekir. İşgal boyunca Helen nüfus ve Yunan işgal ordusuyla ilişkisi olan Ermeni cemaati büyük ve ani bir kayba uğradı. İşgal kuvvetleriyle değil de yerli Türkler ve idarecilerle hareket eden Yahudi cemaati ise İzmir'in yerli Müslüman nüfusuyla daha iyi geçindi ve bu uyum sonra da devam etti.

Üç yıllık işgalin son aylarında Yunanistan, Ege'de kendine bağlı ve paralel bir İyonya Cumhuriyeti kurmaya çalıştı, Yunan millî bankası İzmir ve Ayvalık'ta şubeler açtı. İyonya Cumhuriyeti bir de ordu kurdu ve yerli Helen nüfus askere alındı. Bu andan itibaren vatana ihanet durumu söz konusudur, üniformalı isyancı böyle tarif ediliyor. Kozmopolit ve barışsever İzmir artık sona ermişti. 9 Eylül 1922 ise bu dönemin kapanışıdır.

1922 yılının 30 Ağustos'u Başkumandan Muharebesi'nin kazanıldığı, Yunan ordularının askerî ve stratejik anlamda dağınık olarak ricata başladığı gündür. 1922 Ağustosu'nda Anadolu'daki ordularının yenilgisi ve Başkumandan Trikopis'in tesliminden sonra, birliklerin ricatı bir kaos ve yangın yarattı. 1 Eylül'de Başkumandan emri ordulara ilk hedef olarak Akdeniz'i gösteriyordu, yani sonradan adı Ege Denizi'ne çevrilen denizin kıyılarını... Bu konu da İzmir yangını kadar tartışılmaktadır.[59]

Esasında bu umulmadık bir gelişmeydi. Zira Kurtuluş Savaşı'nın başlarında, hatta Sakarya Zaferi sırasında dahi birçok ciddi kumandan ve Anadolu hareketini destekleyenler merkezî Anadolu, Karadeniz kıyıları, Çukurova ve Doğu Anadolu ile yetinmenin o anda daha gerçekçi bir strateji olduğunu düşünmüşlerdir. İzmir'in ve Bursa'nın kurtarılması idealinin bu kadar çabuk gerçekleştirilmesi, Mustafa Kemal Paşa'nın askerî dehasıyla açıklanabilir.

1919 Mayısı'nın başında Venizelos ve kendisine tabi kumandanlar kralı devirme eylemini İzmir'e çıkışla taçlandırmışlardı. Yorgun Britanya, askerî kuvvet olarak savaşa geç girmiş ve az yıpranmış Yunanistan'ı tercih etmişti. Venizelos siyasi mahfillerde günün adamıydı. Yunanistan Batı Anadolu'da İyonya denen eski Aydın vilayetinin (bugünkü İzmir, Aydın, Manisa, Denizli) yanı sıra, eskilerin Karya

---

59 Heath W. Lowry, "Turkish history: Or whose sources will it be based? A case study on the burning of İzmir", *Osmanlı Araştırmaları*, No: IX'dan ayrı baskı, İstanbul, 1989, s. 16; Yunan tezi yanında, Ermeni görüşü ve Türk yazarlarının da konuyla ilgili görüşleri var. Maddî delillerden ziyade, ideolojik görüş-vaziyet alışlarda yönlendirici oluyor.

dediği Muğla'nın da işgalini düşlüyordu.[60] Düşlediği diğer bölge olan Balıkesir-Bursa'yı da işgal etmekle kalmayacak, Eskişehir ve Ankara'ya doğru yönelecekti. Başlangıçta büyük iddialar içeren bu plan, ülke içinde tam bir fiyasko ile nihayete erecekti. Sonunda Yunanistan'ın Küçük Asya seferi bu ülke için 1922-24 arasında nüfus mübadelesi ile sonuçlanan bir dizi olumsuz gelişmeler yarattı. Yunanistan'ın yeni sakinleri işsiz, yeni yurda uyum sağlayamayan kimselerdi ve daha önce pek tanımadıkları sol akımlara eğilim gösterdiler.

İstanbul'un İşgal Günleri Devam Ediyordu

İzmir ve Batı Anadolu Yunan işgalinden kurtarılmıştı lakin İstanbul'daki işgal sürüyordu. Hiç şüphesiz ki 30 Ağustos zaferiyle Türkiye, Ağustos 1071'de adım attığı vatanı tekrar korumuş ve işgali sona erdirmiştir. Eylül ayı sonlarında, İstanbul hariç Anadolu'nun işgali sona erdi. Mudanya'da İtilaf Devletleri'yle 4-11 Ekim'de yapılan görüşmeler sonunda mütareke imzalandı. Trakya'nın Yunan askerî işgalinden kurtarılması ve yönetimin devri 30 gün içinde tamamlanacaktı.

Barış görüşmeleri Lozan'da yapılacaktı, Doğu Trakya'ya ise ilk elde 8 bin kişilik Türk jandarma gücü sokulacaktı. Yunan delegeleri yetkisizlik iddiasıyla mütarekeyi imzalamadı, fakat İtilaf Devletleri'nin baskısıyla Yunan Hükûmeti bugünkü Türkiye Trakyası'nı zamanında boşalttı. Savaştan dolayı herkes bıkkın ve yorgundu.

İstanbul Hükûmeti'nin barış görüşmelerine katılmasını önlemek için, TBMM'nin tarihî kararıyla 1922 yılının

60 Millî Mücadele yıllarında Denizli, Isparta ve Burdur'daki durum için bakınız: Nuri Köstüklü, *Millî Mücâdele'de Denizli, Isparta ve Burdur Sancakları*, Atatürk Araştırma Merkezi, Ankara, 1999.

İkinci İnönü Muharebesi sonrası Mustafa Kemal Paşa, belki de ilerideki mücadeleleri düşünüyor...

Kasım ayında saltanata son verildi ve son padişah Türkiye'yi terk etti. İstanbul'a, yeni Türkiye'yi temsilen bir birlik girdi fakat şehrin işgal kuvvetlerinden devralınması 1923 Ekimi'ne kalmıştı. Bu bir yıl içinde İstanbul yönetiminde ve askerî yönetimindeki değişiklikler ilginç olmalıdır. Hadisesiz bir dönem değildi ama hiç şüphesiz ki mütareke havası kalkmıştı. Dönemi, muğlak sözlü hatıraların dışında iyi bildiğimizi hâlâ söyleyemeyiz. Mütareke dönemi ve Cumhuriyet İstanbul'u arasındaki ara dönem, arşivci tarihçilerin ve gazete koleksiyonlarına göz atacakların ilgisini bekliyor.

Fatih'ten Sonra Bir Kez Daha...

1922 Mudanya Mütarekesi'nden sonra İstanbul'a ilk birlikler, önce Şükrü Naili Paşa, ardından Refet Paşa kumandasında girdi. İşte bu 1922 sonbaharıyla İstanbul'un kurtuluş günü sayılan Ekim 1923 arası, şehir tarihimizin muğlak noktasıdır. Hiç şüphesiz ki o bir yıl, daha evvelki dört yıla (18 Kasım 1918-Ekim 1922 arası) benzemiyordu.

Nasıl bir geçiş dönemi yaşandı denilirse; saltanat sona ermişti, halife sadece halifeydi ve kati surette, siyasi yahut mülkî bir otorite değildi. Sözde ruhanî otorite de tarif edilmiş değildi, edilemezdi de. Bu şehirdeki üst makamlar, yani Anadolu temsilcileri, işgal kuvvetleri kumandanları ve halifenin konumu neydi? Uzun bir harbin ve mütarekenin sıkıntılarıyla bitmiş İstanbul'da, üstelik Beyaz Ruslar gibi problemli mülteciler de vardı. Merhum Tarık Zafer Tunaya Hoca'nın Mütareke dönemi siyasi partilerini[61] ve Bilge Criss'in[62] Mütareke dönemi İstanbulu'nu anlatan kitaplarıyla ilk dönemi biraz biliyoruz; fakat bu bir yıllık ara dönem nedir? Saraydan bazı eşyaları saraylıların aldığı söylendiği gibi bu iddiayı katiyyen reddedenler de vardır. Devletin hanedanı kadar gayr-ı müslimlerin kurumları o bir yıllık geçici dönemde ne yaptı bilinmelidir. Ama her şeye rağmen daha güvenli ve başı dik bir şehir ortaya çıktı ve 1923 Ekimi'nde Nureddin Paşa kumandasındaki Anadolu ordusu bekleniyordu. İddia sahipleri boş konuşmadan evvel gazete taramalı, yerli ve yabancı dergilere ve raporlara bakmalıdır. Yabancı diplomatların dışişleri arşivlerindeki raporlarını da okumak elzemdir. Emin olun, gazetecilik açısından da çok ilginç bilgiler çıkar.

Ancak şu bir gerçek ki, İstanbul Batılı istilacılar tarafından ikinci kez işgal edilmişti. (1204-1261) İlki Bizans'taki Latin Haçlı işgalidir. İkincisi ise Mütareke dönemiydi ve deyim yerindeyse Fatih Sultan Mehmed'den sonra, bu defa Mustafa Kemal Paşa'nın Türk ordusu şehri yeniden fethedecekti.

---

61 Tarık Zafer Tunaya, *Türkiye'de Siyasi Partiler*, İletişim Yayınları, İstanbul, 2015. Üç cilt halinde yayınlanmıştır.

62 Bilge Criss, *İşgal Altındaki İstanbul*, İletişim Yayınları, İstanbul, 2014.

5

—

CUMHURİYETE GİDEN YOL

—

CUMHURİYETE GİDEN YOL

Saltanatın Kaldırılmasına Dair Notlar...

1 Kasım 1922'de TBMM saltanatı ilga etti. Bu önemli karar, son padişah Vahideddin'e tebliğ edildi; bundan sonra erşed ve eslah -yani ilmen ve ahlaken en üstün bir hanedan üyesi- halife seçilecek, ama bu Türkiye Devleti'ne istinad edecekti. Halife olmak hanedandan birinin hakkıydı, fakat iktidar devletin elindeydi. Saltanat ilga edildikten sonra VI. Mehmed Vahideddin İstanbul'da hanedanın en ahlaklı ve ilmi en derin adamı olarak kendisinin halife seçilmesini beklemedi! Son padişah hakikaten hazineden hiçbir şey almadan -ki Avrupa bankalarında da parası yoktu ve buna rağmen yapacağı bir şey yoktu- İngilizlerin *Malaya* zırhlısıyla Avrupa'ya sığınmak zorunda kaldı. Sıkıntılı ve kısa bir dönem sonra da vefat etti. Kuzeni ve aynı zamanda da dünürü, Sultan Abdülaziz'in oğlu Abdülmecid Efendi Büyük Millet Meclisi Hükûmeti'ne ve Anadolu Hareketi'ne karşı sempatisi olan bir hanedan üyesiydi ve halife seçildi. Maalesef son halife bu konumunu muhafaza edemedi. Anadolu ile olan ilişkileri ve hassas dengeleri koruyamadı. Sonunda 1924'ün Martı'nda hilafet ilga edildi ve hanedanın üyeleri yurt dışına çıkarıldı. Burada dikkatimizi çeken

olay; 9 Nisan'da kendisini fesheden meclisin yerine artık daha mutedil ve bundan sonraki değişikliklere daha yatkın bir meclis teşkil edilmiştir. Temmuz'da yapılan seçimlerle, Ağustos 1923'te bu meclis toplanmıştır. TBMM'nin ilk işlerinden birisi, 10 ay kadar büyük diplomatik çekişmelerle devam eden ve nihayet 24 Temmuz 1923'te imzalanan Lozan Antlaşması'nı meclis olarak tasdik etmektir.

Saltanatın kaldırılmasına karşı olanlar vardı kuşkusuz. Osmanoğulları hanedanı altı asırlık bir monarşiyi yaşadı. Türkler monarşist değildir, ki bir bugün monarşist partimiz de yoktur, ama Türkler monarklarını severler, Türklerin çok büyük çoğunluğu bilhassa ilk dokuz padişahı, büyük mareşaller diye severler ve son devirde Abdülhamid'i ilave edenler de vardır.

Monarşiyi sevmeyenleri, toptan mahkûm ederek konuşanları pek ciddiye almazlar. Bu tip yazarların çok kuvvetli tarihçiler ve ikna ediciler olduğu söylenemez. Fatih Sultan Mehmed'in, Kanuni Sultan Süleyman'ın, I. ve II. Murad'ların oluşturduğu bir hanedan ve tarihî akış için, "padişah da hareme kapanırmış" diye bir değerlendirme yapamayız. Çünkü Topkapı Sarayı'nı yaptıran adamlar, dört nesil o sarayda, yatağında ölmedi. Ama şu da var ki, saltanat kalktıktan sonra da cumhuriyete karşı monarşiyi ileri çıkaranlar görülmedi. Hanedan dahi mukadderatına boyun eğdi ve gülünç tepkiler, açık karşı örgütlenmelerde bulunmadı.

Saltanat kaldırılmasaydı eğer, bence bir süre devam eder ve bütün kurumlar gibi dejenere olurdu. Tehdit olarak görüldüğünü de tam belgeli olarak bilemeyiz ama bir tehdit ihtimali vardı. Cumhuriyet'e karşı memnuniyetsiz gruplar vardı ve monarşiyi kullanmalarından korkuldu. Bu ne kadar muhtemeldi, bilinmez ama bir rahatsızlık yarattı. Mesela son halife Abdülmecid Efendi dahi, padişahmış gibi ilginç ve gereksiz davranışlar içindeydi. Lüzumsuz abartılı Cuma selamlık alayları tertipledi, bir selamlıkta Fatih Sultan Mehmed kılığında at üstündeydi ve çok tepki çekti. Şunu söyleyelim, bu deli davranışı değil; hükümdarlar bu kılığa girer. Mesela Rusya'da II. Nikola ve Çariçe, 15.-16. asır kılığında taç töreni yaptılar. Franz Joseph ve Elizabeth Macar krallarının kılığında Macar tacı giydiler. Son İran şehinşahı dahi 1971 başında 2500. yıl törenlerinde Şahbanu Farah ile birlikte tacı ve kıyafetiyle birlikte âdeta stilize bir Sasani hükümdar çifti rolündeydiler ama onlar hükümdardı. İstanbul ve Ankara'da ise gayr-ı memnun zümrelerin bu gibi hareketler ve gösteriler etrafında toplanmasından ciddi olarak korkuldu. Sırf o değil, böyle iddiaları ileri sürmeyecek kadar makul olan üyeler de dâhil, hanedana mensub herkes sürüldü. Tabii bu sadece bizde olan bir şey değildir, dünyada da böyle olmuştur. Hanedanlar sürülmüş, hatta Rusya'da katledilmiştir. Bizde de yeni rejim istisnasız kan bağı olan bütün hanedan üyelerini sürgüne gönderdi. Kan bağı olmayan aile üyeleri (yani şehzadeler, sultan eşleri ve sultan hanımların çocukları) bir istisna olabilirdi fakat bu durumdakilerden kendileri sürgün bu kafilesine katılanlar ekseriyetteydi.

Hilafet Nasıl Kaldırıldı?

19. yüzyılda İslam hilafeti, müessese olarak, bütün tarihi içindeki en ilginç görünümdedir. Daha ilk İslami yüzyılda hilafet müessesesi bir çatışma, hizip doğuran bir kurumdu ve Endülüs Emevileri'nden beri iki ve giderek 15.-16. yüzyıllarda, birden çok İslam hükümdarı hilafet iddiasında idi. Haksız da değillerdi; çünkü Müslüman toplumları

yönetiyorlardı. 19. yüzyılda hilafetin artık bir tek devlette, yani Osmanlı'da olduğu daha yaygın biçimde kabul görüyordu. İran Şiileri Osmanlı hilafetini kabul etmeseler de artık eskisi gibi şiddetli bir karşı propaganda yoktu. Hind'de Seyyid Ahmed Han'ın hilafet konusundaki olumsuz görüşleri veya Arap dünyasında hilafetin Kureyş ve Arap soyuna ait olmasını savunan bazı yeni görüşler dahi, aynı coğrafyada şiddetli bir muhalefetle karşılanmaktaydı. (Aslında koloni Müslümanları daha Osmanlıcı idi.) Ama diğer yandan hilafet kurumunu, 19. yüzyılın kolonyalist dünyasının siyasi yapılanmaları ve rejimlerine uygun bir biçimde düzenlemek isteyen İslamcı modernist görüşler de ortaya çıkmaktaydı. Buna örnek olarak, Sünusileri (Seyyid Mehmed el Mehdi) veya Cemaleddin Afgani gibilerini görmek gerekir.

İşte 19. yüzyılda Osmanlı sultanlarının, özellikle II. Abdülhamid'in bütün bu farklı yorumların bazılarını destekleyerek bazılarıyla da mücadele ederek, kendine göre bir yönlendirme gayreti içinde olduğu görülmektedir. Ayrıca bu dönemde, Osmanlı çevrelerinde ortaya çıkan Türk merkezli bir Panislamizm'in varlığına da dikkat çekmek durumundayız. Nihayet imparatorluğun başkenti, yeni bir İslami eğitim düzenlemesine sahne oluyordu ki bu konu pek az incelenmiştir ve biz de maalesef burada fazla teferruatlı olarak değinemeyeceğiz.

Osmanlı medrese modernleşmesindeki amaç, El Ezher ve Kazan medreselerinin ayarında ve daha mükemmel bir eğitimle ideolojik kontrolü sağlamaktır. II. Abdülhamid halife olarak bu kurumun onurunu içeride ve dışarıda korumak ve politikasına uygun bir görünüm yaratmak zorundaydı. Kısaca, 19. yüzyılda Osmanlı İmparatorluğu, hilafet müessesesine her zamankinden fazla önem veriyordu.

Savaşlarla Sarsılan Otorite

Birinci Dünya Savaşı'na girilmesindeki garip şartlar hem hilafet kurumunun kendisini hem de Türk halkının hilafet kurumuna bakışını sarsmıştır. Yabancı bir askerî-siyasi heyetin nüfuzu altında olan İttihat Terakki yöneticilerinin ülkeyi savaşa sokması, orduyu yabancı kumandanların stratejisi doğrultusunda nasıl tüketmişse, bu şartlarda "Halife-Sultan"ın sancak-ı şerifle cihad ilan etmesi de hilafet kurumunun otoritesini sarsmıştır. Birinci Dünya Savaşı'nda her iki taraftaki Müslüman askerlerin durumu yeni yeni inceleniyor. Bazı halde İtilaf Devletleri'nin Müslüman askerlerini kitle halinde teslim almaları, esir kamplarına düşen ve büyük sıkıntıya maruz kalan askerlerimize Müslüman karşı taraf askerinin yardım etmesi, Rusya ordusundan Müslüman askerlerin Türk tarafına veya müttefik Avusturya saflarına firarı gibi olaylar hilafet makamının "cihad" çağrısı dışında, Müslümanların doğal geleneksel davranışlarıdır. Ama her iki tarafta da Müslümanların birbirlerine karşı savaştığı gerçektir.

Halife'yi Meclis Seçiyor

23 Nisan 1920'de Büyük Millet Meclisi Ankara'da toplandığı anda, telaffuz edilmiyorsa dahi, hilafetin ve saltanatın mahiyet değiştireceği hissediliyordu. Ancak hilafet kurumu birçok mebusun zihinlerinde ve gönüllerinde, saltanatla aynı şekilde mütalaa edilmiyordu. Hilafetin kaldırılmasıyla biten bu dönem, Millî Mücadele'yi yürüten kadrolar arasında bile derin görüş ayrılıklarına, gerilime, idari kanundan elenme ve hatta yurt dışına ilticalara neden oldu. Saltanat lağvedilince Meclis, 18 Kasım 1922'de Veliaht Abdülmecid Efendi'yi

sadece halife olarak seçti. 1300 yıl içinde ilk defa, bütün milleti temsil eden bir şûra halifeyi seçiyordu. Bu âdeta İslam'ın ilk yüzyılında Haricilerin önerdiği sistemin garip ve değişik şartlar altında gerçekleşmesiydi. Bu halifenin siyasi iktidarı yoktu ve ömrü uzun olmayacaktı. Mısır Ezher uleması ve Hind Müslümanları Hilafet Komitesi, bu seçimi onayladıklarını bildirdiler. Ayrıca Kırım'dan gelen bir heyet, "Rusya Müslümanları Kongresi adına" da "Cuma Namazı hutbesi için" halifeye müracaat etti, yani onu tanıdı.[63]

İktidar-Hilafet İlişkileri

Şüphesiz siyasi iktidara sahip olmayan ve iktidar araçlarını kullanmayan bir halifenin durumu, 1924 Şubat ve Mart aylarından çok önce tartışılmaya başlanmıştı. Hilafetin muhafazasını isteyenler bile, Ankara'daki iktidarla İstanbul'daki hilafet arasındaki ilişkilerin geleceğini kesin bir biçimde tarif edemiyorlardı. Hatırlanacağı üzere tarihteki örnek, Abbasi halifelerinin son zamanları ve Memlûk hanedanıyla Mısır'da olan ilişkilerinin durumuydu. Ama bu örnek, saltanatın kaldırılmasından sonra Osmanlı hanedanı ve yeni Cumhuriyet arasındaki ilişkileri ayarlamak için bir örnek olamazdı. Diğer yandan hilafet kurumu dış dünyada, özellikle Hind Müslümanları açısından şimdi başka türlü bir önem kazanmıştı. Hatta bu kurum tarihte görülmeyen bir nitelemeye ve yeni bir karaktere kavuşturulmak isteniyordu. "Hilafet-i İslamiye" kavramı burada tartışmaya açılmıştı. Halifenin tahta çıkışı bir hükümdarınkinden farklıydı. Eyûb Sultan Camii'nde kılıç kuşanma (yani bir nevi taç giyme) töreni yapılmadı.

63 Mete Tunçay, *Türkiye Cumhuriyeti'nde Tek Parti Yönetimi*, Ankara, 1982, s. 70.

Halife seleflerinin sarayında ikamet ediyordu. Cuma selamlığı törenleriyse yapılıyordu. Bu cuma selamlıkları az zamanda çeşitli yorumlara ve Halife Abdülmecid'in saltanatı özlediği dedikodularının çıkmasına neden oldu. Doğrusu, Halife'nin de durumu değerlendiren uyumlu bir politika izlediğini söylemek mümkün değildi.

Ankara'daki hükûmetin hilafeti, saltanatın bir uzantısı olarak gördüğü ve iktidara tam sahip olmak için, bu kurumu kaldırmak istediği o günden bugüne, literatürde ve siyasi mahfillerde hep tartışılmış, ileri sürülmüştür. Bizzat İslamcı hareket ve düşünce ile alakası olmayan siyasetbilimci tarihçiler, mesela Mete Tunçay da bu görüşü ileri sürmüşlerdir. Fakat Kemalist iktidarın hilafeti, laik cemiyet kurulması için kaldırıldığını ileri süren bir siyasi söylem de çoğunlukla destekleniyor. 1923 yılında, Seyyid Bey'in *Hilafetin Mahiyet-i Şeriyyesi* adlı risalesi, hilafet kurumunun İslam itikadıyla bağlantısı olmadığını savunur; "Hilafet dinî değil, dünyevî ve siyasi bir kurumdur" der. Daha sonra kanunun Meclis'te müzakeresi sırasında Adliye Vekili olan bu İslam âlimi (aynı zamanda İzmir Mebusu), bir yıl evvel kaleme aldığı risaleye dayanarak hilafetin ilgası gereğini muhaliflere karşı savunmuştur. Hükûmet bu konuda kararlıydı (sonradan Seyyid Bey'in Meclis zabıtlarındaki konuşması bir ayrı basım olarak yeniden basıldı[64]). Cumhuriyet rejimi, hilafeti siyasi iktidardan koparmıştı ve şimdi bu siyasi iktidarsızlık nedeniyle (aslında teoriye uygun olarak) hilafeti ilga ve hanedanı yurt dışına sürme hazırlığındaydı.

64 Seyyid Bey, *Hilafet'in Mahiyet-ı Şeriyyesi*, Ankara, Türkiye Büyük Millet Meclisi Matbaası, N.D. (1923), s. 10.

Radikal Reformlar Dönemi

Hilafete karşı siyasal söylemin (*rhétorique*) en çarpıcı örneği, Cumhurbaşkanı Gazi Mustafa Kemal'in (Atatürk) 2 Mart 1924'te Meclis'e irad ettiği nutukta görülür. Mustafa Kemal Türkiye'de tedrisatın birleştirilmesinden (yani dinî eğitimin kaldırılması ve yabancı okulların Maarif Vekâleti gözetiminde millî okullarla program uyumu sağlamasından) ve aile hukukunda ve vatandaş hukukunda medenî yolun (yani Kanun-ı Medeni'nin, *Droit Civil*'in) getirileceğinden söz ediyordu. 1926'daki hukuk reformu gündeme gelmiş ve iki yıl önceden ilan edilmiş demektir. Hilafetin kaldırılmasını takip eden zaman içinde dinî eğitim kurumları kapatıldı, İslami tarikatlar dağıtıldı, tekkeler kapatıldı ve kıyafet kanunu çıkarıldı. Bu olayla, muhtemelen kültürel ve laik bir değişim birbirine bağlanmış olarak bir radikal reform dönemine girildi.

Hilafet ve Hz. Peygamber

İslam'da hilafet meselesi tartışmalı mevzulardan biridir. Hilafet Kur'an'da iki yerde geçmekte ve buralarda da Hz. Davut ve Hz. Âdem'e, yani insana izafe edilmektedir. Çünkü Allah adını zikretmek ve buna müdrik olmak yaratıklar içerisinde insanoğluna mahsustur. Yoksa, "Biz hilafeti Kureyş'e verdik" ya da "Biz hilafetin babadan oğula olmasını istedik" gibi bir ifade yoktur. Tabii bu, hadisler için de geçerlidir. Çünkü netice itibariyle söz konusu olan kişi bir peygamberdir, söylediklerinin ilahi mebdei olduğuna inanılır, bir devlet adamı değildir. Bu şekilde söyleseydi, insanlar birbirlerine girerlerdi. Toplumun bir şekilde idare edilmesi gerekir. İslam cemaatinde bu idareyi yapan kişiye "halife" denir. Onun için

Mustafa Kemal Paşa ve Latife Hanım Afyon Belediye binasına kadar açık faytonla mahşerî kalabalık eşliğinde ilerlerken.

hilafetle idare farklı şeyler değildir, yani ruhaniyet yoktur. Onun ortaya çıkması, ruhanî bir kurum gibi telakki edilmesi bütün İslam asırları boyunca söz konusu değildir. Hilafetin ruhanî bir kurum olması 18. asırda Küçük Kaynarca Antlaşması ile olmuştur. Biz değil onlar ileri sürüp belirtmiştir. Hatta Mouradgea d'Ohsson'a da bu görüş Osmanlı elitine de pek uygun geldiği için telkin edilmiştir.

Din ve Siyasetin Merkezindeki Makam: Hilafet

Hilafetin avdeti mümkün değildir, kırılmış kristal gibidir, yerine gelmez. Zaten hilafeti lağvettiğimiz vakit manzara şudur; Rusya Müslümanlarının bu müesseseyi tutması artık söz konusu değildir. Zira artık Sovyetler Birliği vardı. 1924 yılında artık o dünyanın, buradaki hilafetle veya herhangi başka bir müessese ile bağı olamazdı. Hindistan Müslümanları vardı. Dünyanın en kalabalık Müslüman nüfusudur, bunun üzerinde dururuz. Hind Müslümanları için Britanya kolonyal idaresine karşı Osmanlı hilafeti, halifesi bir mazeret ve bir dayanma noktasıydı. "Halife bunu istemez dine mugayirdir, yok halife şunu ister, yapmalıyız" gibi bir referans, tartışmaları destekleyen bir güç noktasıydı. O yüzden Hind Müslümanları pek hoşlanmadı bu makamın kalkmasından. Fakat nihayet Hindistan kendi yolunu bulduktan sonra -ki bu çok kısa bir süredir- zaten hilafetin orada da pek işe yaramayacağı açıktır. Arap dünyasındaysa 19. asırdan beri kimse zaten Türk'ün hilafetine taraftar değildi. Yani dikkat edin, Arabistan 19. asırda bağımsızlık istemiyor. Ama Türk halife de istemiyor. "Hilafet bizim hakkımızdır, Kureyş'in hakkıdır" diyorlar.

1924 Meclisi'nde Hilafetin lağvı fikri hakimdi. Değindiğimiz gibi birinci safhada Adliye Vekili Seyyid Bey bir risale çıkardı. Bu risalede hilafetin devlet işlerinden ayrılması konusunda bir öneride bulunuluyor. Yani bu, 1922'deki ayrım için uygun bir temeldir. İkinci safha, yine aynı kişi tarafından benzer bir risalede devlet otoritesinden ayrılmış hilafetin ruhanî olarak pek işe yaramayacağı konusundadır. Birincisinde tarihî bir argüman kullanılıyor, Abbasi Devleti'nin bilhassa Büveyhiler ve ardından Selçukiler devrinde Bağdat Hilafeti'nin devletten ayrı otorite olduğu ve âdeta ruhaniyet kazandığı, ikincisindeyse bunun İslam devletinde devlet anlayışı açısından mümkün olmadığı belirtiliyor. Bir yıl içinde aynı Bir yıl içinde aynı kişi tarafından serd edilmesi dışında ikisi de mantık olarak geçerlidir ve ikisi de aslında akideye fazla bağlı bir dayanak değildir. Çünkü İslam dininde halifeden sadece Kur'an'da peygamberlerle birlikte söz edilir. Hilafet sisteminin nasıl olacağı konusunda fazla bir bilgi yoktur, olmaması da mantıkî ve hayırlıdır. Ondan sonraki tarihî verilere ve olaylara bakarak görüşün iki kere temellendirilmesi çok ilginçtir. Bunu yukarıda değindiğimiz gibi, eski Adliye Vekili Seyyid Bey yapıyor. Literatürde insanlar bu iki risalenin farkında değiller. İlk defa olarak bunu Mete Tunçay'da gördüm.[65]

Hiç şüphesiz ki hilafet için Mısır'ın dahi teşebbüsü olmuştur, katiyyen hıdive, hele Fuat'a böyle bir makamı kimse yakıştıramazdı. İran için böyle bir şey söz konusu değildi. O zamanki Müslüman devletleri Britanya'nın protektorası, kuvvetli nüfuzu altındaki Ürdün, Irak cephesinde, yani Haşimîlerin böyle bir makamı yüklenmesi belki söz konusu olabilirdi ama devlet olarak yapıları müsait değildi ve kimse bunları tanımazdı ki en başta Suudîlerin bile red edeceği açıktı. Dolasıyla hilafet kaldırılırken gerekçesinde söylendiği gibi, Büyük Millet Meclisi'nin uhdesinde, mündemiç bir müessese olarak kaldı. Tabii bu müesseseyi bugün görmüyoruz. 1924'te ani bir kararla bu müessese kaldırıldı. Bizzat halife ve sülalenin erkeklerinin, yakın erkek üyelerin birkaç gün içinde sürülmesiyle sonuçlandı. İstasyon olarak dikkati çekmemesi için Sirkeci garı kullanılmadı ve Çatalca istasyonundan vagona bindiler. Fakat öbürleri için birkaç hafta daha müsaade verildi. Osmanlı hanedanının, damatlar da dâhil olmak üzere, şehzade ve sultan unvanını taşıyan bütün üyeleri birlikte çıktı. Sonradan afvedilenler oldu. Damatlık bağı kalmayanlarsa kaldılar. Kan bağı olmadığı için şehzade ve sultan analarından kalanlar oldu. Bir de kalabilecekleri halde istekleriyle hanım sultanlar da sürgüne

65 Mete Tunçay, *Türkiye Cumhuriyeti'nde Tek-Parti Yönetiminin Kurulması 1923-1931*, Tarih Vakfı Yurt Yayınları, İstanbul, 2015, s. 69, 177.

katıldı. Hanedanın kadın üyelerinin sonradan dönüşleri 1952 yılında, 30 yıl bile geçmeden mümkün olmuştur. Erkekler ancak 1974 affıyla, yani artık hepsinin dönemeyeceği kadar uzak bir tarihte geri dönme hakkını alabildiler ve zor bir 50 sene geçirdiler. Paraları yoktu ve devletin verdiği para sınırlıydı. Çünkü pasaport tek yönlüydü ve geri dönüş mümkün değildi. Fransa hepsine nezarette bulundu. Prenses ve prens olarak onlara yeni diplomatik pasaportlar verdi. Bazı yerlerde daha çok sıkıntı yaşadılar. Fakat Balkan ülkelerinden başlayarak Orta Avrupa, Fransa, yavaş yavaş İngiltere ve Amerika'ya kadar her yere yayıldılar.

Geçen 50 senenin sonunda Osmanlı hanedanının manzarası şu: Birçok hanedan gibi hayat şartlarında büyük terfi göstermemişlerdir. Nasıl ki Avusturya hanedanında sadece son veliaht Otto (şaşılacak derecede Türk dostudur ve bizim hanedan üyeleriyle de çok yakın dostluğu vardı) Almanya sayesinde Avrupa Parlamentosu'na girmişti, gerileri kayda değer mevkilere gelemedi ve Hohenzollern ve Çar hanedanından kalanlar için de bu böyledir. Hatta aile riyaseti kime kalacak diye birbirlerine düştüler. Bugün bile Romanovlardan iki aday arasında bir ihtilaf vardır. Osmanlı hanedanı da çok büyük varlık gösteremedi. Bununla birlikte bir-iki kişi mali vaziyetini düzeltti. Çok iyi eğitim görenler vardı, bu bir artıdır ve eğitime önem verdiler. Hatta diyebiliriz ki kadın üyeler yurt dışında saltanat döneminde olmayacak kadar iyi eğitim gördüler. Neslişah Sultan, Şehzade Osman Ertuğrul Efendi gibi Avrupa'da oldukça entelektüel kişiler olarak görülenler vardı. Fakat çok fakir kalanları, eğitim alamayanları da oldu, bilhassa Orta Doğu'dakiler. Hanedan üyeleri hiçbir zaman devlet aleyhinde siyasi hareketler, örgütlenmeler göstermediler ve Cumhuriyet aleyhinde açık konuşmadılar. Lehte değerlendirmeleri vardır.

Aşağı yukarı ilk anda Hind Müslümanları, belki Endonezyalılar da kısmen bu işe burulmalarına rağmen ortada o kadar farklı akımlar vardı ki, mesela daha önce de İsmailî mezhebi Türk hilafetine çok muarız bir tutumla bakmasına rağmen, bundan sonra tamamıyla alakasız kalmıştır. Sayıca az olmakla birlikte coğrafya bakımından çok yaygın olan İslam dünyasında, para ve eğitim bakımından çok üstün durumda olan İsmailîlerden destekleyici ama itici bir ses de çıkmamış ve yardım da gelmemiştir. Hindistan kıtası gibi kalabalık Müslümanların yaşadığı yerde ilk andaki burukluk zamanla Müslüman Hindistan mevhumunun ortaya çıkması ile tavsamıştır. Bunun öncülerinden biri de Halide Edip (Adıvar) Hanım'dır. Kendisi burayı terk ettikten sonra muhaceret zamanında hayatının bir kısmı Aligarh Islamic College gibi yerlerde geçti ve Hind Müslümanları kendilerini çok tuttu. O havanın içerisinde Nehru, Mevlâna Azad gibi isimlerle de görüştü ve öyle çok militan bir tavrı yoktu. Fakat 1937 yılında *Inside India* adında bir kitabı çıktı.[66] Bir Türk münevverinin prestijli bir yayınevinde, (Weidenfeld & Nicolson'da) basılan ilk kitabıdır ve çok okunmuştur. Hindistan'da halen klasiktir. Burada Hindistan alt kıtasındaki Müslümanların yaşam ve kültür bakımından ayrı bir millet ve kültür olduğunu ispat ediyor, görüşü ve yorumu bu ve çok tutuldu. Onun için bu yavaş yavaş ilerleyen tertiplenmeyle Hindistan kendi içinde kişiliğini buldu ve bir

66 Kitabın ilk baskısı G. Allen & Unwin tarafından Londra'da 1937 yılında yapıldı. Halide Edib Adıvar, *Inside India,* Londra: Weidenfeld & Nicolson, 1971, Halide Edip Adıvar, *Inside India*, New Delhi; New York: Oxford University Press, 2002.

de bağımsızlıktan sonra artık tartışılmaz oldu. Bu bakımdan ben Türk hilafetinin lağvının büyük bir sıkıntı yarattığı kanısında değilim. Aksine görüşler tabii çok fazla var. Kaldı ki hilafetin adı lekelenerek, saldırılarak kaldırılmış değildir; Türkiye Büyük Millet Meclisi böyle demektedir. Şunu da unutmamak lazım, halifeyi tarihte ilk defa milletin seçtiği farz edilen bir organ seçiyor ve hal ediyor ki bu önemlidir.

Şimdi mesela Türkiye'nin elinde hilafet olsa ne olurdu? Bana göre İslam dünyası üzerinde Türkiye'nin bugün ne kadar etkisi varsa yine o kadar olurdu, fazlası olmazdı. Çünkü İslam'da hilafet var ve Kur'an'da geçiyor, ancak, insanın vasfı olarak geçiyor. İnsan Allah'ın halifesidir, O'nun adını zikreder, O'nun kuvvetine inanır, O'na biat eder. İkincisi, hilafetin ne Kur'an'da ne vahiyde ne de peygamberimizin hadislerinde tarifi ve sistematiği, düzenlenişi geçiyor. Bu bir zaaf değil, aslında tam anlamıyla vahye mahsus bir mükemmelliktir. Şöyle olacak, böyle olacak, yok seçimle tespit gibi keyfiyet ve ahkâm yok. Hilafetin İslam'da ruhanî bir kurum olmadığı çok açıktır. Bir dünyevî kurumdur. İslam dünyasında zaman zaman iki hilafet olmuştur. Emevîler devrinde İspanya fethedildi, İspanya merkezden koptu ve Şam'daki halifenin öbür tarafında, Endülüs'te de bir halife vardı. Osmanlı devrinde burada vardı, Memlûklerde vardı, Orta Asya'da vardı. 11. asırda Şiiler'de de vardı.

Bizde ilginç nokta, Yavuz Sultan Selim Han'ın hilafeti alıp getirdiği gibi bir nakil hikâyesinin varlığıdır ki doğru değildir. İkincisi, bu hilafet unvanını Fatih de, Bayezid de kullanıyor veya onların adına sınır valileri kullanıyor. Üçüncüsü, Kanuni ve Yavuz da dâhil olmak üzere, bunlar bu unvanı az kullanmışlardır. Hâlbuki 19. asırda Sultan Abdülaziz veya Abdülmecid ve diğerleri için "zıllullahi fi'l-arz" (Allah'ın yeryüzündeki gölgesi) gibi unvanlar kullanılıyordu. 1876 Anayasası'nda halife unvanı resmen yer almıştır. Ancak ondan evvel de vardır. Hilafet terimi, III. Selim için de geçiyor, 1774'ten (Küçük Kaynarca Antlaşması'ndan) beri bütün vesikalarda geçiyor.

Osmanlı'daki son halife Abdülmecid'in hayatına ve yaşam biçimine baktığınız zaman, mutaassıbların halife modeline uymuyor. Halifenin kendisi yaşam biçimi ve anlayış itibariyle tamamıyla laik ortamda yürüyen, çok bilgili bir prens olan, Fransızcası, Almancası olan, zaman zaman Potsdam'daki askerî akademide okuyan oğlundan bile daha açık bir Osmanlı. Mayosunu giyiyor, yüzüyor, spor yapıyor, resim yapıyor, besteleri var. Fakat tabii en azından Avrupa şeklindeki, düzeyindeki muhafazakâr bir burjuvanın hayatı var.

Osmanlı sarayını temsil ediyor, zıtlık yok, umumî ahlak ilkelerine, ciddiyet ilkelerine uyuyor ve hatta bazı hanedan üyesi gençleri bazı yaşam biçimleri konusunda sık sık uyarıyor ki aile reisi olarak ve halife olarak bu yetkisi var. Bütün o dönemin mülteci hanedan azası kendisinden kesinlikle halife diye bahsederler. Onun mülteci halife statüsünün üzerinde durulur.

Gelgelelim son halife kendi aile bireylerinin dahi söylediği gibi fevkalade dikkatsizdi. Müsrif olmamakla beraber bütçesiyle yetinemiyor ve sık sık Ankara Hükûmeti'nden malî bakımdan destek ve daha fazla bütçe istiyor ve gürültü ile Cuma selamlığı yapıyordu.

Üstelik yanında da Refet Paşa vardı. İstiklâl Savaşı kumandanlarının arasında ister istemez böyle bir hafif gerilim olacaktı. Refet Paşa, Ankara'ya göre daha geleneksel görüşlüdür.

Mareşal Gazi Mustafa Kemal Paşa, Millî Müdafaa Vekili
Refet (Bele) Paşa ile birlikte, Ankara, 4 Aralık 1921.

Farzımuhal, "Kurtuluş Savaşı kazanıldıktan, Ankara'da Türkiye Büyük Millet Meclisi kurulduktan ve geçiş dönemi boyunca ve Cumhuriyet ilan edildikten sonra Abdülmecid Efendi İstanbul'da soğukkanlı biçimde otursaydı, hiç gösteri yapmasaydı hilafet kalır mıydı?" diye soralım. Gerçi kendisinin Ankara hareketine sempatisi olduğu biliniyordu, ama hilafet bir gün yine lağvedilirdi, lakin daha sonra olurdu ve muhtemelen Osmanlı hanedanı da bu kadar sıkıntılı bir şekilde dışarılara çıkmazdı.

Sürgün, bu olay yüzünden çok ani olmuş ve hanedan üyeleri çok mağdur olmuşlardır. Kanun çok sert çıkmış, uygulamada bazı aksaklıklar olmuş, hiç istenmeyen sonuçlar yaşanmıştır. Bütün bunlar olmazdı ve muhtemelen daha yumuşak bir geçiş olabilirdi. Bununla beraber hilafetin ilgası mukadderdi ve Osmanlı hanedanının sürgünü Birinci Dünya Savaşı'ndan sonraki taht ve taçların yıkımı içinde en acımasız olan değildir, hatta ölçülü bir yol izlemiştir.

Fakir Bir Ülkenin İzmir'deki İktisat Kongresi

1923'te toplanan İzmir İktisat Kongresi çiftçi ve tüccar grupların istekleri doğrultusunda kararlarla dağıldı. Kongreyi Türkiye için amir kararlar alan bir organ olmaktan çok, dış dünyaya yeni Türkiye'nin ekonomik ve toplumsal sistemini ilan eden bir kongre olarak değerlendirmek doğru olur. Kongre bürokratik bir istişare mahiyetindedir. Alınan kararla, "İktisat üzerinde kim söz söyleyebilecekse o gelsin" gibi bir hava vardır. Kongre iktisadi hayatın geliştirilmesi için bir dizi kararla kapatılmıştır. İlk günden bellidir ki yeni devlet iktisadi hayatı düzenleme cihetine gidecektir. Demir yollarına el atılacaktır, mevcut şirketler devletleştirilecektir.

Bunlara karşı ileri sürülen en önemli mazeret (o yıllarda) Türklerin demir yollarını işletemeyecekleri üslubunda idi.

Devlet aslında liberal bir rejimde görülmediği ölçüde iktisadi hayatı kontrol altında tutuyordu. Büyük bir kitlenin alıcısı olduğu şeker, tütün, ucuz Amerikan bezi vs. gibi en mübrem maddeler üzerinde tamamen devlet tekeli kurulmuştu. Avrupa'da bile bir müddet sonra başlayacak olan ulaştırma, posta ve şehrin altyapı hizmetlerini millileştirme sürecine Türkiye daha baştan el atmıştır. Devlet bir dizi ağır sanayi atılımına bu dönemde girdi. Zira buna bir ideoloji değil, "Pera Palas'ı bile açık artırma ile alıp işletecek" yerli iş adamının olmaması gibi bir olay sebeb olmuştu.[67] İktisat Kongresi, iktisadi hayatın her sektörünün, hatta işletme ve bürokratik mekanizmanın altyapısının bile tartışıldığı bir alan oldu. Mesela harflerin Latinleştirilmesi ve okuma yazma sorununun böyle çözümleneceğini ileri sürenlere karşı Kâzım Karabekir Paşa karşı çıkmıştı. Azerbaycan'daki bu Latinleştirme işinin yürümediğini ve âdeta bir karmaşaya dönüştüğünü ifade etti.

Lozan Üzerine Birkaç Söz

Lozan Barış Antlaşması, Türkiye Devleti'nin hem sınır hem müesseseler hem de hayatı bakımından kuruluşunu tayin eden çok önemli bir antlaşmadır. Hâlâ üzerinde zafer mi, hezimet mi diye kavgalar devam ediyor. En doğru sözü tarihçiler söylüyor: Lozan bir uzlaşmadır.

---

67 Pera Palas'ın eski Rum sahibi Prodromos (Bodosakis) mübadeleye dâhil edilemediği için şirket elinden alınmıştı. Dolayısıyla bu yeniden açık artırmaya konulduğu zaman Lübnanlı Mahayiş'ten başkasının gereken parayı, bedeli ödeyememesi Gazi Paşa'yı bir hayli yeis ve sinire sevk etmiştir.

Yeni Türkiye hukukunu kabul ettirmiştir. Birinci Dünya Savaşı'nın yenik devletleri içinde kendine dikte edilen Paris Antlaşmaları dizisinden Sevr'i kabul etmeyen -bunu aslında Osmanlı Hükûmeti de kabul etmemiştir, çünkü meclis yoktu- Anadolu Hükûmeti kendi şartlarını dikte ederek kabul ettirmiş ve büyük bir uzlaşma sağlamıştır. Meclis Hükûmeti 1923'te ilk Lozan oturumunu reddetmiştir. Curzon ve İsmet Paşa arasındaki münakaşa da ilginçtir. Bu dönemde ikisinin arasındaki en önemli atışma, Curzon'un bazen Mondros Mütarekesi'ne atıfta bulunmasından ileri gelmiştir. İsmet Paşa da "Ben buraya Mudanya'dan geldim" diyerek cevap verir.

Lozan: Zafer mi, Hezimet mi?

Lozan'ı bir hezimet olarak görenler de bir zafer olarak nitelendirenler de mevcuttur. Bize Lozan'da hiçbir şey verilmedi, biz kendimiz aldık. Harbden yeni çıkmış bir millet olarak, meşum antlaşma, Sevr'i kabul etmedik. Lozan mantıkî ve gayet onurlu bir uzlaşmadır. Nitekim kalıcı ve düzeni sağlayıcı bir antlaşma olarak görülmelidir.

Lozan Antlaşması, Cumhuriyet ilan edilmeden evvelki geçiş döneminde gerçekleşen ve kabul edilen bir kurucu belgedir. Bu çok ilginç bir noktadır; bundan dolayı Lozan'a bütün bir Cumhuriyet dönemi bürokrasisi ve politikacıları "Cumhuriyet'in temel antlaşması, hatta temelidir" derler. Bu abartma şuna dayanıyor: Lozan'ın ahkâmına baktığımız zaman, gerçekten bir imparatorluğun tasfiyesi de, yeni gelen rejimin iç meselesi de beynelmilel bir antlaşmayla yerine oturtulmuştur. Bu özelliğinden dolayı Lozan'a muhalif çevreler, "Bu antlaşma tamamen dışarının yönettiği bir hezimet" diye yorum yaparlar. Aslında Lozan bir uzlaşmadır, yani hem muhalif devletlerle bir antlaşmadır hem de Türk halkıyla kurulacak yeni rejim için bir antlaşma sayılır. Şüphesiz bu antlaşmanın üzerinde önemle durulması gerekiyor.

1922 yılı Kasım ayının ortalarında son padişah ülkeyi terk etti. Yine aynı ayın başında TBMM saltanatı kaldırma kararı almıştı. Peki, TBMM ne yapıyor? Yeni bir rejim mi ilan ediyor? Şimdilik hayır. "Cumhuriyet herhalde kapıdadır" deniliyor ama Cumhuriyet henüz ilan edilmemiştir. Bu arada Mudanya Mütarekesi'nde fiilen sona eren İstiklâl Savaşı'nı hukuken nihayete erdirecek yeni bir statüye girilmiştir. Burada saltanat ortada yok; yani imparatorluk tasfiye edilmiştir. Lozan'ın ilk safhası 20 Kasım 1922 ile 4 Şubat 1923 tarihleri arasındadır. Hiç şüphesiz Lozan Konferansı'nın bu ilk döneminde en mühim mesele, sanıldığının aksine sınırların tespiti keyfiyeti değildir. Çünkü burada Türkiye ile Yunanistan arasındaki sınır sorunları çözümlenmiş, hatta esas itibariyle kabul edilmişti. Yine İngiltere, Fransa, İtalya ve yeni Türkiye arasında yüzyıllardan beri biriken sorunların çözümleri iki bölüm halinde ele alınmıştır. Bunlar katiyyen sınır meselesi değildir. Asıl sorun kapitülasyonlar ve iktisadi ilişkilerdir. Bu mevzulara gelindiğinde sorun bir türlü çözülemedi ve büyük bir çatışma ile İsmet Paşa başkanlığındaki delegasyonumuz Lozan'ı terk etti. 23 Nisan 1923'te ise yeniden konferans masasına oturuldu. Görüşmeler sonunda 24 Temmuz 1923'te bir antlaşma imzalandı. Asıl bundan sonraki safha çok önemliydi. Ortada 17 ek belgeyle birlikte beş bölüm, beş antlaşma, beş adet protokol ve beş bildiriyi içeren 143 maddelik bir Lozan Antlaşması vardı.

Uzun yıllar Türkiye Cumhuriyeti yönetimi, "Cumhuriyetimizin ve yeni toplumumuzun esası bu antlaşmadır" dediği halde, ne antlaşmanın zabıtları ne ön görüşme protokolleri ne de yorumları yayınlanmıştır. Elbette kasti bir tutum söz konusu değildir. Denilebilir ki kolay nutuk atmayı yeterli gören, özet metin ve yorumları kullanmaktan rahatsız olmayan bir anlayış hâkimdir. Hatta dışişleri mensubları için bile böyle bir zihniyet geçerliydi. Merhum Prof. Seha Meray'ın 1969-1973 arasında hazırladığı, zabıtları karıştırarak etüt ettiği ve metinleri ortaya koyduğu Lozan külliyatına[68] kadar da bu mesele pek halledilmiş değildi. İlmî literatürde bile –mesela, Siyasal Bilgiler Fakültesi yayını olan *Olaylarla Türk Dış Politikası*'nın, 1919-1973 arasını ele alan ilk cildindeki "Lozan Antlaşması" maddesinin dahi ancak derli toplu bir yazı olmaktan fazla şey ifade etmediği söylenebilir.[69] Oysa muhtelif baskıları olan bu kitaba yurt dışında bile Türk dış politikasının el kitabı olarak müracaat edilmiştir.

Burada antlaşmanın kendisine bakmakta fayda vardır. Bir kere barış antlaşmasına giden delegeler çok ilginçtir. Heyetin başında İsmet Paşa, heyetin içinde Rıza Nur var. Rıza Nur'un yanında sonraki başvekillerimizden Hasan Saka Bey, sonra ilginç bir üye olarak imparatorluğun son hahambaşılarından Hayim Nahum vardır. Bir de burada dikkat edilmesi gereken husus Büyük Millet Meclisi'nde iki düşünce arasında çok şiddetli tartışmaların vuku bulmasıdır. Dolayısıyla Lozan metni üzerinde tek kişinin, tek kuvvetin direktifi bulunduğu iddiasını biraz ihtiyatla karşılamak gerekir.

---

68 Prof. Dr. Seha Meray, *Lozan Barış Konferansı: Tutanaklar-Belgeler*, 3 Cilt (8 Kitap), Ankara Üniversitesi SBF Yayınları, Ankara, 1969-1973.

69 *Olaylarla Türk Dış Politikası 1919-1973*, Ankara Üniversitesi Siyasal Bilgiler Yayınları, Ankara, 1977.

On İki Ada'yı Hiç Alamadık!

Sınırlar aslında Mudanya Mütarekesi'ne göre tespit edilmiştir. Vakıa biz Mudanya'da bu sınırların hepsini alamadık ama alacağımız yer belliydi, daha doğrusu elde o askerî güç vardı. Dolayısıyla Sevr'de Çatalca hattından biraz ileride bulunan Podima (Yalıköy)-Kalikratya (Mimarsinan) hattı -ki bunlar bugün İstanbul'un banliyösüdür neredeyse- Lozan'da artık değişecektir. Londra Konferansı'nın sonunda, Mart 1921'de yapılan barış teklifinde bölge ve çizgi söz konusu edilmemektedir. Sakarya Zaferi'nden ve Fransa ile Ankara Antlaşması'nın ardından yapılan Mart 1922 tarihli barış teklifinde ise, Babaeski ve Kırklareli Yunanistan'da kalacakken değişmiştir. Meriç hattı, yani Birinci Dünya Savaşı'na girerken söz konusu olan Osmanlı İmparatorluğu hattı esas addedilmiştir. Adalar bütünüyle gene Balkan Savaşı'ndan sonraki statüde, Türkiye dışında (ikisi hariç) kaldı. Ege'nin kuzey adaları Yunanistan'ın elindedir. On İki Ada ise İkinci Dünya Savaşı'nın sonunu bekleyecek ve neticede hiçbiri bize verilmeyecektir; vermek isteyen Nazi Almanyası'dır ki bunu kabul etmek Müttefikler ve Sovyetlerle karşı karşıya gelmek olurdu. Dolayısıyla Alman hediyesini reddeden İsmet Paşa dış politikasını tenkit etmek doğru değildir. Suriye sınırında Antakya (Hatay) elimizden çıkmıştı, İskenderun sancağı ise duruyordu. Durumu belirsizdi, bir protektoraydı ve 1939'da Türkiye'ye dönecekti. Irak sınırına gelecek olursak; Lozan'da Musul meselesi halledilmemiş, çözümü sonraya bırakılmıştı. Bu "sonra"nın zamanı hiç gelmeyecektir. Boğazlar bölgesi beynelmilel bir kontrol altındadır ve askerden arındırılmış bir bölgedir. Statü yine aynı şekildedir, fakat bu 1936'da Montreux'de tasfiye edilecektir. Boğazlar

Gazi Mustafa Kemal Paşa çocukları selamlıyor,
Tuzla-İstanbul, 5 Haziran 1928.

meselesi İkinci Dünya Savaşı'nda Türkiye'yi meşgul edecektir. Fakat ondan sonra askerden arındırma meselesi söz konusu olmayacaktır. Hepimizin bildiği gibi Lozan'dan sonraki dönemde İstanbul'un işgal kuvvetlerinden arındırılması söz konusudur. Fakat aslında İstanbul'un statüsü Lozan'a bile kalmamış ve söz konusu da olmamıştır.

Vatandaşlık Meselesi ve Mübadele

Adlî kapitülasyonlar tamamıyla ikinci dönemde halledilmiştir; vatandaşlığını değiştirmek isteyen gayr-ı müslim unsurlara hiçbir şekilde müdahale edilmeyecekti. Buna karşılık hemen Lozan'ın ardından gelen mübadele -ki Lozan hükümlerinde yer almamıştır- tamamen Yunanistan'ın aynı günlerde büyük devletlerle anlaşarak yaptığı talebin (baskı da diyebiliriz) sonucudur ve yeni Türkiye devleti bunu kabule zorlanmıştır. Bütün Anadolu'daki Helen nüfus mübadeleye tabi tutulmuştur. Bunların içinde sayıları 100 bini geçen -ki çok önemli bir rakamdır- Karamanlı Rumlar dediğimiz Hıristiyan Türkler de yer almaktadır. Bu Cumhuriyet'in o ânı ve geleceği için çok olumsuz bir yaptırımdır. Bunlar da Yunanistan'a gönderilmiştir ve bilhassa bu Karamanlı toplum orada çok büyük sıkıntılar çekerek yaşamak zorunda kalmıştır. Fakat İstanbul, Bozcaada ve İmroz Rumları, tıpkı Batı Trakya Türkleri gibi, etabli, meskûn (*established*) statüsünde ele alınarak kapsam dışında bırakılmışlardır. (Bu iş halledilmiş midir? Hayır. 1960'tan sonra da bunların içinde Yunan tebaası olanlar Yunanistan'a gönderildiler. Bu durum aile parçalanmasını başlattı ve hatta bir kuşak evveli de gitmek zorunda kalıyordu. İstanbul bu devirde bir anda hızlı bir de-Helenizasyon'a uğramıştır.) Sevr'deki askerî sınırlandırma Lozan'da artık söz konusu olmayacaktır. Lozan'a göre, Boğazlar'ın iki yakasında askerden arındırılmış bir bölge vardır, onun dışında Türkiye çevrede 12 bin asker bulundurabilme hakkını elde etmiştir.

Türk-Yunan Nüfus Mübadelesi

Türk-Yunan nüfus mübadelesi Lozan'da etraflıca tartışılmamıştı. Ama bu konferansta gündeme geldi ve işleme geçilmesine karar verildi. Dolayısıyla Lozan'ın sonuçlarından birisi de orada tarif edilmeyen mübadeledir. Çok ciddi bir sayıya ulaşan nüfus karşılıklı olarak yer değiştirmiştir. Bu nedenle mübadele bahsine bilhassa değinmek gerekir.

İmparatorluklardan geriye bir miras kalır. Miras, günlük dilimizde de vardır. Mesela Türkiye Türkçesindeki pek çok kelime... Bir binaya baktığımda ilk anda aklıma gelen kelimelerden bazılarını söyleyeyim: Anahtar, kilit, temel... Bunlar Rumcadır. Azerbaycan'da "anahtar" diye bir kelime yoktur; "açkı" derler, "bağlamak" derler. Yine mesela "çatı" ise Farsçadır. Mesela, "Yalının fenerini poyrazda yaktım" diye bir cümle kurduğumuzda orada sadece yakmak Türkçedir. Yalı, fener ve poyraz, üçü de Rumcadır. Farsça ve Arapça kelimeler bizim edebiyatımızda çokça yer alırlar, lisanımızda yer alırlar, ama lisanımız Türkçedir. Çünkü imparatorluğun kadim bazı müesseseleri var ve bunları biz de aynıyla tevarüs etmişiz; bunları reddetmek toplumu kültürel izmihlale (khaos) ve çürümeye götürür.

Modern Balkan ülkelerinin bazı mirası reddetmek gibi ciddi bir sosyo-kültürel arızası var. Bu, Orta Doğu'ya da bulaşmıştır. Oysaki imparatorluk tarihi bir millî tarih gibi okunamaz.

Biz çok büyük bir deprem geçirdik. Depremin adı, Birinci Dünya Savaşı'dır. Bu harbin en mühim sonuçlarından birisi ise mübadele olmuştur. Bu mübadelenin, her şer olayda olduğu gibi hayırlı tarafları da olmuştur. Ama bu nüfus değişimi genel itibariyle büyük bir dramdır, yaradır ve kapanmaz.

Türkiye'nin işgali girişimine karşı biz önce Atatürk'ün liderliğinde bir Millî Mücadele gerçekleştirdik. Sonra ise bir Mudanya Mütarekesi yaptık. Bu mütarekeye göre Balkan sınırlarımız aynen 1912-13 Uşi/Londra Antlaşmaları gibi kabul edildi. Şimdi bazı bilgisiz kesimler diyor ki, "Lozan'da On İki Ada'yı vermişiz." On İki Ada Balkan Savaşı'nda zaten İtalyan işgali altındaydı. Lozan'da kimsenin oraları verdiği de yoktu. Nitekim kime ait olacağı İkinci Dünya Savaşı sonunda belli oldu. Kuzey Ege Adaları ise Balkan Savaşları'nda zaten işgal edilmişti. Onlar Yunanistan'da kaldı. Yine bazıları diyor ki, Türk ordusu Batı Trakya'ya girseydi... Ancak Yunanistan Anadolu'daki hezimetten sonra bütün kolordularını bugünkü sınırlara değil, Selanik'e yığmış ve orada beklemeye başlamıştı. İki taraf için de çok uzun sürecek bir savaş ihtimali vardı. Öyle, "Yürüseydi" demek, devrilen arabaya yanlış yol göstermek gibidir.

1924 mübadelesinin Venizelos tarafından getirildiği bir gerçektir. Şimdi yine sözde tarihçilikte bir saldırı başladı; "Cumhuriyetçiler etnik temizlik yapmak için mübadeleyi ortaya çıkardılar", deniyor. Bir kere mübadele iki taraflı bir antlaşmadır ve tek taraflı olmaz. Nitekim Venizelos, giriştiği büyük macerada acı gerçeği görünce, bu sefer doğruya döndü ve elindeki mevcut Yunanistan'ı kalabalıklaştırmak için Anadolu'daki Helen nüfusu istedi. Büyük devletleri de buna ikna etti ve biz de bunu kabul etmek zorunda kaldık, zira, Trablus'tan beri on sene aralıksız harb etmiş Türkiye'nin artık daha fazla savaşacak ve bu konuda baskılara direnecek hali yoktu. Birinci Dünya Savaşı başkaları için dört yıl sürmüşse de bizim için on yıl sürmüştür. Bazı konularda bizim yeni devletimiz beynelmilel konsorsiyuma karşı koyabilecek güçte değildi. Bu nedenle mevcut şartlar iki ülke arasında nüfus mübadelesini zorunlu kılmıştır diyebiliriz.

Mübadele ile birlikte Anadolu'dan bir buçuk milyon kadar insan karşı tarafa göç etmiştir. Bunlar muhtelif şehirlerden gitmişlerdir ve bugünkü Yunanistan'da göç ettikleri şehirlerin adlarını "nea" yani "yeni" diye anarak yeniden yaşatmışlardır. Bize ise o topraklardan 500.000 kadar insan geldi. Bu sayılara dikkat etmek gerekir. Mesela Yunanistan, tütün tarımının bitmesi sebebiyle sigara fabrikaları için tütünü bile dışarıdan almak zorunda kalmıştı çünkü Türkler göçünce ülkede tütün tarımı bitti. Mübadele hiçbir zaman akıllı bir ekonomik tedbir değildir; şöyle ki ekonomik faaliyetler belli toplumlarda belli grupların içinde yapılır. Kuyumculuk, terzilik, tütüncülük vs. belli bir grubundur. O gruplar ihraç edilirse sektörler çöker. Bu durumun farkında olanlar da vardı. Mesela Kayseri'de, Niğde'de esnaf toplanıp Karamanlı Rum denen Türk Hıristiyanları kastederek "Lütfen bu insanları göndermeyin. Biz burada dükkân bile açamayız" demişlerdir. Mübadelede esas, Türk-Yunan mübadelesi değildi. Peki neydi? Müslüman-Ortodoks mübadelesi idi. Burayı iyi anlamak lazımdır. Bu sebeple iyi Türkçe bilmeyen Yunanistan tebaasından bir Pomak Türkiye'ye gelirken, Yunanca bilmeyen Karamanlı Ortodoks bir Türk ise Yunanistan'a gitti. Karamanlı Türkler Hıristiyan'dı, Ortodokslardı ancak Türklerdi. Türkçeleri, belki bizim Türkçemizden bile daha temiz bir Oğuzca idi. Yunan alfabesiyle

Türkçe yazarlardı. İncil'leri dahi böyleydi. Yunancayı ise hiç bilmezlerdi. Bu topluluğun gitmesiyle birlikte, Türkiye önemli bir Hıristiyan grubunu kaybetti. Göndermek mecburiyetindeydik çünkü onları da istediler. Bize gelen nüfus ise Selanik'ten, Yanya'dan, Batı Trakya'dan, Adalar'dan ve özellikle de Girit'ten gelen Müslümanlardır. Girit'ten gelenler orada Yunanca konuşuyorlardı, izole bir kıtada ön planda dinî kimlik etkisiyle Türkçeyi bir hayli unutmuşlar ya da bazı yeni nesiller hiç öğrenememişlerdi. Onlar da Müslümandı ama Türkçeleri yok gibiydi. Üstelik Ortodoks Yunan milliyetçiliği Girit'te Türkçülüğü ve Türk kimliğini olağanüstü kuvvetlendirmişti.

Biz muhacir kabul etmeye alışkın bir memleketiz. 1877-78 Osmanlı-Rus Harbi'nden beri Balkanlar'dan muhacir kabul ediliyordu. 1856'da, Kırım Savaşı'nın sonundaki muhacirleri ise Bulgaristan (Tuna) vilayetlerine yerleştirmiştik. Midhat Paşa valiliği sırasında Rusya'dan gelen Kırımlı, Kafkaslı muhacirler için başarılı bir iskân modeli uyguladı. Anadolu'ya pek gelmemişlerdi, ancak 93 Harbi'nden (1877-78) itibaren gelmeye başlıyorlar.

Mübadele ile Türkiye'ye gelen nüfus için özel çalışmalar yapılmıştır ve bu kitle büyük ölçüde memnun kalmıştır. Ancak tam memnun kalmadılar, kalamazlardı da. Çünkü dünyada hiçbir göçmen geldiği memleketi tamamen sevemez, eskisini özlemeye devam eder. Bu bir kuraldır. Ağaçlıklı ev verilen, "memleketteki ağacım daha gölgeliydi" der. Yine de bizim göçmen kabul etme alışkanlığımızın etkisiyle, iskân sorunu Yunanistan'a göre daha çabuk çözüldü. Bizim Rumeli'den, Kafkasya'dan, Kırım'dan, Rusya'dan göçmen alma geleneğimiz sayesinde büyük sosyal krizler çıkmadığı gibi "iç evlilikler" dediğimiz evlilikler de vuku buldu, akraba olundu ve Anadolu insanı daha yeni ırkla karıştı, kapalı köy evlilikleri kısmen değişti, yeni zanaatlar topluma girdi. Ama şunu da unutmamak gerekir ki muhaceret ya da mübadele sıkıntılı bir süreçtir, sanatlar, kabiliyetler yok olur. Romanya-Bulgaristan hududundaki Dobruca'dan bir aileyi alıp Elazığ'a yerleştirirseniz bu zor bir süreçtir. Milyonlarca Anadolu Heleninin Yunanistan'da çok mutlu zamanlar yaşamadıklarını da söylemek gerekir. Anadolu'da sosyalizm gibi bir derdi olmayan bu insanlar oraya gidince sosyalizme meylettiler. Çünkü burada tuzu kuru sayılırlardı. Ancak orada başka dertlerle ve sınıf ayrışmalarıyla uğraşmak zorunda kaldılar. Buraya gelenler ise, zorluklara kısmen intibak edemedilerse de Türkiye'nin değişim ve gelişiminde çok büyük faydalar sağladılar.

Biz coğrafyayı bilmek zorundayız. Cumhuriyet idaresinin, etnik temizlik için mübadele tertiplediği iddiası ne tarihidir ne de ahlakîdir!

Bulgaristan Muhacirleri

Teknik olarak mübadil ve muhacir farklı kavramlardır. Birisi ülkeler arasında bir antlaşma sonucu yer değiştiren nüfus kitlelerini ifade etmek için kullanılır. Muhacir ise hicret kökünden gelir. Felaket ya da benzeri sebeplerle ya da din uğruna göç etmiş kitleleri ifade eder. Mesela bizde Kafkas ve Kırımlıların, keza Boşnak ve Arnavutların çoğu muhacirdir. Yunanistan göçmenleri ise ağırlıklı olarak mübadildirler. Muhacir nüfusa Bulgaristan Türklerini de örnek verebiliriz. En son Bulgaristan Komünist Partisi yöneticisi Todor Jivkov zamanında, Bulgaristan Halk Cumhuriyeti 300 bin Türkü bir anda sınırlarının dışına çıkardı ve "Gelin alın adamlarınızı" diye Edirne'de, sınır kapısı önüne yığıverdi. Bir iki sene sıkıntı çekilmiş, fakat Türkiye'nin gelişen, dinamik, sınaî ve kentsel yapısı bu Osmanlı İmparatorluğu tebaası ırkdaşlarımızı çok çabuk emmiştir (absorbe etmiştir). Kaldı ki böyle bir nitelikli nüfusa ihtiyaç vardı. Hastanelerimiz oradan gelen sağlık personeline, dükkânlarımız oradan gelen zanaatkârlara, elektrikçilere, sanayimiz oradan gelen ustalara muhtaçtı, çünkü gelişen bir yapı var. Üstelik akademik hayatta ve bürokraside de olumlu personel katkıları görüldü. Aynı şekilde 1940'ların, 1950'lerin değişen, patlama gösteren tarımsal yapısı tarım yapan insanlara ihtiyaç duymuş ve Türkiye o zaman da sayısı 100-200 binle ifade edilen Balkan göçmenini bağrına basabilmişti. Şüphesiz ki böyle dalgalar başta çok büyük sıkıntı yaratır ama bugün tarihçi gözüyle baktığımızda, Türkiye'nin bu gibi bir göçü başka pek çok ülkeye göre çok ustalıkla emebildiğini görebiliyoruz. Aynı başarıyı belki ancak Avrupa kıtasında, doğudan gelen göçmenleri için Almanya gösterebilmiştir. Bu bir kaçınılmaz talihtir. Ama şurası da bir gerçektir, atılan 300 bin vatandaşını, yani Türkleri, Bulgaristan kısmen geri almak zorunda kalmıştır. Çünkü o tarihe kadar, Doğu blokunun en müreffeh ve karnı tok ülkesi, üretim düşüklüğü yüzünden âdeta bir açlıkla karşılaştı, sıkıntıları el an devam etmektedir.

Osmanlı'dan Kalan Borçlar

Düyun-ı Umumiye'nin tasfiyesi Lozan'daki en önemli safhalardan biri olmakla birlikte, en büyük tartışma konusu olmuştur. Bu komisyon aslında bırakılmış, fakat Türkiye devleti artık bir kere buna muhatap olmuştur. Bir başka ifade ile bu bir haciz kurumu olmaktan çıkmış ve Türkiye ile alacaklı-borçlu ilişkisine girilmiştir. Türkiye Paris'teki Borçlar

Komisyonu'na Maliye Vekâleti memurudur ve müfettiş statüsünde bir temsilcisi göndermişti.

Yapılan taksitlendirmelerde bu borç düzenli ödemelerle bitirilmiştir. En mühim mevzu ise Düyun-ı Umumiye'nin artık vergi tarhı ve vergi cibayeti konusundaki yetkilerinin kaldırılması olmuştur. Artık haciz işlemi yapan bir kurum olmaktan çıkmıştır. İktisadi hükümler ise bu çerçeve içerisinde düşünülecekti. Kapitülasyon mahkemeleri ve her türlü kapitülasyon kaldırılmış olmuştu. Dikkate almadığımız durum kapitülasyonların karşılıklı olduğudur ama mazide kapitülasyonlar maalesef karşılıklı olarak bizim için de aynı şekilde geçerli olamadı. Bu ulusalcı ekonomiye dayanan devletlerin en önemli sorunuydu. Liberal bir ticari mübadele ve faaliyet esaslarından çok kuvvetlerin daha etkin ve haklı olduğu bir rejim sözkonusudur.

Yunanlardan istenen savaş tazminatından dolayı İsmet Paşa delegasyonuyla İtilaf Devletleri arasında bir ayrılık söz konusuydu. Bunun çözümü şöyle halledildi: Demir yolu hattı Türklere bırakıldı. Dedeağaç-Karaağaç hattında katarlar içeri girip çıkıyordu. Suriye'de de benzer bir durum söz konusuydu ama o aynı statüde değildi. Bu tip işletmeler daha sonra kaldırıldı.

İsmet Paşa-Rıza Nur Çekişmesi

Lozan esnasında çok ilginç bir şekilde müzakereler boyunca İsmet Paşa ile Dr. Rıza Nur arasında patrikhane meselesi gibi üstü örtülü bir çekişme olduğu görülüyor. İsmet Paşa başta patrikhaneyi yurt dışına çıkarma niyetindedir; Rıza Nur ise çıkarılmamasına yatkın bir tavır almıştır. Neticede patrikhane bir Türk müessesesi olarak Türkiye sınırları içerisinde kalmıştır. Bu ise kilisenin üniversal rolüne uymayan bir tavır ve statüdür. Fakat şunu da unutmamak gerekir ki Ortodoks Kilisesi, Katolik Kilisesi değildir. Diğer Ortodoks kiliseleri üzerindeki rolü ancak *primus inter pares* (eşitler arasında birinci) şeklindedir. İstanbul patriğinin ruhanî bir protokol üstünlüğü vardır. Ama bunu Roma Kilisesi'ndeki bir ökümenizm şeklinde yorumlamak güçtür. Dahası sorunun hiçbir şekilde çözümlenmediği, günümüze kadar devam ettiği görülmektedir. Yine aynı şekilde, Lozan'da açık hükme bağlanan cemaat kurumları ve okullar meselesi vardır. İstanbul'daki Rum okulları ele alınacak olursa Türk maarifi ve Yunan maarifi arasında ikili baskı altındadırlar. Hatta zaman zaman Atina'dan şikâyet gelmektedir. Bunların bir statüsü, bir rahatlaması söz konusu olmamaktadır. Talebe alımında, hoca alımında, okulların tesis olarak genişlemesinde bazı sorunlar vardır. Bu nasıl çözülecektir? Zannediyorum, her şeyden evvel devletle cemaatlerin oturup ortak bir noktada anlaşmasıyla bu mümkün olacaktır. Halledemediğimiz sorun, hemen aniden öbür tarafı da mukabele-i bilmisile götürmektedir. Maalesef Yunanistan, Batı Trakya Türk okullarını, Türk cemaatinin okullarını da hiçbir şekilde hale ve yola koymamıştır. Böyle devam ettiği sürece bu sorunun çözümü mümkün görünmüyor. Azınlık okulları diye söylediğimiz, Lozan statüsündeki gayr-ı müslim okullarının durumu aynen devam ediyor. Aslında hukuken bu cemaatlerin kendi hukukuna tabi olarak yaşaması söz konusuyken, Türkiye 1926 Medenî Kanunu'yla aile hukukunu, ferdin hukukunu, miras hukukunu bir standarda getirerek halletmiştir. Mehmed Emin Âli Paşa'nın 1860'larda Girit'te ortaya attığı "Fransız kanun-ı medenîsini kabul edelim, bu işi halledelim" projesi âdeta 1926'ya tehir edilmiş oluyor. Sorunun çözümü ancak böyle başlayabilirdi. Ne var ki kanun antlaşmadan daha geç çıktı. Bunun dışındaki problemler okul, kilise ve vakıflara istinad etmektedir. Bugüne kadar sık sık problem yaratan alanlar bunlardır. Bunları halletmek için ciddi bir hukukçu yaklaşımı gerekiyor. Vakıf arazileri meselesi de daha yeni yeni çözülmeye başlanmıştır.

Lozan Aslında Nedir?

Lozan gayet mantıkî ve onurlu bir uzlaşmadır. Bunun üzerinde durmak gerekir. Birinci Dünya Savaşı hukuken böyle bitmiştir ve Lozan sayesinde Türkiye ezilmişlik, haksızlığa uğramışlık duygusu yaşamamış ve bu durumun yol açacağı bir özlemle İkinci Dünya Savaşı'na (1939-1945) katılma, savaşan taraflardan birini destekleme gibi bir heyula fikirden, kâbustan uzak kalmıştır. Bu bütün Balkan ve Orta Doğu devletleri arasında oldukça önemlidir. O yüzden Lozan -tabii ki bütün antlaşmalar gibi aşınacak ve eskiyecek ama- oldukça kalıcı, düzeni sağlayıcı bir antlaşma olarak değerlendirilmelidir.

Biz Lozan kahramanı diye İsmet Paşa'yı kutladık, heyet reisidir ve antlaşmayı o imzalamıştır. Bu nedenle bu başarı kişiselleştirilir. Ama antlaşmayı tenkit edilecekse, kabul edilmeyecekse, hatta bazılarının yaptığı gibi suçlanacaksa da aynı niteleme geçerlidir. Hele ki, böyle bir heyette Rıza Nur'un muhalefeti ve onun gibi düşünenlerle, heyette olmayanların tenkidi bu işi daha çok ayyuka çıkarmıştır. İsmet Paşa, iyi bir diplomat olduğunu göstermiştir. İnatçı olmasından ötürü kesinlikle taviz vermemiştir. Bu görevde ve durumdaki adamların aldıkları talimattan, önlerindeki belirli ilkelerden taviz vermemeleri çok önemlidir. Buna kurmay kafasıyla kani olmuştur. Aksi takdirde Londra Konferansı'nda Bekir Sami Bey'in düştüğü hata tekrarlanabilirdi. Ama önemle vurgulamak gerekir ki İsmet Paşa Lozan'a giderken ne bir Metternich ne de Talleyrand idi. O tip bir megalomaniden de uzaktır. Dünya artık o tip diplomatların dünyası değildi. İsmet Paşa Talleyrand'ın arkasındaki gücüne sahip değildi. Ama güçlü olanların temsilcisi Curzon da Metternich olamadı. Paşa ne olduğunu, ne yapması gerektiğini gayet iyi biliyordu. En nihayetinde İsmet Paşa hükûmetin adamıydı. Kendisini oraya gönderen kişi ve kurumlara karşı sorumluluğunu yerine getirmişti.[70]

İsmet İnönü Üzerinden Tarih Dedikodusu Yapmak

Bizim memlekette tarih yazımı ve bilhassa doğru tarih bilgisine erişim, en çok belgelerin değerlendirilmesi ve kullanılmasından dolayı gelişemiyor. Bu alanda birbirine zıt iki eğilim var ve bu iki eğilim tarih yazımını güçleştiriyor.

Birinci eğilim, belge fetişizmidir. Çoğu zaman bir belge bulduğunu yahut kullandığını iddia eden kişi bir vekâyînâmede veya bir hatırattaki pasajı esasla ilgisi olmadan kullanıyor.

---

70 Cumhuriyet tarihinde başkanlığın gerçek modeli İsmet İnönü'nün cumhurbaşkanlığıdır. Her tayinde fikri sorulurdu. Bu dönemin başvekilleri itaatkârdı. Ara sıra tek itiraz, gerçekte kendisine çok bağlı olduğu tescilli Refik Saydam'dan gelmiştir.
1950'den sonra Türkiye başvekilin hâkimiyetinde bir memleket oldu. Daha doğrusu görünüş oydu. Hassas konularda Cumhurbaşkanı Celal Bayar, Başbakan Adnan Menderes'e hâkim olmuştur. 1961'den sonraysa, eskinin tek adamı İsmet İnönü, demokrasinin gereklerine uyan bir başbakanlık yürütmüştür. Bilhassa 1964'ten itibaren, önce ana muhalefet lideri, sonra başbakan olan Demirel'le İnönü'nün anlayışlı diyalogu eski dönemin diriltilmesini, intikamcı rüzgârların şiddetlenmesini önledi.

Siyaku sibak ilişkisini ihlal dediğimiz bu kötü kullanımda, paragrafın yahut deyimin alıntının yapıldığı metinle ilişkisi dikkate alınmıyor. Bunu mukaddes metinler için bile yaparlar ve universal bir sapkın adettir. Bu nedenle ön planda kutsal metinlerin çok istismar edildiği geç Orta Çağ dönemi ve Rönesans Avrupası'nda bu tip yazarlarla çok mücadele edilmiştir.

İslam dünyasında bu tip eğilimler, daha çok Kur'an'dan müstakil olarak bir âyetin kullanılması, daraltılıp başka biçimde yorumlanması veya sahih olduğu konusunda şüpheler olan bazı hadislerin zikredilmesiyle kendini gösterir. Hiç şüphesiz ki hepsi de diğer bilginler tarafından gereken biçimde eleştirilmiş, bu yazarların çok azı etkin ama maalesef yanıltıcı yönlendirmelerde bulunmuştur.

Bizde son 40-50 yılda daha kötü eğilimler ortaya çıktı. Yakın tarih alanında çarpıcı (!) yorumlar yapmak isteyenler sahte belge üretmeye başladılar. Bu belgelerin çoğunda ilk anda göze çarpan üslûb ve kelime hataları vardır. Daha önceki sayfalarda bahsettiğimiz üzere İsmet Paşa'yla ilgili yayımlanan bir belgede, TBMM antetinin altında o devirde "hususî" denmesine rağmen "özel" yazıyor. Sahte belgedeki iddiaya göre Şükrü Kaya ile İsmet Paşa'yı iş birliği yapar diye düşünmek, Kruşçev ile Kennedy'yi General de Gaulle'e karşı birleştirmekten daha da gülünçtür. Hâl böyleyken ısrarla ve gülünç sorularla ortaya çıkıyor, uzmanları da işin içine çekmeye çalışıyorlar, insanı rahatsız ediyorlar. Bu tip belge üretimi artmıştır. Yakın tarihin mekteplerde okutulmasını öne sürenlere durumu gözden geçirmelerini öneririm. Bu veya daha başka anlayıştaki ama ciddiyet düzeylerini bir türlü yükseltemediğimiz okullar, çocuklara hangi yakın tarihi öğretecek?

Burada şunu da belirtmek gerekir, Birinci Dünya Savaşı'nın tecrübeli kumanda kurmayları başta Atatürk, Esat Paşa, Fevzi Paşa, Kâzım Karabekir ve İsmet Paşa olmak üzere Alman karşıtıdır. Yukarıda daha ayrıntılı değindiğimiz gibi Nureddin Paşa en başta Alman düşmanıdır. Goltz Paşa ile daha gelirken gerileme girdi ve o yüzden orada kumandanlıktan çekilmiştir. Bu kumandanların hiçbiri Alman subay sevmez ve bunlara bin tane kâhin gelip akıl verse yine Almanya ile iş birliği yapmazlar.

Avrupa'da İngilizlerin, Fransızların arasında bu takımı tanıyanlar hiçbir zaman İnönü Türkiyesi'ni gerçek anlamda "Almancı" diye itham etmediler, edenlere de katılmadılar ve "lütfen sakin olun, biraz mantıkî olun" dediler. Belli ki o mekanizma Almancı olmaz.

İsmet Paşa (İnönü), Atatürk'le birlikte uzun süre Genelkurmay Başkanlığı, başvekillik yaptı. Tercih edilen bir hükûmet başkanıydı. Aralarında zaman zaman gerilim olduğu biliniyor. Gerilimin ana nedeni, bizde bazı çevrelerin çokça tekrarladığı gibi, Gazi'nin özel sektörcülüğü ve İsmet Paşa'nın devletçiliği değildi. Daha ciddi sebepler olduğu biliniyor. Mesela 1935 Trakya olayları iki devlet adamını ve dava arkadaşını epey karşı karşıya getirmişti. Fakat esasta İsmet Paşa'nın kanuna bağlılığını, bürokratik örgütlenmeyi ciddiyetle ele alışını, yeni Cumhuriyet'in hangi yolda ilerlemesi gerektiği konusundaki ikazlarını Atatürk kaçınılmaz bir şekilde kabul etmiştir.

İstiklâl Savaşı kumandanlarının askerlik döneminde olmadık derecede, devlet adamı olarak çekişmesi 1937'nin Eylül ayında doruk noktasına ulaşmıştır. TBMM üzerinde bir denetim konseyi teşkili fikri, Atatürk ve İsmet Paşa'nın çekişme nedenidir. İsmet Paşa bu tarihte başbakanlıktan alınmış ama yerine tayin edilen devlet ve fırka (parti) fikrine sahip Celal Bayar, onun kabinesini olduğu gibi Atatürk'ün önüne koymuştur. Tek değişiklik Refik Saydam'ın affını istemesidir. Celal Bayar, İsmet Paşa'ya uzaktan veya yakından saygılı davranmıştır. O reis-i cumhur seçilince de hiçbir karşı tavır almadan istifasını vermiştir.

Son zamanlarda Türk basınının belirgin bir kanadında İstiklâl Savaşı'nın kumandanları ve sonraki hükûmet ve devlet adamları arasında bir nevi satranç turnuvası tertipleniyor. Bu gülünç tavır birtakım uydurulmuş belge ve dedikodularla da temellendirilmek isteniyor. Ciddi tarihçiliğin yayılmadığı ve hem araştıran hem okuyanın ilgisi açısından çapraz okuma alışkanlığının edinilmediği toplumumuzda bunun sakıncalı bir gelişme olduğu açıktır.

Mecliste Şiddetle Tartışılan Mesele: Musul

24 Temmuz 1923'ün neticesi olarak dâhilde siyasi çekişme konferansa verilen arada başlamış ve 24 Temmuz'dan sonra da zıt ve aşırı değerlendirmelerle sürmüştür. Görülüyor ki İstiklâl Savaşı'nı, Millî Mücadele'yi yürüten ilk Meclis'ten sonra teşekkül eden ve rejimle uzlaşan kadrolardan meydana gelen Meclis bile aslında zaman zaman muhalif sesini yükseltmiştir. Dış politikada maalesef Musul meselesi halledilmemiştir. Hatay kadar ilgi çektiği söylenemez. Hatay'da daha mutedil ve daha hükûmete yatkın bir muhalif ve muvafık birlikteliği vardı. Hükûmet Fransa'yla anlaşmıştır ve bu süreç 1939'a kadar gidiyor. Açıktır ki Musul berekete binmiştir. Bilhassa Britanya Donanma Bakanı W. Churchill'in düzenletmesiyle, Britanya Donanması Birinci Dünya Savaşı'nda kömür yerine petrole geçtikten sonra, petrol

hayatın her safhasında çok değerli bir madde haline geldi. Ayrıca Musul'da çok önemli bir Türk azınlık vardır. Musul vilayeti dediğiniz zaman -ki bugün nüfusu neredeyse 2-3 milyon arasıdır- Erbil ve Kerkük'te de çeşitli azınlıklar vardır. Bölge, tek başına hiçbir etnik grubun elinde değildir. Bu durum Hatay'dan daha fazla baş ağrıtır, can yakar. İkinci önemli etken de petroldür. O zaman aslında İngiltere ve Fransa arasında da büyük bir gerilim söz konusudur. Bu gerilim onları savaşa götürmüyor ama sonunda Fransa'nın Hitler'in yanında yer almasına kadar rekabeti büyütmüştür. Bir diğer deyişle, Alman işgaline karşı Fransa'nın içinde direnişe katılmayan, İngiliz düşmanlığı dolayısıyla müttefik bir Almanya isteyen politikacı takımı ve onları izleyen kitle de ortaya çıkmıştı. Musul'un maalesef petrol gelirleri üzerinde farklı anlaşmalar yapıldı. Bunların Lozan'da yeri yoktu. Daha sonra bu bölge elimizden kaydı gitti.

Orada ordunun "Misak-ı Millî" içinde saydığı bu bölgeye el atmamasının bir nedeni var; Askerî yapımız... Yeni Türkiye askerî büyümeden, silahlanmadan ve buna yapılan yüksek harcamalardan sarfınazar etmişti. Sağlığı ve eğitimi halletmek gerekiyordu. Bu alanlarda manzara korkunçtu. Onun için askerî harcamalara daha ilk anda büyük önem verilemezdi. Yoksa askerî ihtiyaçlar için kendini besleyecek müttefik mutlaka bulurdu. Meclis'teki o münakaşalarda itiraz eden taraflara bütün bu askerî vaziyetin sunulduğu, ikna edilmeye çalışıldığı çok açıktır. İnsanlar ikna olmuş mudur? Herhâlde olmamış ki bugüne kadar kavga uzamıştır. Bence yeni Türkiye'nin Musul meselesi için mücadeleye girişecek hâli yoktur. Yoksa Türkiye kesinlikle "Maziyi unutun, önünüze bakın" politikası içinde değildir. En azından Hatay meselesi bunun böyle olmadığını gösterdi.

Osmanlı'nın Yıkılması Kaçınılmazdı

İmparatorluklar yıkılır. Doğru dürüst yıkılan bir imparatorluk, tasfiye edilen bir imparatorluksa anavatanı kurtarır, elden çıkan yerlerde anavatanın kültürel uzantıları yaşamaya devam eder. Osmanlı İmparatorluğu yıkılırken maalesef içindeki ana unsurun, Türk unsurun Rumeli'deki vatanını da kaybetmiştir. Bu çok önemli bir kayıptır. 1914'te bizim olmayan bir savaşa girmiştik. Şimdi o savaşın sonunda bizim kaybettiklerimiz var. Bu kaybettiklerimizin içinde en mühimi bir kere saban tutan, demir döven nüfus var. Bu kaybedilen savaşın içinde bizim kolayca ayrılabileceğimiz bir bölge veya düzenleme imkânı yoktu. İmparatorluğun küçülen nüfusuyla çok şiddetli kanlı iç çatışmalara girmemiz gerçeği var. Bunların yükünü hâlâ taşıyoruz. Bu savaşın sonunda asıl önemlisi, Türkiye 50 yılda telafi edemeyeceği bir münevver zümreyi kaybetmiştir. Yedek subay savaşları dediğimiz Çanakkale, Kafkasya, Filistin ve bizzat Kurtuluş Savaşı'nın kendisinde şehit düşen okumuşların sayısı kabarıktır. Bir medeniyeti, bir rengi temsil eden, Doğu'ya ve Batı'ya aşina bir genç münevver sınıf elden yitirilmiştir. Bugünkü Türkiye eğer tamamıyla maziyle kopuk bir gençlik sahibiyse, bunun nedenini oraya kadar uzatmak gerekir.

İmparatorluk tecrübesi, ülkemizin ve milletimizin tarihte nevi şahsına münhasır niteliği ve Türk milleti ile devletinin tarihî, coğrafî ve siyasi tecrübe bakımından nadide ve kendine has imtiyazlı bir konumu olduğunun ifadesidir. Geçmişte pek kimsenin bilmediği fakat bence önemli bir münevverimiz olan büyükelçi Zeki Kuneralp, imparatorluğun son Dâhiliye nazırlarından Ali Kemal'in oğludur. İsviçre'de büyümüş, orada okumuş ve bir müddet sonra, yani 20-30 yaşları arasında Türkiye'ye avdet ederek Hariciye

Vekâleti imtihanlarına girmiş ve dereceyle kazanmıştır. İstanbul hükûmetlerindeki ricalden birinin, yani Ali Kemal'in oğlu olduğu için, ister istemez durumu Reis-i cumhur İsmet Paşa hazretlerine arz ediyorlar. Paşanın cevabı, "Mademki kabiliyetli bir gençtir, ne mahzuru var?" oluyor ve kadroya alınmasını istiyor. İşte bu gencin, Zeki Kuneralp'ın hatıratında[71] şöyle bir bahis vardır, "Türk olmak zor bir meslektir fakat bir imtiyazdır" der. Bu gibi kavimlerin hayatta kalma şansı yüksektir, fakat ödenen bedel de buna paraleldir.

Cumhuriyet...

Kelime Arapça gibi görünür ki bu tanım dilbilgisi itibariyle doğrudur ama Türkçede icat edilen bir kavram (*neologos*) ve kelime olduğunu belirtmek gerekir. Cumhurun Arapçada, "*la gente*", "*die Leute*", "*people*" gibi bir anlamı vardır. Onun "cumhuriyet" olarak kullanımı Osmanlı'ya aittir. Res publica Venedik Cumhuriyeti için "Venedik Cumhuru", Polonya Cumhuriyeti için de "Lehistan Cumhuru" denirdi. Cumhur kelimesinin bir rejim, bir sınıflama olarak icadı Türklerindir. 19. asır boyunca iktisat, tefrik-i kuvva, Cevdet Paşa'nın "*crise financière*" için kullandığı "buhran-ı malî" gibisinden onlarca değil, yüzlerce kelimeyi Osmanlı siyasi düşüncesi yarattı. Bu lügatin ekserisini Araplar ve İranlılar da benimsediler.[72]

Bunca yıllık cumhuriyet hayatı aslında bir toplumun değişmesinin ve o değişmeyi kendisinin yaratabilmesinin ve o bilince ulaşabilmesinin çok canlı bir tarihî örneğidir.

---

71 Zeki Kuneralp, *Sadece Diplomat: Anılar-Belgeler*, Eren Kitap, İstanbul, 1999.

72 Ami Ayalon, *Language and Change in the Arab Middle East: The Evolution of Modern Arabic Political Discourse*, Oxford University Press, 1987.

Türkiye çok değişti ve değişecek. Bu değişim mümkün mertebe az kavgalı, az kanlı olarak yapıldı. Bir kabullenme söz konusudur. Bunları yaparken teorik bir kuvvet belki göze çarpmıyor, lakin gayet gerçekçi pratik ve pragmatik bir kabullenme vardır. Çünkü bu toplum hayatını sürdürmek istiyor. İdame-i hayat dediğimiz şey çok değişik bir coğrafyanın ortasında oluyor. Türklüğü tayin eden de budur. 12. asırdan beri yabancı bir çevrenin ortasındayız. Yaşamak için teorik değil, pratik bir akla ve gerçekçi olmaya muhtacız.

Osmanlı ve Cumhuriyet Fikri

Osmanlı'nın bir cumhuriyet isteği yoktu, çünkü Osmanlı bir monarşidir. Ama Osmanlı'nın Tanzimat'tan beri Batı medeniyetine karşı bir yaklaşımı vardı. Bunun sözünü etmek istemez ama böyledir. Cumhuriyet fikri Osmanlı'da belirli zümrelerde yaşamıştır.

Aslına bakarsanız, İttihatçıların kafasında da cumhuriyete dair hiçbir şey yoktur. Çünkü İttihatçılar, tıpkı Midhat Paşa gibi, anayasaya inanıyorlar, ama anayasanın ne olduğunu da bilmiyorlardı. Anayasal bir rejimle ve sistemle bu memleket kurtulur, kurtlarla kuzular aynı sofrada gayet iyi geçinir diye düşünüyorlardı. Bunun böyle olmadığını bütün romantikler gibi kendileri de gördüler. O yüzden reaksiyonları da sert oldu.

"Osmanlı entelijansiyası içinde cumhuriyet fikrine rastlıyor muyuz?" diye sorarsak Cumhuriyet fikrine tek tük rast geliniyor denebilir fakat bu yazılmayan, haşa huzurdan risalesi bile çıkamayan, hatta muhalif basında ve yurt dışında bile konuşulamayan bir konuydu. Cumhuriyet fikri Fransa'da olmuş ve bir daha o arada gelişememişti. Mesela İtalya'da

Manzini ve Balkanlar'da cumhuriyetçi gruplar devrimlere başladılar. İhtilâl bitince İtalyanlar Savoy hanedanını, Balkanlar ise ithal kralları selamladılar. Fransız İhtilali'nin olduğu zamanda Thomas Paine ve Mary Wollstonecraft diye bir kadın var. Birincisi İngiliz-Amerikan düşüncesinin orta sınıftan gelen kuvvetli bir kalemi, ikincisi avam tabakadan gelme, yedi çocuklu bir ailenin ikinci kızı ve çok erken ölmüştür. Belli ki sefil yaşamış. Okul dönemi yoktur. Böyle muhtelif sınıflardan gelen başkaları da vardır ama bunlar Fransız İhtilali'ni severler. Buna karşılık Edmund Burke bile Fransız İhtilâli'nden nefret ediyor ama adamın fikirlerine bakıldığı zaman, Fransız İhtilali'nin çok ötesinde, köleliğin kaldırılması gibi, önerileri var ki Fransız İhtilâli sömürgelerinde köleliği kaldırmamıştır. Burke Hindistan ve Britanya'nın eşitliğinden söz ediyor. "*Monarchie Constitutionnelle*" diye mucidi İngiltere olan bir şey vardır Anayasanın olmadığı İngiliz constitutionnel monarşisi çağın cumhuriyetine ve parlamentarizmine yakın bir idaredir. Fransa çağın cumhuriyetini getirmiş, belirli vergi, belirli mülkiyeti olanlar seçmiş seçilmiştir. İhtilâlin sert olayları da vardır. Devlet terörü kimyanın babası Lavoisier'yi giyotine götürmüş, hatta Lavoisier, "Üç gün daha bırakın da şu deneyi tamamlayayım" demiştir. Muvaffak olan, kalıcı olan, tahribatı ağır olmayan İngiliz tipi reformlara bayılırlar. Cevdet Paşa bile İngiltere'yi savunuyordu, muhafazakârlar arasında Fransa'yı kimse sevmiyor, Hatta Fransız Aydınlanması'nın büyük adamlarından kamunun ahlâk ve inancını yıkanlar diye söz ediyorlardı.

Bizim cumhuriyetimize gelince problemsiz toplum olmayacağını söylemek gerekir. Türk toplumunun fevkalade süratle değiştiğine, birtakım kalıpları da çok fazla değiştirdiğine, bununla birlikte muhafazakâr yönlerini muhafaza ettiğine, temelde Ruslar ya da İranlılar gibi romantik dönüşümleri değil, ölçülü bir muhafazakârlığı tercih ettiğine inanıyorum. Bu kalıbı anlamayan bir yönetim, bir anlayış ister komünist olsun, isterse onun tam tersi uçta bulunsun, hüsrana uğrar. Türk toplumunun aşırılığı sevmediği açıktır. Temelde tutucu, kalıpları belli bir toplumdur ve bu kalıplar içinde değişimi sever. Bu yüzden de bir saplantısı yoktur, kendine göre bir mobilite (sosyal hareketlilik) biçimi vardır.

29 Ekim 1923: Cumhuriyetin İlanı

Cumhuriyet devamlılıktır. Osmanlı, Türklerin imparatorluğuydu, bu da Türklerin cumhuriyetidir. Türkiye Cumhuriyeti'nin hiçbir yerde örneği yoktur. Mazhar Müfid (Kansu) "Gazi, bana daha 1919 yazında Cumhuriyet fikrini söylemişti" diyor ki mutlaka doğrudur. Ne Mazhar Müfid ne de efkârını (fikirlerini) gizlemediği yakın dostları Gazi'nin anlattığı birçok gerçek düşünceleri kaydetmiştir. Lakin bu kaydedilen düşüncelerin Mazhar Müfid tarafından o devrin insanlarına bir kısmının sözlü olarak anlatıldığı ve yazıya geçirilmediği anlaşılıyor. Birkaç kişiden bu anlatılanlarla ilgili aynı şeyler duyuluyor, ama bunlar kayıtlarda yer almıyor. Bunların yanında 1918 sonunda ve 1919 sonunda başka bir çözüm de düşünülemezdi.

Galipken kendisini yenen iki kere muzaffer olur. "Ben galibim kazandım, karşı taraf bir halt değilmiş" lafını söyleyen çok yanılır. Fransız-Prusya savaşında bazı Almanlar ipin ucunu çok kaçırmış, Alman askerin biri "Alman iktisadiyatı, Alman kültürü, Fransa'yı yendi" demiştir. Kültür deyince birtakım akıllı Almanlar "Dur bakalım, sen kimsin ki

Türkiye Büyük Millet Meclisi Başkanı Gazi Mustafa Kemal Paşa, 1923.

Fransız kültürünü yeneceksin?" demişlerdir. Bu laf 19. asırda edilmiştir. Mesela Goethe ile Victor Hugo'yu mukayese edip Hugo'yu yerden yere vuran bir diplomat vardır (von Bülow), ama aynı şeyi Bismarck yapmaz çünkü o hakikaten diplomattı. Aslen Alman prensi olmasına rağmen Avusturya Başbakanı Metternich hiç yapmaz. Bizim İstiklâl Savaşı'nı yapan nesil, bilhassa Atatürk ve birkaç arkadaşı, bunlar Batı'ya kapıları açmak zorundalar, artık bunu anlamışlardı, biliyorlardı ve Osmanlı modernleşme tarihinde bunu yapan ilk grup değillerdi. Cumhuriyetçi oldukları, hangi inkılabları yapacaklarının yönü belliydi. Bunları sadece Atatürk zihninde yaratmamıştı, yol belliydi ve Tanzimat'tan beri devam ediyor ama tamamlanamıyordu. Önünüzde müthiş bir dilemma, bir problem vardı. Hukuki yapıda işe başlanmış, ceza, deniz ticareti, idare hukuku alanı, devletler hukuku vardı ama medenî hukuk ve vatandaşlık hukuku yoktu. İşte o büyük bir eksik ve problemdi.

Cumhuriyet kuruluş itibariyle, belirli bir otoriter yapıyla belirli kabiliyetteki dar grubun teşkilâtlandırdığı bir tarz-ı idaredir. Bunun siyasi fazilete aykırı bir yönü yoktur ve mutlaka ihtilâl gerekli değildir. Kimse hayatta büyük sarsıntılar istemez. Herkesin belli bir inancı belirli bir düzen ve âhenk anlayışı vardır ve bunu değiştirmeye cesaret etmek kolay değildir. İlan sürecinde çok açık bir şekilde cumhuriyete karşı bir anlayış yoktu. "Kahrolsun cumhuriyet" diyen de yoktu. Kaldı ki cumhuriyet rejimi Türkiye'de uzun süren bir dünya savaşı ve millî direniş savaşıyla doğdu.

Atatürk, "İlk hedefiniz Akdeniz'dir" dediğinde, artık cumhuriyete inananlar vardı, ondan önce bu konular konuşulduğunda, gerçi kurmaylar kendi aralarında konuşur ve tartışır ama bu ümit ne kadar vardı bilinemez. Cumhuriyet,

Anadolu hareketinde de çok dar bir zümrenin düşündüğü rejimdi. Bu darlık Birinci Dünya Savaşı'ndan önce çok genişlemiş değildir. Alman İmparatorluğu'nda cumhuriyetçiler dışlanır, Britanya'da ayıplanır ve deli damgası yerdi. Eski Avrupa toplumunda sofrada konuyu açmak dahi ev sahibi tarafından kapı dışarı edilmek için bir nedendi. Avusturya-Macaristan'da ancak Çekler, Hırvatlar, Slovenler ve Slovaklar, bir de Kossuth Lajosçu milliyetçi Macarlar arasında tartışılabilirdi. İmparatorluklar "Allah'ın inayeti" olarak görülürdü. Ancak 19. yüzyılda ıslahat ve anayasal istekler söz konusu edilebilirdi. Balkan ülkelerinde aşırı milliyetçilerin yabancı kökenli krallar dolayısıyla cumhuriyetçilik yaptıkları oluyordu. Küçük Karadağ ve Sırbistan'da bu gibi özlem söz konusu değildi.

"1923 koşullarında halkta bir karşılığı var mı peki cumhuriyetin? Cumhuriyetin ne olduğunu biliyorlar mı?" şeklinde sualler akla gelebilir. Pek bilmiyorlardı, anladıkları da yoktu. Türk halkı sadece asayişi sever, itaat edeceği otoritenin düzgünlüğüne bakar. Her yerde kitleler böyleydi. Gerçekten kuvvetli mi ve asıl önemlisi âdil mi, halka refah getirebiliyor mu kısmına bakılmalıdır. Diktatörler dahi krallık vadediyor, hanedan getirmiyor ama General Franco ve Amiral Horthy örneğinde olduğu gibi kral naibi olarak idare ediyorlar veya Mussolini ve Antonescu gibi kukla kralla idare usulüne başvuruluyordu. İran Şahı Rıza Şah Pehlevi cumhurbaşkanı gibi bir rol niyetiyle ortaya çıksa da tahta oturdu. Arnavutluk'ta Ahmet Zog aynı rolü tercih etti.

Arnold Toynbee, 1923 ve 24'teki olayları göz önüne alarak doğru bir ifade ile "Türkiye aslında galipti fakat Batı karşısında yenilgiyi kabul etti" demiştir. Artık hukukuyla, yaşayışıyla, henüz ilan edip adını koymamakla birlikte laikliğiyle Türkiye, Batı dünyasının müesseselerini kabul etme durumuna gelmiştir. Hepimizin çok iyi bildiği gibi Türkiye artık cumhuriyet olacaktır. Mustafa Kemal ve arkadaşları, "Türkiye Devleti'nin şekl-i hükûmeti cumhuriyettir. Cumhur reisi devletin reisidir ve TBMM azaları arasından seçilir" diyerek, yönetim şeklini ifade etmişlerdir. Burada şuna dikkat etmek gerekir ki muhalefetin az olduğu, daha dikensiz gül bahçesi gibi görünen 1923 Meclisi'dir. 286 üyesi vardır. 286 üyeden sadece 158'i, uzun tartışmalardan sonra, cumhuriyet rejimine evet demiştir. Bu sayı yarının biraz üstüdür. Öbürleri olmaz mı dedi? Hayır! "Müstenkif", çekimser kaldılar. Yeni rejim kabul görmüştür ve başkası artık düşünülemez. Fakat cumhuriyetin hayatı için daha çok uzun bir zaman gerekliydi. Gerek çıkan ayaklanmalar gerekse başarısız demokrasi denemeleri -Terakkiperver Cumhuriyet Fırkası[73], Serbest Cumhuriyet Fırkası- laik bir cumhuriyet

---

73 İstiklâl Savaşı kumandanlarından Kâzım Karabekir'in de üye olduğu, İstanbul'da âdeta kitlevî bir tepki gibi büyüyen, eski İttihatçılardan ve muhafazakârlardan üye toplayan Terakkiperver Cumhuriyet Fırkası kurucu Cumhuriyet grubu içinde bir kâbus haline geldi. 1930'da Serbest Cumhuriyet Fırkası ise Mustafa Kemal Atatürk'ten çok, CHP'yi yöneten takıma, en başta da Başvekil İsmet Paşa'ya karşı olmakta birleşiyor. İster istemez görüşleri liberal iktisadi sistem diye ifade ediliyor. Karşı olunan görüş ve politikalar, bazı siyasetbilimcilerin ifade ettiği gibi "devletçilik" değil, bürokratik hegemonyadır. 1930'ların dünya iktisadi buhranını atlatamayan Türkiye'de iktisadî hayatı ve politikaları devletçi ve liberal diye ayırmanın lüks olduğu açıktır. Bürokrasinin karar ve politikaları ise, ehliyetsiz işletmeci kadrolar ve açgözlü bodur bir müteşebbis (!) zümre nedeniyle çok defa gülünç ve zavallı sonuçlar verdi. Tarımda da mesela etkin teknik ve uygulamalar geliştirmek yerine, "toprak reformu" gibi CHP içinde de gürültüler koparan tartışmalara girildi. Türkiye işlenmeyen araziler ülkesidir. Aydın'da muhalefetin lideri Adnan Menderes'in, Gazi Paşa tarafından bir nevi sorguya çekildikten sonra takdir edilerek CHP listesinden Meclis'e

rejiminin oturması için çok zaman geçmesi gerektiğini göstermektedir. Bu münakaşa el an devam edebilir. Ama Türkiye Cumhuriyeti'ni Üçüncü Dünya'dan ayıran en büyük özellik, eski bir imparatorluğun askerî ve bürokratik geleneğine dayanıyor olmasıdır ve kadroları da oradan gelmiştir. İkincisi, meşruiyet ve kanunilik esası göze çarpmaktadır. Anadolu Hükûmeti'nin ve meclisinin teşkili de yapılan seçimler de -velev ki tek parti rejimi 28 yıl bu memlekette hâkim olmuş olsa da- daima bu esası ortaya koymaktadır. Üçüncüsü, fen ve teknik bakımdan gelişmesini gösteren bir cumhuriyetin, bir toplumun içine girdiği demokrasi mücadelesidir. Şunu ifade etmek gerekir: Sadece İslam dünyasında değil (Çünkü bizim benzerimiz bir tek Pakistan'dır. Orada da demokratik yapı sık sık kesintiye uğramaktadır.) Üçüncü Dünya bloku dediğimiz o geniş dünyanın içinde de Hindistan'dan sonra, demokrasiyi oldukça kesintisiz ve çoğulcu toplum sistemleriyle ne olursa olsun götüren Türkiye olmuştur. Bu, üzerinde önemle durulması gereken bir konudur.

Neden Cumhuriyet?

Uzun yıllar hanedan reisi ve en kıdemli şehzade olan Osman Ertuğrul Efendi cumhuriyete taraftardı ve cumhuriyeti kabul ediyordu. "Bu olay bizim aile için iyi olmadı ama memleket için iyi oldu" demişti.

---

sokulması tartışmaların ve muhalefetin yapısını da gösterir. Serbest Fırka dirijanları parti alt kadrolarına inildikçe ya muhafazakâr veya reaksiyoner ya da sol muhalif gruplara dönüşüyordu. Galiba korkulan bu mahiyetti. Herhalde Türkiye tarihinde 1950'de de tekrarlanan bu manzaraya başka ülkelerde muhalefet partilerinde kolayca rastlamak mümkün değil. Bu bir renklilikti ve İslamî muhafazakâr zümre, rejimlerin ortak çekindiği bir kitleydi.

29 Ekim 1923 günü akşamı 31 pare top atışı yapıldı.
Türkiye Cumhuriyeti'nin ilk cumhurbaşkanın Mustafa Kemal Paşa
olduğu bütün memlekete ilan edildi.

Hanedan içinde Türkiye Cumhuriyeti ya da Atatürk aleyhine açıkça demeç veren ve yazan yoktur. Mesela şimdi rahmete yürüdüğü için, maalesef tevsik etmek durumunda değilim (ama şahitlerim var, tek ben dinlemedim), Neslişah Sultan, Atatürk için bütün cemaatin önünde de değil ama daha samimi bir grupta "Bir, mürteciliğe karşıydı; iki, vatanı kurtardı; üç, onun aleyhinde konuşmak bize yakışmaz" demişti. Son olarak Murat Bardakçı bir makalesinde, Kâni Karaca ve Neslişah Sultan arasında böyle bir diyalog geçtiğini zikrediyor.[74] Bu mürtecilik ve vatanı kurtarma keyfiyeti hanedan azasının hepsinin söylediği ve üzerinde durduğu temel hattır. Bu manada Türkiye'nin cumhuriyete geçişi çok daha mutedildir. Burada öyle Bourbon'lar veya Robespierre'in terör hükûmetini aramamak gerekir, bunlar özenti yorum olur.

Cumhuriyet rejimi devam edecek ama nasıl bir cumhuriyet diye endişe edilebilir. Cumhuriyetten başka bir rejim dünyada söz konusu değildir. Ama birbirinden çok farklı nitelikte ve cumhuriyet kelimesinin anlamından çok uzakta farklı tarz-ı idarelerin ortaya koyulduğu da gerçek. Nedir? Halk yönetimidir. Halk yönetiminin nasıl bir etik ve hukuki temele veya uygulamaya dayandığı Roma Cumhuriyeti'nden beri kesin tarife kavuşturulamamıştır. İçinde çok çeşitli varyantlar ve sapmalar vardır. Mükemmele yakın örnekler dışında hakikaten monarşileri aratacak uygulamalar da vardır.

Ancak özellikle Mustafa Kemal Bey için Türkiye, Cumhuriyet olacaktı. Onlar Fransız ekolünün tesirindeydiler. Fransız tipi bir popülizm, bir sosyalizm ve bir merkezî devletçilik anlayışı vardı. Bunlar kayıtlarda da vardır. Elbette çok fazla öne çıkmamıştır ama bunlar kafanın ardında vardır ve

74 Murat Bardakçı, "Bir dua hatırası", *Habertürk*, 30 Ekim 2017.

ben eminim ki Atatürk monarşinin yürümeyeceğini anlamış ve görmüştür.

Biz cumhuriyetçiyiz, hatta bizzat hanedanın kendileri de cumhuriyetle barışıktır. Bugün Osmanlı hanedanında, aile fertlerinin monarşist eğilimleri yoktur. Açıkça böyle bir şey söz konusu olamaz. Yanılarak böyle bir eğilimi olanı öbür üyeler derhal takbih ederler, bir yerde cezalandırılır. Üstelik biliyoruz ki son iki kıdemli üye, yani merhum Osman Ertuğrul Efendi ve yakın zamanda vefat eden Neslişah Sultan, "Artık hanedan bitti, biz bir aileyiz, bunu bilin" dediler. Aile hukuk ve biçimini kabul etmek, eşitlikçi toplum felsefe ve sosyal örgütlenmesine intibak edildiğinin göstergesidir.

Birinci Dünya Savaşı'ndaki mağlubiyetten sonra Cumhuriyet'i kuran hareket bir direniş gösterdi ve konumunu hak etti. Oysa mağlub olan devletlerden hiçbiri böyle bir direniş gösterememişti. O ülkeler galiplerin dayattığı antlaşmaları kabul ettiler ama Türkiye direndi. Bu memleket kendi isteklerinde diretti ve o direnişi örgütleyip kumandayı elinde tutanlar Cumhuriyet rejimine geçti. Cumhuriyet bugün oturmuş bir rejimdir ama bugün itibariyle onun mahiyetine karşı olanlar var. Üstelik içeride birtakım gruplar ve dışarıda da herkes Türkiye'nin dostu değildir ve Türkiye'nin huzurunu bozmaktadırlar. Türkiye bunun üstesinden gelecektir. Bununla beraber, muhafazakâr, ilerici yahut ikisinin arasında gidip gelen gibi her türlü cumhuriyet fikri var olabilir. Rejim, ideoloji demek değildir. Asıl mesele ideolojidir. İdeoloji de sekülarizm, hukuk ve Batı'dır.

Türkiye Adının Seçilmesi

1920'de "Türkiye"de karar kılındı. Çünkü Türkiye ismi hep yaşıyordu. Yani bizim adımıza "Ottoman" denmesi çok resmî platformdadır ve 19. yüzyıla has bir kullanımdır. Kimliğe her zaman "Türk" denmiştir. "Ottoman" eski devirlerde genişçe kullanılmaz. "Turc" her dönem geçerli bir kimlikti. Her zaman Türk denmiştir. Devletin, Selçuklu Türkiyesi'nin adını, hep tekrarlarız, 12., 13. asırlarda İtalyanlar koydu (Turchia veya Turcmenia gibi). Fakat Türk ismi sürer gider. Gelibolu Cephesi'ni, Kafkas Cephesi'ni, Süveyş'i, Kut'ül Amare'yi ve Galiçya'yı yaşayan nesle kimse Türklükten başka bir kimliği kabul ettiremez. "Ottoman" diye bir kimlik kabul etmezler. Bu kumandanlar Harb Okulu eğitimi almış, yabancı dil biliyorlar, o dünyayı tanıyorlar, ataşemiliterler her devletten meslekdaşları ile görüşüyorlar. Herkesin ne kadar milliyetçi olduğunu görüyorlar. Milliyetçilik dışarıda öğrenilir, içeride öğrenilmez. Türkiye'de çeşitli etnisiteler, bilhassa Müslümanlığın şemsiyesi altında kendini Türk diye ortaya koyar. Türkiye'nin Türklüğü budur, 1924 Anayasası'nın Türklüğü budur. Anlaşılan Türkiye tabiri, 1920 Meclisi'ndeki Türklük anlamı da odur. Çünkü artık İslam devletleri ve milletleri imparatorluktan kopmuştur, Arabistan'ın dönmeyeceği bellidir, Balkanlar'da Pomaklar ve Arnavutlar bile elimizden çıkmıştır. Kafkasya'daki hayatımız ise çoktan sona ermişti. Onun için geriye kalan Türklük budur, lakin bunun imparatorluğun bıraktığı anlamda kavranması lazımdır.

Türklük

Türkiye'nin en mühim zenginliği Türklüktür. Bu, kasaba hamaseti değildir. Türklük tarih içerisinde göçebe dönemlerden beri dayanmayı, teşkilatlanmayı ve şartlara göre değişimi bilen bir sistemdir. Bütün tarihin getirdiği ayrılıklara, kesintiye rağmen gerçekten Çin sınırlarından Tuna'ya kadar bir

Mustafa Kemal Paşa'nın Mersin Millet Bahçesi'ndeki nutku memleketin her köşesinde büyük yankı uyandıracaktı.

araya gelebilecek bir kültürel camia yaratmıştır, bir varlıktır. Bunların arasında zaman zaman soğukluk veya kopukluk olur. Ama bu ne Germen ne de Slav dünyasıdır. Türk dünyası bir şekilde her zaman için vardır. Dolayısıyla bizim stratejik önemimiz de, zenginliğimiz de Türklüğün kendisidir. Bu bir coğrafyadır ve bu coğrafyada bu toplumların çok aşırı hareket kabiliyeti vardır. Bizim için nüfus azalması diye bir problem yoktur. Doğum oranı düşse bile bu coğrafyanın bir köşesinden göçlerin getirdiği Türk nüfusu vardır.

Son olarak eklemek gerekir ki Atatürk'ün aklındaki cumhuriyet modeli tam da Jean-Jacques Rousseau tipi bir cumhuriyetti. Nitekim 1924 Anayasası'nda o cumhuriyet ortaya çıkmıştır. Oradaki ifade "Türkler"dir ve bu ifade kalmalıdır. Bugün "Türkiyeli" diye ortaya atılan tabir gülünçtür. Bu Türkiyelilik lafı belirsiz, dil ve kimlik iddiaları açısından tutar bir terimdir.

6

İNKILABLAR DÖNEMİ

İNKILABLAR DÖNEMİ

İnkılablara Genel Bir Bakış

İNKILABLARA bir bütün halinde bakıldığında merkezîyetçi, kuvvetli yapılı, vatandaş haklarını teminat altına almaya çalışan bir devlet kurulduğu görülür. Laiklik hareketi tamamen vatandaşlığı yerleştirebilme amacına yöneliktir. Klasik Osmanlı toplumuna has bazı örgütlenme, âdet, örf ve gelenekler yıkılmıştır. Hatta Fransız Devrimi'nin bir uygulaması olarak loncalara, zaviyelere Gazi Mustafa Kemal Paşa son vermiştir.[75] (Loncaların akıbetini merhum döşemeciler lonca kethüdası Hüsnü Diker usta, "Rahmetli Atatürk cemiyetçilik sevmezdi" diye özetlemiştir.) Şüphesiz ki endüstriyel topluma uygun anonim yapılı ikincil grupların yeterince gelişememesi ve sadece geleneksel toplumun (etnisite, din temelli gibi) ikincil gruplarını tasfiye ettikten sonra modern toplum atılımlarının tıpkı iki dünya savaşı arasında bazı Avrupa ülkelerinde olduğu gibi kıyıda kalması yahut yasaklanması modern Türkiye'de dünyayı ve toplumu tanıyan, toplum seçkinlerinin kim olacağını anlayan politikacıların yetişmesine de engel olmaktadır. Kurulan,

75 Halk nezdinde fazla sarsıntı yaratmayan bir tepkiyle bu lağvetme işlemi tamamlandı.

yaşamaya çalışan ve dağılan her partinin birinci meselesi, partinin gelişmesi için üye sayısı veya mali kaynak değildir; bunlar siyasi kadroları tanıyamamakta ve kendi programlarını yapacak kadrolara sahip olamamakta, mevcut programlarını geliştirecek kadrolar ve militanlara hiç sahip olamamaktadırlar. Bu cumhuriyetimizin en büyük sorunudur ve kısa zamanda çözülmesi gerekir.

"Hilafetin ilgası" konusu bu yeni durumda ideoloji ve yönetim birliğinin kurulması arzusudur. O yüzden de hilafet kısa zamanda kaldırılmıştır. Bu, aslında saltanatın ilgasından daha fazla tepki yaratmıştır. Kurtuluş Savaşı'nı beraber başaran kumandanlar bile (Kâzım Karabekir Paşa, Refet Paşa, vs.) bu konuda hemfikir değildi.

Gazi Mustafa Kemal Paşa (Atatürk) hariç, bu kumandanların hepsi her inkılaba taraftar değildir. İçlerinde cumhuriyetçi, devrimci zihniyetle, Cumhuriyet idaresini kurmak isteyen tek kişi olarak Atatürk bir ölçüde İsmet Paşa ile yalnızdı. Onu takip eden insanlar içinde gerçekten bu inançta olanlar azdır. Fevzi Paşa, hatta harf inkılâbı sırasında İsmet Paşa, inkılabı hikmet-i hükûmet kabilinden takip etmişler veya devletin bekası itaati gerektirdiğinden uymuşlardır. İsmet Paşa birçok reforma karşı çıkmakta birincidir. Fakat reformdan sonra, ilk olarak kendisi uygulamıştır. Bu, maiyetteki akıllı bir devlet adamının en birinci vasfıdır. Bu vasıf, Osmanlı devlet adamında belirgindir; "*quod factum est factum est* - ne ki olmuştur, olmuştur; o halde yola devam" felsefesi de denebilir. Osmanlı devlet adamı pragmatiktir. O yüzden hilafet kaldırılana kadar bir kısım yakın arkadaşları lidere karşı çıkmış fakat bu arkadaşların Cumhuriyet kurulduktan sonra kurdukları Terakkiperver Cumhuriyet Fırkası cumhuriyetçi olmuştur. Atatürk'ü bunlardan ayıran, daha baştan itibaren cumhuriyetçi olması, bazı şeyleri önceden görüp planlamasıdır. O yüzden Atatürk yaşadığı sürece ve öldükten sonra, etrafındakilerden çoğu davaya zorla kazandırılmışlardır. Gazi Mustafa Kemal ve arkadaşları Cumhuriyet'i ilan ederek rejimin adını koydular, ancak, bu o kadar da kolay değildi. Çünkü mebuslar içinde hâlâ halifeyi ve padişahı isteyenler vardı. İkincisi, daha Cumhuriyet kurulmadan da önce, İstiklâl Savaşı'nın birçok kumandanı bile İstanbul'a girmek, onu geri alabilmek ümidinde değildi. Anadolu'nun bir kısmını kurtarmak onlara göre o an için yeterliydi. Hâlbuki Gazi Mustafa Kemal Paşa karşı tarafın açığını görmüş ve "Ordular! İlk hedefiniz Akdeniz'dir. İleri!" demişti. Cumhuriyet'in ilanı da böyle bir uzak görüşlülüğün eseridir. Atatürk inkılablarını yavaşlatan, hatta saptıranlar da yine etrafındakiler olmuştur. Bu kadrosuz ortamda Atatürk'ün büyük bir özelliği vardır ki o da ikna ve uyum sağlamadır.

1924 Anayasası

1924 Anayasası bizde yüzyılın ikinci yarısında alışılmış usulün aksine referandumla değil, doğrudan TBMM tarafından kabul edilen bir anayasadır. Böylelikle Kurtuluş Savaşı boyunca TBMM tarafından kabul edilen 1921 Anayasası da yürürlükten kalkmış olmuştu. 1293 (1876) Kanun-ı Esasîsi ve 1921 Teşkilat-ı Esasiye Kanunu ise 1924 Anayasası'na da ismini vermekten öte, çoktan yürürlükten kalkmış sayılıyordu, zira Kasım 1922'de saltanat, TBMM tarafından lağvedilmiştir.

1924 Anayasası kurucu 1921 Anayasası'na göre sözde meclisin üstünlüğüne dayanır, çünkü icra onun kontrolündedir ve güvenoyu verilir. Ama yasamanın ayrı bir kuvvet olarak düşünülmesi mümkün değildir. Bu yarı konvansiyonel gibi görünen sistem aslında Türkiye tarihinde icranın, yani hükûmetin kuvvetini temsil edecektir. Ama daha da ilginci, ömrünün büyük kısmını tek parti rejimiyle geçirecek olmasına rağmen, 1924 Anayasası çok partili demokratik hayata da pekâlâ intibak edebilecek bir metindir. 1876 Kanun-ı Esasîsi, Mebuslar Meclisi ve Âyan Meclisi'ni tanıdığı halde, 1924 Anayasası TBMM'nin getirdiği usulü, yani tek meclisi kabul etmiştir.

1924'ten beri anayasal sistemdeki en büyük zaaf yargı erkinin bağımsızlığının, hâkim teminatının iyi düzenlenememesidir. 1876'da söz konusu bile olmayan, bu nedenle çok sınırlı olarak anayasada "matbuat kanunu dairesinde serbesttir" ibaresiyle yer alan basın hürriyeti, her ne kadar çok kısa zamanda ihlal edilecek olsa da, 1908 Meşrutiyeti'ndeki tadilat dolayısıyla ve kesinlikle anayasal sistemimize ve siyasi hayata girmiş ve sansür kaldırılmıştır. O andan itibaren sansür rejimleri gayr-ı kanunidir. 1924 Anayasası'nda da bu kurum hakkıyla yerini almaktadır. Basın hürriyetinin ihlalinin 1924 Anayasası'yla bir ilgisi olamaz. TBMM'nin 1946 seçiminden sonra yeni seçilen milletvekillerinin konumunu aklamama (Zeki Rıza Sporel olayındaki gibi), kabul etmeme gibi eylemleri de aslında bu anayasanın getirdiği uygunsuz bir sistem değil, sonradan geliştirilmiş bir uygunsuzluktu. Gene hükûmet üyelerinin basın tarafından suçlanıp itham edilemeyeceği gibi uygulamalar ya da ispat hakkının tanınmaması da bu anayasayla ilgili olamaz.

Kanunların dışında 1924 Anayasası'nın her türlü partiyi yasaklaması düşünülemez. Teşkilat-ı Esasiye Kanunu'nun ancak saltanatı özleyen parti ve siyasi faaliyetleri yasaklayacağı açıktır. Bunun dışında inkılab kanunlarının anayasal güvenceye alınması dahi 1961 Anayasası'na ait bir hükümdür.

1924 Anayasası pekâlâ ulusal, sosyal, çok partili bir demokrasinin yaşamasına ve devamına müsait olan bir metindir. Üstelik dönemine göre açık, düzgün ifadeli bir anayasa metnidir. Şayet siyasi hayatımızda kısıtlamalar, TBMM'de dış politikanın tartışılmaması, askerî harcamaların ciddi denetimin dışında kalması gibi uygulamalar varsa, bunlar anayasanın değil siyasi hayatın gelenek ve siyasi terbiye anlayışının getirdiği ve barındırdığı tıkanıklıklardır.

Türkiye aslında 1924 Anayasası'nı ufak değişikliklerle muhafaza edebilirdi. Bu anayasada bulunmayan Cumhuriyet Senatosu gibi bir kurum ise 1961 Anayasası ile getirilmiş ve kimsenin itirazı olmaksızın 12 Eylül Anayasası ile kaldırılmıştır. Hatta 1961 Anayasası'nı hazırlayan bir grup dahi yeni tekliflerinde (1982 Anayasası'nda) senato için bir teklife yer vermediler. Zira Türk sosyal tarihine uygun bir kurum değildi ve parlamenter sistemimizde geliştirilip benimsenmemişti.

1924 Anayasası'nın ilk andaki en önemli özelliği, laikliğin bir ilke olarak metinde yer almamasıydı. Bu ilke 1928'deki değişiklikle ilave edildi ve bu arada cumhuriyetin bugüne kadar değiştirilmeyen ilkeleri de bu anayasada yer aldı.

Teşkilat-ı Esasiye veya 1924 Kanun-ı Esasîsi'nin yarattığı ortam, 26 yıllık tek parti, 14 yıllık çok partili uygulama ve 27 Mayıs hareketinden sonra yeni bir anayasayı doğurdu ve bu anayasa da bilindiği gibi 20 yıla ulaşamayan bir uygulamanın ardından ortadan kaldırıldı.

Gazi'nin Kurtuluştan Sonraki Hayatı

Latife Hanım'la Gazi'nin kısa süren evliliği çok yazılıyor. Abartılı yorumlara başvurulursa, Latife Hanım "Türk kadınlığını temsil eden ve Türkiye'yi muazzam bir değişime götüren bir büyük portre" olarak çiziliyor. 19. asırdan beri önemli kadın aydınlar vardır. "Latife Hanım'ın o gruptaki yapıcı rolü nedir?" sorusuna cevap veren bir eser bulunup okunamadı. İzmir'in kurtuluşundan itibaren İsviçre'de okumuş olan Latife Hanım, Gazi Paşa ile temasa geldi. Yabancı dil bilgisi (üç dili okuma ve yazmayı biliyordu) ve Avrupa'yı izlemesi Başkumandan'ı etkilemiş, model devlet reisi eşi böyle olmalıdır diye düşündürmüştü. Latife Hanım'ın bir Türkiye reis-i cumhurunun eşi olmanın ne olduğunu pek de iyi anlamadığı açıktır. İkincisi, Türkiye'de bir mareşalin ne olduğunu da bilmiyordu. Böyle lider bir kumandanın eşinin vagonun penceresinden sarkıp ona, "Kemal" diye seslenmesi aslında 1920'lerde hiçbir yerin protokolüne uymazdı. Rıza Nur'un hatıratını okuyanlar bilir ki Rıza Nur'un eşi eski rejime mensub paşalardan birinin kızıydı ve psikolojik sorunları vardı. Latife Hanım İstanbul'da onunla ahbaplık ediyordu. Oysa bu mevkide biri (yani first lady) muhalefetten birileri ile temas etmemeliydi.

Reis-i cumhur eşi, first lady olduğu zaman, sorumlulukları olmayan ve yetkileri sınırlı bir devletlinin eşi gibi davranamazdı. Mesela birilerinin hanımları ile çatışırsa, konu derhâl başka alana da sıçrar, birdenbire o büyük mareşale, kurucu cumhurbaşkanına mevkiine göre hitap edemeyen veyahut hakkında kinayeli konuştuğu adamlar düşman olmaya başlardı. Maalesef Latife Hanım öyle görülüyor ki Türkiye şartlarında bir kurucu cumhurbaşkanının ve bir mareşalin eşi olmayı bilemedi. Evlilik bu nedenle bitti, daha doğrusu tek taraflı bitirildi.

Mustafa Kemal Paşa ve eşi Latife Hanım, 1923.

Özel Hayatlar ve Tarihçilik

Tarihî şahsiyetlerin portrelerini çizmek ve hayatın teferruatını yaşamlarından çıkararak anlamaya çalışmak mevcut bir yöntemdir ve yeni de değildir. Ciddi tarihçilikte yöntemi yoktan var edemezsiniz, bu tarihin diğer bilimlerden ayrılan bir özelliğidir. Bir tarihçi kullandığı malzemenin kullanımındaki pekinlik, değerlendirme ve kompozisyonu çizme safhasında sanatçı üslubu ve renkliliği de koyar. Tarih sadece bir bilim olmayıp Droysen'in tabiriyle "bilimin çok üstündedir."

Bu açıdan baktığımızda Thukydides ile Fernand Braudel arasında yöntemler açısından bir fark, değişme ya da gelişme yoktur. Tabii kişisel özellikleri tasvir ederek tarihî portre çizmek bizde uygun değildir. Bu alanda Türkiye tarihçiliği çok çıkmaz içindedir, çünkü bunların kolay iş olmadığının farkında değiliz. Bir-iki dedikodu ve vekayiname tasviriyle tarihî portre çizilemez. Çok iyi bilgi toplanması ve incelenen dönemin kültürel eksenlerini iyi tespit etmek gerekir.

Bugün son derece bilgisiz insanlar Atatürk üzerine konuşuyor ancak bu ne tarihçilik ne de başka bir tür metindir. Bizim ülkemizde sağcısı da solcusu da araştırmadan yaratmaya meraklıdır. Çağdaş tarih portrelerinin malzemesini daha yüklü ve yöntemlerin daha hassas ve mukayeseli olmasını isteriz. Elinizdeki kitap için Alexandre Jevakhoff'un *Kemal Atatürk* kitabını okudum.[76] Bu kitap, çok dikkatli, abartıcı ve genişletici yorumlar yapmayan bir portre çizimi olarak görünüyor. Jevakhoff Fransız'dır, fakat Rus Amiral Jevakhoff'un torunudur. Rusya tarihçilerinin malzemeye ve metne sadık kalan *extrapolation* (genişletici yorumu)

76 Alexandre Jevakhoff, *Kemal Atatürk-Batı'nın Yolu*, İnkılap Kitabevi, İstanbul, 2008.

Gazi Mustafa Kemal Paşa ve eşi Latife Hanım Adana'da Hükûmet Konağı'ndan çıkarken, 16 Mart 1923.

içinde daha ciddi bir Atatürk portresi çizmiştir. Zira herhangi bir Osmanlı'nın portresini bu açıdan çizmek zordur. Bunun sebebi de basit; malzeme kıtlığıdır.

Atatürk'le ilgili böyle yalan yanlış portre çizen iki tip var, her ikisi de bu yöntemi meslek edinen yazarlardır. Biri oturuyor, bunları idare ediyor. O idare eden önemli bir misyon sahibi, belirli gruplar adına konuşuyor; birileri de bunları yayımlıyor. Böylelikle tarihî kişilik yıpratılmaya çalışılıyor. Bunun arkasında sadece bir inanç ya da bir ideoloji kaygısı yok. Bu aynı zamanda bir bölünme, bir çatışma ortamı yaratma girişimidir. Şüphesiz bunlara güvenilemiyor, çünkü bu yazarlar tarihî bilgi açısından çok zayıflar; bir de bilhassa etnik eğilimlerle portre çizen oldukça abartılı yayınevleri var: Tabii bir amaçları var; bu, tahripkâr (*destructive*) milliyetçiliğin hiçbir yerde vazgeçmediği bir unsurdur ama söz konusu etnik gruplar kendi kültürlerini, millî edebiyatlarını, tarih araştırmalarını geliştirdikçe bu yöntemi takip ederler.

Kahramanlarını itibarsızlaştıran toplumlara Avrupa'da da, dünyada da tahammül etmezler. Bu gibi durumlarda kendini inkâr eden bireyi şüphesiz savcıdan evvel toplum mahkûm eder. Mesela bir öğrenci bir ulusal veya uluslararası toplulukta bu tip sözler ederse, kendisine "lunatik" yani delirmiş gözüyle bakarlar, ciddiye almazlar, derece vermezler, "nafile" kabul ederler. Doğu Avrupa'da, Orta Avrupa'da, Batı Avrupa'da bu konulara hoşgörü gösterilmez.

Atatürk Olmasaydı da Türkiye Bir Şekilde Bağımsız Olabilirdi, Ama...

Atatürk olmasaydı ülke kurtulur muydu? Bu sorunun cevabı için "olabilirdi" demek lazım. Tedricen belirli sınırların içinde kurtulurdu, ama söz gelimi İzmir ve geniş hinterlandı (ard ülke) bizim olmazdı. Oraya Yunanlılar gelir, yerleşirlerdi. İşgalin ilk zamanında oradaki yerli Yunanlıların ve Venizelos Hükûmeti'nin kozmopolit Levantenler ile anlaşamadığı belliydi ama elbet anlaşırlardı. Bunlar tüccardı ve Yunan anakarasından nüfus sürekli geliyordu, daha da hızlandırılırdı. Çünkü İzmir ve hinterlandı adalarda sürünen insanlar için çok bereketliydi, cennetti. Türkiye de garip bir ülke olarak ortaya çıkardı ki Türk milleti ortadan kalkacak değildi. O zaman nüfus 13 milyondu. Bu önemli bir rakamdı ama bu harap nüfusun rehabilitasyonu, eğitimi çok yerinde sayardı, iktisadi ve sınaî gelişme imkânı olmazdı.

"Demokrasi de gelirdi", diyenler var. Demokrasi bir ülkeye ithal gelmez. Mütareke döneminde İstanbul'da sendika kurulmuş, Komünist Partisi varmış, bazı filmler gösterimdeymiş gibi belirtiler yeterli değildir. Bunlarla bir topluma demokrasi gelip yerleşmez. Yerli halk, ülkenin sahipleri o ihtiyacı hissedip, demokrasiyi kendileri tesis etmelidir. Yirmi yaşındaki üniversiteli genç bazı filmleri görmek istiyorsa iyidir, sansür orada çatlamıştır. Ama millette talep yoksa o filmi getirip göstermek mümkün değildir ve ne ifade eder? Demokrasi mahallî tefekkürün kaynaması, mahallî müesseselerin gelişmesidir ki o da o kadar kolay bir gelişme değildir.

Farzımuhal, "Atatürk değil de Kâzım Karabekir Paşa devlet başkanı olsaydı", deniliyor. Kâzım Karabekir bildiğiniz gibi yetenekli ve bilgili bir kurmay ve cesur bir kumandandı ve İsmet Paşa gibi çok dürüst ve inanmış birisiydi. Her iki paşa da yaşam biçimi olarak muhafazakârdır. İsmet Paşa'nın da, Kâzım Paşa'nın da evlerinde bohem bir hayat tarzı yoktur. Kâzım Karabekir tutucu bir adamdı. Mesela İzmir İktisat Kongresi'nde Latin harflerini reddetmiş ve "Kesinlikle olmaz, Azeriler saçmaladı" demiştir. İsmet Paşa'nın da harf devrimine sıcak baktığı söylenemezdi.[77] Keza, Rauf Orbay çok daha muhafazakârdır. Birbirlerine benzerler, onlara benzemeyen kişi bizatihi Gazi Mustafa Kemal (Atatürk) Paşa'dır.

Tarihi büyük ölçüde kişiler yapar. Birincisi, o bir örgütlenme dehasıydı. Kendini çok iyi kontrol etmesini biliyor, çok iyi gizlemesini biliyor, zamansız ileriye atılmıyor. Bu özellik 20. yüzyıl liderlerinin ekserisinde yoktur. İkincisi, fevkalade bir zamanlama tekniği yanında, bilinecek şeyleri çok iyi biliyor, tecrübelerini çok iyi kullanabiliyordu. Bütün o subay takımının sınırsız tecrübesi ve dünya görgüsü vardı. Onların içinde bu eğitimi kullanmasını en iyi o biliyordu ve üzerinde durmamız gereken husus, Mustafa Kemal'in hiçbir zaman ve zeminin olumsuzluklarına teslim olmamış olmasıdır. Çok önemli bir özellik; İstiklâl Savaşı başladığı zaman, Birinci Dünya Savaşı'nın hatalarının da etkisiyle bir daha harbe girmeyelim diyenler vardır. Bence onların hepsine hain denemez, çünkü ileriyi görememişlerdir. Bir de "Şimdi şurada dur, fazla ileri gitme" diyenler oldu. Mesela Batı Anadolu'nun hiçbir şekilde kurtarılacağına inanmayan, bir sürü İstiklâl Savaşı kumandanı bile var. Eğer hedefi ileriye koyuyorsan o bir dehadır ve deha dâhilere has bir inattır.

Siyaset olarak da öyledir; dehadır. Ama askerî dehası şu; ricat savaşını bir bozguna değil bir politikaya, bir askerî stratejiye çevirmiştir. Askerini iyi tanıyor, seviyor ve güven veriyordu. Bizim siyasi edebiyatımızda ilk defa Taner Timur,[78] Carlyle ve Tolstoy'a başvurarak tarihte ferdin rolü-

---

77 İsmet Paşa Cumhuriyet ve Saltanat konusunda çok kararlı, karşı... Kabul edilen her nizam ve kanunu sadıkane uyguluyor.

78 Taner Timur, *Türk Devrimi ve Sonrası*, İmge Kitabevi Yayınları, İstanbul, 2013.

nü tartıştı. Muhteşem portre örnekleri kullanan Thomas Carlyle, tarihi fert yapar, diye özetlenir. Tolstoy ise "Fert çürüyen kayayı parmağıyla devirir" der. Bu görüş kalabalığında Atatürk'ü yerine koymak ve yerini tespit için çok mürekkep akıtılacaktır.

İçten Gelen Muhalefet: Terakkiperver Fırka

Terakkiperver Fırka'da İttihatçılar toplanmıştı. O zaman o kadar solcu yoktu. Solcular sonra Serbest Fırka'ya dâhil olmuşlardır. İttihat Terakki kalıntısı orada da olsa da Terakkiperver Fırka'da daha çok İttihatçı vardı ve benzeri başka gruplar da vardı. Bu nedenle Ankara partiyi tehdit olarak görmüştü. Cumhuriyet sırf padişahı değil, İttihatçıları da kendi için tehdit olarak görüyordu. 1926 suikastının arkasından gelen tevkiflere, kovuşturmalara bakıldığında trajik unsurların olduğu görülür.

Kemalist Devirde Muhalefet

Şüphesiz ki Atatürk devrindeki muhalefetten söz ettiğimizde sadece partilerden bahsedemeyiz. Esas olarak Terakkiperver Cumhuriyet Fırkası 1924'ün ve Serbest Cumhuriyet Fırkası 1930'un muhalefetidir, ikisi de kısa ömürlü olmuştur. Başkanları Atatürk'ün yakın arkadaşlarıydı. Birinci grup Kâzım Karabekir ve Ali Fuat Paşa'lardır ve Mustafa Kemal Paşa'yla anlaşmazlığa düşmüş, daha muhafazakâr yapılı bir Jön Türklüğü benimsemiş ve çok büyük taraftar toplamışlardır. Amaçlarının dışında kalan ama partiye gelen grupları reddetmediler ve yanlarına aldılar. İkincisi doğrudan doğruya tayin ve ricayla gelen bir başkandır ki o daha fazla taraftar toplamıştır. Partinin içinde hem fundamentalist diyebileceğimiz takım hem de solcular vardı. Ama muhalefetin bu karmaşık yapıyla ve kontrolsüz reaksiyonla devamı olmayacağı da belliydi.

Serbest Fırka beklenenin aksine, hızlı bir şekilde büyüyerek örgütlendi. Muhalefetin içinde sadece bundan 6 sene evvel dışlanan tarikatların mürit ve mensublarının bulunduğunu düşünmeyelim. Bunların yanında kasaba eşrafından CHP'lilerin dışında kalanlar da bu harekete intisab ettiler. Böylece bazı CHP üyelerini de aralarına katmış oldular. Serbest Fırka, milletvekili seçimlerinden önce aniden yapılan belediye seçimlerinde bile büyük başarı kazandı. Ancak partinin seçim başarısından çok kitlelerin reaksiyonu ürkütücüydü. Bilhassa İzmir trajik bir hortumun içine girmiş gibiydi. Başvekil İsmet Paşa'ya muhalefet büyüktü ve vilayet yönetiminin acemice ve kabaca müdahalesi sadece kitleyi tahrik etmeye yaradı. TBMM'deki suçlamalar ise mizaç ve eylem itibariyle bu gibi çatışmaların dışında kalmaya yatkın olan Fethi Okyar Bey'i hedef almıştı. Bütün bunların sonunda muhalefet partisi kapatıldı ve belediye reislerinin çoğunluğuna işten el çektirildi. Bir hafta sonra, 23 Aralık günü patlayan Menemen olayı âdeta muhalefetin susturulmasına taraftar olanları "Biz demedik mi?" havasına soktu.

Menemen'de Nakşi oldukları söylense de mahiyetleri el'an tartışmalı olan, Giritli Derviş Mehmed isimli hiçbir tarikatın silsilesine oturtulamayan birisinin etrafında toplananlar bir ayaklanma çıkardılar. Bu ayaklanma bir çarşı meydanı gösterisidir. Olayı durdurmaya çalışan teğmen rütbeli yedek subay Mustafa Fehmi Kubilay'ı vahşi bir şekilde şehit ettiler. Gazi Paşa'nın reaksiyonu ve muhalefeti susturma konusundaki tereddüttü yerini hiddete bıraktı. Rivayete göre Paşa kasabayı toptan sürmekten dahi söz etmiş, sonra zecri tedbirler, muhakeme ve idamların ardından yatışmış.

Menemen Ayaklanması cehaletin şartları değerlendirmekte ne kadar kolay yanılabileceğini ve eyleminin sonsuz bir şiddete uzanacağını gösterir. Ancak bu olay Türkiye için yaygın bir dini ayaklanmanın başlangıcı olarak nitelendirilmez. Bunun yanında yaşananlar bizzat Serbest Fırka mensublarının dahi parti defterini kapatmalarına neden olmuştur. Bu olay etraftaki dünyanın şartlarına da bakarak Türkiye için çok partili demokratik rejimin kurulmasını bilinmeyen bir tarihe tehir etti.

Atatürk devrinde Türkiye Komünist Partisi (TKP) vardı. TKP'nin genel sekreteri Vedat Nedim (Tör) Bey Berlin menşeiliydi. Almanya'daki Spartakist harekette gelişmeler vardı. Komünist Parti'de Vedat Nedim'e hain diyenler olduğu gibi onun entelektüel kapasitesine hayran olanlar da vardı. Komitern dosyasında layiha olarak tek beğenilen ve hayatta kalan onun Politbüro'ya (Merkez Komite) verdiği layiha Arap harfleriyle tutulmuştu. Burada kapıcıların ve şoförlerin örgütlenmesinden söz ediyor ki doğru bir yaklaşımdır, memlekette sınıf coğrafyası ve yapısından ilgili bilgilere sahip olmak için bu ikisinden birden yararlanmak lazımdır. Unutmayalım Şükrü Kaya da kendi rejimi için aynı zümreyi kullanmıştır.

Şevket Süreyya Bey Sovyetler Birliği Komünist Partisi üyesiydi. Onun da kısa bir cezaevi yaşamı olmuştur fakat rejim onu benimsemiştir. Çünkü Moskova'nın Kemalist rejimle pek çatışmaya girmek istemediği açıktı. Kendisi hem

Millî Eğitim Bakanı Mustafa Necati'yle çalışmış hem de İktisat Umum Müdürü olmuştu. İkinci Dünya Savaşı'nda gıda tevzi meselesinde bir parça düzen varsa onun etkisiyledir.

Kemalizm, komünistleri hayalperest olarak görüyor, fakat bir nevi yola gelmek ve rejimle bütünleşmeye yanaştıkları zaman da fırsat veriyor ve dışlamıyordu. Babayani bir cebe-rut devlet görünümü vardı ve aynı durum Atatürk devri boyunca sağcı, ırkçı, kafatasçı dediğimiz takım için de geçerli oldu. Bu aşırı Türkçüleri Kemalist rejim dışlamadı. İleride detaylarını anlatacağımız en ilginç vaka, üç ismin, Hüseyin Nihal Atsız, Orhan Şaik Gökyay ve Pertev Naili Boratav'ın bir araya gelmesidir; üçü de Mehmed Fuad Köprülü'nün asistanlarıydı. Tarih Kongresi'ndeki çıkışından dolayı Reşid Galip, Zeki Velidi (Togan) Bey'in işine son verince onu destekleyen bir telegram çektiler. Hemen üniversitedeki akademik hayatlarına son verdiler ve liselere tayin ettiler. Anadolu liselerinde hocalıklarının mutlaka etkisi oldu. Mesela Balıkesir'de Abdülbaki Gölpınarlı'nın hocalığından dolayı Halil İnalcık gibi bir zeki, çalışkan genç ortaya çıktı. Kastamonu ve Konya için de aynı şeyleri söyleyebiliriz.

Bu iki grup da İsmet İnönü devrinde çok fena hırpalanmıştır ve Türkiye münevverleri birbirlerine kan düşmanı kesilmişlerdir. O kadar ki, daha evvel telegram (telgraf) çeken üç arkadaş bile birbirine düşmüştür.

Türkiye münevverlerinin asıl yediği darbe 47 Üniversite Olayları'dır. Bilhassa Dil ve Tarih-Coğrafya Fakültesi'ndeki büyük temizlemede ve sonraki dönemde Amerika'da sağ liberallerle düşüp kalkan Muzaffer Bey (Şerif) şüphesiz Ankara valisinden gördüğü hareket üzerine dilhun oldu, küstü, gönlü kırıldı ve buradan ayrıldı.

Ankara Valisi Nevzat Tandoğan istenmeyen bir vali tipidir. Maalesef Gazi Paşa'nın kontrolü dışında kaldığı ve bazı eylemlerinin ön planda Başvekil İsmet Paşa tarafından müsamahayla karşılandığı anlaşılıyor. İleride, 1946'dan sonra rejim ve İsmet Paşa idaresi onu sahiplenmeyince Haşmet Orbay davasından dolayı mahkemeye mevcutlu olarak şahadete celbe edildi, ancak sanık da olabilirdi. Daha sonra da yeis ile intihar etti. Valinin sınırsız kabalığı Türkiye'nin bu asrın en önemli sosyal-psikologlarından birini Amerika'ya kaybetmesine neden oldu. Şüphesiz ki Kemalist devrin daha inayetkâr ve affedici tutumuyla sonraki CHP dönemi arasında da çok fark vardır.

Kâzım Karabekir

Kâzım Karabekir Paşa, Mehmed Emin Paşa'nın oğludur. Başarılı bir Harb Okulu ve kurmay eğitimi görmüştür. Mustafa Kemal Paşa ile aynı kuşaktandır. İsmet Paşa ile çok erkenden arkadaş olduğu halde, Mustafa Kemal Paşa'yı uzaktan tanımış fakat kendisine hayranlık ve bağlılığını Mütareke döneminde bildirmiştir. Bu desteğini devam ettirmiştir ki İstiklâl Savaşı tarihimizin en önemli, en faziletli olayıdır.

1948'de TBMM başkanı iken vefat eden Korgeneral Kâzım Karabekir Paşa, herkesçe malum, Kurtuluş Savaşımızı başlatan Mustafa Kemal Paşa'nın baş destekçisidir. Doğu'da kumandasında olan 15'nci Kolordu gerek teçhizatı gerekse o zaman için kayda değer olan silah sayısı ve terhis edilmeyen efradıyla tam teşekküllü bir kuvvetti. Üstelik Doğu Cephesi'ndeki karışıklıkları yatıştıran ve sınırlarımızı berkiten antlaşmaları bu kuvvetin zaferleri sağlamıştır. İstanbul Hükûmeti'nin emirlerine rağmen Mustafa Kemal Paşa'nın emrine giren Karabekir Paşa, II. Meşrutiyet devrinde gençleştirilen ordudaki genç kumandanların içinde bildiği lisanlar, tarih, coğrafya bilgisi, musikideki ustalığı ile en göze batan, aydın bir subaydır.

Erzurum Kongresi öncesi tutuklanması emri gelen ve artık müstafi bir asker olan Mustafa Kemal Paşa'ya bizzat giderek, "Paşam, ben ve kolordum emrinizdeyiz" demesi Türk tarihinin dönüm noktalarından birisi olduğu gibi, çok etkileyici bir sahnedir.

Parlak kumandanlığının yanında Türk çocuklarına eğitimleri için bıraktığı sayısız şarkı, okul tiyatrosu eserleri, şiir, askerî edebiyatımızın en önemli eserleri arasında yer alan *İstiklal Harbimiz*, *Hayatım*, siyasi tarihimizin önemli eseri olan *İttihad ve Terakki* ve *Birinci Cihan Harbi'ne Nasıl Girdik?* gibi kitapların herkes tarafından okunması gerekir.[79] En önemli hizmetlerinden birisi uzun süren harblerin yetim bıraktığı 6 bin çocuğu okullarda yetiştirmesi ve hatta zamanın ortalamasının üstünde nitelikli bir eğitim verdirmesi olmuştur.

Devrimler onu yapanların bir arada yürümesini her zaman güçleştirir. Nitekim Terakkiperver Cumhuriyet Fırkası deneyiminden sonra, Kâzım Karabekir Paşa siyasi hayatın dışına itilmiştir. Eserleri üzerinde kısmen yasaklama ve sansür uygulandığı da bir gerçektir. 1926 İzmir suikastı davasında, Terakkiperver Fırka'daki durumu bahane eden bazı kimseler tarafından yapılan mesnedsiz suçlama ile sanık olarak yargılanmıştır. Burada gerek orduda kendisine

---

79 Karabekir, Kâzım, *İstiklal Harbimiz*, Türkiye Basımevi, İstanbul, 1960; *İstiklal Harbimiz*, Yapı Kredi Yayınları, İstanbul, 2016; *Hayatım*, Yapı Kredi Yayınları, İstanbul, 2017; *İttihat ve Terakki Cemiyeti*, Yapı Kredi Yayınları, İstanbul, 2017; *Birinci Cihan Harbi'ne Nasıl Girdik?*, Emre Yayınları, İstanbul, 2000.

Gazi Mustafa Kemal Paşa, Latife Hanım ve Kazım Karabekir Paşa ile beraber görülüyor, Edremit civarları, Şubat 1923.

bağlı olan ve kendisini takdir edenlerin ve gerekse yakın arkadaşı İsmet Paşa'nın desteği açıktır ve davada aklanmıştır.

1939 yılında İsmet İnönü tarafından İstanbul milletvekilliğine seçtirildi. 1946-48 döneminde Demokrat Parti hareketine katılmadığı gibi, CHP grubu tarafından TBMM Başkanlığı'na aday gösterildi ve 27 Ocak 1948'deki ölümüne kadar bu makamda kaldı. Bir bakıma, TBMM'nin ilk reisi olan silah arkadaşı Mustafa Kemal Atatürk'ün haleflerinden oldu. Onun ardından İstiklâl Savaşı'nın diğer kumandanı olan Ali Fuat Cebesoy da kısa bir müddet TBMM başkanlığı yapmıştı.

Rauf Orbay

Hüseyin Rauf Orbay da 1880'liler kuşağındandır. Babası Amiral Mehmed Muzaffer Paşa idi. Rauf Bey 1899'da teğmen rütbesiyle Deniz Kuvvetleri'ne katıldı ve 1918 yılına kadar değişik savaş gemilerinde görev yaptı. Balkan Savaşları döneminde *Hamidiye* kahramanı olarak nam saldı. Donanmanın ne İtalya'ya ne de *Averof* zırhlısına sahip Yunanistan'a düzenli direnmesi söz konusuydu. 20. yüzyılda ihmal edilmiş bu filo teknisyensiz, sadece subaylarla savaşa girmiş, Rauf Bey yapılacak en cesurane işi yapmış, *Hamidiye* ile Akdeniz'e korsan gibi çıkmış, Yunan limanlarını bombardımana tutmuştu. Bu deniz savaşı Balkan Savaşları tarihine bir katkıdır. Hiç şüphe yok ki şöhretli ve başarılı bir asker olan Rauf Orbay, diğerleri içinde saltanata en bağlı olandı. Nasıl hem İttihatçı hem muhafazakâr olduğu incelenecek bir konudur. Kâmil Paşa kabinesine karşı nefret duyuyordu. Rauf Bey Balkan muharebelerinde dahi politika yapacak kadar İttihatçı idi.

Rauf Bey Birinci Dünya Savaşı'nda, Bahriye Erkân-ı Harbiye Reisliği görevinde bulundu. Türk Millî Mücadelesi'nde başlangıçtan itibaren Mustafa Kemal Paşa'nın yanında yer aldı ve kongrelerden sonra, Heyet-i Temsiliye adına, son Osmanlı Meclisi toplantısına katıldı. Fiilen İstanbul'da son Meclis'e katılımını Mustafa Kemal Paşa tenkit etmiştir. Halk, Paşa Rauf Beyin Felâk-ı Vatan grubuna "Fellâh-ı Vatan" diyormuş. Bu sırada İngilizler tarafından tutuklanarak Malta'ya sürüldü. Malta'dan kurtulduktan sonra ülkeye dönünce evvela Bayındırlık Bakanlığı, sonra Başbakanlık ve TBMM Başkan Vekilliği yaptı. O da Kâzım Paşa gibi Terakkiperver Cumhuriyet Fırkası'nın kurucularından biri oldu ve Atatürk'e karşı tertiplenen İzmir suikastında ceza aldı. Bu sırada yurt dışında idi ve Türkiye'ye 1935 yılında döndü. 1942 yılında Londra Büyükelçisi yapıldı. 1964'te vefat edene kadar üniversitelerde hocalık yaptı. Vatanseverliğinden şüphe edilmeyecek bir adamdı. Ancak şu unutulmamalıdır ki idealleri için can vermeye hazır insanların arasında fikir ayrılıkları her zaman olur. İhtilaller için

Askerî üniformasını çıkaran Mustafa Kemal Paşa
arkadaşı Hüseyin Rauf (Orbay) Bey ile Sivas Kongresi'nin
yapıldığı binanın önünde, Eylül 1919.

kullanılan "Ev yapan balta dışarıda kalır" şeklindeki Rus atasözü açıklayıcı olabilir. Bizlere düşen tarih çizgisinin bu öncülerini kendi dünyaları içinde anmaktır.

Nutuk

Ulu önder Gazi Mustafa Kemal Paşa partisinin grubu dolayısıyla Türkiye Büyük Millet Meclisi önünde 15-20 Ekim 1927 tarihlerinde kesintisiz olarak büyük *Nutuk*'u okudu. *Nutuk*'un okunuş tarihi; Cumhuriyet'in ilanı, hilafetin ilgası, Türk Medenî Kanunu'nun kabulü, Takrir-i Sükûn Kanunu ve İzmir suikastını izleyen davalardan sonraya rastlar ki bu bir tesadüf değildir. Çok partili düzen konusundaki tasavvurlarına ara veren Gazi Paşa 1919'dan o güne kadarki yedi senenin muhasebesini yapmakta, yorumlamakta ve ortaya koymaktadır. *Nutuk*'un güzel bir dili vardır; 19., 20. yüzyıl dönemecindeki modern orduların subaylarının geniş kitlelere hitap için hem zengin hem de kolay anlaşılır bir dil kullanmaları kurmaylık eğitiminin gereklerindendir. Kendi sınıfının genç kumandanları arasında Cumhuriyet'in kurucusunun da böyle bir dil ve üsluba sahip olduğu açıktır. Gerçi padişahla makam-ı sadaretle olan görüşmelerinde ve telgraflarda protokol bakımından teşrifata uygun, ağdalı bir Osmanlıca kullandığı görülmektedir. *Nutuk*'un belgesel kısmındaki bu belgelerin görüşme ve yazışma üslubuna bakarak, "20. yüzyıl Osmanlıcası" denen dil ve kurmay subaylar ile Atatürk'ün dilini tasvir etmek ve değerlendirmek doğru değildir. Bütün 19. asır boyunca makam-ı saltanat ve sadaretle doğrudan yazışma ve görüşmelerde günlük dilden uzak böyle bir üslubun kullanılması âdettendi. Bu görüşmeler ve bilhassa yazışmalar ayniyle nakledildiğinde o üslûb kaçınılmazdır. Bununla birlikte bu ağdalı lügat, hatta yer yer cümle ve ifadelerin açıklamasına başvurularak *Nutuk*'un aslının ve dil üslubunun muhafazası hedef tutulmalıdır. Yapılan sadeleştirmelerin içinde Hıfzı Veldet Velidedeoğlu'nunki en uygun olanıdır. *Nutuk*'un yabancı dillere yapılan çevirilerinde ise bazen tamamen ilgisiz deyim ve kelimeler sehven kullanılmıştır. Bu bakımdan dengeyi koruyan çevirilerin yeniden basılmasını faydalı buluyoruz. Gençlik Atatürk'ün *Nutuk*'unu kendi üslûbuna en uygun ve zengin metinden izlemelidir.[80]

Bu toplumda Atatürk'ü zihinlerden silmeye çalışmak bir lükstür, lüzumsuz çabadır. Yanlış tanıtmaya çalışmak da, amatör tarihçilerin işi olsa bile, gülünçtür. Onun için girişilecek en önemli iş *Nutuk*'u, Atatürk'ün söylev ve demeçlerini ve maalesef büyük kısmı ortalarda olmayan CHP grup toplantı zabıtları gibi belgeleri derleyip okumaktır. Türkiye Cumhuriyeti Tarihi henüz tarihî incelemeleri, arşiv belgelerini toplamak ve tasnif etmek safhasındadır.

Dünya siyasal edebiyatında büyük liderlerin ebedîleşen nutukları vardır. Bunlarda izledikleri siyaset ve yaptıklarının

80 Bugünlerde Gazi Mustafa Kemal Paşa'nın *Nutuk*'u çok okunuyor ve talep ediliyor. Bu eğilimin çok düşündürücü olduğu açıktır. Bazıları "Acaba?" diye bir soru sorsalar dahi hakikat dışı yakıştırmalar ve sapkın tarih yazımı merakının toplumda bir tepki yarattığı görülüyor. Ama bu tepkinin itidal ile yeniden basım ve okumayı geliştirerek hakikati ortaya çıkaracağı çok açıktır. *Nutuk* bizim kuşağın gençlik zamanında lise mezuniyetinde hediye olarak verilen bir kitaptı. Bazı okullarda ve kurumlarda öğrencilere ve çalışanlara hediye edilirdi. Bununla birlikte çok uzun yıllar boyu, evlerdeki kütüphanelerin rafında kalmıştır. Onu okuyanlar; daha çok subaylar, öğretmenler, tarihçiler ve Cumhuriyet tarihini bu eserden öğrenmeyi farz bilen profesyonel hukukçulardı. Şimdi artık *Nutuk* "çok okunuyor." Çok satan listelerine girmesi dikkat çekici bir gelişme.

kitlelere anlatılması söz konusudur. Daha önce de bahsettiğim gibi, bunların içinde en kalıcı ve önemli örnek, İmparator Augustus'un Ankara'daki Augustus Mabedi'nin cella duvarlarında yer alan ve "*Res Gestae Divi Augusti*" diye başlayan nutkudur. Bu konudaki edebiyatın parlak örneklerinden sayılır ve "*Testamentum Ancyranum*" diye bilinir. Eski Türk tarihi için Bilge Kağan Yazıtı güzel bir örnektir.

Nutuk hiç şüphesiz 20. asrın siyasi liderlerinin icraatını anlattıkları eserler arasında müstesna bir yer tutar. Bir imparatorluğun Birinci Dünya Savaşı'ndan sonra yaşadığı çöküş ve Anadolu'daki direniş savaşının, bu savaşın başladığı Türkiye Büyük Millet Meclisi'nde, Cumhuriyet'e geçiş döneminin liderinin kendi ifadesiyle milletvekillerine nakledilmesidir. Bu nedenle okunduğu ve basıldığı günden itibaren Türkiye'de önemli bir yer edindiği gibi, çağdaş Türkiye'yi tanımak isteyen dünyadaki çevrelerde de okunmuştur ve bazı halde yabancı dildeki tercümelerin (mesela Rus Türkoloğu A. Miller'in Rusçası) sadeleştirme çabasıyla ortaya çıkan metinlerden daha düzgün olduğu da bir gerçektir.[81] *Nutuk* üzerinde söyleyeceklerimiz bu kadarla sınırlı kalamaz. *Nutuk* 1919-1926 devresinin tek tarihî metni değildir. Bazılarının iddia ettiği gibi, rejimin dayattığı "resmî tarih" görüş ve metni de değildir. Ama bu dönemi yapan, başkumandan ve devlet reisinin Yüce Meclis'e sunduğu bir bilançodur. Bu açıdan okunması ve değerlendirilmesi gerekir. Bu gerçek unutulmamalıdır.

Bazıları *Nutuk*'a Atatürk'ün savunması diyorlar. Bu savunma, bir mücrimin savunması değildir. Diplomasi platformuna çıkanlar, savaşanlar eğer kesin bir yenilgi almadılarsa daimî surette kendi nokta-i nazarlarından olayları tarif

81 Atatürk, *İzbrannıye reçi i vıstupleniya*, red., vstupit. Statya A. F. Millera M., 1966. Apollinaria Avrutina, "Sovyet Rus Edebiyatı Sürecinde Atatürk İmgesi", *Gazi Türkiyat*, Bahar 2015/16, 187-194.

Cumhuriyet Halk Partisi II. Büyük Kongresi'nde
Gazi Mustafa Kemal Paşa TBMM kürsüsünde 36 saat 33 dakika sürecek
söylevini okurken, 15 Ekim 1927.

ederler. Buralarda bir gizlenme, karşı tarafı küçültecek bir iftira aramaktan çok, hakikatin bazı boyutlarına dikkat etmeniz gerekir. İstiklâl Savaşı'nda kumandanlar vardır. Bu kumandanların bazıları bu dönemde çatışmışlardır, aralarındaki münakaşanın ve tartışmanın nedenlerini kendilerine sormak gerekir. Kâzım Karabekir'in şimdi artık yeniden basılmaya başlanan *İstiklal Harbimiz* adlı eseri yanında *Nutuk*'un da yeri vardır ve başka biri yazacaksa ya da yazmışsa onun da çıkması gerekir. Daimî surette bir kongreye katılan diplomatların hepsinin kendi görüşleri, layihaları, tartışmaları bir arada ele alınır.

Binaenaleyh *Nutuk* üzerinde değerlendirmelerin anlamsızlığı açıktır. Şuna dikkati çekmek istiyorum; bazı noktalarda hatırata bakarak tarih yazılıyor. Türkiye'nin yakın tarihinde hatırat, tarih yazmak için en zayıf metindir. Bu hatıratın birçoğu *Nutuk*'la mukayese edilmeyecek kadar hakikat dışı ve eksiktir. O kadar ki o hatıratı yazan insanlar, mesela Hüseyin Cahit'in, olayların cereyan ettiği sırada kendi gazetesindeki yazı ve makaleleri bu hatıratta söylediklerine de hiç uymaz. Dolayısıyla karşılaştırmalı tarama yapmadan bir tarih yazımına girmek çok yanlıştır.

Kürtlere Özerklik Sözü Vermiş miydi?

Kürtler arasında Birinci Dünya Savaşı'nın bitiminden beri zümre zümre, (grup grup) tepeden aşağıya ayrılık düşünen ve özleyenler oldu. 1925'te Kürtlerden Cumhuriyet'e gelen esas tepki şeriatın gitmesine karşı durmak denebilir. Ama tam olarak da öyle değildir, zira mesela Şeyh Sait İsyanı'nda Kürtçülük yapan grup ve görüşler ve bunlardan destekçi ve akıl verenler de vardır. Ama mesela Dersim olaylarında hâkim olan Kürtçülük değil, yerel isyandır. Orada bir grubun itaatsizliği söz konusudur, vergi meselesinden çıkıp büyüyen direnişe karşı genç Cumhuriyet'in tahammülü yoktu.

Öte yandan bazı Kürtler kendilerine başta bir özerklik sözü verildiği, ama bu sözün tutulmadığı iddiasındalar. Özerklik sözüne bakmak gerekir. 1918'de federatif yapı için söz konusu olan özerklik, Avusturya-Macaristan ve Osmanlı monarşisinin çöküşüyle bitmiştir. Rusya'da çökmüştür ve orada da bitmişti, fakat Rusya Çarlığı'nın çöküşünden sonra eski ve yeni anlamıyla komünizmle ve zorla, totaliter bir rejimle güya bir federalizm kuruldu. O federalizm değildi, zira, Sovyet federalizmi için bir anlamda polis rejimi, Stalinist anlayış, ona göre bir parti aparatı kurulması ve nihayet uysal bir halk lazımdır. 1919-1923 arası hiçbir realist politikacı federalizm gibi yapılanmalarla uğraşmaz. (Oysa Arşidük Rudolf bir yana, savaş başında öldürülen Veliaht Franz Ferdinand daha geniş bir federasyon taraftarıydı. O kadar ki birtakım arşidüklerin imparatorluk dâhilindeki lisanları öğrendikleri biliniyor. Mesela son veliaht bizim Osmanlı hanedanıyla da yakından dost olan Otto von Habsburg Almancayı, Macarcayı, Sırp-Hırvatça ve İtalyancayı eşit derecede iyi biliyordu, çünkü öyle yetiştirilmişti.) İkinci Dünya Savaşı'ndan sonra Tito da uğraştı. Yugoslav federalizmi de ümitlere rağmen devam etmedi ve sonuç feci oldu.

Zaten Mustafa Kemal Paşa gibi kurmaylar ve onun etrafındakiler de bu işte ciddi bir söz vermezler. Muğlak ifadeleri ciddi vaad olarak kabul etmek mümkün değildir. Birincisi bunların kitabında ve doktrininde böyle bir federalizmin yeri yoktur. Kendine göre tarihî, hukuki gerçek aramak ne kadar doğru ve geçerli olur?

Atatürk'ün Tarih Öğretimi

Biz Atatürk'le ne gördük? Biz Atatürk'le başka bir tarih öğretimi girişimi ve başka bir iddia ile gördük. Yeryüzünde itibar sahibi olmak öylece büyük devletlerin arasında bulunmak istiyor iseniz -ki Türk milleti bunu hak ediyor ve böyledir ve hukukunu korumak zorundadır- her şeyden önce hukuk sisteminiz de bu platformdaki diğer üyeler gibi olmalıdır. Atatürk bir milliyetçidir. Millî varlık ve itibar meselesi nedir? İsmini ve varlığını koruyan bir milletin bunun için zamanlara ve mekânlara hükmetmesi gerekir. Bu memleketin insanları, Mezopotamya arkeolojisinden başlayarak dünya tarihinde uzman olmalıdırlar. Bu konuları biz öğrenmiyor değildik, ama tercüme ve nakil kitaplardan değil, uzman olarak öğrenmek ve öğretmek lazımdır. Bu memleketin insanları dünyanın ne olduğunu bilmek istiyorlarsa sadece kendi ülkelerini değil, dünya coğrafyasını da tanımalıdırlar.

İnsanlar sadece tıb ve mühendislik için değil, tarih için, arkeoloji için, filoloji dalları için ve güzel sanatlarda ve musikide, orkestra ve operada, kısacası Batı müziğinde çalışmak için dışarıya yollanmaktadır. Bu dallar için eğitim bursu verilmektedir. Opera kurulmaya çalışmaktadır. Osmanlı İmparatorluğu'nda opera dinleniyordu. Hatta padişahlar opera ve operet truplarını izliyor, hatta muhtelif trupları Saray tiyatrosuna da davet ediyorlardı. Beyoğlu'ndaki tiyatrolarda da bu temsiller veriliyordu. Ama Türkiye opera kurmaya kalkıyorsa, bu önemli bir safhadır. Bunu Atatürk başlatmış, konservatuarlar kurmuştur. Daha önceki Musiki Muallim Mektebi'nin geliştirilmiş bir safhasıdır ve sahne sanatları, filarmoni ve tiyatro kurumları ve eğitimi devlet desteğindedir. 18. yüzyıl Rusyası'ndaki sahne sanatları ve musikiyi geliştirme programı Osmanlı Türkiyesi'nde mevzii olarak kalmıştır. Carl Ebert Atatürk tarafından celb edildiğinde, Atatürk ona operayı kurmak için kaç yıla ihtiyacı olduğunu sorar, "Beş yılda yapabilir misiniz?" der. Carl Ebert de "Bu biraz zor" diye cevap verir. Atatürk hüzünlenir ve "Peki" deyip desteğe devam eder. Neticede opera Atatürk'ün ölümünden sonra gerçekleşmiştir.

Atatürk Türkiyesi bozkırın ortasındaki bir ışıltıdır. Fransızların Edebiyat yahut Almanların Felsefe Fakültesi dediği kurumun adı Dil ve Tarih-Coğrafya Fakültesi olarak düzenleniyor. Hitler iktidarının kıyıma uğrattığı akademisyenler İstanbul ve Ankara'da kadroları oluşturuyor. Bu fakülte henüz müstakil bir binaya sahip değilken 1935'te Halkevi (Türk Ocağı) binasındaki tiyatro salonunda açılışı yapılıyor ve dersler de Evkaf apartmanında (bugün Küçük Tiyatro'nun olduğu yer) yapılıyor. Üniversite bu fakülteden daha sonra, yani 1940'ta kurulacaktır. Fakültenin yeni binasını Türkiye için bir şans olan mülteci mimar Bruno Taut tersim ediyor. Üzerinde ısrarla durmak istiyoruz; Türk medeniyeti kendini değiştirmeyi, tenkit etmeyi, uyarlamayı bilen bir medeniyettir. Geniş bir coğrafyayı, çok da uzun olmayan bir tarih içerisinde değiştirmiş bu da birtakım temel konuları değiştirip uyarlamasıyla paralel gitmiştir. 20. yüzyıl Türk tarihinin eski dönemlerin ivmesini koruduğu görülür.

19 Haziran 1934'te İran Şehinşahı uzun Türkiye seyahatinin Ankara durağındadır. Rıza Şah Pehlevi Atatürk'le büyük bir ideolojik birlik içindedir. İran ve Türkiye arasındaki tarihî, bitip tükenmeyen rekabet durulmuş, Sadabat Paktı yılları yaşanmaktadır. İki liderin bir amacı da demir yolundan okula ve musikiye kadar iki ülkeyi Batılılaştırmaktır. Kabiliyetli bir halkın müzik öğretimiyle birlikte İran operası,

senfonik müzik, resim ve heykel alanındaki koruyucu ve önemli kültürel atılımları bu yıllarda başlamıştır. Atatürk âdeta iki milletin opera sanatına girişini, Halkevi'nde Münir Hayri'nin (Egeli) librettosundan çıkan ve Adnan Saygun'un bestelediği tek perdelik bir operayla açmıştır. Daha sonra Almanya'ya gönderilecek ve eğitimini tamamlayacak olan Semiha Berksoy da bu operada görev almıştır.

"Özsoy" operası, bozkırdaki bir tiyatro binasında, duvarlarında Timurlenk'in mezarını gösteren bir barok neo-klasik Türk mimari eserinin içinde cereyan eder.

1934 yılında Meclis açışı konuşmasında, "Ulusal ince duyguları toplamak, onları bir gün önce genel musiki kurallarına göre işlemek gerekir. Ancak bu şekilde Türk ulusal musikisi yükselebilir, evrensel musikide yerini alabilir" demişti. Gerçekten de opera ve tiyatro sanatlarıyla Türkiye bir dönüşüme girmiştir. Bu dönüşümü bu vakadan tam 50 sene sonra Almanya'nın ünlü, büyük sosyoloğu Ralph Dahrendorf bir televizyon programında söyledi. Semiha Berksoy'un anılarını dinledikten sonra, "Bu Kohl ve Giscard gibi adamlar kendilerini ne sanıyorlar? Türkiye dönüşümü çok önceden gerçekleştirmiştir" demiştir. O yıllarda Türkiye Hitler'in zulmüne uğrayan insanların iltica noktasıydı. Wilhelm Kempff'in sınıf arkadaşı kabiliyetli bir müzisyen olan Eduard Zuckmayer Yahudiliğinden dolayı memleketini terk etmek zorunda kalmıştı. Gazi Eğitim Enstitüsü'nde yetiştirdiği öğrenciler on yıllar boyu devlet operasını ve senfonileri doldurdular. Onu şükranla anarlardı. Eduard Zuckmayer Almanya'ya dönmedi. Türk vatandaşlığına kabul edilerek, burada enstitünün bir odasında yaşadı ve öldü. Daha da ilginci Yahudi olmayan, ancak, Nazi tabiriyle

"Judengesippt" yani "Yahudilerle kanka olmuş", olan Paul Hindemith de gelmişti. Nazi çevrelerde sevilmeyen Paul Hindemith'in savunucusu çok ilginçtir. Aslında densiz bir iddiayla "Hitler'in orkestra şefi" diye nitelenen Wilhelm Furtwangler'in *Deutsche Allgemeine Zeitung*'un birinci sayfasında Hindemith'i Nazilere karşı savunan makalesi bilinmektedir.[82] Hindemith pek de rahat etmediği Nazi Almanyası'ndan sık sık Türkiye'ye gelir ve otururdu. Doğrusu yeni kompozitörlerin yetişmesinde ve kendi on iki füglü müziğinin burada tanıtılmasında büyük rolü oldu. Onun mali ve manevi bakımdan beslendiği ve huzur bulduğu ortamlardan birisi Ankara olmuştur.

Ne ilginçtir ki geleneksel klasik Türk musikisinin altın devrini de İstanbul ve Ortadoğu ülkeleri 1930'larda yaşadı. Radyoda musiki yasak edildi denen dönemde (kaç kişinin dinleyecek radyosu vardı) gazinolarda ve geniş bahçelerde halk en seçkin muganniyeleri, mugannileri dinledi, bestekârların önünde hürmetle eğildi.

Çankaya klasik Batı müzisyenleri ve operacıların (Semiha Berksoy, Nurullah Şevket Taşkıran gibi) davet edildiği ama aynı zamanda Safiye ve diğerlerinin de dinlendiği yerdi. Murat Bardakçı'nın deyimiyle Akdeniz bölgesinden 1930'lu senelerde dört güçlü kadın sesi çıktı: Mısır'da Ümmü Gülsüm, Fransa'da Edith Piaf, Portekiz'de Amalia Rodrigues ve bizde Safiye Ayla. İnsanlar bu dört kadını her yerde dinliyordu. Tabii Doğu'ya Batı yanaşmadı ama Batı musikisi hayata giriyordu.[83]

82 Wilhelm Furtwangler, "Der Fall Hindemith," *Deutsche Allgemeine Zeitung*, Berlin, 25 Kasım 1934.

83 Murat Bardakçı, *Safiye*, İş Bankası Kültür Yayınları, İstanbul, 2017.

Tarih Algısı

Bazılarının iddialarının aksine Türk milliyetçi düşüncesi Türk tarihini bir eğitim aracı olarak kullanamadı. Okullarımızda faşist bir eğitim verildiğini, tarih ders kitaplarımızın insanları körü körüne milliyetçi yaptığı iddia ediliyor. Bu memleketin ortaokullarında, liselerinde okuyanlar ve müfredatı gözden geçirenler bu konuda bir tutarsızlık ve zaaf olduğunu görürler. Avrupa ve Rusya tarih eğitiminin tam aksine, Türk tarih eğitiminin zaafını müşahede ederiz. Bu tarih eğitimi fakir bir edebiyata dayanan, dünya tarihinden gittikçe tecrid edilen bir tarzdır. Peki, Türkler nasıl oluyor da millî bir kimlik çizgisine sahip olabiliyorlar? Çünkü bu coğrafya üzerinde kazanılan önemli zaferlerle büyük değişiklikler meydana geldi. Gene çok önemli savaşlar ve geri çekilmelerle, ıstıraplı toprak kayıplarıyla, göçlerle bugünkü Türk vatanı oluştu. Bunun tarihini bilmiyorsak da millet olarak içinden geldiğimiz yaşam ve büyüdüğümüz kültür bir hakikattir.

Atatürk ve Coğrafya

Biz Türklerin genel bir zaafı coğrafyayı, harita düzeyinde dahi bilmememizdir. Bu üniversite düzeyine kadar sürer. Öyle ki üniversite öğrencileri dahi harita izlemeyi ve yorumlamayı bilmemektedir. Bu nedenle de Türkler coğrafya düşüncesinden uzaktırlar ve tarihçiler dahi tarihi coğrafyasız yaparlar. Bunu nasıl yaptıklarına gelince; metinleri okur ve kopyalar, buldukları evrakları da araya sıkıştırırlar. Yaptığı çalışma orijinal olsa bile o kimsede hiçbir zaman tarih düşüncesinin oluşması mümkün değildir. Coğrafya bilmediği için o kişi aslında bir tür ümmîdir. Coğrafya bilmeyen tarihçi de olamaz. Mesela böyle bir kişinin kafasında şu soru uyanmaz: Roma İmparatorluğu'nun doğudaki halefi Bizans'tır. Bizans toprakları ise Osmanlı'yla çakışmaktadır. O kişi, bu duruma ilgi göstermezse Roma imparatorluklar teorisiyle de ilgilenmeyecektir.

Coğrafyayı, her şeyden evvel fizik koşullarını, yani yeryüzü şekillerini, iklim şartlarını iyi bilmek gerekir. Coğrafî bölgeler arasındaki iletişimi kavramak için iklim farklılıklarından haberdar olmak lazımdır. Bunları bir arada düşünemeyen kimselerin tarihçilik yapmaları mümkün değildir. Geçen asırların Türk okumuşları maalesef bu tip bilgi birikimine ve kullanma yöntemine sahip değildirler. Bu sebeple de Yeni Türkiye'nin tarih bilgini değilse de dâhi bir kurmay olan kurucu önderi sezgileriyle, bu memlekette İstanbul ve Ankara Üniversitesi'ni teşkilâtlandırmış ve ilgili fakültelerinin adını da Dil ve Tarih-Coğrafya Fakültesi koymuştur. Çünkü dilsiz ve coğrafyasız tarih yapmanın imkânı olmadığını çok açık bir şekilde görmektedir. Bu teşebbüs 1930'larda başlamıştı, yani kendisinin ölümünden biraz evvel talebe alınmaya başlamıştır. 1935-36 ders yılı olacaktır. İlk mezunlar; Halil İnalcık ve Muazzez İlmiye (Çığ) gibi kimselerdir. Daha ortada Ankara Üniversitesi yoktur, Siyasal Bilgiler Okulu (Mekteb-i Mülkiye) nakledilmiştir, daha evvelden kurulan Ziraat Enstitüsü ve 1925 yılında hukuk devrimi yapılsın diye kurulan Hukuk Mektebi vardır. Ancak bu, hukuk devrimi yapacak derecede bir fakülte değildir. Daha sonra mülteci Almanlar gelip hukuk öğretmeye başlamışlar ve bunları bir araya getirerek 1940'ta Ankara Üniversitesi kurulmuştur. Ama asıl parlak unsur Dil ve Tarih-Coğrafya Fakültesi'dir. Bu kurumun kütüphanesine müthiş paralar harcanmış, Dil, Tarih ve

Coğrafyayla ilgili pre-historia, jeoloji, arkeoloji gibi bütün şubeler teşekkül ettirilmiştir. Bunları yaptığınız zaman, düşünce ve bilgi bakımından birinci kulvarda, gelişmiş memleketlerle yarışırsınız. Belki sizin endüstriniz yok, tahılla, incir, üzüm ve tütün ihracatıyla geçiniyorsunuz ama esas olan zamanları ve mekânları öğrenmektir. O zaman mühendislik, izabe (metalurji) vs. için gönderilen talebelerin yanında Bizantinistler de vardır. Bu öğrenim ve Batı filoloji ve tarihçiliğine giriş safhalarının behemehâl tamamlanması lazımdır. Bunlar olmadan Türkiye'de sıhhatli bir tarih yapmanın imkânı yoktur. Yukarıda daha ayrıntılı bir şekilde bahsettiğimiz gibi, Türkiye kapalı köylerde yaşayan bir ülkeyken, İkinci Dünya Savaşı'ndan sonra dünyaya entegre olup bir birikim sağlayabilmiştir. Peki, bu başarıyı sağlayan elemanlar nereden çıktı? Okullar imparatorluktan kalmaydı; Cumhuriyet, üstüne Dil ve Tarih-Coğrafya Fakültesi, Ziraat Enstitüsü gibi çok iyilerini ilâve etti. Buralardan yeni entelektüeller çıktı. O sebeple Cumhuriyet bir seferberliktir.

Atatürk, Arkeoloji ve Müzecilik

19. yüzyılın dünyası Mustafa Kemal'in yetiştiği muhiti izah ediyor. Kuşkusuz Fransızcası okuldandır, ama arkadaşı Ömer Lütfi'nin eşi Corinne Lütfi ile dostluğu sayesinde bu dilini yazılı ve sözlü olarak geliştirmiştir ve dönemin ataşemiliterlerinin hepsi kadar iyidir. İstanbul'da belirli muhitte dans etmek, müzik seansları ve alafranga orkestraları dinlemek âdettendi. Bunun dışında İstanbul ve Selanik'te Batı kültürünün bu görünüşteki âdetlerine, bilgi birikimine intibak mümkündü ki müzeler ve arkeoloji bunların başında geliyordu.

Aya İrini Kilisesi bir askerî sancak ve silah deposuydu. Burada ilk arkeoloji müzesini kuran, kütüphane ve vakıf kuran bir aileye mensub olan ünlü Sermet Muhtar Alus'un da dedesi, Rodoslu Tophane Müşiri Fethi Ahmed Paşa'dır. 1894'te mimar Alexandre Vallaury tarafından inşa edilen Arkeoloji Müzesi'nde zamanı için, hatta bugün için bile çok zengin bir seminer kitaplığı vardır ki bu kitaplığı meydana getiren sadrazam da Ahmed Cevad Paşa'dır. Ahmed Cevad Paşa dört Avrupa dilinde ve Osmanlıca seminer kitaplarını bağışlamıştır. Hakikaten bilgili aydın bir kumandandır, genç yaşta mareşal ve sadrazam olmuştur, matematik üzerinde Fransızca monografileri vardır ve o devirdeki literatürde bilinmektedir. Osmanlı askerî tarihi üzerinde de yine bazı monografileri vardır. O bakımdan böyle bir askerî ve sivil ortam söz konusudur. Gezdiği dünyanın arkeoloji kalıntılarını da tetkik eden birisidir ki bu dikkat edilecek bir husustur.

Geçmiş asırlarda eski eserlere Mimar Sinan gibi mimarlar dikkat ediyordu ve buralardan esinleniyordu. 19. asırda daha bilinçli bir yaklaşım vardır. Dolayısıyla Mustafa Kemal Paşa, Cumhuriyetimizin kurucusu Kemal Atatürk bir arkeolojik merakla hayata atılmış ve bunu perçinlemiştir. Yetiştiği ortamın böyle bir birikimi vardı.

Bu mirasın bize nasıl geçtiğinin üzerinde durulması gerekir. Bu mirasın geçişindeki en önemli nokta Osmanlı Darülfünun'unda, yani 1900'de kurulan üniversitede veya 1840'larda teşkil edilen kız ve erkek öğretmen okullarında (Darülmuallimat ve Darülmuallimin) arkeoloji dersinin de olmasıdır.

Arkeoloji eğitimini Osman Hamdi Bey ve kardeşi Halil Ethem Eldem müzede veriyor. İlk büyük arkeologlarımız

Aziz Bey ve arkadaşları bu ortamda yetişmişlerdi. Hatta Topkapı Müzesi'nin ilk müdürü olan Tahsin Bey de aslında bir arkeoloji asistanı olarak o müzede bu saydığım kitaplıkla, bu çevrede yetişmiştir.

Arkeologyayı üniversiter bir bilim haline getiren doğrudan doğruya Cumhuriyet'tir ve Atatürk'ün talimatıyla olmuştur. Bu, 1933 üniversite reformunda İstanbul'da Edebiyat Fakültesi'nde ve Ankara'da Dil ve Tarih-Coğrafya Fakültesi'nde gerçekleşmiştir.

Bu arada Hitler Almanyası'nı terk etmek zorunda kalan bir sürü üst grup uzman Türkiye'ye sığınmışlardı ki bunların başka yerde iş bulmaları da mümkün değildi. Arkeolojinin en önemli dalı olan filoloji burada tamamlanmıştır. Çünkü Osmanlı arkeolojisinde filoloji unsuru son derece zayıftı[84] ve bu eksiklik Cumhuriyet'te tamamlanmak zorunda kalınmıştır.

İstanbul'daki fakülte binası sonradan şekil değiştirmiştir. Sedat Hakkı Edhem Bey'in yaptığı fakülte binasıdır. Ankara'daki Dil ve Tarih-Coğrafya Fakültesi binasının mimarı Berlin'i süsleyen büyüklerden biriydi. İlginçtir ki Duşanbe'de bile bir binası vardır ve tabii Ankara ve İstanbul'da da vardır. Binalarının, özellikle Ankara'dakilerin her köşesi ayrı bir buluştur. Bruno Taut ve eserlerini bu kitabın ilerleyen bölümlerinde ayrıntılı bir şekilde değerlendireceğiz.

84 Osman Hamdi Bey'in yaptığı Sayda (Lübnan) kazıları ve orada çıkan malzeme çok önemli bir dalı, Fenike bilimini tamamlıyor. Ama bunun arkeoloji tarafı tamamen Ernest Renan'a aittir, yani *Corpus Inscriptionum Semiticarum* diye bilinen ve bugün de kullanılan Fenike metinlerini Ernest Renan toplamış ve ortaya koymuştur. O filolojik malzemeyi, metin bilgisini doğrudan doğruya Osman Hamdi Bey'in arkeolojik kazıları tamamlıyor ve ortaya Fenike dünyasının çok önemli bir kısmı çıkıyor.

Alman mimar Bruno Taut Atatürk'ün katafalkını yapmıştır, son eseri de budur. Ancak bu eseri yaparken Ankara'nın sert havasında hastalanacak ve ölecektir. Edirnekapı Şehitliği'ne gömülen ilk yabancı olmuştur.

Cumhuriyet döneminin arkeolojisi üzerine bazı eserlerimiz vardır. Bunların ilki kronoloji itibariyle sıralanırsa Coşkun Özgünel'in *Belleten*'de çıkan çalışmaları, Wendy M. K. Shaw'un eseri[85] ve bir de benim daha popüler mahiyette kaleme aldığım makalemi gösterebiliriz.[86]

1922 ve 1923'ten beri Türkiye müzeler kurmaktadır. Asıl önemli buluntular 1924'ten itibaren başlar. Ankara'daki Hitit Müzesi dediğimiz arkeoloji müzesi, bundan bir müddet sonra Etnografya Müzesi ve ilk defa önemli bir tarikat müzesi olarak Konya Müzesi teşkilatlanmıştır. Elbette buluntuların çok önemlice kısmının Viyana'ya taşındığı Efes kazılarından çıkan eserleri tutmak için statü değişmiştir. Efes'teki müze, Adana'daki müze vs. saymakla bitmez.

Bu müzelerin yanında Türkler kazılara başlamıştır. İlki Hamit Zübeyr Koşay'dır,[87] Etnografya Müzesi müdürü oldu. Böyle ikinci bir şahsiyet de Hayrullah (Örs) Bey'dir.

---

85 Wendy M. K. Shaw, *Osmanlı Müzeciliği, Müzeler, Arkeoloji ve Tarihin Görselleştirilmesi*, çev, Esin Soğancılar, İletişim Yayınları, İstanbul 2004.

86 İlber Ortaylı, "İstanbul Arkeoloji Müzesi ve Ardındaki Gelenek", *İstanbul'dan Sayfalar*, Turkuaz Kitap, İstanbul, 2009 ve Semavi Eyice'nin arkeoloji alanındaki çalışmalarına bakılabilir; *Prof. Dr. Semavi Eyice Külliyatı-Türk Tarih Kurumunda Yayımlanmış Çalışmaları*, der. Sema Doğan, Türk Tarih Kurumu, Ankara, 2015.

87 Hakikaten ciddi bir filologdu, Rusya ve Macaristan'da yetişti ve bir müddet de Eski Eserler Müzesi genel müdürlüğü yaptı, çok ilginç bir şekilde genel müdürlükten müdürlüğe kendini tayin etti.

Türkiye Müzeleri Maşrık-ı Azamı ve genel müdür olan bu kıymetli müzeci kendini genel müdürlükten Topkapı Sarayı Müzesi'ne tayin ettirdi. Bunlar artık biraz da "ders çalışalım" diyen alimlerdir.

Bu kazılar başlar başlamaz bilim dünyasında sarsıntılar meydana geldi. Boğazköy kazıları Almanlara bırakıldı. Anadolu'nun her tarafında kazılar birbirini izlemeye başladı. Bunlar Türkiye için yeni bir görünümdür. Demek ki üç safhayı atlattık; bir filoloji, ikincisi müzelerin teşkili ve üçüncüsü hafriyatı doğrudan doğruya bizlerin yapması. Ara sıra yabancı bilim heyetlerine de izin verilmekte ancak bunların kontrol ve iş birliği rejimi değişmektedir. Bu bakımdan 1930'ların arkeolojisi çok önemlidir.[88]

1930'larda tarımla geçinen bir ülkede yurt dışına mühendislik, hekimlik, madencilik ve ziraat eğitimi için gönderilenlerin yanı başında arkeoloji ve filolojide yetişmeleri için gönderilen bursiyer sayısına baktığınızda, devir için yüksek bir rakamla karşılaşırsınız; aynı şekilde bu ülkedeki kazılar için ayrılan tahsisat da, Ankara ve İstanbul'da kurulan yüksek eğitim kurumlarında arkeoloji ve filoloji kadrolarına ayrılan tahsisat da şaşırtıcıdır. Bunun nedenini anlamak bugün kolaylaşıyor.

Bağdat'a giren Amerikan ordusunun Bağdat müzeleri ve civardaki harabelerde yaptığı yağma, Mısır'da Tahrir olayları sırasında Kahire Müzesi'nin soyulması, sağda solda yapılan kaçakçılıklar ve asıl önemlisi utanmazca bir çevre tahribatı olayı açıklıyor. Bugün Kahire civarında ehramların

---

88 Türkiye arkeolojisinde bazı çevrelerde ezbere tekrarlandığı üzere "göç teorisi" gibi görüşlerle de ilgisiz, daha nötr bir gelişim içindeler. 1930'lar ve 1940'lar Tarih Kurumu ve Dil ve Tarih-Coğrafya Fakültesi bu gibi tezlerle pek alâkadar değil gözüküyor.

Gazi Mustafa Kemal Paşa İzmit'te halk ve sanatçılarla, 1928.

(piramitlerin) yanında çirkin gökdelenler dikiliyor, arkeolojik buluntu merkezlerinin etrafında tabiatın ve düzenin tahribine rastlanıyor. Hatta Türkiye de bu kervanın içindedir. O zaman 1930'ların Kemalist kültür politikalarının yaklaşımının ve gayretinin ne kadar saygın olduğu açıktır.

Atatürk ve Batılılaşma

Türkiye'de kültürel değişim bir asırdır "Batı" kavramıyla bir arada yürüyor. Batı nedir? Türk kültürel değişiminin model aldığı Batı'nın Hıristiyan Batı veya Batı Avrupa olduğunu söyleyebilir miyiz? Batı Hıristiyanlığı asırlardır medenî ve kültürel gelişmeye zıt unsurlar da içerir. Kilisenin tarih içindeki macerası buna örnektir: Sanatların, ilimlerin düşmanı, bazen de koruyucusu olan bu kurum, bazen en zarif biçimde düşünceyi engellemiş ve nihayet bilim ve sanat hayatından giderek dışlanmıştır. Batı medeniyeti bir yerde Hıristiyan

Batı'ya rağmen gelişir; ama kuşkusuz içinde Hıristiyanlığın temellerini de barındırır. Bizim Batı'dan kastettiğimiz, Batı'nın kökleridir, Yunan-Roma, eski Mısır, İbraniler ve bu köklerle bugünkü Batı'dan önce tanışan İslam uygarlığıdır. Batı ilmi demek metinlere inmektir, o kültürleri tanımaktır.

1930'ların Türkiyesi'nde Türk tarihinin esası ve medeniyet denen âlem nasıl yorumlanıyordu? Batı mefhumu, Hıristiyan Batı Avrupa'yla aynîleştirilen bir mefhum değildir: Bizzat Dil ve Tarih-Coğrafya Fakültesi'nin kuruluşunda; meydana getirilen dallara bakıldığında üniversalist bir eğilim görülüyor. Bu üniversalizm her yanıyla Türk tarih ve kültürüyle iç içedir. Türk tarih ve kültürünü Şark ve Garb gibi dar kavram ve coğrafyalara hapsetmemek eğilimi görülmektedir. Herhangi birine değil, zamanlara ve mekânlara yayılmış bir Türk medeniyeti görüşü vardır. Türkiye'de Batılılaşma Hıristiyan dinine de bigâne ve onu dışlayan bir tavır içindedir. Kültürel değişmenin başını çekenler, Batı kültürünü Batı'daki dinden bağımsız olarak ele alıyorlardı ve yorumlarında da esasta haklıydılar.

Elbette unutulmamalıdır ki 1923 yılında gelen yenilik Meclis'ten ibaret değildir, rejim değişmiştir. Saltanat bitmiş, Cumhuriyet gelmiştir. Devlet ortadan kalkmamış, bir devamlılık içinde sadece rejim değişmiştir. Başkaları bize "Türkiye" diyordu; ilk defa biz de kendimize "Türkiye" dedik. Ama 1923 sonrası yaşananlar 1923 kadar önemlidir. Mustafa Kemal Paşa, Medenî Kanun'u getirdi, hukukun Romanizasyon sürecini tamamladı. O dönemde iktisadi sistemin ıslahına geçildi ve köyden aşar kaldırıldı. Eğitim ve sağlıkta da ciddi reformlar yapıldı. Her toplumun yenilenmesi gerekir. Yenilenme olmadan hiçbir kurum yaşamaz. Türkiye Cumhuriyet'le değişmiştir. İkinci Dünya Savaşı'na girmedik, birikim yaptık ve o birikimle yeni endüstriye geçtik. İki asırdır Batı orduları karşısında savaşabilmek ve direnebilmek için yeni ilimleri, teknikleri öğrenmek zorundaydık. Nitekim öğrendik ve geliştirdik. Batılılaşmak için Batılılaşmadık, ayakta kalmak için Batı'nın kurumlarını aldık ve devam ediyoruz. Bugün de bu kurala uymak, Batı-Doğu kavgasından kaçınmak zorundayız.

Ancak Batılılaşma gibi uzun bir süreç içinde, üniversal kültüre eğilme bir tarih şuuru içinde ve devamlı kaynaklar etüdü ve ciddi yoğun bir tercüme faaliyeti ve ilmî araştırma ile mümkün olur. Onun içindir ki Dil ve Tarih konuları 1930'larda Atatürk'ü ve Türk toplumunu yoğun olarak meşgul etmiştir. Ama bu faaliyetin aynı yoğunluk ve gelişme ile devam ettiğini söylemek zordur. Batı bilimi dendiğinde Türkiye tıb, matematik, fizik, veterinerlik, mühendislik gibi tabii ilim ve fen dallarına iki asır önce yönelmişti. Fakat hukuk, tarih ve filoloji dallarında Batılı yöntem ve ilgi alanları için bunu söylemek kolay değildir. Nihayet bu dalların matematik ve hukuk ile tamamlanması gerekir. Matematik vardı, hukuk ise yöntem değiştiren bir daldı. Fikren üretici bir toplumda hukukun tarih, tarihin filoloji ve hukuk ile devamlı kaynaşması ve toplumda sistematik düşünceyi, tarih şuurunu ve ulusal kimliği anlamaya yönelik bir aydın faaliyetinin bulunması gerekir.

Atatürk İnkılabları

Atatürk konuşmalarında "yeni devlet, yeni sosyete" demekteydi. Bu sosyete bizim bugün kullandığımız anlamda değildir, cemiyettir; Durkheim ve Tönnies tipi bir *dichotomie*'dir (kutuplaşmalar). Bir sosyolojik tabir olup kutuplaşmayı, cemaatten, bir nevi kabileden, kabile üstü bir yerleşmeden modern toplum yaşamına geçişi ifade eder. Denilebilir ki iki tip birbirinin zıttı gibidir. Yeni bir toplum; zihniyeti, tavrı, hareketi, örgütlenme biçimi ve özlemleri değişik olan yeni bir devlet yaratır. Kendi bakışıyla, ilkeleriyle, planlarıyla, tavrıyla ve anlayışıyla yeni bir devlet şeklidir. Yoksa devlet ortadan kalkmış değildir ki resmen ve açık olarak böyle bir şey ifade de edilmemiştir. Devlet bütün kurumlarıyla birlikte devam etmektedir. Hukuk bakımından bu önemlidir, devletin istimrarı (devamlılığı) ve tabii kabiliyeti devam etmiştir.

Tabii ki Türkiye değişmektedir. Normal bir dönüşüme bırakılmamış, radikal bir değişme safhasına girmiştir. Çünkü bu bir imparatorluk ve bunun batı kısmı o tarihte 200 seneye yakındır gerileme içindedir, toprak kaybındadır ama bu bir imparatorluğun tasfiyesidir. Asıl batı kısmında, Rumeli yakasındaki Türk halkının, Türkçe konuşan etnisitenin, Müslümanların yaşadığı kesim, yani Rumeli'deki anavatan çok ani ve acı bir biçimde Balkan Savaşları'yla elden çıkmıştır ki bu cemiyetimiz için bir şoktur ve hâlâ neticeleri devam etmektedir. Buradaki zenginlikleri de gitmiştir. Rumeli'deki bereketli coğrafya ve Vardar Ovası mesela, ziraat bakımından önemlidir. Burada demir yolu vardı, ulaşım değişikti ve çok büyük bir sanayi olmasa da fabrikalaşma vardı. Osmanlı İmparatorluğu bir İngiltere, Almanya, daha arkada kalan Avusturya, hatta Rusya dahi değildi, ama 19. ve 20. yüzyıl sapağında sanayileşen ülkeler arasındaydı. Evvela, ordusuna yönelik bir sanayi ve belirli dallara yönelik bir manifaktür kurulmuştur. Yavaş yavaş gıdaya yönelik bir lüks makineleşme ve sanayi vardır ama büyük ölçüde zirai bir ülkedir. Buna rağmen Rumeli kıtasında bu yeni tesisler, bu okullarla birlikte kurulan çevre 1912-13 yıllarında elden gidince bir çöküntü yaşandı ve bu çok çabuk oldu. Birinci Dünya

Mustafa Kemal Paşa, Gazi Orman Çiftliği'nde, 1929.

Savaşı'nın sonunda, birkaç sene içinde Suriye-Lübnan bölgesini kaybettik. Orası da ayrı bir zenginlikti. İmparatorluğun İstanbul dışında iki büyük şehri Selanik ile öbür tarafta Beyrut ve bunların bereketli hinterlandı elden çıkmıştır. İlk anda İskenderun gibi önemli bir merkez bile elden çıkmıştı. İzmir ve Bursa da az kalsın çıkacaktı.

Genç İstiklâl Savaşı kumandanları bu hazin mirasın üzerine yeni bir devlet teşekkül ettirmiştir. Sadece maddi değil, manevi yönden de yeniliklere ihtiyaç vardı.

Hukuk İnkılabı

1926 hukuk devrimi yılıdır. Buna Medenî Kanun'un kabulüyle Romanizasyon süreci (Roma hukuk sistemine geçiş) yılı denir. Oysa bu tabiri kullanmak fazla özlem ve özenti ifadesidir. Batı hukukunun birtakım başka branşları Tanzimat'tan itibaren alınıyordu ve daha 1699 Karlofça

Barışı'nda, devletler hukuku alanında Avrupa standartlarına, yani Hugo Grotius sistemine geçtiğimiz görülüyor ki önemlidir. Çünkü bir günde Roma hukuk sistemine geçilmedi. Tanzimat'ta Ceza Hukuku Fransa'dan alınmış ve memur davalarında uygulanmak üzere kısmen kabul edilmişti. Ticaret ve Deniz Ticareti kanunları kaçınılmaz olarak alınmıştı. İdare hukuku alanına dâhil olan mevzuat büyük ölçüde tercüme edilip girmişti. Bunların yapıldığı, dünyayla teması olan hiçbir yerde bugün İslam hukuku o anlamda tam tatbik edilmiyor. Sorun Medenî Kanun'un kabulüne dayanıyor. Aslında daha imparatorluk devrinde Medenî Kanun denemeleri vardı. Hukuk-ı Aile Kararnamesi II. Meşrutiyet'te kabul edilmiştir. Birinci Dünya Savaşı'nda muhafazakârlar nedeniyle bunun tatbiki durdurulmuştur. Mesela karı-kocanın evlilik öncesi sözleşme yapması bu kararnamede (*décret-loi*) yer alıyordu.

Kaldı ki bir görüşe göre; "en önemlisi" diye nitelemek gerekiyorsa, inkılabların en önemlisi hukuk inkılabıdır; Medenî Kanun'un kabulüdür. Hukuk devrimiyle Türkiye aslında dönülmez bir şekilde yeni bir yola girmiştir. Bunun ananeyi bir ölçüde muhafaza ettiğini de belirtmek gerekir.

1926'da Medenî Kanun'un getirilişi bir zorunluluktan kaynaklanmıştır. Osmanlı imparatorluk sisteminde şer'î ve nizami hukuk bir aradaydı. Tanzimat'tan sonra zaman zaman aile hukuku konusunda bazı uygulamalar getirilmiş, fakat ikili bir yapı ortaya çıkmıştır. Şer'î veya nizami mahkemeye başvurmak rızaya bağlı olmuştur. Bu tür karışıklıklar modern bir toplumda hoş görülmez. Bunun ötesinde, mesela şirket kurmak, doğum, ölüm gibi konular da merkezîyetçi, modern bir devlette standart bir yapıya kavuşturulmalıdır. Vatandaşlıkta standart bir kanun (Medenî Kanun) uygulanır.

Batı hukukunun kabulü 1926 Medenî Kanunu'yla mümkün oldu. Bizden önce böyle bir radikal uyarlama 1894 tarihinde Japonların Alman Medenî Kanunu'nu alması ve uyarlamasıyla oldu. Japonya basit laik yapılı bir cemiyettir ve Alman hukukunu iyi izledikleri için fazla sorun olmadı. Türkiye ise o dönemde Adliye Vekili olan Mahmud Esad (Bozkurt) başkanlığında bir komisyonda, İsviçreli Eugen Huber'in (1849-1923) elinden çıkmış metni adapte etti. İsviçre Medenî Kanunu üç dilde, yani Almanca, Fransızca ve İtalyanca olduğu için, yorumu da daha kolay oluyordu.

Atatürk ve Kadın Hakları

Yeni bir devlet ve yeni bir rejimde, kadın hakları konusu zaten kaçınılmaz olarak karşımıza çıkacaktı. Tanzimat'tan itibaren statüsünü kazaskerlikten ve müderrislikten gelme Ahmed Cevdet Paşa'nın hazırladığı kız öğretmen okulları açılıyordu (Darülmuallimat). Hayatımıza bir kadın öğretmen girdi. Nitekim kadınların şartlarının düzeltilmesi bütün Orta Doğu'da umumî bir eğilimdir. Hangi yazara baksan, Azerbaycan'da Ahundzâde, Necif Bey (Vezirli); Türkiye'de modern tiyatromuzun 19. asırdaki başlayışından, Namık Kemal'lere, Reşat Nuri'lere, ilk romanımıza kadar daimî surette bir kadın problemi vardır ve erkekler bunu dert edinir. Sonradan kadın aydınlar da bu konuya eğilmeye başlamıştır. Halının altına süpürülüp atılamayacak bir sorundur.

Kaldı ki, Batı literatüründe kadının çarşaftan, esaretten çıktığı, hür olduğu, vs. şeklinde çok yanlış bir kanaat vardır. Kadın Türkiye'de 19. asırdan beri belli ölçüde çalışma özgürlüğüne sahiptir. Darülfünun kurulunca, tıb hariç bazı fakültelere kız öğrenciler alındı. Yabancı ülkelerde okuyup doktor olanlar oldu. Bunlar İstanbul'da muayenehane açtılar ve yadırganmadılar. Kız öğrenciler Tıbbiye'ye 1923'te alınmıştır (mesela Prof. Dr. Müfide Küley bunlardan biridir). Bu çok da geç bir tarih değildir. Gelişmemiş ve kapitalizme ulaşmamış Türkiye'de biraz da radikal bir eğilimle kadınlar haklar elde etmişlerdir. Bu haklar kadınlara erkeklerce verilmiştir, doğrudur, çünkü kadınların kendi haklarını alacak örgütlenmeleri ve kanuni güvenceleri yoktu. Buna rağmen Türkiye'de kadınların siyasete katılma hakları da erkendir. Bu, feminizm tarzında değil, toplumda standart vatandaş yaratma çabası olarak düşünülmelidir. Ayrıca iş hayatı dolayısıyla kadınları istihdam etmek de gerekiyordu. Türkiye, tarihindeki bu emansipasyon atılımı dolayısıyla, oran olarak kadınların en fazla hekim olduğu toplumlardandır. Üniversite profesörleri, hâkimler, savcılar içinde yer alan kadınlar bakımından Türkiye ileridedir. Burada Birinci Dünya Savaşı'nda bütün harb eden ülkelerde kadın işçi, küçük memur ve elemana ihtiyaç duyuldu. Türkiye'de de kadınlar harb içinde bu mesleklere girebildiler. Cumhuriyet'ten evvel, Türkiye'de kadın hareketlerinde, kadının aydınlanmasında bir atılım vardı. Ancak Cumhuriyet, bu hareketleri yönlendirmeyi, kanunlaştırmayı, sistemleştirmeyi başardı. Kadının toplum hayatındaki yerini, üstelik birçok Batı toplumundan önce kadınlara seçme-seçilme hakkı vererek sağlamlaştırmış olması, Cumhuriyet'in en önemli kazanımlarından biridir.

Laisizm, sadece dinle devlet ayrımı olmayıp aynı zamanda kanun ve hukukun herkes için eşit olması demektir. Evlenildiği zaman dinî nikâhını yaparsın ama önce her dinden vatandaş aile nikâhı yapar, belediyeden geçer, sonra ne yaparsa yapar. Bu kurala uyanlar yine gayr-ı müslimlerdir.

Ben Yahudi cemaatinden resmi nikâhtan önce sinagogda düğün yapan adam görmedim. Kilisede ayinle evleneni de duymadım, herkes önce resmî işlemi yapıyor. Türkiye'de Müslümanlar arasında maalesef onu hiç yapmayanlar olduğu gibi, umursamaz bir şekilde önce dinî nikâh, sonra belediye diyenler var. Bu bir eski alışkanlıktır. Onun için orada vatandaşlık disiplini yüzünden kimseyi tenkit edemeyiz. Fakat şu bir gerçek ki Türkiye bir yere gelmiştir. Bu toplumda böyle bir laik kültür ve vatandaşlık kültürü yerleşiyor. Bütün aksamalara rağmen hukuk sisteminde bunun gibi içtihatlar gelişiyor.

Sağlık

Türkiye sefil bir ülke değildi, ama fakirdi. İkisi farklı durumdur. Bazı istatistik ve taramalardır. Mesela Dr. Refik Saydam'ın emri ve arzusuyla mülteci Prof. Dr. Albert Eckstein'ın Ankara'da yaptığı tıbbî taramalar (ciddi bir kaynaktır ve yayınlanmıştır) gibi önemli veriler içeren bazı istatistikler çıkartılmış ve taramalar yaptırılmıştır. Türkiye'de şaşılacak şeyler vardır. Birleşmiş Milletler gibi beynelmilel, kuvvetli sağlık örgütleri çıkmadan, yani II. Mahmud ve II. Abdülhamid zamanında, Tıbbiye'den beri gelişen Türkiye'nin sağlık ordusu birtakım sorunlarını çözmeyi becermiştir; veremde bir azalma vardır, yenilmiş değildir ama azalma vardır. Sıtmada öyle bir azalma söz konusudur. Türkiye'de sıtmanın coğrafyası, eradikasyon sorunları ve bu asırlık hastalığın kırsal nüfus ve hatta memurlar üzerinden kaldırılması için iki dünya savaşı arasındaki dönemde sağlık ordusunun mücadelesi vardır. Bu konuda İlhan Tekeli ve Selim İlkin'in *Cumhuriyetin Harcı* II: Köktenci Modernitenin Ekonomik Politikasının Gelişimi kitabının üçüncü bölümündeki tasvir çok faydalı olacaktır.[89] Fakat asıl önemlisi bu değildir. Bu az gelişmiş zirai ekonomilerin kentsel ekonomiye dönüşünde, modernleşmeye dönüşünde bir bela, bir hastalık vardır; syphilis (frengi)... Dış dünyadan mevsimlik iş gücü gelir, yerleşir ve yayılır. Biri alıyor, bulaştırıyor, aile içinde gidiyor ve kronik bir hastalık hâline geliyor. Türkiye bununla mücadele etmiş, bir hayli yol almıştır. Ancak ciddi reformlara ihtiyaç vardı. Asla yeterli değildi. Cumhuriyet'i kuran askerler, askerlik ve ordunun donanımından çok, bölgedeki eğitim ve sağlık şartlarına bütçe ayırmayı tercih etmişlerdir.

Samsun'dan Beri Yanında Olan Bir Hekim: Dr. Refik (Saydam)

Türkiye Cumhuriyeti, imparatorluk yıkıldığı ve Mudanya Mütarekesi ile savaşı bitirdiği an, inanılmaz sağlık sorunları ile karşı karşıyaydı. Gerçi bu hali Afrika ve Güneydoğu Asya'daki herhangi bir toplumun yapısına paralel değerlendiremeyiz. Savaştan önceki toplumun âdeta demografik yapısı büyük bir sarsıntıya uğramıştı. Sağlıklı ve üretken erkek nüfus cephelerde erimişti, "yedek subay ve onbaşı savaşları" denen Balkan Savaşları'ndan beri süregelen 10 yıllık çatışma Türkiye'deki sağlıklı genç nüfusu, okullu veya okulsuz olsun, bitirmişti. Bunu da belirtmeliyiz ki bu toplum, öğretmenlere çok saygı gösterdi. Cumhuriyet dönemindeki öğretmenler çok seçkindi, en tahsilli olan onlardı. Bu kadar büyük hocaların talebesi oldum, bu kadar büyük üniversitelerde okudum, hayatımdaki en iyi öğretmeni sorsanız, size ortaokuldaki öğretmenimi

89 İlhan Tekeli-Selim İlkin, *Cumhuriyetin Harcı II: Köktenci Modernitenin Ekonomik Politikasının Gelişimi*, İstanbul Bilgi Üniversitesi Yayınları, İstanbul, 2010, s. 107-161.

söylerim çünkü o, Eğitim Enstitülüydü. Cumhuriyet kurulduktan sonra, Mustafa Kemal Paşa ordunun masraflarını kıstı, Millî Eğitim'e iyice yoğunlaştı. Bu, % 90'ı okuma yazma bilmeyen bir toplum için büyük bir adımdır. Sadece verem ve sıtma değil, bütün Doğu Avrupa ve Rusya steplerindeki toplumlar gibi müzminleşmiş bulaşıcı hastalıklar vardı. Aydınlar şok içindeydi. Abdullah Cevdet'in bize bugün çok gülünç gelen "damızlık erkek ithali" teklifi, bu kötümserliğin geliştirdiği bir şaşkın tekliftir. Arnavutluk'ta olduğu gibi cüzzam, Güneydoğu bölgesinde trahom da bu hastalıklara dâhildi. Sülfamit ve penisilin gibi mucize ilaçların icat ve kullanılmasından çok önce birtakım bulaşıcı hastalıkların azaldığı, sıtma mücadelesinin önemli ölçüde başarıldığı biliniyor. Bunda hekimler ve sağlık personelinin rejimin inanmış taraftarları olmalarının ve fedakârca çalışmalarının payı büyüktür.

Dr. Refik Saydam, bir neslin içinde bu nitelikteki tıb adamlarından biriydi ve siyasi hayatında da bu yönüyle temayüz etmiştir.

Askerî eğitim gördü; Kuleli Askerî Lisesi'nden sonra Askerî Tıbbiye'de okudu; Alman tıbbı ile Berlin ve Danzig'deki askerî akademilerde tanıştı. Balkan Savaşı'nda orduya katıldı, örgütçü bir askerî hekimdi. Bakteriyoloji Enstitüsü'nü örgütledi, Birinci Dünya Savaşı sırasında tifüs aşısını hazırlayarak literatüre geçti. Eski orduların başlıca derdi olan tetanos ve dizanteriye karşı serumların üretilmesini sağladı, Mustafa Kemal Paşa'ın karargâhıyla birlikte Samsun'a çıktı. 1920'den itibaren TBMM üyesi ve Türkiye'nin ilk Sağlık Bakanıydı. Büyük illerdeki devlet hastaneleri, doğumevleri ve Ankara'daki Hıfzıssıhha Enstitüsü ve yurt sathındaki verem savaş dispanserleri onun eseridir. İsmet Paşa'ya sadık bir politikacıydı; Atatürk, Paşa'yı azledince Celal Bayar'ın kabinesine bu nedenle girmedi, 1939 ve 1942 yılları arasında Başbakanlık yaptı. O zaman sarf ettiği, "Devlet idaresi A'dan Z'ye bozuktur" sözü sadece bazılarının gururunu incitmekle kalmadı, Başbakan'ın bazı ciddi çatışmalar içine girdiği bile söylendi; 8 Temmuz 1942'de Pera Palas Oteli'ndeki mütevazı odasında ani bir biçimde hayatını kaybetti. Dr. Refik Saydam'ın herhangi bir tıp adamı, hatta sağlık bakanından daha farklı bir yanı olduğunu şu icraatı gösterir; Nazi Almanyası'nın dışladığı ünlü çocuk doktoru Prof. Dr. Albert Eckstein[90] ve eşi Dr. Erna sığınacakları yer olarak 1935'te Ankara'yı buldular. Sağlık Bakanı Refik Saydam kendilerini bekliyordu ve hemen ertesi gün hararetle bakanlıkta kabul etti; Eckstein'ın Numune Hastanesi'ndeki görevi dışında, kendisinden asıl beklenen ülkenin sağlık envanterinin çıkartılmasıydı. Dr. Eckstein bu ek görevi heyecanla kabul etti. İki yıl süren çalışmasında, örneklem yöntemiyle seçilmiş yüzlerce köydeki tarama ve anketleri çok ilginç sonuçlar getirdi. (Arnold Reisman'ın kaleme aldığı ve Türkiye İş Bankası Kültür Yayınları tarafından yayınlanan, Gül Çağalı Güven'in çevirdiği *Nazizm'den Kaçanlar ve Atatürk'ün Vizyonu* adlı kitapta bu ilginç araştırmayı ve sonuçlarını görürüz.)[91] Dr. Eckstein'ın buradayken tedavi edip tıp literatürüne kattığı "noma" gibi kangrenli bir çocuk hastalığı da vardı. Karşımızda elbette bir Batı Avrupa ülkesi yoktur; lakin Üçüncü Dünya ülkeleri ile de karşılaştırılamayacak

---

90 Nejat Akar, *Bozkır Çocuklarına Bir Umut Albert Eckstein*, Gürer Yayınları, İstanbul, 2008; Ord. Prof. Dr. Albert Eckstein, *Anadolu Notları 1937*, hazırlayanlar Nejat Akar, Pelin Yargıç, Ankara Üniversitesi Basımevi, Ankara, 2008; Albert Eckstein, *Anadolu'da Bir Çocuk Doktoru: Albert Eckstein*, Çeviren: Nejat Akar, Pelikan Yayınları, Ankara, 2008.

91 Arnold Reisman, *Nazizm'den Kaçanlar ve Atatürk'ün Vizyonu*, Çev. Gül Çağalı Güven, Türkiye İş Bankası Kültür, Yayınları, İstanbul, 2011.

bir yapı görülmektedir. Refik Saydam hayalci bir kendini beğenmişlik veya ezbere bir bedbinlikle değil, araştırmaya dayalı politikalarla Türkiye'nin sağlık sorunlarını çözmeye yönelen bir öncü olduğunu göstermiştir.

Türkiye tıb adamlarına karşı gereken şükranı göstermiyor. Hatta hekimlere vaki saldırılar için de sağlık bakanlığı yetkililerinin söylevleri dışında ciddi cezaî, idarî tedbirlerin hâlâ alınmadığını görüyoruz. Bugün hiç değilse bazı kurumların Dr. Refik Saydam'ı andığını duymak isterdik. Her şeye rağmen Türkiye sağlık ordusu bu dönemin çocuklarından oluşur, bunu unutmamalı. Genç Cumhuriyet ışık ve ümit vermese bazı şeyleri başaramazdık. Bunu sağlık açısından ele aldık. Refik Saydam gibi seçkin bir sağlık bakanının arkasında yokluklar içinde kavrulan bir sağlık ordusu vardı ve beraber çok şey başardılar. Penisilin ve sülfamitlerin icadından evvel frengi, sıtma ve tüberküloz gibi salgın hastalıklara karşı kayda değer mücadele verdiler.

Harf İnkılabı

Arap harflerinin ıslahı veya tamamen değiştirilmesi konusundaki tartışmaların Türkiye tarihinde bürokratik örgütler ve eğitim alanlarındaki reform denemeleri kadar eski olduğunu ve onlarla at başı gittiğini belirtmeliyiz. Bu durum salt Türkiye tarihine özgü değildir. Modern çağların başından itibaren Latin veya Kiril (Rus) alfabelerini kullanan modernleşen toplumlar imla reformları yürütmüş ve alfabeleri üzerinde değişiklikler yapmışlardır. Yaşayan dillerin hiçbirinde orta çağlar boyunca standart bir imla yoktu. Eski bürokrat kadrolar ve dar aydın tabakasının kullandığı yazı belleğe ve alışkanlığa dayamaktadır. Hatta her yazarın kendine göre bir imlası vardı, herkesin kabul ettiği standart imla kuralları ve okuması basit bir yazı yoktu.

18. asır sonunda Hatice Sultan ve ressam Melling'in Latin harfleriyle Türkçe mektuplaştığı biliniyor.[92] Bazı Avrupalı yazarların Türkçe öğretmek için kaleme aldığı Latin harfli Türkçe kitaplar da vardır.[93] Latin harflerinin, kendini gizleyen bir taraftarı da Sultan II. Abdülhamid'dir. Ona göre, "Halkımızın büyük cehaletine sebep, okuma yazma öğrenimindeki güçlüktür. Bu güçlüğün nedeni ise harflerimizdir." Sultan Abdülhamid, "Belki bu işi kolaylaştırmak için Latin alfabesini kabul etmek yerinde olur" demektedir. Hakanın tersine, bu konuda inandığını cesaretle savunanlar da vardır. Manastır vilayetinin Görice sancağında Kur'an-ı Kerim ve Ulum-ı Dinîye muallimi olan Hafız Ali Efendi, Latin harflerine taraftar olduğu için işinden atılmıştır. Ancak Manastır Valisi Ali Münif Paşa'nın ricasıyla 4 Kasım 1327 (17 Kasım 1911) tarihinde yeniden işe alınmıştır. Taraftarlarının artmasına rağmen, Latin harflerinin kabulü sorunu, uygulamada cesaretsizlik nedeniyle hasıraltı edilmiştir. Arap harflerinden memnun olmayanlar içinde Uygur harflerinin kabulünü savunanlar da vardır. Çağatay lehçesi ve Uygur harflerini çok iyi okuyan hükümdar, II. Bayezid Han'dı.

Fakat II. Meşrutiyet döneminde Arap harflerinin ıslahı taraftarları düşüncelerini kısmen uygulamaya koyabildiler. İranlıların daha 8. ve 9. asırlarda Arap harflerini kısmen kendi dillerine uydurabilmelerine rağmen, Türklerin aynı

92 Frederic Hitzel, Jacques Perot, Robert Anhegger, *Hatice Sultan ile Melling Kalfa-Mektuplar*, Çev. Ela Güntekin, Tarih Vakfı Yurt Yayınları, İstanbul, 2001.

93 Bunun bir örneğini György Hazai, *Das Osmanich-Türkische im XVII Jahrhundert. Untersachungen an den Transkriptiontexten von Jakob Nagy de Harsany, The Hague*, 1973 tarihli kitabıyla verdi.

becerikliliği gösteremediği malûmdur. Oysa Türk dilinin analitik ek kök yapısına ve ses uyumu temeline dayanan morfolojik özelliği, bu tür düzenlemeleri kaçınılmaz kılmaktadır. Bu dönemde ıslahatçıların başında gelenler Milaslı İsmail Hakkı, İsmayıl Hakkı (Baltacıoğlu), Celal Sahir (Erozan) ve Cihangirli M. Şinasi'dir.

Mesela Satı Bey, 1910'larda Türk fonetiğine uygun bir imlayı esas almış ve çocuklara kısa zamanda okuma yazma öğretmiştir. Satı Bey'in benzeri bir uygulamayı daha önceden geniş bir şekilde öğretime getiren ikinci kişi ise, İsmail Gaspıralı Bey'dir (Gaspırinsky). Rusya periferisindeki Türkî uluslar arasında eğitim ve basın organlarıyla etkili olan bu düşünür Türk fonetiğine uygun bir şekilde okuma öğretmek için 1883'te Kırım Bahçesaray'da ilk "Usul-i Cedid" mektebini kurmuş ve üç ayda okuma öğrettiği görülünce, 20 yıl içerisinde Rusya periferisinin her yerinde bu okulların sayısı beş bine çıkmıştır. Ayrıca çıkardığı *Tercüman* gazetesinin Türkçe makale ve haberleri bu imla ile yazılıyordu. Kuşkusuz bu imlanın uygulanması için Gaspıralı, dilde de sadeleşme yönüne gitmiş ve Azerbaycan-Oğuz ve Kıpçak-Kumuk, Kırım-Kazan Tatar lehçelerinden alınan kelimeleri bir ölçüde kullanmıştır. Gaspıralı, imla düzenlemesi konusunda, Tanzimat'tan beri rastladığımız Osmanlı düşünürlerinin önerilerini de dikkate almış görünüyor.

Şunu da belirtelim ki, Birinci Dünya Savaşı'nda Galiçya Cephesi'nde haberleşme zorunlu olarak Latin harfleriyle yapılıyordu.

Bütün bu uygulama ve girişimler yeni Türkiye devletine bir miras olarak geçmiştir. Ancak bu miras Arap harflerinin modern bürokraside ve yaygın eğitimde kullanılabilecek bir araç olmadığını gösteriyordu. Bu nedenle 1920'lerde

Latin harflerinin kabulü konusu Türkiye içinde ve dışında tekrar canlılık kazandı.

1926'da Bakü'de toplanan Türkoloji Kongresi'nde Bekir Çobanzâde, Hasan Sabri Ayvazof, Ağamalioğlu Latin harflerinin kabulünü savundular ve bir alfabe projesi önerdiler. Özetle, bu harf değişikliği meselesi öyle bir günde ortaya çıkmış bir şey değildir, bir ihtiyaçtır ve mazisi vardır. Latin alfabesinin kullanıldığı dönemde Azerbaycan'daki neşriyat hareketlerine göz attığımızda da bu durum anlaşılmaktadır. O zamanlar Azerbaycan Neşriyat Şubesi müdürü olan Mirza Bala'nın *Azerbaycan Türk Matbuatı* adlı eseri bu konuda aydınlatıcı bazı figürler vermektedir. Mesela, Sovyet iktidarından önce bütün Azerbaycan'da 12 dergi çıkmaktaydı.[94] Sovyet iktidarı devrinde, Latin harflerinin uygulandığı sıralarda ise bu sayı ancak 18'e çıkmıştır. Bu yıllarda matbuatta önemli gelişme görülmediği için, Latin harflerinin de yayılıp tutunmadığı anlaşılıyor. Azerbaycan'ın başarısız denemesi, 1920'lerde Türkiye'de gündeme gelen, Latin harflerinin kabulü hareketine karşıt grupların çokça ileri sürdükleri bir örnekti. Keza 1923 İzmir İktisat Kongresi'nde de Latin alfabesinin kabulüne karşı olan Kongre reisi Kâzım Paşa (Karabekir), "Latin harflerinin kabulü halinde Azerilerin içinde bulunduğu kötü duruma düşüleceğini" ileri sürerek bu konudaki talep ve tartışmaları önlemişti.[95]

94 Mirza Bala, *Azerbaycan Türk Matbuatı (1875. yıldan 1921. yıla kadar matbuatımız)*, Azerbaycan Halk Tasarrufat Şûrası-Poligraf Şubesi Neşriyatı, Bakü Birinci Hükûmet Matbuası, 1922. Burada çıkan dergilerin isimleri ve niteliği anlatılmaktadır.

95 *Türkiye İktisad Kongresi-İzmir,* "Başkan Kâzım Karabekir Paşa'nın Latin Harfleri Üzerine Konuşması", Haz. A. Gündüz Ökçün, SBF yay. 262, Ankara, 1971, s. 318-320.

"Başöğretmen" Mustafa Kemal Paşa Harf Devrimi çalışmaları esnasında kara tahta önünde, Kayseri, 1928.

Bilindiği gibi Sovyet-Azerbaycan ve Karaçay-Balkar bölgesinde Latin harfleri Türkiye'den daha önce kabul edilmişti. Bu olayın Türkiye'deki Latin harfleri devrimini ne yönde etkilediği sorununu ele almak gerekiyor. Kanımca bu değişiklik Türkiye'de Latin harfleri devrimi için cesaret verici bir örnek değildi. Hatta tersine Türkiye'deki harf devrimi köklü ve tutarlı bir biçimde gerçekleştirildiği içindir ki Sovyetler'in bazı bölgelerinde etkili olmuştur.

1928'de, üç ay gibi kısa bir sürede, ikili kullanıma kesinlikle izin verilmeksizin Latin harflerine geçilmesi fikrinin Atatürk'e ait olduğu açıktır. Atatürk bu konuda tek başına cesurane bir karar almıştır. O kadar ki o vakte kadar Latin harflerinin kabulünü öneren ve savunanlar bile, onun bu radikal girişimini desteklemekten çekinmişlerdir. İçte bu desteği olmayan Atatürk, yurt dışında da yeterli cesareti verecek bir örnek bulamamıştır.

Sovyetler'de 1924'te Latin harflerini kabul eden ikinci etnik grup Karaçay-Balkarlar idi. Bu yerlerde Çarlık döneminde okul, öğretmen ve kitap bulunmadığını göz önüne alırsak 1920'lerde, yani Sovyet iktidarının kuruluş döneminde maarif ve yayın alanında önemli ilerlemeler kaydedilemeyeceği anlaşılır. Dolayısıyla geri kalmış bir kültür hayatı nedeniyle Latin harflerinin bu yerlerde etkin ve mükemmel bir biçimde kullanılamayacağı açıktır.

Sovyetler Birliği Türkik halk grupları arasında Latin harflerinin asıl kabul ve yayılma dönemi, 1928'deki Türkiye harf devriminden sonraya rastlar. Hazırlanan yeni Türk alfabesinin mükemmelliği ve radikal bir biçimde uygulamaya konması, Sovyetlerin periferi cumhuriyetlerindeki aydın grupları cesaretlendirmiş ve Latin harfleri kısa zamanda buralarda da kabul edilmiştir. Esasen 1926 Bakü Türkoloji Kongresi'nde bütün Turkî-Tatar diller için Latin harfleri esasına dayanan bir transkripsiyon alfabesi hazırlanması temenni kararına bağlanmıştır.[96] Ağamalioğlu gibi Latin harflerinin ateşli taraftarları vardı.[97] Kısa zaman sonra 1928'de Nogaylar arasında, 1928'de Özbekistan'da, 1929'da Kırım'da, 1930'da Kafkasya'da Kumuklar arasında Latin harfleri kabul edildi ve uygulanmaya kondu. Bunlar yerel lehçe ve dillere göre bazı farklılıklarla hazırlanmıştı. Yakutlar 19. yüzyıldan beri, Çuvaşlar ise Rus misyonerlerin etkisiyle 1871'den beri Kiril alfabesi kullandıkları halde, Bakü Kongresi'nde Yakutların da Latin harflerini kabul etmek istedikleri görülüyor. Buna karşılık Kazanlılar Bakü Kongresi'nden beri Latin harflerini

96 T. Menzel, "Der 1. Türkologische Kongress in Bakü (26.11.bis 6.111.1926)", *Sonderabdruck aus der Zeitschrift Der Islam*, Band XVI, Walter de Gruyter und Co. Berlin ve Leipzig, s. 74.

97 Menzel, a.g.m., s. 14.

kabule karşıydılar. Hatta Arap harfleri bırakılacaksa, onun yerine Kiril'in alınmasını savunanlar bile görüldü.[98]

Gene Kırım'da bir düşünür ve Türkolog olan ve monarşi devrinde Budapeşte'de tahsil gören Bekir Çobanzâde'nin grubu Latin harflerini savunurken, Simferepol'deki (Akmescit) Tavridya Üniversitesi profesörlerinden Hasan Sabri Ayvazof'un önderliğindeki bir grup Latin harflerine karşıydı. Yeni değişiklik, itiraz ve muhalefete rağmen tutundu. Bu yazının yeni neşriyatta kullanılışından başka, halk arasında da yayıldığı görülüyor. Sovyet cumhuriyetlerinde eğitim sorunları üzerine önemle eğilindiğinden okuma yazma yaygınlaşmaktaydı. Bu yıllarda okuma yazma öğrenenler (ki oranca önemlidir) bu harfleri kullanmaktaydılar. Sovyetler'deki Türkik gruplar arasında Latin harfleri 10 yıl kadar kullanıldıktan sonra yeni bir değişiklik baş gösterdi ki bu Kiril alfabesinin getirilmesidir.

Dedemin Mezar Taşını Okuyamıyorum (!)

Osmanlıca bir lisan değil, bir bürokratik jargondur. Çok hoş bir bürokratik dil olduğu kesindir. Bütün imparatorlukların böyle bir bürokrasi jargonu vardır. Sokaktaki insanın bilmeyeceği veya herhangi bir okumuşun yazamayacağı şekilde yazar ve konuşurlar.[99]

---

98 Menzel, a.g.m., s. 181.

99 Mesela geçen senelerde Moskova'da Edmund Rostand'ın *L'Aiglon* piyesinin Rusça tercümesinin (*Orel*) Rus oyuncular tarafından oynandığını gördüm. *L'Aiglon*, Napolyon'un oğlunun unvanıdır. Napolyon'dan sonraki devirde geçiyor, onun oğlunun adını taşıyor, "Küçük Kartal" diye. Bu *L'Aiglon* tercümesinde Prens Metternich'i St Petersburg'un bürokrat aksanı ile konuşturuyorlar. Fevkalade enteresan bir kurgu; yani herkesin kolay anlayıp hele konuşamayacağı bir Rusça, bürokrat Osmanlıcası da böyle bir şeydir.

"Harf devrimi yaptık, Osmanlıcayı öldürdük" gibi sloganların anlamı yoktur. Çünkü bunlar zaten çok kimsenin bilemeyeceği, kullanamayacağı bir jargondu, ama hiç şüphesiz o kültürün ve dilin zenginliğidir. Yaşatılması için yapılacak tek şey vardır, sızlanmayı bırakıp hiç değilse ilgili uzmanların ötesinde, herkesin değil ama ilgilenenlerin okuyup öğrenmesi çalışması gerekir.

Latin harflerini sadece Türkçenin imlasına ve ses uyumuna uygun olduğu için benimsedik; yoksa bazılarının ifade ettiği gibi bir medeniyet değişimi ve savaşı değildir.[100] Alfabe ile milliyetçilik olamaz. Zaten bu alfabenin sahibi olan eski Romalılar da artık yaşamıyor.

Harf devrimi yapılmıştır, çünkü mevcut yazı okuma yazmada imla sorunu yaratıyordu. Bu böyle, sadece şahsî mektup yazarken hissedilen bir zaruret değildir. Çünkü adamlar askerdi ve kumandan dediğin doğru mesaj çeker, çabuk yazar, imla yanlışı yapmaz, talebenin okul ödevi gibi metin yazmazdı. Çok açık ki şehrin adını yanlış okursun veya köyün adını yanlış yazarsın, okunmaz. Sekiz tane sesli harf telaffuz eden bir dil sahibinin elinde sadece üç tane sesli harfi olan bir alfabeyle bilinmeyen köylerin adını yanlış yazması, bilinmeyen isimleri yanlış yazması kaçınılmaz. Goethe'yi Kute diye yazmaları gibi yer ve şahıs isimlerinde sorun yaratır. Bu konuda 20. yüzyılın başındaki aydınlar radikaldir. Osmanlı mirasının ölmesi o kadar kolay değildir, Osmanlıca öğrenilir. Yabancı talebenin on beş günde öğrendiği harfleri ve okumayı sökmeyi bizimki de on beş günde öğrenir; söz konusu olan Çince değildir.

---

100 İlber Ortaylı, İsmail Küçükkaya, *Cumhuriyet'in İlk Yüzyılı (1923-2023)*, Kronik Kitap, İstanbul, 2017.

O dönemde Türkçe bu imlayla gitmez diye tartışıyorlardı ve kimse de buna mükemmel demiyordu. Herkes söylüyor, olmuyorsa o zaman Latin olacak. Bunu daha öncesinde de diyenler olmuşsa da ilk olarak böyle konularda cesareti olan ve kafasında bir portre olan Atatürk getirmiştir.

Eski Arap harflerinin kaldırılması 1928 yılının Kasım ayındaki kanunla oldu.[101] Bu kanunun tatbiki yavaş yavaş üç aylık bir süre içinde yeni harflere geçişle oldu. İsmet İnönü'nün Gazi Paşa'nın prensibini tedricen reddettiğini biliyoruz. İnsanlar eski harflerle yazma huyundan vazgeçmediler. Hatta Alfabe değişikliği oldu ama çok uzun zaman okumuşlar Arap harfleriyle not tuttular. Yeni harflerle kitaplar hemen ve bolca basılamadı. Hatta mekteplerde notları gene eski yazıyla, eski harflerle hazırlayan talebe, bizim teksir dediğimiz şekilde çoğaltır, okurdu. İsmet Paşa -ki katiyyen değişime karşı değildi ama "buna çabucak geçemezsin" demişti- devrime karşı tereddüdüne rağmen kararlı bir şekilde hiç başka harf kullanmadı. Ancak bir diğer önemli konu sağda solda eski kitabe ve yazıların örtülmesidir, doğrudur. İstanbul Üniversitesi'nin kapısındaki Harbiye Nezareti'ni belirten levha örtülmüştür, kazınmış değildir. Bunun gibi tedbirler vardır. Ama bir Trak Yolu'nda bazı çeşmelerin ve hatta birtakım eserlerin üstündeki kitabeler kazındıysa bu Ankara'nın bilgisi ve emriyle olabilecek şey değildir. Belli ki kasabalarda çokça bulunan münasebetsiz ve zihniyeti gelişmemiş memurların marifetidir. Bu gibi devrimlerde maalesef aşırı gidenler, göze girmek isteyenler veya sebepsiz yere ürkenler her zaman bulunabilir.

---

101 Türkiye'de Harf Devrimi çalışmaları için bakınız: Bilal N. Şimşir, *Türk Harf Devrimi Üzerine İncelemeler*, Atatürk Araştırma Merkezi, Ankara, 2006.

Gazi Mustafa Kemal Paşa, Türkiye Büyük Millet Meclisi Başkanı Kâzım (Özalp) Paşa, Başbakan İsmet (İnönü) Paşa yeni Türk harflerinin okunuş ve yazılışı ile ilgili konferansta, Dolmabahçe Sarayı, Ağustos 1928.

1920'lerin Türkiyesi'ndeki iletişim kopukluğunun da bu gibi zihniyeti geri insanları beslediği gerçektir.

Nitekim Atatürk bazı epigrafik malzemeyi daha iyi değerlendiren Paul Wittek için etrafındakilere; "Avusturyalı Wittek, bunları okuyor da siz mi değerlendiremiyorsunuz?" demiştir. Paul Wittek o günden sonra pek rahat ettirilmediğinden şikâyet etmişti. "Okuyan gibi olalım" demektense "okuyanı ürkütmek evladır" prensibinin geçerli olduğu anlaşılıyor. 1957'deki istimlakte Demokrat Parti'nin muhalifi birçok yazarın dahi "Sağda solda birtakım eski sefil eserler var, bunları niye yakmıyorsunuz?" diye açık ihbarcılık yaptığını Aydın Boysan, oğlu Burak Boysan'la birlikte kaleme aldığı İstanbul kitabında ifade etmiştir.[102]

Şimdi bu değişikliği bir drama haline getirdiler. Birtakım insanlar, "Bu kalktı da kültür gitti" diye sızlanıyorlar. Oysa kaldırılan yazı sistem olarak fonetik bir alfabedir, kolay öğrenilir ve mutlaka öğrenilmelidir.

Cumhuriyet Dönemi Türk Tarihçiliğinin Meseleleri

Cumhuriyet imparatorluğun yıkılmasıyla kurulan yeni devlet ve Türklerin Cumhuriyeti olarak ortaya çıkmıştır. Bazı sıradan tarihçiler bir slogan olarak "yeni devlet, yeni vatan ve yepyeni bir ulus" kavramını çok kullanmışlardır. Oysaki bu çok yanlış bir değerlendirmedir. Ne "vatan" ne de "millet" yenidir, sadece devlet yenidir. Bu yeni devlet de her şeye rağmen eskinin geleneğini ve mirasını tamamen reddetmemiştir ve zaten reddetmesi de mümkün değildir. Müesseseleri ve kadroları bilinçli ve ılımlı bir ayıklamadan geçirmiştir.

102 Aydın Boysan-Burak Boysan, *İki Nesil Bir Şehir*, Doğan Kitap, İstanbul, 2012.

Buna rağmen bazı siyaset bilimciler, koloniler için kullanılan *nation-building* gibi bir kavramı fazla düşünmeden bu olayı betimlemek için kullanırlar. *Nation-building*, aralarında dil ve hatta din birliği olmayan, ancak benzer gelişme basamaklarında bulunan karma toplumların, halk topluluklarının (*communauté-tribe*) bir devlet çatısı altında uluslaşması ve toplum (*société*) haline getirilme çabasıdır ve daha tuttuğu görülmemiştir. Lakin tarihî, dinî, kültürel kurumları uzun asırlardır imparatorluklar olgusu (Bizans, Sırp Çarlığı, Bulgar Çarlığı, Osmanlı İmparatorluğu) altında biçimlenmiş Balkan ulusları için *nation-building*, uluslaşma gibi deyimler anlamsız birer kavramdır.

Burada tarihçilik sorununa geçmeden evvel, dil devrimi denen olgu üzerinde durmamız gerekir. Atatürk'ün dil devrimi gibi bir kavramı bolca kullandığı, hatta böyle bir kavramı benimseyip üzerinde durduğu söylenemez. Bu konuda bir deneme yapılmış, bir moda yaratılmıştır, ama amir hükümler içeren kanunlarla ve kanunun öngördüğü sözlüklerle yeni bir kelime hazinesinin kullanımı emredilmiş değildir. Dilde evrimleşme 1930'larda Türkiye'de kabul edilen bir gerçek olarak görünüyor. Diğer yandan unutmayalım; Osmanlı Türkçesi dediğimiz dil 15.-18. yüzyılda lügat ve deyime sahipti. 18.-19. yüzyıl dünyasında, felsefe, edebiyat, bilim, ulaşım teknolojisinin geliştiği dünyada bu dil yetersiz kalmaya başladı. Türkçeye herhalde yeni deyimler eklenecek, bunlar ise öz Türkçe olacaktı. Diller gelişir ve genişleme ihtiyacındadır ve bunun istisnası da yoktur.

Bizde de bürokrasinin dilini sadeleştirmek ve halka indirmek, kısmen de şive farklılıklarını kaldırarak millî standart bir aydın Türkçe (eğitim Türkçesi) yaratmak isteyen dilcilik hareketi, maalesef aşırılığa ve yeni bir Osmanlıca yaratmaya kadar varmıştır. Bu akımın karşısındakiler de eski Osmanlıcayı savunanlardır. Gramer, tarihi filoloji ve fonetik tetkikleri yapılmayan ülkemizde bu alanda bir kör döğüşü yapılmaktadır. Gramer ile dil eğitimi ve bilgisinin gelişmediği bir ortamda bu elbette bir olumsuz sonuçtur. Bununla birlikte dil tetkiklerinin bağımsız ve uzman bir grup tarafından yapılabilmesi için siyasi iktidarın kontrolünden uzak bir bilimsel kurumun muhafazası, bu sorunun çözümü için ilk şartlardan biri olmalıdır. Türk Dili Tetkik Cemiyeti (sonra Türk Dil Kurumu) geniş bir dil tarama ile kullanımları bilinmeyen terimleri saptadı. *Tarama* ve *Derleme S*özlüğü çıkardı, öğretmenleri harekete geçirdi ve bu yapının muhafazası terk edildi.[103] Üstelik Dil Akademisi'nde böyle kurumsallaşma olmadı.

Atatürk döneminde Türk tarihçiliği çeşitli yorum ve tahlillerin konusu olmuştur. Bu yorumları özetlemeden önce, 1927-40 dönemi Türk tarihyazıcılığının bibliyografik taramalar yapılmadan, üniversite ve araştırma kurumlarının faaliyetleri sistematik bir taramadan geçirilmeden, bazı eserlere bakılarak yüzeyden yargılandığını belirtmeliyiz. Kemalist dönemde Türk tarihçiliğinin Türkiye tarihçiliği olmaktan çok, romantik bir yaklaşımla Asya bozkırlarına uzandığı ve efsanevî açıklamalara başvurulduğu veya cumhuriyetçi bir anlayışla yakın geçmişin haksızca karalandığı tekrarlanagelmiştir. Dönem boyunca ulusalcı bir iklimin Türk tarihyazıcılığını etkisi altına aldığı, bunun bazı kalemlerde bazen aşırı ölçülere varan bir moda olduğu gerçektir. Ancak aynı dönemde

103 Tarama Sözlüğü, 13. yüzyılda başlayan Batı Türkçesinin eski eserlerinin taranmasıyla; Derleme Sözlüğü, Anadolu ağızlarında kullanılan kelimelerin derlenmesiyle oluşturulmuş büyük sözlüklerdir. Tekrar baskıları için bkz: *Tarama Sözlüğü*, Türk Dil Kurumu, Ankara, 2009; *Derleme Sözlüğü*, Türk Dil Kurumu, Ankara, 1975.

akademik Türk tarihçiliğinin izlediği yola bakılacak olursa, bu yorumlara katılmak mümkün görülmemektedir. Kemalist dönem tarihçilikte bir tartışma ortamının doğduğu ve bu arada ciddi tarihçiliğin de aşamalar yaptığı bir dönemdir.

Dış dünya şartlarının zorlaması, irili ufaklı Avrupa uluslarının aşırı ulusalcı tarih tezlerini benimsemesine yol açmıştı ki dünyadaki genel eğilim de o yöndeydi. 1930'lar Türkiye'sinin bu hava dışında kalması için bir neden yoktu. Yeni bir ulusal devlet, ulusal tarihçilik yapıyordu. Bununla beraber belirtmek gerekir ki, ulusalcı tarihçilik 1930'lar Türkiye'sinde o çağda Avrupa'da olduğu kadar yaygın ve inatçı değildi. Resmî ideoloji tarihyazıcılığının her kesimini kontrol etmekten çok uzaktı. Bunun nedenleri vardır. Evvelen resmî tarih görüşünün tarihyazıcılığının her kesiminde etkin olmasını sağlayacak gerekli ve yeterli bir örgütlenmeye gidemediği, daha doğrusu gitmediği görülüyor. 12 Nisan 1931'de kurulan Türk Tarihi Tetkik Cemiyeti (sonraki Türk Tarih Kurumu) sınırlı üyesi olan ve kendi içinde yayın ve araştırmaları destekleyen bir kuruluştu. Mesela bu cemiyet üniversiteler üzerinde amir bir kurum olamamıştır. Nihayet Maarif Vekâleti, müfredat programı ve çıkarılan tek tip ders kitaplarıyla orta tahsil ve öğretmenler üzerinde uzun yıllara varan ideolojik bir denetim kurmuşsa da yüksek tahsil kurumlarında ve bağımsız araştırma ve yayın merkezleri üzerinde aynı denetimi kuramamıştır. Kaldı ki resmî tarih görüşü de, tarihyazıcılığının karşılaştığı sorunlara sunduğu çözümler yönünden, kesin ve saptanmış sınırlara sahip değildi. Burada Cumhuriyet tarihinin sorunları ve yorumu üzerindeki tartışmasız tezlerin dışında, umumî bir tarih tezinin tutunamadığını ve böyle bir tezin de desteklenmediğini belirtmek istiyoruz. Bizzat Atatürk'ün etrafındaki tarihçiler ve tarih meraklısı devlet adamları daima birbirine ters ve değişik yorumlar getirmişlerdir. Öyle ki öne sürülen tarih tezleri bu çevrenin dışındaki kimselerce de tenkit edilebilmiştir. Mesela, tarih tezlerinin törensel bir biçimde sunulduğu ilk Türk Tarih Kongresi'nde, resmî görüşün takdimcisi olarak bilinen Maarif Vekili ve Türk Tarihi Tetkik Cemiyeti Umumî Kâtibi Reşit Galip'in uzun konferansı, kongre üyelerinden Zeki Velidi (Togan) tarafından uzun uzadıya tenkit edilmektedir. Aynı kongrede Afet (İnan) Hanım'ın konferansı da Köprülüzâde Fuat Bey tarafından bazı itirazlara uğramıştı. Bu dönemde Atatürk'e yakın çevrelerden olan Kadro grubu değişik tarih tezleri ortaya attığı gibi, İstanbul Darülfünunu Edebiyat Fakültesi grubu da bir başka uçta tarihyazıcılığı yapmaktaydı. Nihayet dönemin ulusalcı tarih atmosferine kapılarak, Japonya'nın Kubilay Han (yani Türkler!) tarafından istilâsını kaleme alan Hüseyin Cahit'i, Yahya Kemal alaya almakta; "Burnumuzda Mohaç ve Viyana'nın barut kokusu varken bu beyhude fütuhat hikâyelerine ne gerek olduğunu" sormaktaydı.

Muhakkak ki 1933 üniversite ıslahatı ve Dil ve Tarih-Coğrafya Fakültesi'nin kurulması Türkiye'de tarih, arkeoloji, müzecilik ve filolojide önemli bir atılımdır ve Osmanlı ilim müesseselerinin daha evvel geçirdikleri reform ve izledikleri tabii gelişim çizgisine rağmen uzun zaman başaramayacakları işlerdendi.

Resmî tarihyazıcılığı (*official historiography*) denen faaliyetin kanımızca olumsuz etkileri oldu. Bunlardan birisi, mahallî tarihçiliktir. Maarif Vekâleti kanalıyla bu tezlerden etkilenen taşradaki öğretmenler, kaleme aldıkları mahallî tarihlerde, Troia'nın Türklerin Tur Ovası'ndan geldiğinin ileri sürülmesi gibi grotesk denecek hatalı yorumlar yaptılar.

Halkevleri de bu konularda gayretkeş yorumlar ve yayınlarda bulunmuştur. Mesela, Zonguldak havzasındaki kömürün Uzun Mehmet adlı biri tarafından bulunması gibi bir olay, bu sıralarda ve bölgedeki Halkevi çevrelerinde ortaya atılmış asılsız bir hikâyedir.

Özetlemek gerekirse, Kemalist dönem her şeyden önce ilmî tarihçilik yapmak için, Türk fikir ve ilim hayatına gerekli teknik bilgi ve donatımı sağlamış, devlet bütçesinin bu işe tahsisini anane haline getirmiş ve tarih tezleri konusunda sonraki dönemlerde görülmeyen bir serbest tartışma ortamı açmıştır.

Kılık Kıyafet ve Başlıklar

Yakın zamanlarda çok insanın, gösterişçi bir olay olarak mütalaa ettikleri şu şapka devrimi üzerinde duralım. Bu bir ritüeldir, bir gösteridir ama çok önemlidir. 19. yüzyılın dünya tarihini, Avrupa paylaşımını etkileyen büyük kongreleri hatırlamak gerekir. Bunların çok güzel tabloları vardır. Kırım Savaşı'ndan sonra tertip edilen Paris Kongresi ya da Berlin Kongresi'nde diplomatları tartışma ve gelişme halinde görüyoruz. Paris Kongresi'nde mesela Gorçakov, Puşkin'in sınıf arkadaşı, büyük diplomat. Çok akıllı bir adam olan Avusturyalı Heinrich Karl Baron von Haymerle başta olmak üzere, Fransa'nın meşhur adamları, İtalyanların, İngiltere'nin diplomatları hepsi karşılaşıyorlar, aralarında Mehmed Emin Âlî Paşa var, Fuat Paşa var. Bu iki adamın öbürkülerden aşağı kalır tarafı yok, üste bile çıkarlar. Mehmed Emin Âlî Paşa öldüğü zaman yazı takımlarını neredeyse ihale ile aldılar. Prens Bismarck belki tılsımı bize de geçer diye almıştı. Bu adam başında fesle geziyor. Yani bir kalabalığın ortasında artık dünyanın üniversal değerler ve üniversal modalar benimsediği, zaten bizimkilerin de alt tarafı öbürleri gibi aynı ortamda bulunduğu bir zamanda, bir kişi niye kendisini diğerlerinden ayıran bir serpuşla (fes) geziyor? Bunu izah etmek güçtür. Sokakta o serpuş giyilebilir. Oysa operadan öbürleri kadar anlıyor ve seviyor ama locada başında fesle oturuyor ve gözler sahne kadar sık sık ona da kayıyor. Bu tabii ki çok absürd görünen bir manzara olmayabilir. Ama 19. ve 20. yüzyıl dönemecinde birtakım Türkler bu gibi bir ayrımdan rahatsız oluyorlardı.

Gelgelelim, şapka devrimi özellikle öteden beri, üstyapı devrimi olarak düşünülür. Ancak bu olayda modern toplum yapısına bir yaklaşım yatmaktadır. Serpuş denen şey, eski toplumda insanları belli bir zümreye bağlar. Hiçbir esnafın Aziziye fesle dolaşması hoş karşılanmaz. Daha eski cemiyette (II. Mahmud öncesi) bir Babıâli memuru sepet örgülü kavuk giymişse kalemiye sınıfına dâhil demektir. Türkiye toplumunun devrimci geleneğinde aslında şöyle bir değişim görülür ki II. Mahmud'un bu konuda bir yeniliği vardır. Asker ve yönetici zümre için resmî ideolojiye bağlı resmî bir kıyafet getirmiştir. Dış görünüş, hayat tarzı, vs. itibariyle yönetici zümreyi ayırmak istemiştir. Osmanlı toplumunda en rahatsız edici şeylerden biri budur; sınıflara, tarikatlara, mezheplere bölünmüş olarak yaşamak. Bu durumun Cumhuriyet idaresi için de söz konusu olması tehlikeli görülmüştür. Nitekim Cumhuriyet, yeni tip devlete sadık bir toplum istiyordu. Böylece sadece loncalar, tarikatlar kaldırılmadı; bunun göstergesi olan kisve ve serpuş çeşitleri de yok edildi. Fes Osmanlı'ya Tunus'tan gelmiştir. Ama daha önce uğradığı yer Arnavutluk ve Yunanistan'dır. Osmanlı entelektüelinin açık fikirlisi ise, Avrupa'ya giderken fessiz dolaşıp şapka giyeceği için çok memnun olurdu.

O halde bu devrimi o günün havası içinde düşünmelidir. Şapka devrimi taşrada sessiz bir tepkiyle karşılandı. Bizzat Kastamonu'da Şapka Devrimi'nin ilanı bu tepkiyi değiştirmedi. Ama bunun ilanı bir cesaretti, bu ek olarak tepkinin hızını azaltmadı veya artırmadı. Zamanla köylü kasketi veya Yugoslavya üretimi dar bere, şapkanın yerini tuttu. Hatta köyün tek memur kılıklı adamı şapka giyen muhtardı. Atatürk sokakta milletin ayrılmasını, kafa yapısının anlaşılmasını istemiyordu. "Şapka Devrimi" bir şekil devrimi değildi. Birdenbire kasabanın ortasında şapkalı adamlar belirdi. Bunlar kıyafettir ve insana temel bir unsur gibi görünmez ama zihni meşgul eden unsurlardır. Şapkaya karşı bir direniş vardı. Mesela bir oğlan bir kızı istediğinde Oğlan için "Nasıl biri?" diye soruluyor, cevap olarak da "Şapkalının biri" deniyordu. Bu çok önemlidir, zira, "Şapkalının biri" demek, "Dini, imanı, ananeyi, sana saygıyı unut" demekti. Neticede bugün kimse şapka takmıyor.

Cumhuriyet'in Ulaşım Hamleleri

Ankara'daki tüccar sınıfı, demir yolunun kente gelişinin ardından kendini ispat etmeyi başarmıştı. "Demir yolu ile İstiklâl Savaşı arasında nasıl bir bağlantı vardır?" diyeceksiniz, çok bariz bir şekilde vardır. Sultan Abdülaziz devri boyunca ancak İstanbul'dan İzmit'e kadar iki yılda tamamlanabilen demir yolu, demir yollarının imparatorluğu kurtaracağına inanan Sultan Abdülaziz'i hayal kırıklığına uğratmıştı.

Sultan Abdülaziz iki alanda fevkalade ısrarlıydı; donanma ve demir yolu. Kuvvetli bir donanmayla Rusya'ya karşı Karadeniz'de hâkimiyeti yeniden kurarak, Kırım'ı tekrar fethetme emelinde muvaffak olamadı. Donanma büyük harcamalarla

Gazi Mustafa Kemal Paşa Samsun-Çarşamba
demir yolu inşaatı temel atma töreninde, Eylül 1924.

büyüdü, gemi sayısı bakımından güçlü devletlerle yarışır hale geldi ama o donanmayı götürecek yeterli sayıda bahriye subayı, astsubay ve teknisyen yetiştirilemedi ve tersanelerde beklenen modernleşme sağlanamadı. II. Abdülhamid döneminde donanmanın tamamen ihmal edilmesinde bu ölçüsüz büyümenin ve onu karşılayacak bütçenin eksikliğinin de etkisi vardır.

Sultan Abdülaziz isabetli bir kararla demir yollarına da önem verdi, ancak isteneni sağlayamadı. Rumeli demir yolları, mesela Bosna-Hersek gibi imparatorluğun önemli bir parçasına uzanamadığı gibi, Adriyatik kıyılarına da ulaşamamıştır. Anadolu kıtasında da İzmir-Aydın hattı ve İzmir-Bandırma hattı ilki İngiliz, ikincisi Fransız imtiyazıyla inşa edilebildi. Sultan Abdülaziz'in millî teşebbüs olarak kurmak istediği Anadolu hattı İzmit'te tıkanmıştır.

Anadolu ve Mezopotamya'nın zenginliklerini inceleyip değerlendirmek isteyen Alman sermayeli şirket için imtiyaz alıp demir yolunu döşemeye başlamak, II. Abdülhamid devrinde gerçekleştirilen önemli bir yatırımdır. Demir yolu için verilen garanti akçesi Osmanlı maliyesi için ağır bir borçlanma getiriyordu ama Almanların demir yolu döşeme tekniği de Fransız ve İngilizlerinkiyle mukayese edilemeyecek kadar hızlıydı.

4 Mart 1889'da Osmanlı Anadolu Demir yolları Şirketi olarak teşkilâtlanan Alman sermayesinin arkasında İngiliz ve Fransız bankacılığına göre daha etkin yöntemlerle çalışan Deutsche Bank vardı. 2 Haziran 1890'da 40 kilometrelik Adapazarı hattı tamamlandı. 16 tünel, birçok köprü ve 180 km'ye ulaşan tepelerin yarılmasıyla açılan güzergâhtan geçerek hedefe ulaşan demir yolu 1892'nin son gününde Ankara'daydı. Üç sene içerisinde 500 km'ye yakın yol inşa edilmişti.

Ankara halkı çoktan beridir bu yolu bekliyordu. Dilekçeler yazıyorlardı, hatta bağış kampanyası dahi düzenlemek istemişlerdi. Ama daha ısrarla bu yolu bekleyen Kayseri'nin imalatçı ve tüccarları demir yolunu göremediler. Tertipledikleri deve kervanları ile taşıdıkları malı Ankara'dan daha batıya tenzilatlı olarak sevk etmek için şirketle bir sözleşme yaptılar. Kayseri tüccarının önünde hiçbir engel duramazdı.

27 Aralık 1919'da Ankara'ya ulaşan Mustafa Kemal Paşa'nın burayı merkez seçmesinin tek nedeni kendisini ekseriyetle ve sıcak bir destekle karşılayan Ankara halkı ve eşrafı değildir; demir yolunun ulaştığı bu noktadan direniş de savunma da ileriki taarruz da daha kolay başarılacaktır. Nitekim Aralık ayında Ankara'ya gelen bu yol, Osmanlı iktisadi tarihinde Rumeli'den gelen göçmenlerin hat boyuna yerleşerek Anadolu'nun tiftik ve tahıl zenginliğinin Avrupa'ya sevk edilmesine neden olduğu gibi, 1897'de Yunanistan'la yapılan savaş sırasında ordunun ilk defa Anadolu buğdayı ile beslenmesini sağlamıştır.

27 Aralık 1919'da da aynı şehir bir bakıma demir yolu sayesinde kazanılacak Kurtuluş Savaşı'nın merkezî noktası olmuştur.

Türkiye'de imparatorluk demir yolları Anadolu'da doğuya doğru Ankara'da sona eriyordu. Ankara'dan şimale doğru, Lalahan'a kadar kısa bir dekovil hattı vardı. İstiklâl Savaşı zamanlarında bugün Bahriye Arşivi'nin bulunduğu bu kazaya İnebolu'dan değişik araçlarla inen Kızıl Ordu Generali Frunze dekovili kullanmıştı. Bilecik'ten itibaren demir yolu güneye doğru kıvrıldı. Eskişehir-Kütahya hattı ve Afyon Alman sermayeli demir yolu şirketlerinin elindeydi. Ama Aydın-Denizli üzerinden Afyon'a ulaşan demir yolu hattı bir başka istasyona (gara) bağlıydı ve İngiliz hattıydı. Afyon'dan sonra Konya Ereğli'ye kadar hat döşendi. Afyon'da iki istasyon vardı. Birisi, Almanların Anadolu Demir yolları Şirketi'nin elindeydi. İkincisi, Denizli'den uzanan İngiliz hattıydı. İki demir yolu birbirine hiçbir şekilde bağlanmadı. Mezopotamya'da ise demir yolu Birinci Dünya Savaşı'ndan sonra tamamlanmıştır. Yeni Türkiye demir yolu ağı Kayseri, Sivas öte taraftan Samsun ve Ereğli'ye, doğuya doğru ise Malatya, Tatvan ve Kurtalan'a kadar uzandı. Güneydoğu'daki hatlar ise Karkamış, Anteb ve Nusaybin'e kadar gidiyordu.[104] Nihayet demir yolları Erzurum'a kadar uzandı. Bu ayrı bir ideolojik cesaret getirdi: "Demir ağlarla ördük ana yurdu dört baştan." Demir yolları, son devir Osmanlı'nın ve Cumhuriyet'in tarihidir. Anadolu çok büyük, çok kurak, ulaşım yollarına kapalı bir yerdi; dünyayla ulaşım Karadeniz üzerinden sağlıklı bir şekilde sağlanamayacağı için, bizi Akdeniz'e işte bu demir yolları bağladı. Demir yollarının fonksiyonu İkinci Dünya Savaşı'nın sonrasına kadar devam etti. Ancak bu tekrar büyütmemiz gereken bir sistemdir.

Kurtuluş Savaşı Sonrası Ekonomik Hayat

Barışa girince, 1922 yılından sonra harb eden büyük ülkelerin aksine Türkiye'de ana sektörü teşkil eden zirai hasılada bir artış gözlendi. Sanayi bakımından imparatorluğun

---

104 İskender Gökalp, "Quelques Remarques Sur la Politique Ferroviaire de la Période Jeune-Turque", Première Rencontre Internationale sur l'Empire Ottoman et la Turquie Moderne, Institut National des Langues et Civilisations Orientales, Maison des Sciences de l'Homme, 18-22 Ocak 1985, *VARIA TURCICA*, XII, éditions ISIS, Istanbul-Paris, 1991.

1912'ye göre zaten bir çöküş içinde olduğu açık. Rumeli elden çıktığı gibi, 1917'den sonra Suriye ve Lübnan'daki sanayi tesisi sayılabilecek fabrikalar da artık elde değildi. 1920'lerde Türkiye işçi sınıfı diyebileceğimiz zümrenin yarıya yakını küçük atölyelerde çalışmaktaydı ve hiç kuşkusuz ki tersaneler ve harbiye imalatı gibi büyük tesislere de baktığımız zaman, Türkiye işçi sınıfının hayat şartları zordu ama sendikalaşma, partileşme bilinci ve yaşama bakışları açısından Batı'dan farklıydı. Yaşamları muhafazakâr kalıplarda devam etmekteydi. Yaşam şartları bir ailenin kendi içinde kapalılığı sürdürmesine yardım etmekteydi. Onun için oldukça muhafazakâr görüşlü bir kitledir; işçi sendikalaşması ve partileşmesi gibi olaylar söz konusu değildir.

1925 yılına gelindiğinde, tarım ürünlerinin harb öncesine göre % 51 artış gösterdiği görülmektedir. Burada önemli olan husus şudur; Türkiye ağır sanayiye geçmekte çok erken bir aşamadadır, fakat tarım hasılası birikmektedir. 1925 yılında önemli bir sektör ve klasik mali düzenleme olan aşarın kaldırılması yerli mültezim sınıfının ortadan silinmesine yardım ettiği gibi, köylülerin de bir nebze nefes almasını sağlamıştır. Gerçi bu değişimi fazla büyütmemek gerekir çünkü 1950'den sonraki köylülüğün aksine yol vergisi gibi mükellefiyetler henüz bir yüktür. Bilhassa İkinci Dünya Savaşı sırasında onların mevcut hükûmete ve partiye çok karşı olmalarına da sebep olacaktır, zaten yöneten CHP'nin iki dönemde incelenmesi tarihimizi, yakın çağımızı ve değişen iktisadi sistemi anlamak bakımından çok önemlidir. Diğer yandan ülkenin fakir kesimi sayılan Doğu Anadolu'dan vergi alınamadığı açıkça görülmektedir. Buralarda yapılan düşük miktardaki yatırımlar ki ön planda sadece demir yoluna münhasırdır, kara yolu bile çok az yapılabilmektedir, karşılığını alınan vergiden bulamamaktadır.[105] Bu iktisadi dönem üzerinde en sağlıklı analizi Korkut Boratav yapmaktadır.[106]

Şunun üzerinde durmak gerekir ki uzun yıllar boyunca yani Cumhuriyet'in kuruluşundan sonra aşağı yukarı daha bir dönem endüstri tesislerinin ve imalatın payı artmamıştır. Türkiye açıkçası önemli tüketim mallarında dışarıdan ithalata dayanmaktadır. Kendi tarım üretimimizde bir değişiklik meydana gelmektedir. Endüstriyel ürünler miktarında artış görülüyor, bunun nedeni de çok açıktır.

1924'te yapılan mübadelede Türkiye'ye gelen, ki mübadeleyi Türkiye istememiş, Venizelos Hükûmeti dayatmıştır ve Avrupa'nın büyükleri de bunu kabul ettirmişlerdir, 500 bin kadar mübadilin ne olursa olsun yaşam şartlarının temin edilmesi ve bir an evvel üretime geçmeleri dolayısıyla bilhassa Ege ve Trakya bölgesinde bunun tesiri görülmektedir.

Dünyanın kendisini Birinci Dünya Savaşı'ndan sonra toparlayamaması, iktisadi ve mali kurumların, para sisteminin yerini bulamaması, işsizliğin kronik hale dönüşmesi bir bakıma Avrupa'da harb öncesi dünyanın çok tatlı bir zaman (*Belle Époque*) olarak anılması, bütün olumsuzluklarına rağmen bir geçişi, bir yuvarlanışı ifade ediyor. 1929 iktisadi buhranı sadece Wall Street'teki patlamayla kalmadı, herkesi ve bizi de etkiledi. Dün veya bugün bazı kalemler, "İktisadi buhran sırasında kapanan fabrikaların teknik

---

105 Sait Aşgın, *Cumhuriyet Döneminde Doğu Anadolu'ya Yapılan Kamu Harcamaları (1946-1960)*, Atatürk Araştırma Merkezi, Ankara, 2000.

106 Korkut Boratav, *Türkiye İktisat Tarihi 1908-2009*, 22. Baskı, İmge Kitabevi, Ankara, Aralık 2016. Özellikle bu kitabın birinci bölümüne bakılabilir.

kurgusunu buraya ucuza getirip sanayileşmeye geçerdik" zihniyetini savunmaktadırlar. Bunun nereye geleceği, hangi işçi sınıfı ve ara teknisyen grubu tarafından işletileceği çok tartışılır. Sultan Abdülaziz'in yeterince teknisyene ve astsubaya sahip olmayan subaylar ve tayfalarla en büyük donanmayı teşkil etmesi kadar uyumsuz bir vaziyetti. Herhalde Türkiye'nin 1929'da ve sonrasında böyle bir sanayileşme teşebbüsü pek karşılanamazdı. Zaten alternatif, Rusya'nın en bereketli zamanlarında Ukrayna'da ve diğer bölgelerde açlıktan ölmek pahasına büyük kıtlıklarla bir mübadele yapılması ve sanayiye başlanmasıdır. Sanayileşmenin hem malî hem sosyal veçhesinin bu kadar aceleciliğe ve çok otomatik mekanizmalara dayanamayacağı çok açıktır.

Dolayısıyla 1930'a gelindiği zaman, Türkiye'de bizim devletçilik diye adını koyduğumuz, kesinlikle bez, şeker, un vs. gibi acil tüketim ihtiyaçlarına yönelik sanayileşmeyi devlet tekeli altında götürmesi söz konusudur. Mesela alkol üretimi devletin tekeline geçmiştir. Tütün ziraatında kendini ayakta tutma vardır ve imparatorluk döneminde tütün ziraatı bir de üstelik mübadeleyle gelen çiftçi nüfus tarafından desteklenmiştir. Bunlara yönelik bir devlet tekeli söz konusudur. Maliye zaruri ihtiyaçlardan dolaylı vergi sağlayarak kendisini ayakta tutmaya çalışmaktadır.

Hayatın kendi durgunluğu içinde henüz büyük iç göçlerin oluşmadığı dönemde Türkiye aslında istikrarlı bir ülke olarak yaşamakta, bilhassa memurların ve şehirli küçük burjuva diyemeyeceğiz esnafın özlemle andığı yıllar olarak kendisini sürdürmektedir. Ama aynı sistemin bilhassa harb ekonomisi ve harb sonrasında kendini muhafaza etmesi mümkün değildi. Yalnız şunu da ifade etmek gerekir ki gerek imparatorluktan gelen teknik bilgi birikimi ve teknisyen adedi gerekse İkinci Dünya Savaşı'na katılmaması dolayısıyla oluşan birikim Türkiye'yi İkinci Dünya Savaşı'ndan sonra birçok ülkenin önüne geçirecektir. Bunun da temelleri doğrudan doğruya o döneme dayanmaktadır.

Korumacı politikalarla Türkiye'de birtakım sanayi dallarının, atölye zanaatlarının geliştiği görülüyor. Şüphesiz bunun yanı başında atıl yaşamaya alışan bir müteşebbis sınıf da doğdu. Ürettikleri kalitesiz malları korumacı politikalar ve kanunlar sayesinde ve ithal rejimiyle palazlanarak sürdürdüler ve iç pazar bu kalitesiz mallarla doldu. Bunun iki yönlü etkisi oldu; birincisi, halkta millî sanayi üretimine karşı bir küçümseme hasıl oldu; ikincisi, yerli zanaatlar da bu tip arsız büyüme ve teknikle rekabet edemedi. Çünkü öbürlerine göre kendi çaplarında kaliteli olsalar da üretim bakımından daha pahalıya mal oluyorlardı, daha çok emek ihtiyaçları vardı, piyasaya ulaşamıyorlardı.

1960'lara kadar bu ikilem devam etmiştir ve Türkiye sanayiinin gelişme trendleri nitelik bakımından henüz sosyalist ülkelerdeki gibiydi. Bu durum hemen günümüze kadar sürmüştür. Artan üretim miktarı, tabii bazı dallar hariç, aynı şekilde kaliteleriyle dünya markalarıyla rekabet imkânına kavuşamamaktadır.

Öyle görülüyor ki her şeye rağmen Türkiye'de devlet sanayileşmesi hayatın ihtiyaçlarını karşılayacak durumda değildir ve arzu edilen büyük üretim genelde söz konusu değildir. Bilhassa buhran yıllarında zirai mamulatta dış talebin düşüşü geniş kitlenin, yani köylülerin alım gücünü de zayıflatmıştır. Bu nedenledir ki 1939 öncesi yeni Türkiye harb ekonomisine hazırlanacak durumda değildi. Büyüme hızı düşmektedir ve bunun tabii sonucu olarak da dünya ekonomisiyle olan rekabet ve İkinci Dünya Savaşı'nın sıkıntıları içinde vatandaşların tümünün rahat yaşama imkânı da kısıtlanmaktadır.

Nitekim harb yıllarında Refik Saydam Hükûmeti'nin tarım ürünlerine düşük fiyatla el koyma yöntemi sorunu çözmedi, çünkü bu, köylülerin belini çok büktü, haksızlığa neden oldu. Üstelik bu gibi hükûmet tedbirleriyle baş edebilecek büyük çiftçilerin karaborsa imkânını artırdı. Türkiye *hacıağa* dediğimiz zümreyle İkinci Dünya Savaşı'nda ve sonunda tanışacaktır ve bu, Türkiye'nin ahlak ve kültür hayatında da büyük problemlere neden olmaktadır.

Hiç şüphesiz ki Varlık Vergisi'nin ortaya çıkışını izah etmek mümkün olmaktadır, fakat burada şöyle bir sorun ortaya çıkıyor. Azınlıklar konusunda 1930'lardan sonra Türk hükûmetleri daha zecrî uygulamalara gitmiştir ki bu ilginç bir konudur. Gerçekten de Birinci Dünya Savaşı'ndan önceki klasik yapının önce Birinci Dünya Savaşı içinde değiştiğini görüyoruz. İkinci Dünya Savaşı'ndan sonra da o düzeyde olmasa da diğer sermaye gruplarıyla birlikte gayr-ı müslim sermaye de kontrol altına alınmaktadır.

Bu politikanın değişimi 1950'den sonra mümkündü, fakat hayatın içindeki bazı kalıplar, bürokrasinin bazı alışkanlıklarının geçişi için daha uzun bir zaman gerekecektir. Bunun başında Lozan'ın getirdiği gayr-ı müslim okulların rejimi yatar. Bu rejim kanuna ve antlaşmaya uygun bir şekilde uygulanıyor. Ama bunun değiştirilmesinde sadece gayr-ı müslim cemaatleri için değil, Türkiye'nin genel maarif hayatı için de büyük fayda olacaktır. Bir nevi bir liberalleşme ve açılma söz konusu olur. Bu tip iyi okullardan istifade imkânı daha geniş kitleler için artar.

Sanayide yönetici (*manager*) sınıfının eğitimine 1960'lardan sonra çok önem verilmiştir, fakat bu sınıfın sanayiye el atması maalesef henüz gerçekleşmiş değildir. Aile ekonomisinin koşulları sadece işletmelerin aileye ait olmasından değil, değişikliklere hazır olmayan bir gerontokrasi ve belki ürkek sermayeden kaynaklanmaktadır. Geniş yatırımlarda bilhassa yönetici sınıfın planlarına itibar etmek mümkün olmamaktadır.

Bir başka deyişle, Türkiye teknik eğitime önem vermemiştir. Türkiye Cumhuriyeti'nin 1920'lerden sonraki eğitim planlaması ve kurumları iflas etmektedir. Bunun en bariz örneği Gazi Eğitim Enstitüsü, Çapa Eğitim Enstitüsü gibi önemli öğretmen okullarının 1970'lerde tamamen yanlış ve dar politikalar yüzünden mefluç hale getirilmesidir. Bunların yanında, bilhassa Cumhuriyet'in ilk dönemlerinde çok önem verilen teknik öğretmen yetişme programları da kesintiye uğramıştır. Türk sanayiinin yardımcı teknik elemana sahip olamadığı görülüyor. Oysa bir sanayinin değişmesi, gelişmesi ve kendini yenileyebilmesi, teşebbüs kabiliyetinin artması bakımından 1920'lerde başlayan bu programın yürümesi gerekliydi. İki taraflı gelişme dolayısıyla, Türkiye millî eğitimi maalesef 1930'lardaki sistemin ve ruhun gerisinde kalmıştır. Ortadaki sayı kalabalığı kalite bakımından eski niteliğini sürdürememiştir. Bu da ehliyetsiz bir elitin ortaya çıkmasına, iktisadi hayatta seçkin grubunun çok kısa zamanda yer ve el değiştirmesine ve gerçek bir gelişmeye dayanmayan bir elit dolaşımının (seçkinler değişiminin) ortaya çıkmasına neden olmaktadır.

Atatürk ve Din

Atatürk'ün dinle ilgili olarak iç dünyasını merak etmek bu metnin dışındadır. Bireyin dindarlık derecesi tespit edilemez. Yalnız şurası açıktır ki Atatürk dine karşı olacak, pozitivizm

Atatürk, Harp Akademisi Komutanlığı tarafından düzenlenen manevrada gözetleme yaparken, Mayıs 1936.

uygulayacak diye beklemek gülünç olurdu. Tutun ki daha muhafazakâr biri olsaydı; zannediyor muyuz ki her yerde tekkeleri besleyecek, her gün bir yerde cami yaptıracaktı? Bu her iki halde söz konusu değildi.

Millî Mücadele esnasında ve sonra onun yanında başka türlü din adamları var. Onların bazılarını biz geçen ömrümüz içinde tanıdık. Çok orijinal, dindar, bilgili, yani şark edebiyatı ve ilâhiyatının künhüne inerek bilen insanlardı. Öyleleri var ki adam Farsça biliyor yanında da Pahlavi biliyor. Hâfız'ı şerh edecek kadar biliyor; bu insanların sadece İslami bilgisi değil Şark kültürü de vardı. Ama Atatürk bu çevreyle ne kadar iç içeydi, onu tesbit etmek ve tartışmak mümkün değildir.

Ezanı Türkçeleştirme konusunda, "Anlayın" diyor. Bu Ziya Gökalp'ten gelen bir düşüncedir. Genelde ezanı taşrada Türkçe okuduktan sonra aşağıya inince Arapçasının tekrar okunması çok yaygın bir tavırdı. Yasa hâlâ duruyor, ancak, yasak getiren yasanın ihlal edilmesine müsaade edildi.

Birinci Dünya Savaşı'nın sadece kumandanlarında değil, onbaşılarında, neferlerinde de bir tavır var. Nedir bu? Özellikle Filistin, Hicaz, Suriye cephelerinde yaşananlar dolayısıyla, bir Arap antipatisi oluşuyor ki bu doğaldır. Arap düşmanlığının ucu Hz. Peygamber'e gidecek diye çok laf etmiyorlar ama o İslami zırh çok ince ve biraz kazındığında harb zamanında oraya gidenlerde bir karşıtlık olduğu belli oluyor.

Güya o devirde duvara Kur'an asmak dahi suçmuş. Bu tavır Sovyet uygulamasını Türkiye tarihine eklemlemek veya düpedüz yakıştırmak oluyor. Stalin Rusyası hakkında duyulan bazı anlatımların bize yakıştırılmasıdır. Herkes nerde saklıyordu ki Kur'an'ı? Bizde mutlaka muhafaza altında ve bir ihtiramla, yüksek veya özel bir yerde durur.

Uygulama 3 Mart 1924 tarihinde 430 numaralı yasa ile başlamış ve kanuna göre Arap harfleri ile yazılan kitaplar yasaklı hale gelmiş. Yanlıştır, zira, 1924'te daha henüz Arap harfleri kullanıyorduk. Bazı yalan ve bühtanı ileri süren adamlar, kanundan bahsedenler pek çok şeyi bilmiyorlar, bu çok yanlıştır. Siz istediğiniz fikirde olabilirsiniz, muhafazakâr, hatta reaksiyoner dediğimiz, yani yenilikleri reddeden insanlar da olabilir, bunlar Rusya tarihinde dün vardı bugün de var; Büyük Petro'yu kabullenemediler. (Mesela Rus yazar İvan Sergeyeviç Aksakov "Daha evveline geri dönelim" diyordu). Ben bugün bile Rusya'da çok önemli mevkilerde olan tarihçiler biliyorum, Büyük Petro'dan hoşlanmıyorlar. Ama bu tiplerin bir entelektüel muhtevası ve katkısı da vardır.

"Laiklik"e Bir Bakış

Osmanlı Devleti dinî toleransa sahipti ve kamu hayatında geniş ölçüde, özel hukuk alanında kısmen din dışı hukuk uygulamalarına da başvurmuştur. Ama şeriatla yönetilen bir devletti. Çünkü toplumlar dini ayırıma göre kompartıman usulüyle, millet esası içinde yönetilirdi. Devlet topraklarını kaybettikçe Osmanlı padişahları hilafete dört elle sarıldılar. Panislamizm 19. asırda resmî ideoloji halindeydi. Devlet, Batı dünyasına karşı gerekli reformlara giriştiğinde, laik sistem de ister istemez girmeye başladı.

Bunun idarî ve sosyal hayatta yarattığı sancıları, son nesil Osmanlı aydınları çektiler. II. Meşrutiyet dönemi bu sancıyı dindirme çareleri öneren reçetelerle açıldı, fakat siyasi ve idarî kadrolar bu sancıyı dindiremeden perde kapandı.

1924 yılı Mart ayında hilafet ilga edildi ve hanedan üyeleri yurt dışına çıkarıldı. Halifelik bugün olsa, siyasi bir konuma çevrilmiş olmasından ötürü, o müessese yürümezdi. Bu nedenle yeni Türkiye, Tevhid-i Tedrisat ve Hukuk devrimiyle laik kurumların temelini radikal bir biçimde attı. Bu, son Osmanlı asrının yarattığı ikiliği ortadan kaldırdı. 1928'de Türkiye Cumhuriyeti Anayasası'na laikliğin ilke olarak girmesi bu gelişmelerin bir sonucudur.

Laik düzene geçişle, son Osmanlı asrındaki modernleşmenin yarattığı ihtiyaçlardan doğan yeni kurumların eskileriyle çatışmasının yarattığı kargaşanın ortadan kaldırılması hızlandırılmıştır. Laik dünya görüşü ve devlet düzeniyle modern toplumlara özgü siyasal yapıya, yönetim sistemine ve hukuki düzenin mükemmelleşmesine geçiş mümkün olmuştur. Aynı dili konuşan ve aynı kültürel mirasa sahip bir halkın mezhep ayrılıkları ve çatışması içinde yaşamasına son verilmek istenmiştir.

Laiklik İlkesi Neden Önemli?

"Laicus", Latince bir terim, "laos" ismi ve "laikos" sıfatından gelir. Yunancada düpedüz "halk" demektir. Mesela Etnografya Folklor Müzesi'ne "*museion laion*" denir. Latin'in "*laicus*"u da rahiplerin dışında kalan kitlelerin sıfatıdır.[107]

Ruhban dışı hayatın ve kişiliğin böyle bir terimle şekillenmesi ve laisizme gidiş Fransız Aydınlanması'nın eseridir. Galiba, her şeye, en başta da eğitim hayatı ve (sansür yoluyla) yayına hükmeden kilisenin bu büyük imtiyazı ve

107 Orta Çağ'larda bu *laicus* sözü, o sırada eğitim ve bilgi ruhbana ait bir imtiyaz ve nimet olduğundan, "iş bilmez, eğitimi düşük" adam anlamında da geçer. Bugünün İngilizcesinde birisi bir avukata yahut hekime soru sorarken, "Özür dilerim, ben bir laikim (*layman*)", "bilgisizim" der. Almancada aynı anlam "*laie*" olarak geçer. Bu Orta Çağ toplumundan bir kalıntıdır.

gücü aynı zamanda onun zaafına dönüşmüştür. Güçlenen yeni sınıflar, serbest düşünen entelektüeller, Floransa'da 14. asırdaki Boccaccio'dan beri kilise ve ruhbana dil uzatanlar Avrupa'nın ufuklarını sarmıştı.

Peki, böyle bir akım İslam dünyasına ne kadar girebilir? Bu yoğurdun üstüne tahin dökmek gibi bir şeydir. Dökersin karışır. Ne kadar anlam kazanır? Kurumlaşamayan, daha doğrusu zaten kurumu reddeden, ruhbandan değil din bilginleri ve tarikat önderlerinden oluşan İslam dünyası için din ve devlet çatışması hangi sorunları çözer veya dağıtır?

İslam ve Yahudilikte din ve devlet ayrılabilir mi? Teorik olarak hayır. Bunlar sırf devletle olan ilişkileri ve kamuyu değil, özel hayatın ve yeme içmenin kurallarını dahi tarif eden iki dindir. Dolayısıyla din ve din dışı hayatın varlığı ikisinin uyuşması, mukavelesi demektir ve bu mukavelename devamlı değişir.

1980'li yıllarda dahi Kudüs'te cuma gecesi sinema gösterilsin mi, gösterilmesin mi diye sokak kavgaları yapılırdı; bugün artık belediye sınırları dışında muhafazakârları çıldırtacak şekilde cumartesileri alışveriş merkezleri bile faaliyette; otellerde mutaassıplar için kendiliğinden işleyen asansörlerle laiklerin düğmeye basarak işlettiği asansörler yan yana! 17. asrın Kadızâde takımı Üstüvanî Mehmed Efendi'lerin tarif ettiği şer'î düzenle bugünkü fundamentalistlerin gerçekleştirdikleri arasında dünya kadar fark vardır.

Şunu da eklemek gerekir ki eğitimin kurumlaşmasını ve her iki cinsin bu meslekî eğitimden istifadesini öngören İslam'ın modern yorumları 19. asırdan beri sahnededir. Doğrusu mukavemet olsa da kabul görmektedir. Hatta bugün Müslüman cephesi bu uygulamalar için de mücadele vermektedir. Cihad kavramının bile İran İslam

Cumhuriyeti'ndeki tefsiri, Afganlı Taliban takımından ve benzer diğer gruplardan elbette farklıdır.

Cihad da, hayatın gerçeklerinin Müslümanca yorumu olan ictihad da bu kökten (cehd) ve niyetten gelmektedir. 19. asırda Türkiye İmparatorluğu ve ona tabi olan Mısır Hıdivliği, okullarda laik eğitimi getirdi, Batı'nın müesseselerini aldı. Mısır, İslam dünyasının ilk operasını Kahire'de açtı, ilk opera eserini de Verdi'ye ısmarladı. Osmanlı Meclis-i Mebusanı, İslam hukuk ve idare sistemine uygun olduğu iddia edilerek ortaya çıktı ve yazılı anayasa da öyledir. Bu anayasada tabii ki devletin dini İslam'dı. 1921 ve 1924 Anayasalarında da öyledir. 1924 Anayasası'nın 1928'de yapılan ilk önemli tadilatı, "dini İslam" maddesinin çıkarılıp yerini laikliğin almasıydı.

Ne var ki bu devlette Bab-ı Meşihat'ın yerini alan Diyanet İşleri Başkanlığı, protokoler derecesi ve fetva yetkileri azaltılmış olarak başbakandan sonra gelen kabine üyesi değil, ona bağlı bir memurdur. Diyanet de genel bütçeden payını alır ve maaşlar Memurin Kanunu'yla verilir. Laiklikten anlaşılan düzenin, böyle bir yapı olmadığından şikâyet edenlere söylenecek şey; Cumhuriyet'i kuranların dini bu şekilde kontrol etmenin gereğini, kaçınılmazlığını anlamış olduklarıdır. Türkiye Müslümandır ama Müslümanlığı farklı şekilde yorumlayan grupların olduğunu unutmamak gerekir.

Laikliğin reçetesi anayasaya konulamaz, zira anayasa metni laiklik üzerine kaleme alınan geniş bir kitap değildir. İslam ve Yahudi dünyasında laiklik ancak uygulamayla, toplumsal uzlaşmayla pratikte giden bir düzen gibi görünmektedir.

Aslında bugün bütün dünyada laiklik kavramı anayasalarda yer alsa da almasa da gidiş ve düzenleme bu yöndedir. Fransa, 1789'un hatta 1889'un sert laikliğini taşımıyor.

İtalya'da 19. asırda ve 20. asırda Katolisizm'in toplumsal hayattaki etkileri o derecede görülmüyor. Dünyada Protestan fundamentalizmi de var ama bunun da etkileri günden güne örtülü-açık gruplar arasındaki toplumsal pazarlıkla değişiyor. Bir kelimenin etrafında çekişmenin çözüm getireceği umulamaz. İnsanların kendi yaşam biçimleri ve eğitimlerini seçme özgürlükleriyle laik düzenin yürümesi sağlanmalı, laiklik anayasa metninde kalmalıdır.

Tartışılan Uygulama: Türkçe Ezan

"Menderes gelmiş Türkçe ezanı kaldırmış" deniliyor. Türkçe ezanın kaldırılması teklifi ilk Halk Partisi'nden gelmiştir. Sonra da CHP eskiye dönüşü desteklemiştir. Ayrıca Türkçe ezan kaldırılmadı, Arapça ezan cezaî takibattan kurtuldu.

İmam Hatip okullarını ve keza İlahiyat Fakültelerini de Halk Partililer başlattı. Başvekil Şemsettin Günaltay İlahiyat Fakültesi'ne cumhuriyetçi laik talebe topluyordu. Bu alanda bir dönüşüm olduysa şayet, CHP'ye rağmen olmamıştır.

Serbest Fırka

Bizzat Atatürk'ün isteğiyle kurulan Serbest Fırka'nın o günlerde yaşaması çok tutarsız olurdu. Çünkü Serbest Fırka'nın içine solcular girdi ama asıl korkutan o değildi. Serbest Fırka'yı istenmez hale getiren içindeki mürteci (!) denen kuvvet oldu. CHP buna dayanamadı, hücumlar arttı ve parti kapatıldı.

Serbest Fırka deneyimi dünya iktisadi buhranını yaşayan bir ülkedeki denemeydi. Türkiye zirai bir ülkeydi, % 85'i köylüydü. Vakıa birçok köy daha pazara açılmamıştı; otantik ve otarşik bir yapı içinde yaşıyorlardı. Karşımızda yorgun bir ülke vardı. Balkan Savaşı, Birinci Dünya Savaşı ve sonrası üstünden geçmiş, işgale uğramış; eli saban tutan köylüsü, balyoz, çekiç tutan nalbandı, mekteblisi cephelerde şehit düşmüş; nüfus problemlerini, salgın hastalıklarını halledememiş Türkiye'de rejim değişikliği ve bir medeniyet değiştirme süreci söz konusuydu; dahası bu durgun iptidai iktisadi sistemi değiştirecek kadrolar yoktu; köylü fakir, uygulanan sistem rahatsız edici ve tüm bu zümreler değişime hazırdı. Solcusu da sağcısı da hayatından memnun değildi, birtakım tüccarlar da kendilerine fırsat verilmediğini söylüyorlardı. Serbest Fırka bugün İslamcı denilen, komünist denilen, liberal geçinmek isteyen kişilerden, iş sahibine, kasaba esnafına kadar herkesi toplayan bir hareket oldu.

Nitekim Fethi Okyar'ın böyle bir hareketi yönetecek bir önder olmadığı da açıktı. Parti büyükleri mürteci (!) akımın kuvvetinden korktu. Mustafa Kemal Paşa'nın hemşiresi Makbule Hanım için dahi "Yalova köylerinde dinci propaganda yapıyor" denildi. Gerçi vilayetlere akıllı adamlar da girmiş değildi. Kitabın ilk sayfalarında bahsettiğimiz Aydın'da Halk Partisi'nde olup, daha sonra Serbest Fırka'ya geçen Adnan Bey (Menderes) bu tip yeni simalardandı. Adnan Bey'e sonradan Atatürk biraz da serzeniş ile ne istediğini sormuş, Adnan Bey'in savunmasına bakmış ki makul bir genç; bir yedek subay, İstiklâl Savaşı gazisi; müteakib seçimde Menderes'i Halk Partisi'nden mebus yapmıştı. Aynı partinin adamları ve haklı söylemleri vardı. Ancak hareket çok büyüdü ve İzmir bugün olduğu gibi o zaman da muhalefet merkeziydi. Halk, Serbest Fırka'yı tutuyordu. Belediye seçimlerinde iyi oy aldılar. İzmir zengin bölgeydi ve Ege'nin merkezi ve Ankara'nın henüz önünde Türkiye'nin ikinci şehri olması sebebiyle bu dönemde oldukça önemliydi. Rejimin tehlikeye gireceği düşüncesi, bilhassa irtica tehlikesi Halk Partisi'ni çok ürküttü. Partinin içindeki belirli çevreler Serbest Fırka'yı kapattırdılar. Kimse de o zamanlarda buna bir önem vermedi. Çünkü dünya demokrasiyi tatil ediyordu, hem de ebediyen...

16 sene sonra demokrasi yine karşımıza geldi. 16 sene çok uzun bir devir değildi. Türkiye öyle uzun süreli despot yönetimlerle, despotizmle yönetilmiş bir ülke değil. Türk aydını kronoloji ve senkronoloji sevmez. Dahası yaptığı mukayeseler toptancıdır. Burası demokratik seçim tarzının bilinen zamanlardan beri çok büyük kopmaya uğramadığı, partileşmenin Batı Avrupa'ya göre geç kaldığı ama çok orijinal olarak kurulduğu bir ülkedir. İttihatçı düşünce, İttihatçı örgütlenme, İttihatçı misyon, yani "şîar" çok orijinaldir, Balkanlar'a dayanır. Burada Sudan'ın eski Ankara büyükelçilerinden Diab'ın Libya'daki bir konuşmasından alıntıyla bitirelim. Diab 1982'de Trablusgarb'ta bir seminerde Libyalılara dedi ki, "uzak Anadolu'daki bir köylü dahi sizin tasavvurunuzdan daha aydınlık ve cesur kafalıdır".

Bitmeyen Tartışma: İstiklâl Mahkemeleri

İstiklâl mahkemeleri bildiğiniz devrim mahkemeleridir. Devrime karşı olanlarla mesele oradan başlamış ve elbette arada çok sert girişimler olmuştur. Mesela Kâzım Karabekir Paşa'yı bile yargılamışlardı ve mahkûm etmek isteyenler vardı. Bu bir sır değil, kendisini İsmet Paşa kurtardı. Çünkü İsmet Paşa, Kâzım Karabekir Paşa ile eskiden tanışıyordu. Bunlar birbirlerini severlerdi. Nitekim sonra Kâzım Karabekir Paşa TBMM reisliğine kadar yükseldi ve o makamda öldü.

Bu mahkemelerde yapılan reformlara, devrimlere, adına ne dersek diyelim, karşı olanlar yargılanmıştır. Ama bu nasıl başladı? Asker kaçaklarıyla. Asker kaçaklarına çok sert davranılıyor, bilhassa böyle savunma döneminde, iş birliği yaptı denene karşı bu gibi mahkemelerde ve yargılamalarda çok sert hükümler veriliyordu. Mesela Maliye Nazırı Cavit Bey için, "Suçsuz" diyorlar ki suikastın içinde değildi. Mehmet Cavit Bey Türkiye mamulatı, parlak bir maliyecidir. Tamamen bu toprağın insanıydı, bir Mülkiyeli idi, dünyaya açık yetişmişti, Düyun-ı Umumiye'de direktördü ve maaşı da çok iyiydi. Cavit Bey Cumhuriyet döneminde bazı sebeplerle Maliye Vekili olamadı. Birisi, hakikaten susmayı ve dilini tutmayı bilen bir politikacı tipi değildi. İkide bir, ada vapuru dâhil her yerde, hükûmet ve tabii ki Ankara'nın ve Paşa'nın aleyhinde konuşuyordu. Böylece çekinilen ve istenmeyen biri oldu. Her düşündüğünü çok açık söylüyordu, partinin içinde "çok küstah" diye tanınırdı. Fakat çok bilgiliydi ve yazdığı iktisat kitabı o devir için Türkiye'de rastlanılan tipte değildir. Ahmet Şuayib'le çıkardığı *Ulûm-ı İktisadiyye ve İçtimaiyye Mecmuası*[108] yüklü muhtevası, keskin gözlem ve değerlendirmeleri olan bir yayın organıdır. Çok sonraki yıllarda dahi öyle bir yayın organına rastlanmaz. İzmir suikastına fikren yakın olduğu, lafla desteklediği gibi söylentiler vardır ama suikastın içinde değildir. Üç Aliler divanının yargılaması usul vs. bakımından vahimdi.[109]

---

108 28 Aralık 1908 yılında yayın hayatına başlayan ve 1911 yılı Nisan ayına kadar 27 sayı olarak yayınlanan, Türkiye'de sosyal bilimler alanında yayınlanmış ilk ciddi, sürekli ve bilimsel yayın. 3 cilt halinde, Prof. Dr. Mehmet Kanar'ın öncülüğünde bir ekibin çalışmasıyla 2015'te Doğu Kitabevi tarafından tekrar neşredilmiştir. Mehmet Kanar, *Ulûm-ı İktisadiyye ve İçtimaiyye Mecmuası*, Doğu Kitabevi, İstanbul, 2015.

109 Üç Aliler; Kılıç Ali, Necip Ali, Kel Ali (Ali Çetinkaya). Çok ilginç bir olay; Cavit Bey'i mahkûm eden mahkeme reisi Kılıç Ali aynı zamanda

İstanbul Darülfünunu (Üniversitesi) Hukuk Fakültesi 3. sınıfında öğrencilerle Müderris (Profesör) Mustafa Reşit Bey'in verdiği Hukuk Muhakemeleri Usulü dersini dinlerken, 15 Aralık 1930.

Türk inkılabının seçimle ve halı üzerinde taşınarak meydana gelmediği açıktır. Uzun bir harbin, direnişin sonunda gerçekleşen bir inkılâbtır. Fakat şurası da bir gerçek ki ne Fransız İhtilâli ne de Rus İhtilali ile mukayese edilebilir. Belirgin bir yerden sonra da bir denge sorunu vardır. Bir rejim yerleşeceği zaman artık cezalandırmaları durdurmak zorundadır. Muhtelif yerlerden örnekler verilebilir: Mesela,

---

çok da usule uymayan bir yargılama usulü takib etti. Cumhuriyet'in havasının nasıl bir eksen etrafında geliştidiği münferit olaylar ve hallerden de anlaşılır. Mehmet Cavit'in oğlu Şîar Yalçın, Kılıç Ali'nin oğlu Altemur Kılıç'la sadece mektep arkadaşı değil, hayat boyu kan kardeşi bir bağlılık içinde yaşadılar.

Mihajloviç Tito'ya karşı olan partizanlardandı, kralcıydı ve Sırpçı idi. Tito'nun kuvvetleri geldiler ve hâkim oldular. Bir süre sonra karşı cezalandırmalar durdurulduğu gibi, Almanlara karşı savaşmış olan Mihajloviç'in taraftarlarına da maaş bağlandı. Franco da bir yerden sonra bu işi durdurdu. Çünkü insanlar baskıdan yılar, sonra korkar ve korktukları zaman ne olacağı belli değildir. Cumhuriyet'i ilan ettik, inkılabları yapıyoruz. Ama ilelebet bir cezalandırmaya gidemezsiniz. Tarih yazmasa insanlar hatırlar. Birçok kişi geliyor, "Benim dedemi İstiklâl Mahkemeleri'nde astılar" diyor? Buna da bakmak lazımdır. Demek ki bazı kalemler abartılı sayılar veriyor.

7

REİS-İ CUMHUR

REİS-İ CUMHUR

Tek Adamlık

DAHA EVVEL DE belirtildiği üzere, Türk milleti tarihinde monarşist olmamıştır ama monarklarını sever. Osmanlı İmparatorluğu da Türklerin imparatorluğudur, bu cumhuriyet de Türklerin cumhuriyetidir. Onu kuran monarkları, başbuğları, mareşalleri unutmayız, biz unutsak bile zaten başkaları menfi veya müspet olarak bu tarihî şahsiyetleri kurcalar. Bu cumhuriyeti kuran kumandanları da unutamayız. Bu vakayı kabul etmek insanın hem tarih yorumunu rahatlatır hem de politikasının ne olacağını daha iyi gösterir.

Cumhuriyetin kuruluşu itibariyle diktatoryanın teorisi yapılmış değildir. Şahıs idare edecek diye bir teori yoktur. Tam aksine cumhuriyetin kurucu kadroları Enver Paşa'dan, İttihat Terakki'nin "triumvira"sından, hatta İttihat Terakki içerisindeki Merkez-i Umumî diktatoryasından çok şikâyet ediyorlardı. Buna da Merkez-i Umumî diktatoryası diyoruz; çünkü İttihat Terakki'nin de iç yapısını ele alırken acımasız olunmamalıdır. Totaliter partilerde bir polit büro olur ve üyelerin sözleri sanki eşit şekilde geçer. Hâlbuki bu böyle değildir; orada bir kişinin sözü geçer. Faşist partilerde bu durum zaten "Duçe" veya "Führer" diye açıkça dile getirilir. İttihat Terakki'de ise Merkez-i Umumî diktatoryası vardır, üç hatta beş kişinin sözü hemen hemen eşit ağırlıkta geçerdi.

Mustafa Kemal demokrasi aldatmasına (!) karşı diktatörlüğü koyan teoriyi benimseyenlerden değildir. İki kere çok parti denemiştir. Tabii bu partiler onun istediği partilerdi. (Atatürk'ün istediği çok partili sistem 1950-60 arasında oldu. Yani aşırı solun pek bulunmadığı ve aşırı sağın yasak olduğu, belirli çizgiler etrafında giden partilerin olduğu birçok parti dönemidir.) Ama bunun bile olamayacağı anlaşıldı. Çünkü birinci denemede İttihatçılar hâkim oldu. Terakkiperver Fırka'ya mürteci denen taife de girdi. İkincisinde asıl solcular girdi. Ama Serbest Fırka denemesinde solculardan çok gene öbür grubun sesi çıktı. Neticede partiyi kurmakla görevlendirilen yakın arkadaşı bile işin nereye gittiğini fark edemedi. Mesela kız kardeşi Makbule Hanım en başında icazetle o tarafa katılmıştır ama kendisini o kadar kaptırmış ki laikliğe karşı propaganda yapıyor. "Kendi kurdurduğumuz ve göz yumduğumuz partiye karşı daha toleranslı davranmamız gerekir" dendiği hâlde Kılıç Ali, Ali Çetinkaya gibi isimler bu partinin arkadaşlardan birine görev olarak verildiği düsturunu ve mutabakatını unutarak alenen saldırıya geçiyorlar, Ali Fethi Bey'i bile hıyanetle suçlamaya başlıyorlardı ve bu da çok yaralayıcı oluyordu.

O, tek parti idaresinin başındaki liderdi. Doğal olarak buna demokrasi denmez. Zaten faaliyette olan başka bir parti yoktu ama 1924 ve 1930'da iki kere bundan dönmeyi denemiştir. İkisinde de çok ciddi muhalefetle de karşı karşıya gelmişti ve muhalefet onun istediği gibi gitmiyordu. Atatürk'ün istediği, muhalefetle belirli asgari düzeyde, belirli noktalarda uzlaşısı olsun idi. Bunu Türkiye'deki muhalefet ancak 1946 demokrasisinde yapabilmişti. Yine aynı kalıp; Halk Partisi'nden ayrılan bir grup, muhalefeti oluşturan grup, rejimin temel prensipleri, temel çizgileri üzerinde iktidar partisi ile uzlaşı içindedir. Bundan dolayı iki parti (CHP ve DP) bilhassa yeni doğan sol partileri çok acımazca harcamışlardı. O asgari müştereki anlamak mümkündür. Öbürleri de hazırlıklı değildi, ne yaptıklarını, ne dediklerini pek bilmiyorlardı. Mürteci dedikleri takımı da saf dışı etmişlerdi. Orada gaddarca değil başarılı ve yumuşak bir iniş vardı. Kimse Stalin Rusyası'ndaki gibi bir mağduriyete uğrayan, kilise takımının benzeri olan zavallı görevlilerden, manastır benzeri zavallı dergâhlardan bahsedemez. Ama bir olaylar ve tedbirler silsilesi de var. Nedir bunlar? Saf dışı ediliyorlar ve bir müddet sonra uzlaşıyorlar. Uzlaştıkları noktalar bellidir; cumhuriyet ve laiklik... Uzlaşıdan sonraysa derecesi üzerinde çatışmaya başlıyorlar, ama o zaten Halk Partisi içinde de öyleydi. 1924 Türkiyesi'nde ve hatta 1930'daki Serbest Fırka deneyiminde iki taraf böyle bir çizgide uzlaşmayı becerememiştir. Onun için muhalif parti kapatılmış, çok parti deneyimi gitmişti. Zaten o dönemde dünyada demokrasilerin ölüm ilâmı çıkartılıyordu ve hava da uygundu.

Mesela Çankaya sofrasında Atatürk, sık sık 1929'dan sonraki uygulamalardan rahatsız olduğunu söylemekte, hatta diktatörlükle bağlantılı ifadeler kullanıyor. "Bu vaziyetten hoşnut değilim, ben de fani bir insanım ve biz cumhuriyeti kendimiz için kurmadık. Ama görüntü bir çeşit diktatörlüktür. Yani oraya dönüşmüştür" demişliği vardır. Hatta Atatürk, İsmet İnönü'nün Recep Peker'e hazırlattığı

Çankaya Köşkü'nün ilk yılları...

bir raporu görünce, "Bu düpedüz İtalya faşizmidir" diyerek sert tepki göstermiştir. İtalyan Faşizmine, Duce'nin açıkça ifade ettiği Türkiye üzerindeki emellerinden dolayı düşman ve müteyakkızdı.

Atatürk'ün kendi döneminde uyguladığı sistem kuvvetler birliğidir. Atatürk, kuvvetli bir adam olduğu için, cumhurbaşkanı olarak her şeye müdahale ediyordu. Ama İsmet Paşa'nın başbakan olduğu bir yerde bilhassa bu tip müdahalelerin pek kolay olmayacağı, müsaade edilmeyeceği de açıktır. İsmet Paşa, işi kendi başına götürüyor ve öyle götürmeye alışıktı.

Tek Parti

Rejim niye tek partiydi? 1930'ların dünyasına bir bakalım; nerede var o çok partili demokrasiler ve nasıl bir şey? Bernard Lewis, Viyana'daki demokrasi forumunda o müstehzi ifadesiyle kurşun gibi bir laf söyledi ve Avrupalı muhatapları hiçbir şey diyemedi; Lewis, "Demokrasi İngilizce konuşan milletlerin rejimidir" dedi. Bakarsanız doğru bir hükümdür. Çünkü Batı Avrupa ne zaman demokrat oldu ve ne dereceye kadar? Hepsi İkinci Dünya Savaşı'ndan sonraki gelişmelerdir. Fransa'nın demokratik yapısı vardı ama o bile kaç kere fire verdi, hem de ağır ölçüde... Lewis böyle bir dünyanın ortasında olup biteni daha doğru değerlendiriyordu.

Atatürk'ün bu çok partili düzene geçiş için yaptığı denemelerle ilgili çeşitli iddialar vardır. Mesela ülkede kimler kendisinin yanında, kimler ona karşı bunu görmek ve karşı olanları tepelemek için yaptığını söyleyenler vardır. Bunlar kim yanımda kim değil, açığa çıksın da göreyim gibi çocuk oyuncağı işler değildir. Bugün sadece İstanbul'da 30 bin polis var, onu da az buluyoruz. O günkü Türkiye'de kaç polis var biliyor musunuz? Genel nüfus 17 milyon ve polis sayısı 9 bin civarındaydı. Bu insanlar bu teşkilatlanmayı daha iyi yaptılar. Bazı deneylerin şakası yoktur. O yüzden bu söylemler kahvehane tabirleridir. İddia edilenler gerçekse onu anlamak için başka yöntemlere başvurulmalıdır.

Hakikaten Batı demokrasilerinin safında görülmek istemiştir. 1924'te Batı demokrasisi dediğimiz çevre nedir? Bütün kıtada, yani bugünkü Avrupa Birliği'nin esas üyelerini oluşturan coğrafyada demokrasi yoktu. Hatta dünyada bir diktatörler devrinden bile söz edebiliriz. Hitler, Stalin, Mussolini gibi...[110]

110 Mesela Rahmetli Uluğ İğdemir'den, Reşat Kaynar'dan ve Afet Hanım'dan duydum. Reşat Kaynar'a nerede duyduğunu sordum. "Park Otel'de" diye cevap verdi. Olabilir, görüşmek ve çalışmak için otel lobilerini çok severdi ve o dönemde aydınlar oralarda görüşme yapardı. Afet Hanım'la Uluğ Bey de Gazi'nin etrafındaydı. Tevfik Bıyık-

Ama sonunda öyle bir rejim ki bunun adı otoriter rejimdir. Totaliter değildir. Dikkat ediniz ki komünist diye içeri giren adam daha sonra o rejimde genel müdür oluyor: Vedat Nedim Tör. Komintern dosyaları arasında Türkiye'den tek layihası olan komünist genel sekreter Vedat Nedim Bey'dir. Ceberut ama aynı zamanda da pederşahi bir devlet modeli vardır ki kültür de oraya oturur. Kademe kademe vatandaşı, kanun ve nizamı farklı olmakla birlikte bütün kıta budur. Demokrasi dediğimiz rejim aslında Anglosakson'dur. Zaten böyle bir gelenekten geldiği için de Avrupa'da bazen ölçüsüzlük ortaya çıkmaktadır. Demokratik uygulamalar getireceğim derken başka zümreler için baskıcı bir ortamın ortaya çıktığı da görülüyor.

En İtirazsız İnkılab: Soyadı Kanunu

"Vatandaş" oluşturmaya yönelik inkılabçılığın içinde "Soyadı Kanunu" vardır. Napolyon Avrupa'yı istila edip prensiplerini oraya yerleştirmeye çalıştığında ve köylülere soyadı almalarını söylediğinde Hollanda ve Alman bölgesinde kır hayatından alınmış soyadları ortaya çıkmıştır. Türkiye'de de o zaman insanlar kendi durumlarını anlatan soyadları almışlardır. Türkiye, aristokratik normların bulunmadığı bir toplumdur. Türkiye'de olmadığı gibi Osmanlı egemenliğinde yaşamış başka ülkelerde de (Bulgaristan, Yunanistan,

lıoğlu Atatürk'e, "Fransız ordusu mu, Alman ordusu mu?" diye sormuş. "Fransız ordusu çünkü ben, Kaiser manevraları sırasında ferikin (korgeneralin) mirlivayı (tuğgenerali) kamçıyla dövdüğünü gördüm. Hâlbuki Picardie manevraları sırasında General Foch, "Ça va mon ami?" (Nasılsın dostum?) diyerek teğmeni selamladı. Bu tip orduyu seviyorum," demiş. Fransız ordusu tam olarak böyle miydi? Gördüğü oydu, daha doğrusu kumandanın verdiği mesaj böyle ifade edilmişti.

Makedonya, vb.) olmamıştır. Fakat bazı uzak Balkan ve Arap ülkelerinde yerli hanedanlar kalmıştır. Osmanlı toplumunda paşa devşirilmiş bir kişidir. Padişah damadı da olsa onun çocukları işlerini bilmezlerse servetlerini, mevkilerini kaybedebilirler. Oysa mesela Rusya'da öyle değildir. Ailesinden aldığı unvanla aristokratik hayatı sürdürebilir ve devletten belirli ölçüde himaye görürdü. Osmanlı'da seçkinlik iktidar sahibi olmaya bağlıydı ve aristokratik bir yapı yoktu. O yüzden vatandaşlığa geçişte hiçbir zaman ciddi bir çatışma olmamıştır. Aristokratik tabakaya karşı bir "vatandaşlık" yaratılmamıştır. Türkiye en az *titulature* (elkab) kullanılan bir ülkedir. Bu nedenle Soyadı Kanunu en az itirazsız kabul edilen reformdur. 1970'lerden sonra "sayın"a ilave olarak bürokratik unvanlar çok kullanılmaya başladı. Nasıl bir bürokratik ihtiyaç olduğu ise herkesin malumudur.

Soyadı kanunu konusunda kasabalarda nüfus memurları günün diktatörü kesildi. İnsanlara soyadı telkin ettiler, seçilen soyadlarını da beğenmediler veya "zaten var" dediler. Kanun ve bu anlamdaki tüzükleri okuyacak kabiliyetleri de yoktu. Hatta bazı soyadlarını yanlış yazdılar, bunlar sonradan davalara sebep teşkil etti. Demokrasinin bilhassa taşrada yerleşmemiş olması bir problem yarattı. Buna karşılık her an istediği soyadını alan veya bunu değiştiren kasaba eşrafı da doğrudan doğruya bir edebiyat nüktesi olacak dereceye gelmiştir.[111]

---

111 İlk anda kasaba nüfusu memurları "alındı" sözüyle herkesin soyadı babası oldular. Yaşar Kemal'in ünlü *Demirciler Çarşısı Cinayeti-Akçasazın Ağaları* romanında olduğu gibi, nüfus memurları üzerinde baskı kurup soyadını değiştiren eşraf görüldü. Nadiren de olsa bazı aileler isimlerinin sonunda "zade" ekini tuttular. Lakin genelde bu ek terk edildi. Türkiye'de soyadları üzerinde ciddi bir onomastik çalışma yoktur. Yaşar Kemal, *Demirciler Çarşısı Cinayet-Akçasazın Ağaları*, Yapı Kredi Yayınları, İstanbul, 2017.

Atatürk arkadaşlarına soyadı verdi. Bunlar askerlerin çoğu zaman yaptıkları muharebeler ve kazandıkları başarıyla ilgiliydi. Hatta Perihan Arıburnu'nun babası dolayısıyla damadına da bu soyadı telkin edildi, o da bunu kabul etti. Arıburnu kahramanı olan şehidin adı bütün aileye kaldı. İnönü'nün ve diğerlerinin soyadını o seçti. Atatürk soyadının üzerinde de onun için anlaştılar ve bu soyad sadece kendisine mahsustur. Hiçbir akrabasına, kız kardeşine dahi verilmemiştir.

Tarih ilmi açısından, Çanakkale zaferinden sonra, yani tuğgenerallik aldığı döneme kadar, binbaşı, yarbay ve albayken adı Mustafa Kemal Bey'dir; ondan sonra Mustafa Kemal Paşa olur. Büyük Millet Meclisi'nin kendisine Sakarya Zaferi'nden sonra kendisini taltif ettiği "Gazi" unvanı ve müşirlikle birlikte Gazi Mustafa Kemal Paşa olur ve soyadı kanununa kadar böyle bahsetmeniz icab edebilir. Atatürk ise soyadından sonra verdiğimiz sivil adıdır. İsteyen hep Atatürk der, konuşurken de kolayımıza gelir. Ama ben biraz tarihçi alışkanlığımdan dolayı, yeri geldiğinde "Gazi Mustafa Kemal Paşa" unvanını kullanıyorum.

Evet, "paşa" geleneksel bir unvandır. Kendisi "general" hitabını istemiş, fakat "paşam" dedikleri zaman da hiç itiraz etmemiştir ki anane de budur.

Balkan Antantı ve Sadabat Paktı

Balkan Paktı Türkiye tarihinde yeni bir olay değildi. II. Abdülhamid 1878'den sonra Balkan devletleriyle ayrı ayrı yakınlaşarak bir nevi Balkan birliğini önleme çabasındaydı. Bu bir pakt değildi, daha doğrusu bir paktı önlemek ve Türk imparatorluğunun Balkanlar'da kontrolünü sağlamak amacını gütmekteydi.

Yapılacak hareketlerin ve izlenecek yolun içerisinde en başta Yunanistan, Bulgaristan ve Sırbistan üçlüsüyle ilişkiler gelmektedir. İlginç bir şey, bilhassa Nicolae Titulescu gibi Rumen Hariciye Nazırı sayesinde Romanya ile ilişkiler iyi bir şekilde kurulmuştu. Bu en azından Antonescu'nun darbesinden önceki dönem için böyledir.

Yunanistan'a gelince Venizelos'la olan barış çabaları, ki bilhassa mübadele olayıyla başlamıştır, Metaksas iktidarı alana kadar da devam edecektir. Ne var ki Türkiye'nin büyük alerji duyduğu İtalya ile temasa geçmeme ve onu işe katmama prensibi Venizelos tarafından ihlal edildi ve Venizelos Roma'ya gitti.

Diğer Balkan devleti Bulgaristan'ın da buradaki durumu önemlidir. Maalesef Bulgaristan'ın Sırbistan ile olan Makedonya problemi ve Romanya ile Dobruca meselesi ve yine Yunanistan'la olan ebedî çekişmesi onun Balkan Paktı'na aktif olarak katılmasını önledi.

Atatürk, Ahmet Zog'la iyi ilişkiler kurmuştu, cumhurbaşkanıyken bu böyleydi. Krallığını ilan edince ön planda bunu bir cumhuriyetçinin cumhuriyetçilik ilkesine ihaneti olarak gördü. Fakat daha önemlisi, Arnavutluk ısrarla ve kendi açısından haklı olarak Balkanlı komşularına karşı şüphe içerisindeydi, bir ittifaka giremezdi. Venizelos politikasını daha beter bir şekilde yaşadı. Arnavutluk ister istemez gittikçe İtalya nüfuzuna girdi. Bu durum sonunda Ahmet Zog'un tahtını kaybetmesine bile neden olmuştu.

Her hâlükârda Balkan birliğinin ve paktının romantik tarafları da vardır. Yunanistan tarafının milletvekilleri tıpkı Türk milletvekilleri gibi birinci mevkide bedava seyahat ediyorlar, millî bayramlara mutlaka çok dikkat ediliyordu ve hiç şüphesiz ki her iki ülkedeki azınlıkların kendi açılarından daha rahat hareket edebildikleri, entegre oldukları bir dönemdir. Patrikhanenin Türk Ortodoks karakteri meselesi daha önceden bitmişti. Burada çok anlaşılamayacak bir şey, Hüseyin Cahit Yalçın'ın Papa Eftim'in Patrikhane hâkimiyetine çok karşı çıkışıdır. Şurası da bir gerçek ki 1930'larda Patrikhane meselesi klasik şekliyle, yani bugünkü yapısıyla bir statüye oturtulmuştur.

Venizelos 1930'da şöyle bir nutuk atmıştır: "Beni suçlayanlar Yunan ordusunun burada kurban olduğunun unutulduğunu ve Ankara'ya seyahat yaptığımı söylüyorlar. Anadolu yaylası, şu anda gezdiğim yer, bir harb alanıydı ve hâlâ izlerini taşıyor. Niçin ama bunu unutmayalım, Türkler unutmuş ve bizimle iş birliği yapıyorlarsa?"[112]

1 Kasım 1930'da bu pakt mecliste resmen açıklanmıştır ve 13 Ocak 1934'te de Maximos Roma'yı ziyaret ettiğinde bunun Mussolini'ye karşı bir pakt olmadığını söylemiştir. Kral Alexander'ın nezdindeki Belgrad'daki Türk sefiri de Yunanistan'ın bu yakınlaşmasından Kral'ın endişe duyduğunu söylemiştir ki Türkiye de buna katılmaktaydı.

Şüphesiz bu gelişmeler içinde Balkan Paktı'nı Sadabat Paktı'yla bir arada düşünmek gerekir. İran ve Türkiye'nin tarihindeki en önemli yakınlaşma dönemidir ve belirgin ürünler ortaya çıkmıştır. Ön planda da, yukarıda da değindiğimiz gibi, kültürel ürünleri görüyoruz.

---

112 İlber Ortaylı, "Der Balkanpakt in der auBenpolitischen Konzeption Kemal Atatürks", *Friedenssicherung in Südosteuropa, Föderationsprojekte und Allianzen seit dem Beginn der nationalen Eigenstaatlichkeit*, Herausgegeben von Mathias Bernath und Karl Nehring, Hieronymus Verlag, Münih, 1985, s. 157.

Bu dönemdeki paktlar Sovyet Rusya'ya karşı değildi, 1933'te katiyyen Almanya'yı rahatsız etmesi de istenmeyecektir. Ama İngiltere ve Fransa ile de yakınlaşma devam edecektir. Tek hedef Yugoslavya'nın ve Türkiye'nin ortak olarak nefret ettiği Mussolini İtalyası'dır. Öte yandan Venizolos'un İtalya ile yakınlaşmasına da ses çıkarılmadı. Bu galiba İkinci Dünya Savaşı'ndan evvel sanayii zayıf, ordusunu silahlandırmakta geri kalan bir memleket için yapılacak en başarılı bürokratik ve diplomatik çözümdü. Yeni Türkiye İttihatçı dönemin aksine diplomasiye çok önem vermekte ve başarılı olarak kullanmaktaydı.

1930'lu yıllarda totalitaryanizmin yayıldığı bir dünya içerisinde, Kemalist Türkiye, başarısız bir Serbest Fırka denemesinden sonra her ne kadar çok partili rejime bir süre için veda etmek zorunluluğunu hissetmişse de iç politika ve toplum hayatının örgütlenmesinde, daha çok otoriter rejimin kalıplarına sadık kalmıştır. Dış politikada ise Türkiye, Nazi Almanya ve Faşist İtalya'nın nüfuzundan şiddetle kaçındığı gibi, büyük devletlerle ittifak ve dostluk yerine, Balkan ve Orta Doğu ülkeleri arasındaki ittifaklar sistemine ağırlık vermekte, bunu barışın ve bağımsız dış politikanın gereği olarak görmektedir. 1933 Ekim-Kasım aylarında Balkan devletlerinin hükûmet temsilcileri arka arkaya Ankara'ya gelmektedir.

Nihayet sonuçta 9 Şubat 1934'te Yunanistan, Romanya ve Yugoslavya, Türkiye ile birlikte Balkan Antantı'nı imzaladılar. Paktın başını çeken Türkiye, Dobruca, Makedonya gibi çetrefil noktalar yüzünden Bulgaristan ve Arnavutluk'u pakta sokamamıştı. Bu iki devlet, toprak istekleri ve önemli ölçüde de İtalya ve Almanya'nın nüfuzu yüzünden

Harp Akademisi Komutanlığı tarafından düzenlenen manevrada uçakları izlerken, Mayıs 1936.

paktın dışında kaldılar ve her iki ülkede de Faşist İtalya ve Nazi Almanyası'nın etkisi gittikçe kuvvetlendi. Aynı dönemde Türkiye'nin Sovyetler ile de dostane ilişkileri devam etmekteydi. Ankara Hükûmeti, Voroşilov'un Türkiye ziyaretine büyük özen göstermiştir. Ama bu, Türkiye'nin rejim bakımından Sovyetler Birliği'ne yakınlık gösterdiği anlamına gelmez. Örgütlü bir solun bu dönemde faaliyet göstermesi düşünülemezdi.

Balkan Antantı yanında Orta Doğu ülkeleriyle de Sadabat Paktı imzalanarak geniş bir bölgesel ittifaka gidilmiştir. Büyük devletlere karşı bölgesel ittifak sistemine gitmek Kemalist Türkiye'nin dış politikadaki başarısıdır. Bu özgün yol, iki büyük harbden sonra Tito ve Nehru gibi liderler tarafından, daha geniş alanda izlenecek ve kolonyalizmden kurtulan ülkelerin ekseriyeti teşkil ettiği bir tarafsız Üçüncü Dünya bloku ortaya çıkacaktır. 1930'larda Türkiye kolonyalizmleri dolayısıyla nefret uyandıran İngiltere ve Fransa, faşist ve totaliter saldırganlığı temsil eden İtalya ve

Almanya'nın ve Balkan ülkelerinin pek de sempati duymadığı Sovyetler Birliği gibi büyük devletlerin dışında yeni bir güç yaratma çabasındaydı.

1930'larda Balkanlar'daki Rejimler ve Kemalist Türkiye

Bulgaristan için Neuilly hükümleri[113] tıpkı Türkiye için Sevr neyse o ölçüdeydi. Ordu terhis edilmiş, silahlar toplanmıştı. Bulgaristan, İtilaf Devletleri'ne karşı hiçbir ittifaka giremeyecekti. Buna rağmen Millî Mücadele'de Stambuliski gayr-ı resmî olarak Mustafa Kemal'i desteklemişti. Trakya ordusu bozguna uğrayınca onlara iltica edildi, Bulgar ordusunun silahları Türkiye'ye gönderildi. Stambuliski, Sevr'in hükümlerinin iptal edildiği gün Neuily'nin de iptal edilmesini arzuladıklarını söylemişti. Bulgaristan'da kurulan rejim, topraksız köylüler ve tarım işçilerine dayalı bir rejimdi ama 1923 sonlarında Profesör Tsankov, Harbiye Nazırı ve ordunun bir grubu ile darbe yaparak Stambuliski'yi katletti. Komünist Partisi de aynı akıbete uğradı. (O tarihe kadar 20 milletvekili ile temsil ediliyordu.) O halde görülüyor ki, ilk elde faşizan bir rejim yerleşmekteydi. Bununla birlikte bu rejimin güçsüz tarafları da vardı. O yılların gazetelerinde Bulgaristan'da solcuların yaygınlaştığı, talebelerin gösteriler yaptıkları gibi haberler görülebilir. Bu Doğu Avrupa ve Balkan rejimleri hiçbir zaman Almanlarınki gibi sert, bükülmez rejimler olarak görülmemelidir. Toplumlarda belli ölçüde gizli gizli de

113 Bulgaristan, Cihan Harbi'ne İttifak Devletleri grubunda katıldı ve yenildi. Savaş sonrası Paris Barış Konferansı'nda bir araya gelen galip devletler Bulgaristan ile Neuilly Barış Antlaşması'nı 27 Kasım 1919'da imzaladılar.

olsa belirgin bir sol faaliyet vardır, sol protesto, toplanma ve gösteriler söz konusudur.

Romanya'da 1930'larda Yorga'nın Çiftçi Hükûmeti, Antonescu liderliğindeki Lejyonerler denen faşizan subaylar tarafından devrildi. Bulgaristan ve Romanya'da Çar ve Kral darbelere karşı seslerini çıkarmadılar. Romanya da giderek Alman Nazizminin boyunduruğuna girdi, çünkü önce kendine en yakın cephe o idi. Ayrıca Horthy Almanlarla anlaşarak Romanya'dan Transilvanya'yı, Bulgaristan da yine Almanya ile anlaşarak Dobruca'yı alacaklarını hesaplamış ve buna engel olmak için Almanlara yanaşmışlardı.

Arnavutluk'ta Ahmet Zog cumhurbaşkanı iken 1924'te kraliyetini ilan etti. Bu, Arnavutluk ile Türkiye'nin iyi ilişkilerini soğuttu. Elçiler bir süre karşılıklı geri çekildi. Sonra Atatürk ilişkileri tekrar başlattı ama Arnavutluk elçisi Ruşen Eşref'i, İtalyan faşizmine sempatizan gözükecek hiçbir davranış ve sözde bulunmaması talimatı ile gönderdi.[114] Çünkü bu yıllarda Arnavutluk'ta tamamen İtalyan nüfuzu vardı.

Yunanistan'da Venizelos kralcıları yok edip cumhuriyeti ilan ettikten sonra, bu rejim bildiğimiz darbeci bir kumandan tarafından (Metaksas) yok edildi ve kral geri çağrıldı. Bu dönemde Yunanistan'da, Balkanlar'da görülmeyen bir şekilde, bir komünist avı yaşandı. Bu büyük bir devlet terörü dönemidir. Metaksas Almanya ve İtalya'ya meyleden bir adam

114 Bilal N. Şimşir, "Atatürk'ten Elçi Ruşen Eşref Ünaydın'a Yönerge (Türk-Arnavut İlişkileri Üzerine)", *Prof. Dr. Ahmet Şükrü Esmer'e Armağan*, Ankara, 1981, s. 299-316. Yakın dönemlerde Falih Rıfkı'nın hatıralarını yazdığı kitapta (*Moskova-Roma*, Muallim Ahmet Halit Kitaphanesi, 1932) hem Moskova hem de Roma'yı örgüt olarak methetmesinin ulu önderi pek cezbedeceği düşünülmez. Şüphesiz bu konuda Falih Rıfkı ile açıkça çatışmaya ve tedibe yöneldiği de duyulmadı.

oldu. Ama İkinci Dünya Savaşı bünyeyi değiştirdi ve Yunanistan Mihver Devletleri değil, Müttefikler safında yer aldı.

Yugoslavya'nın adı o zaman Sırp-Sloven-Hırvat Krallığı idi. 1920'lerde adı Yugoslavya Krallığı'na çevrilmek istendi. Federalizme karşı çarpışan milliyetçiler isyan ettiler. Bu arada Karadağlı Raçiç tarafından parlamentoda Radiç adlı bir Hırvat milliyetçi mebus kurşunlandı. Bundan sonra çıkacak karışıklıkları yatıştırmak için ordu kral adına idareye el koydu ve böylece ülkede parlamento yaşamı sona erdi.

Tedricen bütün Balkanlar'da demokrasinin bittiği, bölgenin büyük devletlerin sultasına girdiği, tek parti ve tek şefin ortaya çıktığı bir dönem başlamıştır. Aynı dönemde Türkiye Cumhuriyeti tek partiden çok partiye geçmeyi iki kere denemektedir. Şu kadarı bilinmelidir ki, iki harb arasında demokrasinin ve demokratik, liberal zihniyetin iflas ettiği bir dünyada Türkiye'nin demokrasiye geçişi planlaması, demokrasiyi hayat tarzı olarak seçmesi (1924 Anayasası buna mümasildir) ve demokrasiyi toplumsal gelişmenin ve düzenin ana hedefi olarak takdim etmesi tarihî bakımdan önemli bir olaydır. İki harb arası Türkiye tarihi, bütün Türkiye tarihinin iftihar edeceği bir dönemdir. Her şeyden önce 1920'lerden sonra Türkiye'nin içinde bulunduğu dünya atmosferini kavramak gerekir.

Almanya'da Weimar Cumhuriyeti savaştaki yenilgi üzerine 1919'da Friedrich Ebert'in başını çektiği sosyal demokratlarca kurulmuş, fakat anayasal sistem olarak Alman İmparatorluğu sistemini Cumhuriyet'e uygulayarak otoritaryanizmi devam ettirmiştir. İşsizlik ve enflasyonun yıktığı Almanya galip devletlerin baskısı, talep ettikleri tazminat, toprak ilhakı ve işgal ile bunalmıştır. 1920'lerin sonunda komünistler, sosyal demokratlar ve Naziler çatışma içindeydi. 1920'lerde zayıf olan Nazi Partisi, 1930'larda ani bir güçlenme göstermişti. Alman Komünist Partisi iki harb arasında Avrupa'nın en güçlü komünist partisiydi. Ancak tarihî kişiliği olmayan bir lider kadrosu ve Komintern'in verdiği yanlış taktikle kendini kitlelerden uzaklaştırıp Nazizm ve Prusya otoritaryanizmi karşısında izole etti. Sosyal demokratlar inatçı ve taviz vermez tutumlarıyla, Alman komünistleri ile demokratik cephe kurma konusunda olumsuz davrandılar. Oysa Naziler muhafazakâr partilere karşı tavizkâr davrandılar ve ittifak kurabildiler. 1933'te Nazi Partisi seçimle iktidara geldi.

Alman proletaryası kalabalıktı ama İngiltere ve Fransa'nın, hatta İtalya'nın tersine sadece büyük metropollerde toplanmamıştı. Sendikacılık hareketi Batı Avrupa'nın diğer ülkelerindeki gibi radikal ve mücadeleci bir geleneğe dayanmıyordu. Kasaba proletaryası niteliğine sahip Alman işçi sınıfı, Nazi Partisi'nin propaganda ve örgütlendirme faaliyeti karşısında erimeye başladı. Propaganda ve örgütlendirme, terör ve sindirmelerine göre sempati toplayacak sloganlar, her sınıf ve zümreye karşı ayrı ayrı vaatler Nazileri güçlendirdi. Tarihi geçiş dönemlerinde ülkelerin kaderini, tarihin genel kuralları değil, bu gibi mekanizmalar tayin eder. Komünist Partisi ve sosyal demokratların sekter davranışı yanında, merkezci partiler ve liberallerin de İngiliz muhafazakârlar ve liberalleri gibi olmayıp, Nazizm ve otoritaryanizme yatkın olduğunu hatırlarsak, 1930'lar Almanyası'nın nereye gittiği anlaşılır.

Alman Nazizmi ırkçıdır ve jenositle suçlanacaktır. Bu son derece örgütlü bir toplumda ortaya çıkmıştır. Nazizm günün her saati insanları kontrol edebilecek bir mekanizmanın, bir örgütlü toplumun başına geçmiştir. İtalyan faşizmi bu nedenlerle Nazizm'e nazaran daha insanî bir hata olarak kabul edilmelidir. Mussolini Roma'ya bir faşist yürüyüşü yaparak ve darbeyle iş başına geçmişti. İlk anda geçmiş iktidar döneminin birikimini kullanarak zirai, sınai alanlarda ve ulaştırmada bazı başarılar sağlandı. Bu tedbirlerle geniş bir kitleyi yanına aldı, ama İtalya'da faşizm hiçbir zaman Nazizm derecesinde şiddetli ve kalıcı bir etki sağlayamayacaktı.

Faşizm ve Nazizm'in beraberliği aslında harb başladıktan sonra ortaya çıkan bir şeydir. Harbden evvel bu ikisi henüz birbirine rakip iki sistemdir (mesela Avusturya'daki darbede Dolfussçular Nazizm'e karşı Mussolini tarafı ile birleşiyorlardı). Bu dönemde Orta Avrupa'da Mussolini henüz daha insani olarak mütalaa ediliyordu. 1940'da birlik gerçekleşmiştir.

Bu arada 1936'da İspanya İç Savaşı'nda Cumhuriyetçileri Sovyet Rusya yanında demokratik ülkeler, Franco'yu da İtalya ve Almanya desteklemişlerdir. Türkiye'nin tavrı açık değildir. Cumhuriyetçilerin yanında savaşan bir gönüllü birlik vardı. Cumhuriyetçilerle silah ticareti yapanlar vardı. Franco'ya resmi ve gayr-ı resmi grup ve heyet yollamışlardı.[115]

Gazi Paşa İstanbul'a Küsmüş müydü?

İstanbul muhalefetin de kültürün de merkeziydi; tirajları düşük olsa da (ancak birkaç bin) epeyce gazete ve okur kitlesi vardı. Türkler henüz gazeteyi okumaktan çok, okunanı dinliyordu. İstanbul, romantik devrimizde, zor devrimizde,

115 Atatürk İspanya'daki karışıklıklar sırasında Cumhuriyetçilerin baskısına dayanamayarak Madrid'den kaçan Kral'la birlikte şehri terk eden kralcı diplomatlar kervanına katılan elçi Yahya Kemal'i fena halde azarladı ve görevden çekti. Atatürk'e göre Cumhuriyetçi bir sefirin cumhuriyetçilerin gelişini Madrid'de beklemesi gerekiyordu.

yani Anadolu'daki Meclis Hükûmeti zamanında ve sonra da Ankaradakilerin hoşlanacağı bir muhit değildi. Bizim muhalefet diye bildiğimiz kadar bilmediğimiz çevreler de var. Onun için Gazi ve etrafı çok hoşlanmıyor ama o İstanbul yine de vazgeçilmez bir sevgilidir. Atatürk uzun bir müddet uğramamıştır. Ne zaman İstanbul'a geldiği belli değil mi? O vakte kadar vapur gezisi oluyor, kıyılara uğramıyor... Samsun'dan çıkmış, geceleyin Boğaz'dan geçiyor, Çanakkale'ye gidiyor, şehirde durmuyor, herhalde uzaktan bakıyor. Hatta belki ay ışığı altında geçiyor, gidiyor. Ama sonrasında, tabiri caizse İstanbul ile barışıyor.

1 Temmuz 1927 günü Gazi Mustafa Kemal Paşa İstanbul'a döndü. Haydarpaşa'da muhteşem bir karşılama yapıldı. Burada vilayet ve hükûmetin tertibinden çok halkın kendi katılımı rol oynadı. Karşılayıcılar, bilhassa hanımlar, modern giyinenler ön cepheye çıkmışlardı. O günden bugüne kalan hatıra, Şişli semtini bir boydan bir boya kat eden Halâskârgazi caddesidir. Atatürk şehri 15 Mayıs 1919'da, Karadeniz bölgesine Fevkalade Ordu Müfettişi olarak tayinle giderken bırakmıştı. O günden 1 Temmuz 1927 gününe kadar terk ettiği şehre gelmedi. Gazi Mustafa Kemal Paşa bu şehirde görünmemeyi tercih etmiştir. Onun için zafer ve zafer yürüyüşünün yeri İzmir'di.

İstanbul'un kurtarıcıda hoşnutsuzluk yaratan tarafları vardı. Muhalefet basınla el ele veya geçici ittifak halinde çalışıyordu. Takrir-i Sükûn kanununa kadar bu üslûbları devam etti. Gazete, patronun elinde bağımsız bir dünyaydı. Bir bakıma sansüre gönüllü giren bir iletişim dünyasından daha çok basına benzedikleri açıktır. Bu muhaliflerin içinde Mustafa Kemal Paşa'nın canını en çok sıkanlar İttihat

Yıllar sonra Gazi Mustafa Kemal Paşa İstanbul'a gelir ve coşkulu bir şekilde karşılanır, 1 Temmuz 1927.

ve Terakki mensublarıydı. Hatta bunların içinde Hüseyin Cahit Yalçın gibi Enver ve Talat'a karşı cephe alan, onları tenkit eden biri de vardı. İstiklâl Mahkemeleri'nden bazı İttihatçılar da geçti. Sadece İzmir suikastı davasında yargılanıp idam edilenler değil, bir şekilde hayatın dışına çıkarılanlar da oldu. Gazi Paşa'nın yeni grubunda ve partisinde müzmin İttihatçı faktörünü aramak biraz gayretkeşliktir.

Mesela Celal Bayar ileriki hayatında İttihatçı olduğunu söylerdi. "Benim Partim Demokrat Parti (DP) ama ben İttihatçıyım" gayet açık bir ifadedir. Talat Paşa'dan da "şefim" diye bahsederdi. Ancak sadakatini yönelttiği lider Gazi Paşa'ydı. Hayatında kayda geçen sözü "Atatürk'ü sevmek, her Türk vatanperveri için milli bir ibadettir" olmuştur.[116]

---

116 Celal Bayar, *Ben De Yazdım-Milli Mücadele'ye Gidiş*, (8 Cilt), Bahar Matbaası, İstanbul, 1972.

İstanbul'un başına yeni bir idare geldi. Sadaret ve Hariciye Nezareti binası İstanbul vilayeti haline getirildi. İlk vali aynı zamanda belediye reisliği görevini de yerine getiriyordu. 1925'ten sonra Üsküdar birkaç yıl için ayrı bir vilayet gibi teşkilatlandı tabii ki bu pratik değildi. Osmanlı vilayetleri 1864'ten beri meclis-i idarelere sahiplerdi. İstanbul'da ise 16 Aralık 1924'ten itibaren böyle bir yapılanmaya girilmiş gibi görünüyor fakat bu yürümedi. Şehrin içinde Patrikhane, Papa Eftimcilere karşı yerli Rumların kazanımıyla ele geçirildi. Bunda Hüseyin Cahit Yalçın'ın gazetesi *Tanin*'de Papa Eftim'e karşı açtığı mücadelenin de rolü olmuştur. Takrir-i Sükûn kanunu henüz gelmemişti. 1924 yılına ait *Vakit* gazetesinde şehrin vali ve belediye reisi bir eşekle mukayese ediliyordu. Bunlar muhalefetin kibarlığın dışına çıkan, ölçüsüz üslûb ve davranışlarıydı. 13 Haziran 1924'te ilk vali ve belediye başkanı Dr. Emin Bey'di. Kendisinin faaliyetleri hiçbir şekilde Genç Türkler, hatta Mütareke dönemindeki belediye başkanı Topuzlu Cemil Paşa'yla mukayese edilemeyecek kadar cılız kalmıştır.

Bununla birlikte şehre Rusya'dan kaçan mültecilerin getirdiği deniz banyoları, kafeşantan, restoran gibi yenilikler, milletlerarası gezi turlarının uğraması İstanbul'da cazip hayatı devam ettiriyordu. Henüz Ankara'da Darülfünun yoktu. O halde memlekette Darülfünun'un bulunduğu tek müessese de üstelik Teknik Üniversite'nin başlangıcı sayılan Mühendis Mektebi'yle birlikte İstanbul Üniversitesi'ydi. 1933 Darülfünun inkılabıyla şehirde Alman profesörler de görüldü. Bunlar kaderin garip cilvesi Hitler Almanyası'nın yeni Türk üniversitesine iteleDiği kuvvetlerdi. Şehrin bir semtinde, Kadıköy'deki Mühürdar'da oturan Alman profesörler sabah saat 08:00 vapurunu kullanırlardı. Bunun adı "Alman vapuru" olmuştu. Zamanla, 1930'larda Ankara'ya da gelmeye başladılar. Burada akademik hayatta birdenbire rekabet ve canlanma yaşandığını söylemeye gerek bile yoktur. Hititolojinin babalarından Sedat Alp'in hatıratını okursak, profesör Hans Gustav Güterbock'la olan nazik çekişmeyi görürsünüz.[117]

Maarif Vekili Vasıf Bey (Çınar) 7 Nisan 1924'te 30 Fransız ve İtalyan okulunu kapamıştır. Bu, nüfusunun ne de olsa yarıyı biraz aşan bir kısmının Müslüman ve Türk olduğu bir şehir için hiç şüphesiz ki kabarık bir rakamdı. Çok açıktır ki İstanbul halkı hangi dilden olursa olsun Fransız ve İtalyan mekteplerinde okumaktan zevk alıyordu. Bir husus daha var; bu şehir henüz ebedî kozmopolitizmini devam ettiriyordu. 1960'lara kadar da bu böyle devam edecektir. 1960'larda nüfus patlamasıyla birlikte Doğulu ve Karadenizli nüfus İstanbul halkının önemli bir kısmını meydana getirecek ve bir değişiklik başlayacaktır. Henüz operetler ve tiyatrolar İstanbul'daydı. Ankara'da bu işi teşkilatlandırmakta 1930'ların sonunu, hatta 1940'ları buldu. Ama Türk devlet tiyatro, opera ve balesi de başkentte teşekkül ederek büyümeye başladı ve İstanbul bu konuda geride kaldı. Türkiye Batı müziğini 1930'larda tanımış değildir. Hatta padişahlar, subay ve bazı memurlardan pekâlâ Garb tarzı nitelikli bestekârlar olanlar vardı. Son Halife Abdülmecid Efendi "Elegie" ile musiki dünyasına çıkmıştı. Babası Sultan Abdülaziz'in valsleri ve marşları vardır ve Avrupa gezisinde bu eserleri karşılama törenleri ve balolarda icra edildi. Ama konservatuar,

117 Sedat Alp, *Hitit Güneşi*, Tübitak Yayınları, Ankara, 2003; *Hitit Çağında Anadolu*, Tübitak Yayınları, Ankara, 2001.

Mustafa Kemal Paşa İstanbul Boğazı'nda yat gezintisinde, Haziran 1928.

opera kurmak, filarmoni orkestraları teşkil etmek Kemalist Cumhuriyet'in faaliyetidir. Bugün Türk sanatçılar dünyanın her yerinde opera sahnelerine çıkıyor, orkestralarda çalıyor, elektronik musikide bilinen Bülent Arel bestekârlar var. Tiyatro yaygın ve sahnede çilesi çekilen, seyirciler tarafından takdir edilen bir sanat dalı oldu. İstanbul'un uzun zaman bir filarmoni orkestrası da yoktu. Bu reis-i cumhurun filarmoni orkestrası olarak Ankara'da hayatına devam edecektir. İstanbul'da ise şehrin içinde çok enteresan bir şekilde değişik okullar vardı. Türk'ün yanında Amerikan, İngiliz, Fransız, Alman, Avusturya liseleri, İtalyan mektepleri, hatta İran okulu, Bulgar mektebi, Yahudi Alliance okulları, tabii ki

Rum ve Ermeni okulları vardı. Bunlar 1960'lardan sonra tedricen İstanbul hayatından çekilen yerlerdi. Gazi Mustafa Kemal Paşa'nın 1927 yılında şehre dönmesinden sonra, İstanbul âdeta Türkiye'nin yazlık başkenti oldu ve Dolmabahçe de devlet riyaseti için fonksiyonlarına devam etti. Hatta bu Türk Dil Kurumu, Türk Tarih Kurumu ve bazı akademik kurumların toplantılarına ev sahipliği yapmak gibi bir fonksiyonu da yüklendi.

Cumhurbaşkanı İstanbul'a gelmeden önce yurt gezilerine başladı. Demir yolunun ulaştığı her yere uzandı ve bütün kıyılardan geçti. Bu dönemde İzmir en sevdiği şehirdi. Arkeolojik merkezleri bile ziyaret etti. Fabrika ve okul açılışları programa dâhildi. Anadolu ondan sonraki dönemde bakanları bile bazen o kadar sık görmemiştir. Bu geziler herhalde memleketteki değişikliği merak eden bir yönetici için en önemli kıstası teşkil ediyor. Çünkü istatistik denen sanatın ve bilimin bu dönemde ne kadar etkin kullanıldığını henüz bilemiyoruz.

Gazi Paşa'nın Çankaya Sofraları ve Sağlık Sorunu

Çankaya sofraları üzerindeki okumaları önemsemiyorum. Çünkü 15 sene cumhurbaşkanlığı var, 15 senenin içinde kim bilir kaç kere toplanılıyor, yeniliyor, içiliyor, konuşuluyor? Yediği yemek miktarı ve çeşidi de mütevazı hatta fakirdi. Bir yemek listesi, bir menü var, ama o menüye ne kadar uyduğu, o yemeklerden ne kadar yediği su götürür.

Hatta belki de en büyük sorun şu: Cumhurbaşkanımız, Mustafa Kemal gençliğinden beri doktor muayenesini sevmiyordu. Maiyetinde güvendiği bir hekim vardı. Refik Saydam doktoruydu, aynı zamanda karargâhının da üyesiydi ve askerî doktordu. Birinci Dünya Savaşı'ndan evvel mevcut orduların devamlı karargâhta vakit geçirmeyenleri dışında, çoğunluğu kronik dertlerden muzdaribdi. En başta böbrek hastalıkları görülüyor, tedavi bugünkü gibi değildi ve ilaç sınırlıydı ki penisilin vs. henüz keşfedilmemişti. Bu kategori devalar İkinci Dünya Savaşı'ndan sonraki buluşlardır. Doğru dürüst hastaneler yoktu, çünkü askerî doktor olanlar daha çok pratisyen hekim tipindeydi.

Karlsbad'da daha genç zabitken kaplıcaya gitme ihtiyacı duyan birinin ileri yaşlarda çok sıhhatli olduğunu söylemek mümkün değildir. En kötü alışkanlığı sigara tiryakiliğiydi. Bunun zararları mutlaka derindi.

Atatürk ve Münevverler

Atatürk ve münevverler arasındaki ilişki üzerine abartılı eleştiriler yer alıyor. Hatta bunların beynelmilel Türkoloji'de de bazı yeni araştırmalara konu olduğu açıktır. En bariz motif de İttihatçı yapı ile Kemalizm dönemini birbirine bağlamaktır. İttihatçılığın kaba bastırma yöntemleri Kemalizm'in tatbik ettiği otoriter rejimle ne derecede bağlantılı olabilir tartışmalıdır. Kemalist otoriter rejim İkinci Dünya Savaşı öncesi Avrupa'da bilhassa Orta ve Doğu Avrupa'da rastlanan kalıplara uygundur. Mussolini Faşizmi, Hitler Almanyası ve Miklós Horthy Macaristan'ıyla mukayese edilip aynı kefeye konması doğru değildir. En başta bir ülkeyi ve zamanı anlamak için yanlış yol takip etmektir. Kemalizmin eğitim konusunda Türklere, fakir veya zengin, göçmen veya yerli halk olsun büyük imkanlar açtığı bellidir. Bu o dönemin Orta Avrupası'nda bile görülmez. Aydınlarla (münevverlerle) olan mücadelesi ise bilhassa sol çevrelerde ve mutaassıb Müslüman çevrelerde tekrarlanagelmiştir. Rejimin bilhassa Müslüman örgütler karşısında çok hassas davrandığı açıktır. Aynı hassasiyeti ise yapısal olarak zaten ciddi bir örgütlenmeye ulaşamayan Komünistler karşısında gösterdiği söylenemez. Kaldı ki Sovyetler Birliği'nin Stalin'in tepeye tırmandığı zamanlara kadar Türkiye'yle ve Türk Kemalizmiyle hayırhah bir yolculuk içinde olduğu açıktır. Türkiye'ye baktığınız zaman birtakım solcuların ve müslümanların durumu nedir? Tanzimat'tan beri Osmanlı okumuşlarını ve bunların oluşturduğu bürokrasiye hakim olmaya çok yatkın görüyoruz. Dönem dönem aralarında çatışma olsa da Babıâli Sultan Abdülmecid Han'dan itibaren hakimiyetini kurmuştu. Sultan Abdülhamid Han'ın bürokrasiyle kavgası buna bir tepkidir. Bununla birlikte o dahi zamanla kendisiyle uzlaşmaya gelen okumuşlarla arayı düzeltmekte, mevki ve itibarlarını iade etmekte tereddüt göstermemiştir. Bu tavırdır ki Cumhuriyete devredilen mirastır. 1926 İzmir Suikastı davasından sonra rejimin aydın çevrelere ve muhalefete karşı tavrı açıktır. İttihatçıların Kurtuluş Savaşı'ndan beri Anadolu'ya katılanları başta Celal Bayar, Memduh Şevket Esendal gibileri olmak üzere kabul edici olmuştur. Uyuşamadığı çevrelerin başında hilafetçi ideolojiyi benimseyenler ortaya çıkmıştır. Bu bir iktidar kavgasıdır. Hatta Kurtuluş Savaşı'nın generalleri arasında bile sürtüşmelere sebep olmuştur. TKP'liler tavırlarında ısrar etmedikleri veya rejimle uyuştukları takdirde kabul görürlerdi. Bu alanda bilhassa Kemalist dönemin okumuş kesimine karşı tavrı babayanidir. Asıl 1938'den sonra okumuşların felaketi başlar. Daha evvel kabul görmüş düşünceleri savunanlar, yazanlar bu dönemden sonra suçlanmaya başlamıştır. Özellikle İkinci Dünya Savaşı'nın dönüm noktasında bu gibi grupların günah keçisi olarak hapsedildiği, işkence gördüğü açıktır ve bu hayata da yansımıştır. Daha evvel arkadaş olan, hatta laisizm ve Türk ulusçuluğu gibi düşünceler etrafında birleşenlerin birbirileriyle karşı kamplara düştüğü görülür. Mesela bir tarihte Zeki Velidi Togan'ın Maarif Vekili Reşid Galip tarafından tard edilmesini protesto eden üç genç asistan (Nihal Atsız, Orhan Şaik Gökyay ve Pertev Naili Boratav) görevlerinden uzaklaştırılmalarına rağmen Fuad Köprülü'nün tavassutuyla lise öğretmenliklerine tayin edilmişlerdir. 1938'e kadar Ankara Üniversitesi Dil ve Tarih-Coğrafya Fakültesi sağ bilinenlerle solcuların bir arada bulundukları yerdir. 1938 sonrası gerilimdir ki bu grupları birbirleriyle daha çok çatışmaya itmiştir. Bu âdeta hapishanede yer kavgasına benzer. Türk aydınlarının keskin kamplara ayrılması ve bu mekanizmanın 12 Mart 1971'e kadar uzanması bu olaylara bağlıdır. Nitekim 1947'den sonra Tan olaylarıyla birlikte üniversiteler çok ağır sarsıntılar geçirmiştir. Kurumlaşmış sağ-sol çatışması bu noktada başlar. Bu dönem, CHP'nin tek parti dönemi hiç şüphesiz ki Kemalist dönem ve İnönü dönemi diye ikiye ayrılarak analiz edilmelidir.

Atatürk ve Yunan Askeri

Çok zeki bir genç olan Mustafa Kemal'in Rumeli coğrafyasını, savaştığı Kuzey Afrika'yı ve daha Balkan Savaşı sırasında ileride mevki kumandanlarından biri olacağı Gelibolu Yarımadası'nı çok iyi öğrendiği malumdur. İnternetten de izleyebileceğiniz, Yunanistan'daki 1970'lere ait bir TV programında bu özelliğini tespit mümkün oluyor. Sunucu Freddy Germanos, Yunan bir veteranla (eski asker) röportaj yapıyor.

Küçük Asya Seferi'nin bu askeri, savaşta esir düşenlerden. Ankara'da Gazi Paşa'mızın Latife Hanım'la evliliği sırasında köşkte marangozluk işleriyle uğraşıyorlar ve Paşa onlarla görüşebiliyor. Savunmanın başkumandanının bu durumdaki herhangi bir savunma yapan kumandandan farklı fikirleri olamaz. İkinci Dünya Savaşı'nda Semyon Budyonny, Konstantin Rokossovsky, Georgy Zhukov, General de Gaulle, Alman esirlere ne diyecekse benzer tavra sahip olacağı açık. "Biz yurdumuzu savunduk, sizin ordu burada ne arıyordu?" diye özetlenebilir. Bu veteran Atatürk'le konuşmasını hatırlıyor ve naklediyor. Atatürk esir askere Yunanistan'ın bağımsızlık savaşından beri kumandanları tanıyıp tanıyamadığını isim isim sormuş. Diakos, Karaiskakis ve tabii Kolokotronis vs... Daha ilginci "Bella Vista'daki Apergis Tiyatrosu'nu hatırlıyor musun?" diye soruyor. Bu tiyatroda sürekli Diakos, Karaiskakis, Kolokotronis ve diğer Yunan kahramanlar hakkında oyunlar varmış... Yunan asker bu oyunları bildiğini söylemiş. "Peki, bizim taraftan kimi tanıdınız?" Tanımıyor. İşin garibi galiba Yunan kumandanların birçoğu da bizim kumandanları tanımıyordu, Metaksas hariç... Türk fikir hayatını, tarihçilerini de bilmeleri imkânsızdı. Spiker askere soruyor, "Bu söylediklerinin hepsini Mustafa Kemal Paşa biliyor muydu?" Cevap "Evet". Türkiye Mareşali'nin Balkanlar hakkındaki bilgisi genişti.[118] Askerce adetlere dikkat ediyordu. İzmir'de yere serilen Yunan bayrağını kaldırttı ve ihtiram gösterdi. Ateşemiliterliği sırasında Sofya'da meslekdaşlarının gönlünü fethetti. Zira Bulgar ordusuna soğukkanlılıkla bir saygısı olduğu anlaşıldı.

118 Ataşemiliterliğinde yazdığı raporları da Karadağ'da büyükelçilik yapan, okul arkadaşım Emine Birgen Keşoğlu okumuş ve hayranlığını belirtmişti.

10 Kasım 1938 Sonrasında Siyasi Ortam Nasıl Değişiyor?

Şükrü Kaya'yı cumhurbaşkanı yapmak isteyenler vardı. Ama Fevzi Paşa da İsmet Paşa için ağırlığını koyuyor. Çünkü gelecek için huzura muhtaç bir Türkiye sözkonusudur. Şükrü Kaya aslında çok becerikli bir adamdır, dâhiliye vekillerimizin en dinamik ve bilgilisidir. Şüphesiz çekişmeler vardır. Birtakım zümreler Atatürk öldüğü zaman "Bize ne olacak?" diye çok korkmuşlardır. Hayat derli toplu kanunlar ve nizam çerçevesinde devam edecekti, ki öyle de olmuştur.

Mareşal Fevzi Çakmak'ın çok saygın bir kişiliği olmasına rağmen politikada şansı olmadığı belliydi ve hiçbir zaman da Meclis'i tercih etmemişti. Onun için üniformasını da çıkarmadı. Hatta muhtemelen Atatürk yakın arkadaşlarına "Hepiniz Meclis'e!" dediğinde, Fevzi Çakmak Paşa'yı yerinde bıraktığı açıktır.

Atatürk'ün Son Günleri

Gazi Mustafa Kemal Atatürk, son bir yılı ağırlıklı olmak üzere uzun zamandır hastaydı. Ömrünün son birkaç yılında veya son bir senesinde değil, epeydir hasta idi. Ve onulmaz, geri dönülmez hastalıklarla malul idi. Siroz veya kanser diyenler olsa da tevsik edilmiş hali yoktur. Bir de Atatürk'ün o arada zararlı bir alışkanlığı var; çok sigara içiyor. Hele böyle karaciğeriniz ve kalble ilgili problemleriniz varsa, sigara onları iyice şiddetlendirir. Üstüne sinirli bir karakteri de var, belirttiğimiz gibi Türk veya Avrupalı olsun hekim muayenelerinden hoşlanmıyor. Kötü gidişat engellenemedi. Hatay meselesinin takipçisiydi ve güney illeri seyahati

Halkı tarafından çok sevilen ve unutamayacakları
Atatürk'ün cenaze töreni…

sağlığını daha da bozmuştu. 29 Ekim'de Ankara'da olmayı çok arzu etmişti, fakat bu mümkün olmadı.

Vefat ettiğinde henüz 57 yaşındaydı. Selanik'te Ali Rıza oğlu Mustafa olarak başlayan hayatı, Türkiye Cumhuriyeti Devleti'nin kurucusu, Gazi Mustafa Kemal Atatürk olarak nihayete erdi. Arkasından gerçekten de bir millî matem doğdu, resmî programı aşan bir şok ve hüzün! İnsanlar üzgündüler.

Bruno Taut, Hitler'in zulmüne uğrayan asrın büyük mimarlarından birisidir. Bu köşeye, Türkiye'ye sığınmıştır. Çünkü başka sığınacak yeri yoktur. Türklerin Atası 10 Kasım'da Dolmabahçe Sarayı'nda ebediyete intikal etti. Naaşı, cenaze töreni programı gereği Ankara'ya intikal edecek ve Arif Hikmet Koyunoğlu'nun eseri olan Etnografya Müzesi'nin önündeki bir katafalka konacaktı.[119] Katafalkın yapımıyla görevlendirilen Bruno Taut hayatının son eserini Kemal Atatürk için tamamladı. O telaşla Ankara'nın sert havasında tutulduğu zatürre bir müddet sonra onun kalp kriziyle ölümüne neden oldu. Sığındığı ülke ona şükranını gösterdi. Edirnekapı Şehitliği'ne defnedilen ilk yabancı oldu. Taut ebedî şehir İstanbul surları karşısında ebedî uykusunu uyuyor.[120]

Büyük adamların pek azı böyledirler; ama daha azı vefatlarından sonra dahi özlenirler.

Bizim özlediğimiz gibi...

---

119 Atatürk'ün cenaze töreninin ayrıntıları için bakınız: Ali Güler, *Bir Vedanın Ardından - Atatürk'ün Ölümü Cenaze Töreni ve Defin İşlemi*, Atatürk Araştırma Merkezi, Ankara, 2009.

120 Önder Kaya, "Edirnekapı Mezarlığı ve Bruno Taut", *Şalom*, 15 Mayıs 2013.

8

BÜYÜK ADAM:
ATATÜRK

BÜYÜK ADAM: ATATÜRK

Atatürk'ün Kişisel Özellikleri

TÜRKÇEDE son zamanlarda yaygın ve bazen yanlış olarak "karizmatik" kavramı kullanılmaktadır. Weberyen bir tabir olan, kilise literatüründen alınma ve Yunanca bir kelime olan karizma yanılmaz, güvenilir ile eş anlamda kullanılan bir kavramdır. Osmanlıcadaki karşılığı ise "sahibkırandır." Karizma kelimesi tam olarak Gazi Mustafa Kemal Atatürk gibi liderleri ifade ediyor. Yanılmasına ihtimal verilmeyen, güvenilen bir lider... Kaldı ki Atatürk liderlik vasfıyla doğmuş, herkesin görmeyeceği şeyleri görebilen, ileri görüşlü ve bu sebeplerle de karizmatik diye tavsif edilebilecek bir şahsiyettir. Karizmatikliğine şu iki örnek verilebilir: İstiklâl Savaşı kumandanları, bilhassa kurucu ilk üç büyük kumandan (Mustafa Kemal Paşa, Ali Fuat Paşa ve Kâzım Karabekir), fevkalade kıymetli insanlar olmakla beraber içlerinde en olmayacak gibi görünen hedefleri işaretleyen Atatürk'tür. Diğer ikisi ise daha temkinli hareket etmişlerdir. Başka türlüsü de mümkün değildi, zira bu memleketi yönetenler Birinci Dünya Savaşı sırasında büyük atılımlardan, ideallerden bahsetmiş, sonrasında ise olmayacak hatalar yapmışlardı ve bu hatalar her şeyden önce imparatorluğun cenaze namazının kılınmasına ve büyük insan kaybına sebep olmuştu. Mekteplerde okuyan gençler yedek subay olarak askere gitmişler ve geri dönmemişlerdi. Tarlalar kıymetli çiftçiden, kasabalar zanaatkâr esnaftan mahrum kalmıştı. Bu durum, kumandanlar da dahil olmak üzere, sivil ve askerî erkânın temkinli olmasına yol açmıştır. Birçoğunda en ziyade "Evet, kurtaralım ama nasıl kurtaralım? Ne kadar kurtarabiliriz?" düşüncesi ve endişesi hakimdi.

Gazi ise fevkalâde atılımcı bir ruha ve bir dehaya sahipti. Doğru hesap yapmak ve kitleleri bu yönde etkilemek kolay değildir. Herkes vatanı seviyor ve kurtarmaya çalışıyordu ama her kafadan ayrı ses çıkıyordu. Bu değişik gruplar nasıl ikna edilip bir araya getirilecekti?

Atatürk'ün başarısındaki en önemli faktör fevkalade vazgeçmez bir iradesinin olmasıdır. Âdeta Rumeli inadı vardır. "Olmalı" dediği an, "olabilir" yoktur. "Olmalı" dediği an, oluyor, onu olduruyor. Bu herkes için lazım bir şeydir. Sanatçı için de bilim adamı için de lazımdır. Gerçekten yaratacak, atılımı yapacak iş adamı için de lazımdır. Bir kumandan için, bir siyasetçi için ön planda lazımdır.

Atatürk milliyetçidir. Bir Türk milliyetçisidir ama bunun yanında evrensel bir adamdır. Barışçıdır, dövüşmesini bildiği gibi barışmasını da bilir. "Mecbur kalmadıkça savaş bir cinayettir" demiştir. İzmir'in kurtuluşu sonrasında hükûmet konağına girerken merdivenlere serilen ve "Onlar işgal ettiklerinde Türk bayrağını yere sermişlerdi" denilerek çiğnemesi istenen Yunan bayrağını kaldırtıp, "Bayrak bir milletin namusudur, ayaklar altına alınamaz" diyecek kadar gerçek şövalyedir. Bir entelektüel olduğu hakikattir.

Araştırmayı sever, iyi giyinir, buna özen gösterir, fotoğraf çektirmeyi sever ve bilir. Bütün fotoğraflarında duruşu bir eğitimle mümkündür. Boyu 1.68 cm civarında tıpkı kozmonot Yuri Gagarin (o da 1.58 cm) gibi fotoğraflarda uzun görünüyor. Vücut ölçü ve nisbeti yerinde ve kitleyle iletişimde bunu kullanıyor.[121]

Akıl ve bilimden yanadır. Fransa'nın etkisi bu kuşakta etraflıca görülür. Tabii ki bir devrimcidir, reformisttir. Çünkü ülkesinin reforma ihtiyacı vardır.

Aşçı, yaver, şoför, garson gibi yakınındaki kişilerin ifadelerinden şunları görüyoruz. Gazi gayet mütevazı, görgülü ve nazik bir insandır. Müsrif ve aşırı tüketici olmadığı, hesaplı davrandığı açık. Balkanlar'da ve Şark'ta bu gibi önderler iktidara mütevazı adamlar olarak gelirler. Ancak arkalarında birçok çocuk ve akrabalardan oluşan zengin bir zümre bırakırlar. Atatürk iktidara geldiği gibi dünyayı terk etti. Emlakı ve parasını kamuya bıraktı, yakınındaki manevi kızlarına maaşlar bağladı. Çankaya'da hayatın mütevazı bir reisicumhurunki gibi olduğu anlaşılıyor.

Çok iyi bir hatip olduğu da bir gerçektir. Alkolle olan ilişkisi uç derecede değildir. Sarhoş olup, kendinden geçtiği vaki değildir. Tam bir sigara tiryakisi ve kahve müptelasıdır. Balkanlılar gibi o da kahveyi çok severdi. İştahlı birisi değildi, yemek yemeyi çok sevmiyordu. En çok kuru fasulye ve ayranı severmiş. Batılı yemeklerden hazzetmez, hep Türk yemeklerini tercih edermiş. Mesela peynirli omleti de çok severmiş. Az yiyen, az uyuyan bir kişiydi. Hiç küfür etmezmiş. Birine kızdığında söylediği laf "inatçı katır" olurmuş.

---

121 Yuri Gagarin'in kızı Yelena Gagarina (Kremlin Müzesi Müdürü) Topkapı Sarayı'na geldiği zaman Atatürk'ün müzedeki müşir üniformalı portresini gördüğünde boyunu söyledim, "Benim babam birkaç santim daha kısaydı" dedi. Hâlbuki herkes Gagarin'i heykellerinden dolayı uzun ince zanneder. Uzun boylu adam o Vostok denen Sputnik'e sığmaz zaten.

Tabii ki yerine göre sert hiciv yapabiliyordu ki iğneleme ile ilgili sayısız hikâyesi vardır. Türkçeyi düzgün kullanıyor, yüzüyor, ata biniyordu ama bütün gün aşırı spor faaliyeti yapmıyordu.

Vücut duruşu ile fotoğrafı ayarlıyordu. Kadınlara iltifat ederken hiç zahmetine acımıyordu. Hatta hak etmeyen kadınlara bile iltifat ediyordu ve bundan da hoşlanıyordu. İltifat dağıtan, cömert birisiydi, çünkü iltifat da bir atıfettir. Mesela iyi dans ediyor, buna folklor da dahil. Resimlerden de görülebileceği gibi Balkanlar'dan gelen heyetlerle horon tepiyordu. Bu herkesi cezbediyordu.

Askerler sivil kıyafete o kadar kolay intibak edemezler ama kıyafetleri çok iyidi. Bir de Atatürk sülaleden aristokrat, bir sürü kıyafet içinde yaşayan biri değildi. Bütün o zabitlerimiz gibi sıkıntılı bir hayattan sıkıntılı bir işe geçen biriydi. Buna rağmen giyinmeyi çok iyi biliyordu.

İran Şahı ile görüşmesinde Şah böyle daha babavari görünen bir adam ve Atatürk de onun hemen karşısında efendi adam pozundadır. Şah'a katiyyen bir küçümsemesi, en hafif bir iması yoktur. Hâlbuki adam okumamıştır ve çavuşluktan çıkmadır. Atatürk ise birinci sınıf bir kurmaydı, hangi orduya koysan general olurdu. Mesela ulema takımı ile ilişkilerinde öyle, fazla ukalalık yapanlardan değildi. Ben o dönemi yaşayan insanları tanıdım. Abdülkadir İnan anlatırdı. Böyle bir tahakkümünü, büyüklüğünü görmemiş. Dil komisyonlarında onun bir paylaması vardır. Reşit Rahmeti Bey görmemiş ama bir kere Sadri Maksudi'nin canını yakmış. Demek bazen tenkidde sert olabiliyordu.

Kendisi ibadetine bağlı biri değildi, ancak ibadet edenlere hürmeti vardı. Fevzi Çakmak Paşa da dâhil çevresinde

Gazi Mustafa Kemal Paşa ve İran Şahı Rıza Pehlevi ile Ankara'da törenlere giderken, 17 Haziran 1934.

namaz kılan pek çok insan vardı. Onlara genelde "Namazınızı da kılın, resim de yapın" dermiş. Dünya hayatından vazgeçmemeyi öğütlermiş. Kız kardeşinin anlattığına göre, Ramazan ayı ya da kandil geceleri gibi özel zamanlarda çok ihtimamlı olurmuş. Bazen kendisi de oruçlu olduğu halde kız kardeşine iftara gidermiş. Annesi için Kur'an okuturmuş.

Yine Ramazan ayı geldiğinde ince saz ekibini köşke sokmaz, meşhur sofrasında içkiye yer vermezmiş. Misafirleri arasında oruç tutan, namaz kılan olursa her türlü kolaylığı sağlatırmış. Çanakkale şehitlerinin ruhuna mutlaka her yıl dönümünde Kur'an okuturmuş. Kendisi de Kur'an okur, iyi okunmasını istermiş.

Eğitime çok önem veren cehalete düşman birisiydi. Millî Mücadele'nin en kırılgan dönemlerinde bile eğitim kongresi toplayacak ve bunu iptal etmeyecek kadar eğitimi önemsiyordu. Zirai ürünlerin ihracıyla geçinen bir ülkenin kıt imkânlarına rağmen yurt dışına talebe göndertmiştir.

Gazi Mustafa Kemal Paşa, Ankara'ya gelen Afganistan Kralı Amanullah Han ve Kraliçe Süreyya ile birlikte, Mayıs 1928.

Sadece teknik dallar değil arkeoloji, filoloji ve hatta Bizans tetkikleri için de öğrenciler gönderildi. Arkeoloji için gidenlerden Ekrem Akurgal ve Hititoloji'nin babalarından sayılan Sedat Alp önemli bilginler oldular. Bizantinistik için gönderilen dört gencin bu dalda kalmadığı, dolayısıyla bu dalı geliştiremediği açık.

Yabancı dile ayrı önem vermiştir. Çok iyi derecede Fransızca ve yeterli derecede Almanca biliyordu. Tabii bütün Makedonya gençleri gibi Rumca (Yunanca) ve Bulgarcaya aşina idi. Konuşuyor, mektuplar yazıyor, çeviriler yapabiliyordu.

Cephede bile kitap okuyacak kadar gerçek bir kitap tutkunudur. Binlerce kitap okumuştur. Biraz da onun için büyük bir adamdır.[122] Okuduklarının başında Reşat Nuri geliyor. Bütün kuşağı gibi şiir de seviyordu, ama şiirle düşünmekten çok, nesri seviyordu. J. J. Rousseau'nun *İnsanlar Arasındaki Eşitsizliğin Kaynağı* adlı eserini Fransızcadan derinlemesine okuduğu biliniyor.[123] Çankaya Köşkü kitaplığının taranmasıyla bilgiler artabilir. Okuduğu kitaplara tuttuğu kenar notları ilginçtir.[124]

İki Dünya Savaşı Arasında Avrupa ve Atatürk Türkiyesi

Birinci ve İkinci Dünya Savaşları arasındaki Avrupa bir bakıma dünya demektir. Bu boş bir laf değildir. Çünkü dünya

122 Ali Güler, *Sarı Paşa-İnsan Atatürk*, Berikan Yayınevi, 2007.

123 J. J. Rousseau, *İnsanlar Arasındaki Eşitsizliğin Kaynağı*, Say Yayınları, İstanbul, 2016.

124 Gürbüz Tüfekçi, *Atatürk'ün Okuduğu Kitaplar*, İş Bankası Kültür Yayınları, İstanbul, 1983.

tarihine baktığımız zaman, belirli bir coğrafya içinde, Akdeniz uygarlığı bir gelişme ve yer değiştirme takip etmiştir.

Üç büyük din ve Akdeniz çevresinde yaşayan insanlar bu gelişimin içindedirler. Biliyoruz nasıl olduğunu, bütün uygarlık tarihini burada tekrarlamaya lüzum yok; eski Yunan, eski Şark'ın devamıdır. Eski Yunan'ın devamı İslam uygarlığıdır ve İslam uygarlığının devamı ise Rönesans İtalyası ve nihayet Avrupa medeniyetidir. Bu medeniyetin adını ekseriyetle yanlış kompartımana sokuşturarak, Hıristiyan uygarlığı koyarlar. Hatta Helen-Hıristiyan uygarlığı derler. Hâlbuki Helen-Hıristiyan uygarlığını Helen-İslam uygarlığı diye de değiştirebiliriz.[125] Zaten Hıristiyanlığın zuhurundan evvel Sedusi dediğimiz akım ve yaşam tarzıyla Filistin'de Helen-Yahudi uygarlığı olarak bilinen bir oluşumun geliştiği malûmdur.

Birinci Dünya Savaşı'nın arifesinde, Avrupa aslında hızla şehirleşen bir kıtadır. Almanya, İngiltere, Fransa gibi ülkeler artık yarı yarıya yahut yarıdan fazla şehirli nüfusa sahiptir (Fransa Birinci Dünya Savaşı'na % 55 köylü nüfusla girdi). Bilhassa İngiltere endüstriyel ve öncü şehir ülkesi olarak çoktan köylü nüfusun çok azaldığı ve köylünün köylülüğünü kaybettiği, çiftçi haline dönüştüğü bir ülkedir. Almanya bunu izlemektedir. Fransa'daysa şehir nüfusu köy nüfusundan henüz azdır.

Ancak Birinci Dünya Savaşı öncesi diğer taraflara baktığımızda farklı bir manzara ile karşılaşıyoruz. Söz gelimi, Balkanlar'a inersek Romanya'da nüfusun % 15'i, Bulgaristan'da

125 Son zamanlarda Helen-Judaic-Hıristiyan uygarlığı gibi bir tanımlamaya gittiler. Bu tanımlamaya iştirak edilir; ancak neden bu vakte kadar beklendiği sorulmalı. Tanımlamalarda devre isimlendirmeler veya müraililik de rol oynar.

Gazi Mustafa Kemal Paşa, İran Şahı Rıza Pehlevi, İsmet (İnönü) Paşa, İzzettin (Çalışlar) Paşa ve Fahrettin (Altay) Paşa bir arada, 23 Haziran 1934.

% 12'si, Sırbistan'da % 13-14'ü, Rusya'nın % 12-13'ü İtalya'da bile yalnızca % 21'i şehirlidir. Avrupa Rusyası'nda, yani Polonya, Litvanya gibi tekstil sanayiinin yoğunlaştığı (ki Polonya'nın büyük kısmı o zaman Rusya'da idi) yerlerde bu oran % 22'ye kadar çıkar. Ama mesela Orta Rusya'da bu nüfus % 12 idi. Türkiye ise farklı bir durumda; Avrupa Türkiyesi'ndeki şehirli nüfus % 25 miktarındaydı. Oldukça şehirleşmiştir. Filhakika, bizde halk arasında Rumeli ve Anadolu çekişmesi hep vardır ve havadan sudan ileri gelen bir şey değildir; büyük ölçüde Rumeli ahalisinin erken şehirleşmekte olduğu bir çevreden çıkmasından ileri gelir. Rumeli Türklerinin ona göre bir yaşayışı ve dünyaya bakış sistemi vardır ve özellikle Balkan bozgunundan sonra, bu halkla Anadolu halkı yüz yüze gelmiştir. Avrupa Türkiye'sinde oran öyle iken, umumen Osmanlı İmparatorluğu'nun Asya bölgesinde de aşağı yukarı nüfusun sadece % 6-7'si şehirli sayılmaktadır. Buna Suriye'nin Haleb, Şam, Trablusşam ve

Mustafa Kemal Atatürk ile İngiltere Kralı VIII. Edward'ı İngiliz Büyükelçiliğine götüren otomobil Galatasaray Lisesi önünden geçiyor, 4 Eylül 1936.

Beyrut gibi merkezleri dışında yaygın bir kırsal ve göçebe nüfusun yaşadığı Maşrık Arabistanı'nı da katmak gerekir.

Oysa İngiliz işçi sınıfı Birinci Dünya Savaşı'na girerken artık bazı ülkelere göre daha rahat, daha yarınından emin, hiç değilse ücret bakımından, yaşama bakımından bir nebze düzelmiş olarak girmektedir. Zengin bir imparatorluğun artı değerlerinden mümkün olduğunca istifade eden bir grup olarak bulunuyordu. Ama yanı başında Almanya vardı. Orada gayet muhafazakâr, tutucu, militarist, otoriter bir devlet, cemiyet sistemini tesis eden Bismarckçı bir anlayış, hem tarım bölgelerini hem de işçi sınıfını koruyan oldukça önemli sosyal kanunlar getirmiştir. O kadar ki, 1914 evveli, bugünkü sosyal demokratların selefleri, Avusturya'da, Macaristan'da,

Polonya'da vs. muhafazakâr hükûmetlerden bazı sosyal reformlar talep ettikleri zaman, örnek olarak hep Alman işçi sınıfının durumunu ve kazançlarını göstermişlerdi.

Nitekim o dönem Avusturya'ya bakarsak, daha farklı bir yapı ile karşılaşırız. Sanayi ve madenlerde çalışan insanların büyük çoğunluğu tam bir sefalet içindedir. Gececiler diye bir tabir vardır ki aynı odayı değil, gece ve gündüz münavebe ile aynı yatağı paylaşan fakir işçiler grubudur. Evlerin yersizliğinden oda oda kiralanan büyük kışla konutlar (*Mietskaserne*) vardır; ahali hayatını sokakta ve ucuz meyhanelerde geçiriyordu. Keza Macaristan'a baktığımız zaman, işçi sınıfının durumu çok daha kötüydü. Büyüyen, hızla gelişen sanayinin bütün yükünü bu insanlar çekiyorlardı.

Öbür taraftan Romanya ve Bulgaristan'da gittikçe büyük çiftlikler meydana gelmekte ve köylüler topraksızlaşıp, ücretli tarım işçileri haline gelmekteydiler. Aslında bunlar Osmanlı Türkiyesi'nin dışındaki gelişmelerdi.

Burada Avusturya-Macaristan İmparatorluğu'na bir göz atmakta fayda var. Savaş öncesinden çok ilk yıllarına gitmek lazım. 1500'lerin başında Avusturya hükümdarı Habsburgların büyük dükasıdır, bir müddet sonra Alman imparatorudur ama esas gücü Habsburg büyük dukası olmasıdır. Bizde, "biz Almanlarla tarih boyunca dost geçiniriz" lafı boştur, dost değiliz aslında, kavga ettiğimiz Alman İmparatorluğudur. Tarihte, Habsburg Büyük Dükası ile Macar Kralı değiş tokuş yaptılar. Bacılarını mübadele ile tecviz ettiler (evlendirdiler). İki kız kardeşi aldılar ve bir patent (berat) imzaladılar; kim daha önce ölürse taht öbürüne geçiyordu. Ferdinand von Habsburg ölürse, topraklar Macar Krallığına geçecekti. Çünkü çocuklar, yeğenler, kuzenler artık aynı kanı taşıyorlar, ama Lajoş giderse, topraklar öbür tarafa geçecekti. Nitekim Mohaç Meydan Muharebesi'nde Lajoş öldü. O zaman ne oluyor? Bütün Macar topraklarının Avusturya'ya bağlanması lazım. Ama nereye bağlanacak? Türkler gelip oturmuşlar. Bu kavga nereye kadar devam etti? 1683-89 harblerine kadar... Ondan sonra Macaristan bir taç olarak Avusturyalılara tabi oldu.

Avusturya ve Macaristan'ın yanında eski bir krallık olan, tacı Macarlara bağlı daha sonra Yugoslavya'nın bir kısmı haline gelmiş Hırvatistan vardır. Slovenya'nın tacı ise Avusturyalılara bağlıydı. Bugünkü Çekya ve Slovakya olan Bohemya ve Moravya ülkesi vardı. Bunun Slovakya kısmı mülk olarak Macarlara bağlıydı. Bohemya bölgesiyse Avusturyalılara bağlıydı. Erdel kısmı, Transilvanya dediğimiz -ki bugün Romanya'dadır ve eski Macar toprağıdır- harbden önce Macar tacına bağlıydı.

1878 Berlin Kongresi'nden sonra, Avusturya-Macaristan İmparatorluğu bizden Bosna-Hersek'i aldı. Fakat ne oraya bağlanabildi ne de ötekine. Ortak idare derler, ki o yüzden Avusturyalı memurlarla Macar memurlar hep itiş kakış halindeydiler. Hatta resmî heyet ziyaretlerinde bile, birinin attığı nutka öbürü "sus, otur" gibi şeyler derdi. Ahaliyi yönetme biçimleri farklıydı. Macarlar Müslümanlara meylediyorlardı, öbürleri ise Hıristiyanlara. Dışişleri Bakanı Kont Aehrental'in burayı k.u.k. (imparatorluk ve krallık) müşterek eyaleti olarak ilhakı o zaman da Viyana ve Budapeşte'de dahi hata olarak nitelendirilmişti. Veliaht Prens Ferdinand'ın, 1914'teki Saraybosna ziyareti bu açıdan çok yanlıştı. Gergin bir ortam vardı ve başına gelecekler açıktı.

20. asrın başlarında, Avrupa'da, Rusya ve Osmanlı imparatorluklarının yanında, muhtelif milletlerden oluşan bir

Atatürk ve İsmet İnönü bir konuyu müzakere ederlerken... En sağda ise CHP İstanbul İl Başkanı Cevdet Kerim İncedayı görülüyor, 1936.

imparatorluk daha vardı. Bu, Avusturya-Macaristan dediğimiz konfederatif monarşi idi. "Tuna Monarşisi" diye de adlandırılır.

Avrupa'nın dışında tabii, dünyada Japonya ve ABD büyük gelişmeler göstermekteydi. Japonya'ya değinecek değilim ama ABD, Avrupa'nın uzantısı olan bir ülkedir. Daimî surette, proletaryası ile olsun, maceraperestliği ile olsun, entelektüelliği ile olsun, Avrupa'nın en atılgan, en girgin ve alt sınıf unsurlarını çekmekteydi. Bu göç kalıpları bugün de böyledir. Köyüne bağlı, sakin, uyuşuk köylü köyünden çıkamaz, köyünü terk edip, şehre ilk giden; en açıkgöz, birtakım değerlerini fazlaca kaybetmiş, yırtıcı adam tipidir. Avrupa'dan kalkıp Amerika'ya göç eden ayak takımı da olsa, köylü de olsa, işçi de olsa, serseri de olsa bu vasıflara sahip bir birey demektir. ABD böylelikle hakikaten yırtıcı, girgin, özlem ve hayalleri olan, rekabete açık insanlardan oluşan bir kıtaydı. İkinci Dünya Savaşı'ndan sonra göçmenler büyük ölçüde başta Avrupa, Akdeniz ve Asya'nın beyin takımı oldu. ABD sıçraması artık önlenemezdi.

Ayrıca dünya haritasına baktığımız zaman, doğal coğrafya açısından yeryüzünün hakikaten cennetidir. Tanrı orayı, âdeta Kenan ülkesi gibi, balla sütün bir arada aktığı bir ülke olarak yaratmıştır. Maden kaynakları son derece zengindir ve her çeşidi vardır. Ayrıca bu madenleri çıkarmak hiçbir şekilde zor ve masraflı değildir, yüzeye paraleldir. Toprak verimi gayet yüksektir. Mesela, bir Illinois eyaletinin kaldırdığı tarım hasılası Avrupa'nın üç büyük ülkesinin bir yıllık hasılasına eşittir. Kaldı ki Illinois ABD'nin tahıl ambarı da sayılmaz.

Gerek Birinci Dünya Savaşı öncesinde gerekse de iki savaş arasında, Avrupa'da memnuniyetsiz kitlelerin varlığı çok açıktır. Sosyo-ekonomik sebepler, tarihî gerekçeler, yıkılan imparatorlukların bakiyesi ve ideolojik etkenlerden dolayı Avrupa'da memnuniyetsizlik ve yayılmacılık düşüncesi çok açık bir şekilde ortaya çıkmıştır.

Birinci Dünya Savaşı'nın en önemli sıkıntılarından birisi "zaman" olmuştur. Yönetici ve komutanlar ülkelerindeki orduların teknolojisini, teknik kapasitesini anlamamış, savaşı hemen bitireceklerini düşünmüşlerdir. Çünkü savaş başlamadan önce zamanın bu kadar uzayacağını, karşıdaki düşmanın da aynı direnci göstereceğini ve bunun nelere mal olacağını ne genelkurmaylar ne de teknokratlar biliyordu. Harbin senelerce devam edeceğini düşünenlerin sayısı azdı. Üstelik bu harb sivil kesime sirayet eder, şehirleri yıkar, açlık başlar, insanlar ölür, kadınlar, çocuklar, masum halk gider, gibi hesapları yapan da yoktu. Çünkü Avrupa'nın o zamana kadar yaşadığı harblerde ordular, mareşalin kumandasında giderler, açık bir ova ve konuşlanma fırsatı bulunca birbirlerini yerler veya çok ağır yaralanırlardı. Kısacası sivillerin savaşın cephe gerisine nasıl sıçrayacağı hakkında fikirleri yoktu.

Bizim 2000 yıllık millî tarihimizin en büyük felaketi, aslında Balkan Savaşları'dır. Bu nedenle de biz bu sivil yıkımı tahmin edebiliyorduk ama savaşın bu kadar uzayacağını bilemezdik. Petersburg'daki yıkımdan hiç bahsetmiyoruz bile. Birinci Dünya Savaşı Avrupa'da çok şeyi değiştirmiş, sosyal patlamalar yaratmıştır.

Eskisi gibi bir rahatlık artık Avrupa düşüncesinde söz konusu değildir; "Bizim düzenimiz iyidir", sözünü kimse rahatça sarfedemiyordu. 1916 ve 1920'de, bunu ne Berlin'de ne Viyana'da ne Budapeşte'de hele Paris ve Londra'da hiç kimse söyleyemiyordu. Bunu söyleyene aptal diye bakılıyordu. Hiç kimse böyle tartışmalara girmiyordu. Bölüşüm meseleleri, sosyal bünyenin reformasyonu gibi konular canlıydı. Herkes aslında durumun çıkmazını görüyor ve yeni modeller öneriyordu.

Harbin sonunda, bu fikrî patlamalardan evvel siyasi patlamalar başlamıştır. Bu sadece yenen devletlerin, yani bizim İtilaf Devletleri dediğimiz grubun üyelerinin, Merkezî Kuvvetler denen Avusturya-Macaristan, Almanya, Bulgaristan, Osmanlı İmparatorluğu'nu ezmesi, topraklarını alması, birtakım yükümlülükler dayatması, birtakım tahditler koyması ile ilgili değildir. Savaşın sonuna baktığımız zaman, ilk planda askerlerin ayaklandığını görüyoruz.

Harb çıktıktan sonra artık imparatorluk, Avusturya-Macaristan veya Osmanlı İmparatorluğu veya İngiltere'nin tarihî hafızasında olduğu gibi, çok da yıkılmaz, dokunulmaz, vazgeçilmez bir müessese değildir. 19. yüzyılın

Avusturyası, İngiltere ve Almyanyası ne ise bizim dünya görüşümüz de buydu. Bizim babalarımızı, dedelerimizi saltanata itaatten başka tavırlı insanlar olarak düşüremezsiniz. Rusya'da dahi çürümüş çarlığa karşı çıkanlar ancak sosyal demokrat (komünist) aydınlar ve azınlık halklarının aydınlarıydı. Bunları da yerli mirzalar, mollalar şiddetle önlerdi.

Biz biliyoruz ki, harbden sonra dahi Mustafa Kemal Paşa'ya bu konuda en başta muhalefet edenler kendi arkadaşlarıydı; Rauf Bey, Refet Bey'di... Ya saltanat için ya da hilafet için muhalefet ediyorlardı. "Bağlılık yemini ettiğimiz, ekmeğini yediğimiz adam" diyorlardı. Bu toplumu saltanat ve hilafet müessesesi olmadan düşünemiyorlardı. Bu Avusturya'da, Rusya'da ve İngiltere'de de böyleydi.

Oysa Alman için böyle bir imparatorluk milliyetçiliği söz konusu değildi. Çünkü Alman İmparatorluğu yeni ve biraz ananesiz bir kuruluştu.

İki savaş arasındaki Almanya'da asıl önemli olan ne öyle kapitalizmin büyümesi ne işçi sınıfını ezmesi yahut küçük burjuvaları örgütleyip Hitler'i iktidara getirmesi değildir. İki harb arası Alman tarihi dediğimiz zaman, çok önemli olmasına rağmen, dünyanın haritasını değiştiren, çağımızı değiştiren, değişmesine sebep olan bir olayın, Nazizm'in doğmasına rağmen, bir bakıma bugünün yaratısını, düşüncesini tayin eden iki harb arasındaki, Almanca kültürdür. Çünkü savaş sonrasındaki dünyanın sağını da solunu da tayin eden bu dönemin Almanyası olmuştur.[126]

---

126 Burada iki dünya savaşı arasındaki dengeleri, ilişkileri ve liderlerin birbiriyle ilişkilerini göstermesi açısından Lloyd George ve Hitler arasındaki görüşme önemlidir. İkinci Dünya Savaşı'nın arifesinde Fransa ve İngiltere'de bazı muhafazakârlar vardı ki bunlarda millî tarihleri konusunda son derece kendilerine dönük bir tavır söz konusuydu.

Birinci Büyük Savaş bittiği zaman, en büyük olay kuşkusuz, dünya tarihi açısından komünizmdir. Sırf Rusya'da değil, birçok ülkede proleter sosyalist hareketlerin büyüyüp güçlendiği görüldü ve hatta kısa bir zaman için Almanya'da bazı şehirler ve bölgelerde (Röterepublik), Macaristan'da olduğu gibi Sovyet Cumhuriyeti var oldu. Tüm bu hareketler esas itibariyle zayıf da olsa demokratik yahut tüm anlamıyla burjuva yapısını kaybetmeyen ülkelerde de çok etkili olmuştur ve tepkilerini yaratmıştır. Bunlardan en önemlisi İspanya'dır, İspanya İç Savaşı'dır.

Bütün bu dağılımın dışında, tabii Sovyetler'de Lenin Hükûmeti'nin asıl yaptığı bir taktik bir yenilik vardır: Derhal savaşı sona erdirmek. Zaten sloganları da "Ekmek,

---

Mesela, Fransa'da de Gaulle böyleydi. Bütün muhafazakârlar Almanya ve Nazizm ile birleşirken, de Gaulle tek başına isyan etti ve İngiltere'ye gitti. Savaşa aslında Fransa'daki askerlere ve mevcut politikaya karşı başlamıştı. Churchill ise her şeye rağmen Britanya İmparatorluğu'na güveniyordu ve Nazizm ile bir olmadı. Şurası bir gerçek; VIII. Edward'ın sadece Madam Simpson yüzünden tahttan uzaklaştırıldığı gittikçe bir efsaneye dönüşüyor. Churchill açıkça Alman taraftarı olan bu karı kocayı Britanya tahtından uzak tutmak istedi.

Lloyd George Haziran 1936'da, o kadar ileri bir tarihte, Hitler'in Berchtesgaden'daki (Kehlsteinhaus) yazlığına gitti. Ve orada Hitler'e verdiği imzalı bir fotoğraf ve Hitler'in ona verdiği imzalı fotoğraf çok yakında bir müzayedede ortaya çıktı. Zaten o dönemde verdiği demeçte, "Hitler tanıdığım en yetenekli devlet adamıdır. Almanlar çalışkandır. Ben çok büyük adam tanıdım, böylesini görmedim" diyerek Hitler hakkındaki görüşlerini beyan etmiştir. Lloyd George'a, "Sendikalar ve partiler üzerindeki baskıya ne diyorsunuz?" diye sorulunca da cevabı şu olmuştur: "Almanya'da disiplin her şeyden önce gelir, bizden daha disiplinlidirler." Yani âdeta bir öykünme içindedir. Britanya liberalizminin bu zihniyetiyle de Millî Mücadele'nin karşı karşıya geldiği açıktır. (Bu görüşmeye ilişkin haber için "The Post's" London, 23 Eylül 1936 tarihli habere bakılabilir.)

barış" idi. Bunun için derhal Almanya ile savaşı durdurdu. 25 Aralık 1917'de bizden Talat Paşa başkanlığında bir delegasyon, Avusturya-Macaristan ve Almanya heyetleri, karşımızda Troçki'nin başkanlığında yeni Rusya delegasyonuyla, Brest-Litovsk Antlaşması'nı yaptı. Sovyetler karşımızda derhal Kafkasya'yı bıraktı. Enver Paşa'nın müthiş stratejik ve taktik hataları, Sarıkamış'ta en esaslı kolordumuzu mahvetmişti ve Rusya bu bölgeye bu sayede yerleşmişti.

Buna rağmen biz o antlaşma ile o cepheyi kazanmış olduk ve bir ara, ordularımız İran üzerinden Azerbaycan'a kadar neredeyse bütün Cenubî Kafkas'a nüfuz edebildi. En azından 1878 Berlin Kongresi'nde kaybettiğimiz sancakları, Ardahan, Kars ve Beyazıt'ı da geri aldık.

Şunun da üzerinde durmak gerekir ki, artık 1929'da SSCB'de Stalin'in tam hâkimiyeti vardı. Merkeziyetçi bir planlama ile bütün ekonominin ve bütün hayatın belirli direktiflere göre yönlendirilmesi söz konusuydu.

Demokrasi dediğimiz zaman, kelime zaten Yunancadır, Yunan demokrasisi, Batı medeniyetinin kökenidir gibi bir motto kabul edilmiştir. Ama gerçeklere baktığımız zaman görürüz ki, Batı'daki mevcut demokrasinin, eski Yunan site demokrasisi ile de çok büyük farkları vardır. Ve demokratik rejimin, Batı demokrasisinin ana vatanı olan İngiltere'nin de aslında Yunan demokrasisi ile ilişkileri sistem olarak o nispette azdır. Batı demokrasileri vatandaşlığı bütün kitleye vermek gibi zor bir örgütlenmeyi gerçekleştirmeye çalıştı. Henüz bu demokrasinin teorik temelleri dahi yerli yerine oturmamıştır.

Demek ki, burada demokrasi yavaş yavaş bütün kitleyi kapsayacak, birtakım menfaatlerin uzlaştırıldığı bir kurum

Denizcilik Bayramı (Kabotaj Bayramı) nedeniyle düzenlenen deniz yarışlarını Moda Yat Kulübü'nün kotrasından Afet İnan, İktisat Vekili Celâl Bayar, Kılıç Ali, Cevat Abbas Gürer ile birlikte izliyor, 1 Temmuz 1935.

olarak geliştirilmiştir. Çağdaş demokrasinin ana vatanı olan Batı Avrupa'da da ilginç bir şekilde, iki harb arasında, dünyanın hiçbir yerinde, ne Çin'de ne Hind'de ne Orta Şark'ta görülmeyecek bir despotizm (biz artık bunun için despotizm adını da, otoriter rejim adını da kullanmıyoruz), totaliter modeller ortaya çıkmıştır.

İki harb arasında demokrasilerin iflas ettiği teorik olarak da ileri götürülmüştür, bu nedenle artık beşeriyet demokrasilerle değil, tanrısal liderlerle ve kuvvetli partilerle, bütün halkın birliği ile, sınıfların yok olması ile, yani sınıfsız bir toplumla idame edebilir fikri çok hâkim olmuştur. Fert, millet ve devlet için vardır. Bu entegrist milliyetçiliktir.

İki harb arasında kıta Avrupası, 200 yıldır monarşilerin otoritesini yıkarak verdiği mücadeleyi, tarihî oluşumunu, aslında çok da eski olmayan geleneğini reddetmektedir.

Maalesef diktatörlükler dönemi başlamıştır. Böyle bir yapı içerisinde Türkiye'nin, yani o zamanki Kemalist Cumhuriyet'in tek partili rejimi yaşamasına rağmen, bu totaliter yapıya zihnen ve kurumsal olarak girmediğini belirtmek gerekir. Mesela cemiyet içinde farklı fikirler konuşulabiliyor, ayrıca CHP milletvekilleri öğleden sonraki meclis oturumundan evvel, sabah aynı salonda grup toplantılarında farklı fikirler etrafında münakaşa edebiliyordu. Polis rejimi hâkimdi, lakin din konusunda Kemalizm hassas noktaları aşmayacak kadar temkinliydi.

Elimizde o dönemde bilhassa Doğu Anadolu'da açılan gizli medreseler hakkında esaslı bir rapor veya araştırma yok, fakat katledilen Turan Dursun'un *Kulleteyn*[127] adlı hatıratında bile gördüğümüz kadarıyla bu tip medreseler yaşıyordu. Ayrıca cumhuriyet devriminde de çok yüksek mevkilerde buraların mezunlarını görebildik. Herhalde Kur'an kursları bir şekilde gizli veya açık devam ediyordu. Asıl tarikatların adabı ve ritüeli babadan oğula, amcadan yeğene geçmiştir. Şüphesiz ki İslam Sovyetler Birliği'nde de kilise tipinde bir örgütlenmeye ve ruhban sınıfına ihtiyaç duymadan yaşamıştır. Türkiye'de bunların yaşaması çok daha olasıdır. Hemen 1950'den sonra artan reaksiyoner, fundamentalist hareketler bunu ispatlıyor. Celal Bayar ve Adnan Menderes bu yüzden bir kanun[128] çıkarmak zorunda kaldılar; bu, Atatürk'ü ve ilkelerini korumak noktasında 1950 rejiminin attığı önemli bir adımdır ve paralardan, pullardan İsmet İnönü'nün portrelerinin kaldırılmasıyla birlikte düşünülmelidir. Bu reaksiyonu her devrimden sonraki gel

127 Turan Dursun, *Kulleteyn*, Kaynak Yayınları, İstanbul, 2017.
128 Atatürk Aleyhine İşlenen Suçlar Hakkında Kanun, *Resmi Gazete,* Kanun No: 5816, sayı 7872, 31 Temmuz 1951.

git hareketlerine benzeyen bir dalga olarak ele alan Taner Timur'u da burada zikretmeliyim.[129]

Her şeye rağmen şunu söylemek gerekir ki, Orta Avrupa'da, Almanya'da, İtalya'da başlayan, İspanya'da kanlı bir şekilde zafere ulaşan totaliter, faşist yapı, Balkanlar'a sıçramıştır. Balkan ülkeleri de bir bakıma Almanları beklemiştir. Yunanistan, Arnavutluk, Romanya ve Bulgaristan bu sistemi kabul etmiştir.

İki harb arası dönem dediğimiz zaman, bundan Avrupa'nın artık eski rolünü kaybetmesi, nöbetini başka unsurlara devretmesi, kendinin de kabuk değiştirmesi anlaşılıyor. Bu bir çöküntü, bir kaybolma mıdır? Hayır... Avrupa her şeye rağmen dünyaya damgasını vurmuştur ve bundan sonraki çağlara da vuracaktır. Amerika ekonomik üstünlüğü alabilir ama sonuçta kökeni Avrupa'dır ve rolü ancak Avrupalılaştığı ölçüde kuvvetlenmektedir. Bunun dışında Avrupa önemli bir kabuk değişikliği geçirmektedir. Müesseselerinde ve yorumlarında bu değişiklik göze çarpmaktadır. Ve o yüzden Avrupa yine öncü bir rol oynamaktadır. Bugün gördüğümüz gibi insan hakları konusunda Avrupa gerçekten samimi bir kıtadır. Bunu artık politikanın ötesinde bir mesele olarak benimsemektedir, çünkü bu konuda büyük badirelerden geçmiştir. Bazı müesseselerin insana tarihin ve Tanrı'nın lütfu olarak değil de doğrudan doğruya toplum bilinciyle ve toplumun yaşadığı hayatla geldiğini görmüştür. Birtakım müesseselerinin bedelini iki asırdır bu kıta çok büyük bedelle ödemektedir. Ama öte yandan da bu yeni görüş ve propagandayı diğer ülkelere nüfuz etmek için de kullanmaktadır.

---

129 Taner Timur, *Türk Devrimi ve Sonrası*, İmge Kitabevi Yayınları, İstanbul, 2013, s. 323.

Bu kıta iki harbin arasında önemli bir değişim geçiriyordu. Bu çok önemli bir şey, aslında değişim sırf harble değildir; harb değişimi hızlandırmıştır. Ama değiştirildiğinde de ebedî ve mutlaka kalıcı olacağına iman edilemezdi.

Dünyada Atatürk

Bu konunun ve başlığın çok iyi araştırıldığı kanaatinde değilim. Mesela başta Lloyd George'a daha sonra ise Churchill'e atfedilen "100 yılda bir, bir dâhi gelir; Küçük Asya'dan çıkacağını ben nereden bilirdim?" sözü hâlâ belgelendirilmemiştir. Bu isimlerin ikisi de başbakan olduklarından konuşmaları toplanmıştır. Bunu araştırmak o kadar da zor değildir. Bunun dışında Churchill dünyada saygın bir siyasetçi idi, dünya lideriydi, vefatından sonra hakkında söylenenler ortadadır ve başardıkları nedeniyle uluslararası alanda büyük bir saygınlığı vardı.

İngilizlerin muhafazakârı da, liberali de aslında ideal demokratik tavırdan uzaktır. Yukarıda daha ayrıntılı bahsettiğimiz gibi, 1936 Haziranı'nda Hitler'in Berchtesgaden'deki karargâhını ziyaret eden Lloyd George'un imzalı fotoğrafları basına yansımıştı. Lloyd George'un Hitler'i "dâhi, yetenekli, tanıdığı en ilginç devlet adamı" diye öven konuşmaları ortadadır. 1914 ve 1920'den itibaren karşısında ideallerimiz ve vatan için çarpıştığımız ordular kadar, 1914'te maalesef yanımızdaki orduların ideolojik niteliği ve 1920'den itibaren karşımızdaki dünya liderleri böyle adamlardır. Fakat bir arada yaşamak, İkinci Dünya Savaşı'nda barış içinde olmak, Churchill ile yakınlaşmak politikasına başlandığında, yetersiz silah yardımına rağmen Müttefiklerin yanında savaşa girmemiz isteği reddedildi. Onlarla savaşmamak akil bir davranıştır, yerindedir.

Gazi Mustafa Kemal Paşa'nın 1 Şubat tarihli
Time dergisine kapak olan fotoğrafı, 1927.

Atatürk Anılarda ve Hafızada Nerede?

Milletler ve Türk milleti de büyük adamlarını kolay unutmaz. Burada belki şöyle bir sorun var, yani bir çıkıntı var: Zaman zaman belirli çevrelerde Kemalist dönemin değerlendirilmesi, yani Atatürk döneminin değerlendirilmesi babında pek de tarihî hakikate, tarihçi düşünceye uymayan ters yorumlarla bir tahfif dönemi yaşandı. Bazı olaylar abartıldı, bazıları tamamıyla uyduruldu. Mesela laiklik anlayışı nerdeyse Sovyetler Birliği'ndeki Stalinist dönemin ateist uygulamalarına paralel bir şekilde ve derecede yorumlandı. Bu yanlış ve dehşet bir düşünce sapması. Türkiye çok zor bir memlekettir. Her şeyden evvel insan unsuru çökmüştü. Bir imparatorluk parçalanmış ve imparatorluğun ana unsuru çok büyük kayıplar vermişti. Ne Balkan milletleri (ki 1912'de çıktı elimizden, onu da bir nevi Birinci Dünya Savaşı'na bağlayarak değerlendirebiliriz) ne de Orta Doğu toplumları bu kadar büyük insan kaybına uğramıştır. Münevver, zanaatkâr ve çiftçi eksiği vardı, inanılmaz hastalıklar vardı. Maalesef Küçük Asya'nın tahrip edilmiş bir yapılanması vardı. Bunu coğrafya ve sosyal değişim yaratıyordu. Bu hastalıklar literatürde sıtma, verem diye geçip gidiyor. Hâlbuki bütün açılan geleneksel toplumlarda görüldüğü gibi bir yerlerden bulaşagelen bir frengi de bu listede vardı. Bu sorunların çözülmesi söz konusuydu; sanayi, Balkanlar, Kuzey Suriye ve Çukurova'da yoğunlaşmıştı. Bunların bir kısmı elimizde kalmıştı ama asıl verimli bölgeler gitmiş, bütün Suriye-Filistin bölgesi bir anda elimizden çıkmıştı. Bu yıkımın tazmini, yerine konması gibi bir süreç yaşanmamıştı ve Balkanlar için de aynı şey geçerliydi. Demir yolu ağımızın önemli bir kısmı kıyılara paralel ve 19. asır sonunda döşenen Orta Anadolu demir yollarıydı. Bunların Suriye kesimi tamamen elden çıkmıştı. Dolayısıyla burada bir kopukluk var. Birdenbire mamur merkezler, Anteb, Kilis gibi yerler sınır şehirleri haline gelmişti. Sınır şehri o zamanlarda ticaretin ve sanayinin tıkandığı, eridiği yer demektir. 1950'den evvel sınır şehri demek, nerede olursa olsun geriliğe mahkûmdur, fakir olur. Belirli zanaatlar ve eğitim gelişemez, var olan durur. Mesela Almanya'nın Saarbrücken'i veya Fransa'nın Alsace-Lorraine havzasının önü kapalıydı ve gelişemezdi. Öte yandan birdenbire elinize bir Kars geçiyor. Kars bizden evvel 40 yıl Çarlık Rusyası'na geçmiş, demir yollarıyla o teknoloji içinde Rusya'ya entegre olmuş; bize geldiği an kullanılamıyor, çünkü artık sınır şehriydi.

Kuşkusuz yurdun dört bucağı Akdeniz ve Karadeniz'i, Erzurum ve Edirne'yi birbirine bağlayan bir şebeke Cumhuriyet devrinin eseridir, 2815 km'lik eklenmeyle sağlandı. Elbette bu hatlar devraldığımız gibi çağdaş Avrupa teknolojisine paralel mükemmellikte değildi, ihtiyacı karşılamazdı. O devirde yoğun bir ulaşım talebini karşılayacak durumda değildi. Aslında 15 milyonluk bir ülke için çok geniş ve sık dokulu bir ağ düşünmek mümkün değildir. Türkiye bu masrafı karşılayacak durumda değildi. Ama devlet demir yolları o günden bugüne ihtiyacı karşılayacak bir yapısal değişime ve mükemmeliyete ulaşamadı. En mükemmel demir yolu genel müdürümüzün Kurtuluş Savaşı'nda bu görevi büyük başarıyla yerine getiren Albay Behiç olması (sonraki Budapeşte ve Vichy hükûmetleri nezdindeki büyükelçimiz Behiç Erkin) sonraki idari yapı için pek övünülecek bir durum olmasa gerek. 1950'den sonra sınırsız bir kara yolculuğuna geçildi. Oysa bu yetersiz kalmaya mahkûm bir şebekedir, modernleşen bir demir yolu ağıyla tamamlandığı takdirde bir anlam ifade eder. (1950-2003 arasında 943 km kadar demir yolu hattı eklenebilmiştir ki bu arada Türkiye kara yollarının ne yapılırsa yapılsın ihtiyacı karşılamayacak bir trafik sorunuyla yüz yüze geldiği malûmdur.)

Atatürk devri hakkında ezbere tarih yazılıyor, yorumlar yapılıyor. "Çiviyi çiviye mi çakmış, 1950'den sonra yapılmış..." Kimse ne 1950'den sonrasını inkâr etsin, ne Demirel devrini inkâr etsin (sanayileşme ve alt yapı açısından), ama 1930'ları da doğru değerlendirsin. Açıkçası büyük bir sağduyu da var, bugün Atatürk'ü seven, anlayan insanlar daha eğitimli. Ondan sonraki kuşaklar ve bu toplum Gazi'ye sahip çıkıyor ve daha iyi değerlendiriyor.

Atatürk, Türk tarihinin çok önemli lideridir. Bu sadece Türkiye açısından değildir. Mesela Türkî cumhuriyetlerin tarihi için de bu böyledir. O dönemin Sovyetler'inde yerel komünist partilerde Atatürk ismi saygıyla anılan bir liderdi. Bizde böyle Atatürkçü ya da anti Atatürkçü birtakım dalgalar olmasına rağmen, oralarda üzerinde çok birleşilen bir portreydi.

Tarihin akışını değiştiren, ona mührünü vuran veya büyük tehlikelere mâni olan liderler her memlekette çıkmazlar. Dolayısıyla Türkiye'ninki de az olacaktır. Nitekim Türklerin büyük mareşalleri, büyük devlet adamları her asırda vardı. Fakat Atatürk dünya tarihinin de nadiren gördüğü bütünleyici bir yönetici, bir dehadır.

Bugün halen özlemle anılıyorsa ve gönülden seviliyorsa bu, beyhude değildir...

20. Yüzyılda Atatürk

20. yüzyılın sonunda Sovyetler Birliği ve ona bağlı Doğu Avrupa'da sosyalist rejim âdeta göz açıp kapayıncaya kadar iflas etti. İlk safha Doğu Almanlarının kendi pasaportlarıyla Çekoslovakya ve Macaristan üzerinden Yugoslavya ve Avusturya yoluyla Almanya ve nihayet kitleler halinde Berlin'e geçmeleri ile oldu. Bu kitlevî bir geçişti, ardından da Berlin Duvarı delindi. Bu vakte kadar Sovyetler Birliği sinyali vermişti. Bugünkü manzaraya baktığımız zaman şunu görüyoruz: Sovyet Rusya sosyalizmi terk etmiş, âdeta kapitalizmden kapitalizme geçişin en zor ve ıstıraplı yolunu tercih etmiş sayılıyordu.

Gelen kapitalizm amansızdır; çalışan kitlelerin ve halkın hayatında çok büyük sarsıntılar yaratmıştır. 1917'nin sonunda yeni Sovyet Rusya fevkalade büyük bir harabe devralmıştı. Halkın % 90'a yakını okuryazar değildi, büyük bir adaletsizlik vardı, sanayi 19. yüzyılın son çeyreğinde gösterdiği gelişmelere rağmen hâlâ bütün Avrupa'nın gerisindeydi. Belki ellerinde endüstriyel cemiyet adına kullanabilecekleri tek şey demir yollarıydı.

Hiç şüphesiz ki Lenin'in *NEP* politikasıyla harbden sonraki iktisadi seviyeye yaklaşabilecek bir özel teşebbüs dönemi yaşadılar. Ama ardından da 1926'dan itibaren bu rejime son verildi ve Stalinist döneme girildi.

Stalinizm Sovyetler Birliği'nin bağımsızlığını koruduğu bir devirdir. Şurası açıktır ki Sovyet Rusya, Batı'da III. Reich Almanyası gibi bir kuvvetin büyümesi ve yayılmasını önlemiş, böyle bir dönemi ebediyen kapatmıştır. Halkı sanayi cemiyetinin şartlarına hazırlamıştır, eğitimi geliştirmiştir, nitelikli olmasa da sağlık hizmetlerini yaymıştır. Sovyetler

Birliği, atom gücünü Rusya'ya sokmuştur, uzay teknolojisinde gelişmeler sağlamıştır ama güneyli normal bir İtalyan küçük burjuvazisinin hayat seviyesine ulaşmak için bile Sovyetler Birliği'nin Kruşçev devrini beklemesi icap etmiştir ve çok açıktır ki bir de Afganistan macerası ve Afrika'daki etkinlikler gibi yayılmacılık bu ekonomiyi çökertmiştir. Çünkü sosyalizmin tahammül edemeyeceği alan silahlanma harcamalarıdır.

Dolayısıyla yıkılan sosyalizmin ardından ortada kalan enkaz ve miras hiçbir şekilde bu yeni döneme, bu 70 yıllık döneme romantik gözlerle bakılmasını sağlamıyor. Fakat şurası bir gerçektir ki Sovyet komünizmi çökerken, onun yanında Çin kendine özgü bir dejenerasyona girdi ve süratle kapitalizme yöneldi. Çinli işçi sınıfını sadece köle gibi çalıştıran değil dış sermayeye köle gibi satan bir komünist rejime dönüştü. Çin komünizmi yabancı sermayeye kitleleri âdeta ucuz fiyata kiralamaktadır. Çin'de tarihte sefalet yok demek değil, fakat ilk defadır ki işçi sınıfının üyeleri bu sefalet ve düşük ücretler yüzünden fabrikalara kapalı, köle gibi çalışan insanlar olarak intihara kadar gidiyorlar. Çin ve Sovyet Rusya sistemi birlikte bu şekilde çökünce dünyada galiba bir tek romantik sosyalist ülke kaldı, o da Küba. Kuzey Kore'nin ise ne yapacağı ve ne olacağı belli değil. Ne yapmakla ne olmak arasındaki kararı veya tarihin nasıl bir seçim yapacağını merakla ve endişeyle bekliyoruz.

Fakat dünyada sosyalist düşünce ve sosyalizm gerçeği kalkmış değil, daha doğrusu sosyalizmi yaratacak şartlar kalkmış değildir. 1960'lardaki penbe ufuklara rağmen gıda meselesinin halledilmediği, yerkürenin gittikçe açlığa mahkûm olduğu, üstelik insanları sınıf ve millet ayırt etmeksizin ölüme götürecek bir çevre kirlenmesinin olduğu

Atatürk Savarona yatından İstanbul'u izliyor, bu son fotoğraflarından biridir. O yatta 56 gün kaldı ve sonra Dolmabahçe Sarayı'na yerleşti, 1 Haziran 1938.

açıktır. Bazı çok acı dilli jeologlar ve fizikçilerin iddiası şudur ki yakın gelecekte dünya Venüs gezegenine dönüşecek, delinen ozon tabakası asit bulutları yaratacak ve asit yağmurlarıyla mahvolan bir kıtada daha önce öngörülen kötü manzara, yani şimdiye kadar ki fareler ve trilobitlerden başka bir mahlûkun yaşamayacağı öngörüsü dahi bir efsane olarak kalacak.

İsveç gibi çok eski sosyal demokrat iddialı ülkelerde bile bütün ekonomiyi 8 büyük aile yönetiyor. Avusturya ki, 80 yıllık Austro-Marksist (Austromarxism) ülkede hâlâ üniversiteyi ve belirli müesseseleri âdeta İmparator Franz Joseph'in dönemindeki aristokratik kalıplar biçimlendirmektedir.

Daha enteresanı, bugünkü dünya, yani sözde köleliğin mahkûm edildiği dünya Suriye'nin, Orta Doğu'nun veya başka Afrika ülkelerinin göçmenlerinden çocuk denecek yaştaki genç insanları köle ticaretine konu etmektedir ki bu utanılacak bir gelişmedir.

Bütün bu şartlarda sosyalizmin 20. yüzyılda vaad ettiği görevleri yerine getirmediği açıktır. Nitekim bu konuda Avrupa başka bir modaya geri dönmektedir. Troçkizm eski komünist çevrelerde yaygınlaşmaktadır.

20. yüzyılın bütün liderleri iflas eden portreler haline dönüşmektedir. Bunların fonksiyonları kalkmıştır, tarihî portreler haline dönüşmüşlerdir. Fonksiyonları kalkmayan, halen bir sosyal protestonun, bir adalet talebinin sembolü olarak yaşayanların içinde romantik bir portre, devleti yönetmeyen ihtilâlci Che Guevara ve bir devlet adamı vardır ki o da Mustafa Kemal'dir (Atatürk).

Kemalizm hiç şüphesiz ki 1940'lardan itibaren savaş ekonomisine giren, bürokrasinin hiçbir yatırım yapamadığı ve yönetemediği ülkede zecrî ve uyuşuk tedbirlerle idame-i hayat etmeye çalışan Türkiye'de, kendi içinde erimeye başlamıştır. Kemalizm'in kurduğu üniversiteler 1947'de CHP yönetiminden büyük darbe yemiştir. Kemalizm'in getirdiği laik müesseseler veya yıkılan müesseseler çok yanlış ve oyalayıcı bir mürailik içinde yön değiştirmiştir.

Fakat şurası bir gerçek ki Türkiye'de her buhranda Kemalizm tekrar bir umut ışığı olarak her yaştaki insan, her sınıftaki kitleler tarafından benimsenmektedir. Dolayısıyla onu canlı hale getiren Türkiye'nin geçirdiği hızlı değişim ve o değişimde zaman zaman girdiği labirentteki çıkmazlardır. Türkiye gençliği, rengini kaybeden bir tarih anlayışı içinde, bir ara Kemalist inancı terk etse de şimdi Kemalist politika ve özlemle dünyaya bakabilmektedir. Bunun biçimlenmesi ön planda ve belki de yalnız, 1930'lardaki eğitim politikası ve kültürel örgütlenme olmalıdır.

Elbette ordusu, sanayileşmesi, üniversiteleri ve akademik hayatı o dönemin ötesindedir. Ama millî eğitim gerilemektedir, temel müesseseler kendini kaybetmektedir, sayıca artış söz konusudur ama en önemlisi Türkiye'deki ideolojik ve kültürel hayat gerilemektedir. Türkiye etnik bir gerilim çıkmazına girmektedir. Bu gelişmeler de Kemalist rejimi bir yanıyla gerektirmektedir. Kuşkusuz tarihi ve liderleri değerlendirmek bu endişelerin üstünde ve dışında bir süreçtir. Türkiye bulunduğu coğrafyadaki özgün konumunu, gelişmesini ve kimlik değişimini anlamak ve korumak durumundadır.

KAYNAKÇA
(Metinde geçenler)*

Abalıoğlu, Yunus Nadi, *Kurtuluş Savaşı Anıları*, Çağdaş Yayınları, İstanbul, 1978.

Adıvar, Halide Edib, *Inside India,* Londra: Weidenfeld and Nicolson, 1971.

– *Inside India*, New Delhi; New York: Oxford University Press, 2002.

Akar, Nejat, *Bozkır Çocuklarına Bir Umut Albert Eckstein*, Gürer Yayınları, İstanbul, 2008.

Akbay, Cemal, *Birinci Dünya Harbi'nde Türk Harbi: Osmanlı İmparatorluğu'nun Siyasi ve Askerî Hazırlıkları ve Harbe Girişi*, Cilt: 1, Gen. Kur. ATASE Bşk.lığı Yayınları, Ankara, 1970.

Aktar, Ayhan, "Who Sank the Battleship Bouvet on 18 March 1915? The Problems of Imported Historiography in Turkey", *War & Society*, 36:3, 2017, s. 194-216; Türkçesi, "Bouvet zırhlısını mayınlar değil topçularımız batırdı", *#tarih*, İstanbul, Mart 2016.

Ali Fuat Cebesoy'un Siyasi Hatıraları, Vatan Neşriyatı, İstanbul, 1957.

Alp, Sedat, *Hitit Güneşi*, Tübitak Yayınları, Ankara, 2003.

– *Hitit Çağında Anadolu*, Tübitak Yayınları, Ankara, 2001.

Aralov, Semyon İvanoviç, *Bir Sovyet Diplomatının Türkiye Anıları, 1922-1923,* Türkiye İş Bankası Kültür Yayınları, İstanbul, 2008.

---

* Çevirisi yapılmış yabancı dildeki eserlerin Türkçe baskısı da zikredildi.

Armstrong, Harold C., *Grey Wolf*, Barker, Londra, 1932, Türkçesi *Bozkurt-Mustafa Kemal*, Kaynak Yayınları, İstanbul, 2017.
Aşgın, Sait, *Cumhuriyet Döneminde Doğu Anadolu'ya Yapılan Kamu Harcamları (1946-1960)*, Atatürk Araştırma Merkezi, Ankara, 2000.
Atatürk, Mustafa Kemal, *Nutuk*, cilt 1-2, Türk Devrim Tarihi Enstitüsü, MEB Basımevi, İstanbul.
– *Zabit ve Kumandan ile Hasb-ı Hâl*, İstanbul, Minber Matbaası, 1334 [1918].
– *İzbrannıye reçi i vıstupleniya*, red., vstupit. Statya A. F. Millera, 1966.
– *Put' novoy Turtsii (Yeni Türkiye'nin Yolu)*, T. I- IV. (IV Pobeda novoy Turtsii 1921-1927). Moskova, 1929-1934.
– *Reçi i vıstupleniya K. Atatürka (K. Atatürk'ün konuşma ve tebliğleri)*, İnstitut turetskoy revolutsii, 1945-1959.
Atay, Falih Rıfkı, *Ateş ve Güneş*, Pozitif Yayınları, İstanbul, 2008.
– *Çankaya*, Pozitif Yayınları, İstanbul, 2008.
– *Zeytindağı*, Pozitif Yayınları, İstanbul, 2016.
Avrutina, Apollinaria, "Sovyet Rus Edebiyatı Sürecinde Atatürk İmgesi", *Gazi Türkiyat*, Bahar 2015/16, s. 187-194.
Ayalon, Ami, *Language and Change in the Arab Middle East: The Evolution of Modern Arabic Political Discourse*, Oxford University Press, 1987.
Aydemir, Şevket Süreyya, *Enver Paşa-Mekadonya'dan Orta Asya'ya*, 3 cilt, Remzi Kitabevi, İstanbul.
– *Menderes'in Dramı*, Remzi Kitabevi, İstanbul, 2016.
– *Suyu Arayan Adam*, Remzi Kitabevi, İstanbul, 2016.
– *Tek Adam*, cilt I-II-III, Remzi Kitabevi, İstanbul, 2017.
Bala, Mirza, *Azerbaycan Türk Matbuatı* (1875. yıldan 1921. yıla kadar matbuatımız) Azerbaycan Halk Tasarrufat Şurası-Poligraf Şubesi Neşriyatı, Bakü Birinci Hükûmet Matbuası 1922.
Bardakçı, Murat, "Bir dua hatıra", *Habertürk*, 30 Ekim 2017.
– *Enver*, İş Bankası Kültür Yayınları, İstanbul, 2015.
– *Safiye*, İş Bankası Kültür Yayınları, İstanbul, 2017.

Barkan, Ömer Lütfi, "Türkiye'de Din ve Devlet İlişkilerinin Tarihsel Gelişimi", *Cumhuriyetin 50. Yıldönümü Semineri*, Türk Tarih Kurumu, Ankara, 1975.

Bayar, Celal, *Atatürk'ten Hatıralar*, Sel Yayınları, İstanbul, 1955.

– *Ben De Yazdım-Milli Mücadele'ye Gidiş*, (8 Cilt), Bahar Matbaası, İstanbul, 1972.

Bayur, Yusuf Hikmet, *Atatürk Hayatı ve Eseri*, cilt I, (Doğumundan Samsun'a çıkışına kadar), AKDTYK, Ankara, 1990.

– *Türk İnkılap Tarihi*, cilt 1-2-3, Türk Tarih Kurumu, Ankara, 1991.

Bolay, Süleyman Hayri, "Bir Filozof Müfessir M. Hamdi Yazır", *M. Hamdi Yazır Sempozyumu 4-6 Eylül 1991*, Türkiye Diyanet Vakfı Yayınları, Ankara, 1993.

Boratav, Korkut, *Türkiye İktisat Tarihi 1908-2009*, 22. Baskı, İmge Kitabevi, Ankara, Aralık 2016.

Boysan, Aydın, Burak Boysan, *İki Nesil Bir Şehir*, Doğan Kitap, İstanbul, 2012.

Bozok, Salih ve Cemil, *Hep Atatürk'ün Yanında*, Çağdaş, İstanbul, 1985.

Carver, Field Marshal Lord, *The National Army Museum Book of the Turkish Front 1914-18: The Campaigns at Gallipoli, in Mesopotamia and in Palestine*, (Pan Grand Strategy Series), Londra, 2004.

Cebesoy, Ali Fuat, *Milli Mücadele Hatıraları*, Temel Yayınları, İstanbul, 2007.

– *Moskova Hâtıraları*, Kültür Bakanlığı, Ankara, 1982.

Criss, Bilge, *İşgal Altındaki İstanbul*, İletişim Yayınları, İstanbul, 2014.

Cumhuriyet gazetesi, 30 Ekim 1933.

Derleme Sözlüğü, Türk Dil Kurumu, Ankara, 1975.

Dimitriadis, Vasilis, *Bir Evin Hikâyesi-Selânik'teki Mustafa Kemal Atatürk'ün Evi ve Ailesi Hakkında Türkçe ve Yunanca Belgeler*, Çeviri Gülsün Aksoy-Aivali, Türk Tarih Kurumu, Ankara 2016.

Doğan, Sema (der.), *Prof. Dr. Semavi Eyice Külliyatı-Türk Tarih Kurumunda Yayımlanmış Çalışmaları*, Türk Tarih Kurumu, Ankara, 2015.

Dursun, Turan, *Kulleteyn*, Kaynak Yayınları, İstanbul, 2017.

Eckstein, Albert, *Anadolu'da Bir Çocuk Doktoru: Albert Eckstein*, Çeviren: Nejat Akar, Pelikan Yayınları, Ankara, 2008.

– *Anadolu Notları 1937*, hazırlayanlar Nejat Akar, Pelin Yargıç, Ankara Üniversitesi Basımevi, Ankara, 2008.

Efdal, As, *Cumhuriyet Dönemi Ulaşım Politikaları,* Atatürk Araştırma Merkezi, Ankara, 2013.

Erdem, Özgür, *Atatürk'ün Meclis Açılış Konuşmaları*, İleri Yayınları, İstanbul, 2017.

Erden, Ali Fuad, *İsmet İnönü*, Bilgi Yayınevi, İstanbul, 1999.

Erduran, Behçet Sabit, *Cephedeki Bir Doktorun Gözünden 1915 Baharında Çanakkale*, Türkiye İş Bankası Kültür Yayınları, İstanbul, 2015.

Ergenç, Özer, *XVI. Yüzyılda Ankara Konya*, Tarih Vakfı Yurt Yayınları, İstanbul, 2012.

Erickson, Edward J., *Mustafa Kemal Atatürk*, Osprey Publishing, 20 Ağustos 2013; Tükçesi, *Mustafa Kemal Atatürk*, Türkiye İş Bankası Kültür Yayınları, İstanbul, 2015.

Fotoğraflarla Atatürk-Atatürk en Photos-Atatürk in Photos, Suna ve İnan Kıraç Vakfı Yayınları, İstanbul, Ağustos 2017.

Fotoğraflarla Atatürk-Doğumundan Cumhuriyetin İlânına Kadar, Hayat Kitapları, 1964.

Frunze, Mihail Vasilyeviç, *Frunze'nin Türkiye Anıları*, Düşün Yayıncılık, İstanbul, 1996.

Furtwangler, Wilhelm, "Der Fall Hindemith," *Deutsche Allgemeine Zeitung*, Berlin, 25 Kasım 1934.

Gökalp, İskender, "Quelques Remarques Sur la Politique Ferroviaire de la Période Jeune-Turque", Première Rencontre Internationale sur I'Empire Ottoman et la Turquie Moderne, Institut National des Langues et Civilisations Orientales, Maison des Sciences de I'Homme, 18-22 Ocak 1985, *VARIA TURCICA*, XII, éditions ISIS, Istanbul-Paris, 1991.

Gökçen, Sabiha, *Atatürk'le Bir Ömür*, Oktay Verel, Altın Kitaplar, İstanbul, 1984.

Görgülü, İsmet, *On Yıllık Harbin Kadrosu (1912-1922). Balkan-Birinci Dünya ve İstiklal Harbi*, Türk Tarih Kurumu, Ankara, 2014.

Graziani, Albert, *La Bulgarie*, sayı 3085, 1 Aralık 1933.

Güler, Ali, *Askeri Öğrenci Mustafa Kemal'in Notları (Arşiv Belgelerinin Işığında)*, Atatürk Araştırma Merkezi, Ankara, 2001.

– *Atatürk'ün Saklanan Seceresi*, Yeditepe Yayınları, İstanbul, 2016.

– *Bir Vedanın Ardından - Atatürk'ün Ölümü Cenaze Töreni ve Defin İşlemi*, Atatürk Araştırma Merkezi, Ankara, 2009.

– *Sarı Paşa-İnsan Atatürk*, Berikan Yayınevi, 2007.

Hazai, György, *Das Osmanich-Türkische im XVII Jahrhundert. Untersachungen an den Transkriptiontexten von Jakob Nagy de Harsany, The Hague*, 1973.

Hitzel, Frederic, Jacques Perot, Robert Anhegger, *Hatice Sultan ile Melling Kalfa-Mektuplar*, Çev. Ela Güntekin, Tarih Vakfı Yurt Yayınları, İstanbul, 2001.

İğdemir, Uluğ (haz.), *Sivas Kongreleri Tutanakları*, Türk Tarih Kurumu, Ankara, 1969.

– *Atatürk'ün Yaşamı*, cilt I (1881-1918), AKDTYK, Ankara, 1988, 1. Baskı TTK, Ankara, 1980.

İlgürel, Mücteba, *Milli Mücadele'de Kongreleri*, Atatürk Araştırma Merkezi, Ankara, 1999.

İnalcık, Halil, *Atatürk ve Demokratik Türkiye*, Kırmızı Yayınları, İstanbul, 2017.

İnan, Ayşe Afet, *M. Kemal Atatürk'ün Karlsbad Hatıraları*, Türk Tarih Kurumu Yayınları, Ankara, 1991.

– *Türkiye Cumhuriyeti ve Türk Devrimi*, Türk Tarih Kurumu, Ankara, 1977.

İnönü, İsmet, *Hatıralar*, Sabahattin Selek, Bilgi Yayınevi, İstanbul, 2006.

Jevakhoff, Alexandre, *Kemal Atatürk-Batı'nın Yolu*, İnkılap Kitabevi, İstanbul, 2018.

Mehmet Kanar, *Ulûm-ı İktisadiyye ve İçtimaiyye Mecmuası*, Doğu Kitabevi, İstanbul, 2015.

Karabekir, Kâzım, *İstiklal Harbimiz*, Türkiye Basımevi, İstanbul, 1960.
– *İstiklal Harbimiz*, Yapı Kredi Yayınları, İstanbul, 2016.
– *Hayatım*, Yapı Kredi Yayınları, İstanbul, 2017.
– *İttihat ve Terakki Cemiyeti*, Yapı Kredi Yayınları, İstanbul, 2017.
– *Birinci Cihan Harbi'ne Nasıl Girdik?*, Emre Yayınları, İstanbul, 2000.

Karaosmanoğlu, Yakup, *Ankara*, Birikim Yayınları, İstanbul, 1981.

Kaya, Önder, "Edirnekapı Mezarlığı ve Bruno Taut", *Şalom,* 15 Mayıs 2013.

Kemal, Yaşar, *Demirciler Çarşısı Cinayet-Akçasazın Ağaları*, Yapı Kredi Yayınları, İstanbul, 2017.

Kılıç, Ali, *Atatürk'ün Hususiyetleri*, Sel Yayınları, İstanbul, 1955.

Kinross, Lord, *Atatürk-Bir Milletin Yeniden Doğuşu*, Altın Kitaplar, İstanbul, 2016.

Kreiser, Klaus, *Atatürk*, İletişim Yayınları, İstanbul, 2010.

Kuneralp, Zeki, *Sadece Diplomat: Anılar-Belgeler*, Eren Kitap, İstanbu, 1999.

Kutay, Cemal, *Prens Sebahattin Bey, Sultan II. Abdülhamid, İttihat ve Terakki,* Tarih Yayınları, İstanbul, 1964.

Lewis, Bernard, *Modern Türkiye'nin Doğuşu*, Arkadaş Yayınevi, Ankara, 2017.

Lowry, Heath W., "Turkish history: Or whose sources will it be based? A casestudy on the burning of İzmir", *Osmanlı Araştırmaları*, No: IX'dan ayrı baskı, İstanbul, 1989.

Mango, Andrew, *Ataturk: The Biography of the founder of Modern Turkey*, The Overlook Press, Türkçesi *Atatürk-Modern Türkiye'nin Kurucusu*, Remzi Kitabevi, İstanbul, 2016.

Mayakon, Müştak, *Yıldız'da Neler Gördüm-Mabeyn Kâtibinin Kaleminden Abdülhamid ve Çevresi*, DBY Yayınları, İstanbul, 2010.

Menzel, T., "Der 1. Türkologische Kongress in Bakü (26.11. bis 6.111.1926)", *Sonderabdruck aus der Zeitschrift Der Islam*, Band XVI, Walter de Gruyter und Co. Berlin ve Leipzig.

Meray, Seha, *Lozan Barış Konferansı: Tutanaklar-Belgeler*, 3 Cilt (8 Kitap), Ankara Üniversitesi SBF Yayınları, Ankara, 1969-1973.

Milton, Giles, *Paradise Lost: Smyrna 1922*, Hodder & Stoughton, 2008. Türkçesi; *Kayıp Cennet, Smyrna 1922*, Hoşgörü Kentinin Yıkılışı, Şenocak Yayınları, 2009.

Molho, Rena, *Selonica and Istanbul: Social, Political and a Cultural Aspect of Jewish Life*, ISIS, 2010, Türkçesi *Selanik Yahudileri 1856-1919,* Bağlam Yayınları, İstanbul 2015; Çağrı Erhan, *Antisemitism in Greek Society*, MCSRS, Ankara, 2002.

Mustafa Celaleddin Paşa, *Les Turcs Anciens et Modernes*, Impr. Courrier D'orient, 1869.

Müderrisoğlu, Alptekin, *Kurtuluş Savaşı'nın Mali Kaynakları*, Atatürk Araştırma Merkezi, Ankara, 2013.

Nuri Köstüklü, *Millî Mücâdele'de Denizli, Isparta ve Burdur Sancakları*, Atatürk Araştırma Merkezi, Ankara, 1999.

Okyar, Osman, Mehmet Seyitdanlıoğlu, *Atatürk, Okyar ve Çok Partili Türkiye / Fethi Okyar'ın Anıları*, Türkiye İş Bankası Kültür Yayınları, İstanbul, 2017.

Olaylarla Türk Dış Politikası 1919-1973, Ankara Üniversitesi Siyasal Bilgiler Yayınları, Ankara, 1977.

Ortaylı, İlber, "İkinci Viyana Kuşatması'nın İktisadi Sonuçları Üzerine", *Osmanlı Araştırmaları-Journal of Ottoman Studies II*, 1981.

– "Der Balkanpakt in der auBenpolitischen Konzeption Kemal Atatürks", *Friedenssicherung in Südosteuropa, Föderationsprojekte und Allianzen seit dem Beginn der nationalen Eigenstaatlichkeit*, Herausgegeben von Mathias Bernath und Karl Nehring, Hieronymus Verlag, München, 1985.

– "İstanbul Arkeoloji Müzesi ve Ardındaki Gelenek", *İstanbul'dan Sayfalar*, Turkuaz Kitap, İstanbul, 2009.

– "Reports and Considerations of Ismail Bey Gasprinskii in *Tercüman* on Central Asia", *Cahiers du monde russe et soviétique*, c. 32, Yıl 1991.

– İsmail Küçükkaya, *Cumhuriyet'in İlk Yüzyılı (1923-2023),* Kronik Kitap, İstanbul, 2017.
– *Osmanlı İmparatorluğu'nda Alman Nüfuzu*, Timaş Yayınları, 12. Baskı, İstanbul, 2013.
– *İmparatorluğun En Uzun Yüzyılı*, Timaş Yayınları, İstanbul, 2017.
Öz, Mehmet Ali, *Atatürk'ün Ailesi-Osmanlı Arşiv Belgelerine Göre Atatürk'ün Soykütüğü*, Asi Kitap, 2. Baskı, İstanbul, 2017.
Özçelik, İsmail, *Millî Mücadele'de Güney Cephesi, Urfa, (30 Ekim 1918-11 Temmuz 1920)*, Atatürk Araştırma Merkezi, Ankara, 2003.
Özkaya, Yücel, Mehmet Saray, Mustafa Balcıoğlu, Cezmi Eraslan (der.), *Gazi Mustafa Kemal Atatürk'ün Hayatı*, Atatürk Araştırma Merkezi, Ankara, 2015.
Özmakas, Yavuz, *Metropolit Efendi: Rum Metropoliti Hrisostomos'un İzmir Günleri*, Şenocak Yayınları, 2008.
Öztuna, Yılmaz, *Osmanlı Devleti Tarihi I-Siyasi Tarih*, Ötüken Neşriyat, İstanbul, 2012.
Paruşev, Paraşkev, *Demokrat Diktatör Atatürk*, Etkin Yayınevi, İstanbul, 2011.
Reisman, Arnold, *Nazizm'den Kaçanlar ve Atatürk'ün Vizyonu*, Çev. Gül Çağalı Güven, Türkiye İş Bankası Kültür, Yayınları, İstanbul, 2011.
Rogan, Eugene, *The Fall of the Ottomans: The Great War in the Middle East*, Basick Books, New York, 2015.
J. J. Rousseau, *İnsanlar Arasındaki Eşitsizliğin Kaynağı*, Say Yayınları, İstanbul, 2016.
Seyyid Bey, *Hilafet'in Mahiyet-ı Şeriyyesi*, Ankara, Türkiye Büyük Millet Meclisi Matbaası, N.D. (1923). Bu eseri İsmail Kara, "Hilâfetin Şer'î Mahiyeti", adıyla yayına hazırlamıştır, Türkiye'de İslâmcılık Düşüncesi, İstanbul 1987, I, 179-220).
Shaw, Wendy M. K., *Osmanlı Müzeciliği Müzeler, Arkeoloji ve Tarihin Görselleştirilmesi*, çev, Esin Soğancılar, İletişim Yayınları, İstanbul 2004.

Şemseddin Sami, *Kamûs-ul-A'lâm*, Mihran Matbaası, İstanbul 1307 (m.1889).

Şıvgın, Hale, *Trablusgarp Savaşı ve 1911-1912 Türk-İtalyan İlişkileri (Trablusgarp Savaşı'nda Mustafa Kemal Atatürk'le İlgili Bazı Belgeler),* Atatürk Araştırma Merkezi, Ankara, 2006.

Şimşir, Bilal N., "Atatürk'ten elçi Ruşen Eşref Ünaydın'a yönerge (Türk-Arnavut İlişkileri Üzerine)", *Prof. Dr. Ahmet Şükrü Esmer'e Armağan*, Ankara.

– *Türk Harf Devrimi Üzerine İncelemeler*, Atatürk Araştırma Merkezi, Ankara, 2006.

Subtelny, Orest, *Ukraine: A History*, University of Toronto Press, 1992.

Tarama Sözlüğü, Türk Dil Kurumu, Ankara, 2009.

Taşkıran, Cemalettin, *Millî Mücadele'de Kazım Karabekir Paşa*, Atatürk Araştırma Merkezi, Ankara, 1999.

Tekeli, İlhan - Selim İlkin, *Cumhuriyetin Harcı: Köktenci Modernitenin Ekonomik Politikasının Gelişimi*, cilt. 2, İstanbul Bilgi Üniversitesi Yayınları, İstanbul, 2010.

– *Cumhuriyetin Harcı: Modernitenin Alt Yapısı Oluşurken*, cilt. 3, İstanbul Bilgi Üniversitesi Yayınları, İstanbul, 2010.

Tengirşek, Yusuf Kemal, *Vatan Hizmetinde*, Kültür Bakanlığı, Ankara, 1981.

The Post's, September 23, 1936.

Timur, Taner, *Türk Devrimi ve Sonrası*, İmge Kitabevi Yayınları, İstanbul, 2013.

Todorova, Maria, "Obşçopoleznitakasina Midhat Paşa", *Istoriçeski Pregled*, 1972/5.

Todorova, Sv., "Probleme der Kapitalistischen Industrialisierung Bulgariensvom Anfamgdes 20. Jahrhundertsbis zum Ersten Weltkrieg", *Bulgarian Historical Review*, No: 4.

Toprak, Zafer, *Yeni Hayat-İnkılap ve Travma 1908-1928*, Doğan Kitap, İstanbul, 2017.

Tunaya, Tarık Zafer, *Türkiye'de Siyasi Partiler*, 3 Cilt, İletişim Yayınları, İstanbul, 1989.

Tunçay, Mete, *Mesai Halk Şuralar Fırkası Programı 1920,* Ankara Ünivesitesi, Siyasal Bilgiler Fakültesi, Ankara, 1972.

– *Türkiye Cumhuriyeti'nde Tek-Parti Yönetiminin Kurulması 1923-1931*, Tarih Vakfı Yurt Yayınları, İstanbul, 2015.

– *Türkiye'de Sol Akımlar 1908-1925*, cilt 1, İletişim Yayınları, İstanbul, 2009.

Tüfekçi, Gürbüz, *Atatürk'ün Okuduğu Kitaplar*, İş Bankası Kültür Yayınları, İstanbul, 1983.

Türkiye İktisad Kongresi-İzmir, "Başkan Kâzım Karabekir Paşa'nın Latin Harfleri Üzerine Konuşması", Haz. A. Gündüz Ökçün, SBF yay. 262, Ankara 1971.

Ünaydın, Ruşen Eşref, *Atatürk-Tarih ve Dil Kurumları-Hatıralar*, Türk Tarih Kurumu, Ankara, 1954.

Üzen, İsmet, "İngilizlerin Kudüs'ü Ele Geçirmesi ve General Edmund H. H. Allenby'nin Kudüs'e Törenle Girişi (9-11 Aralık 1917)", *Fırat Üniversitesi Sosyal Bilimler Dergisi*, Cilt: 19, Sayı: 2, 2009, s. 329-344.

Velikov, Stefan, *Kemal Atatürk, Kemalist Devrim ve Bulgar Kamuoyu*, A. Ü. 1981-100. Yıl Sempozyumu Bildirisi.

Yasamee, Feroze, *Ottoman Diplomacy: Abdulhamid II and the Great Powers 1878-1888,* Isis Press, 1996.

İNDEKS

C

F

G

H

I-İ

J

K

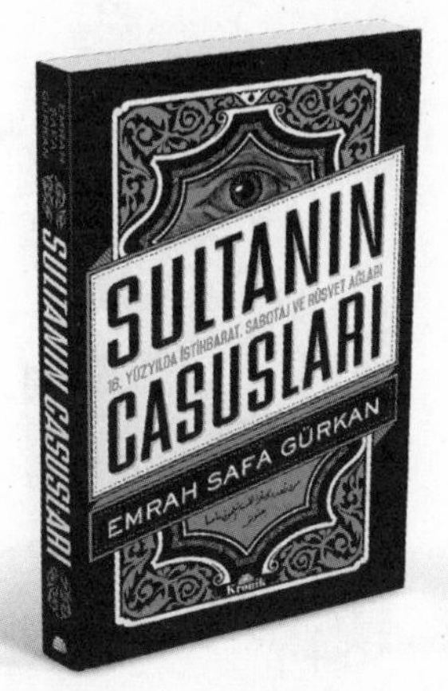

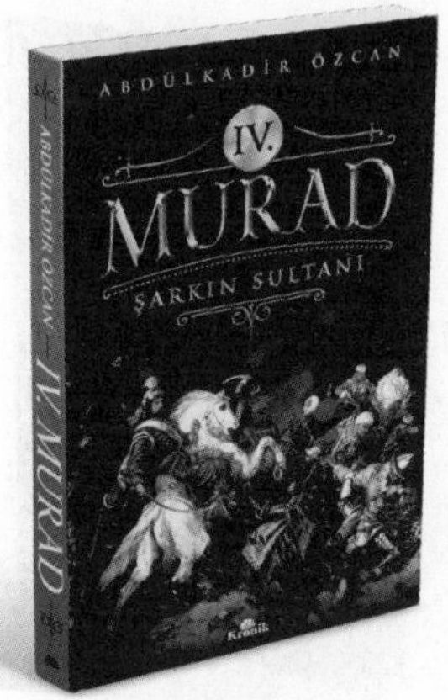

Sultanın Casusları
16. Yüzyılda İstihbarat, Sabotaj ve Rüşvet Ağları

EMRAH SAFA GÜRKAN

IV. Murad
Şarkın Sultanı

ABDÜLKADİR ÖZCAN

Türklerin Altın Çağı

İLBER ORTAYLI

Gökbörü'nün İzinde
Kadim Türklerin Topraklarında

AHMET TAŞAĞIL

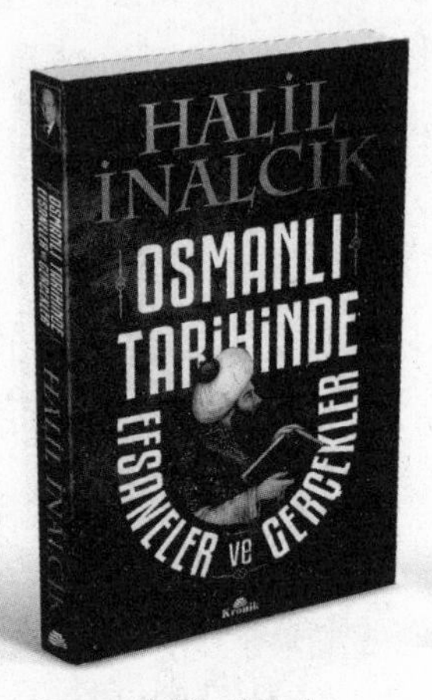

Osmanlı Tarihinde
Efsaneler ve Gerçekler

HALİL İNALCIK

Moğol İstilasına Kadar
Türkistan

V. V. BARTHOLD

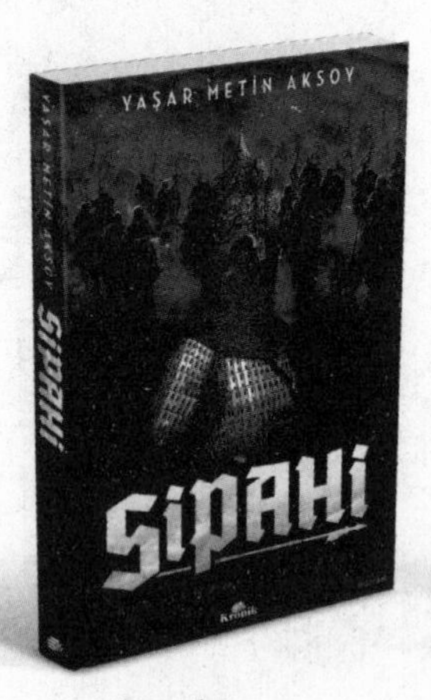

Sipahi
Bir Osmanlı Süvarisi

YAŞAR METİN AKSOY

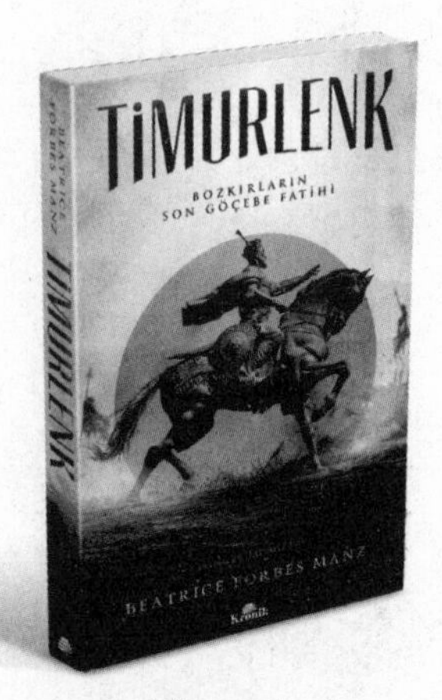

Timurlenk
Bozkırların Son Göçebe Fatihi

BEATRICE FORBES MANZ